C0-ANB-628

A

7 - 47

HISTORIA DE LA
LITERATURA MEXICANA

CARLOS GONZALEZ PEÑA

HISTORIA DE LA LITERATURA MEXICANA

DESDE LOS ORIGENES HASTA NUESTROS DIAS

DECIMA EDICION

CON UN APENDICE ELABORADO POR EL CENTRO DE ESTUDIOS LITERARIOS
DE LA UNIVERSIDAD NACIONAL AUTONOMA DE MEXICO

WITHDRAWN
FAIRFIELD UNIVERSITY
LIBRARY

EDITORIAL PORRUA, S. A.
AV. REPUBLICA ARGENTINA, 15
MEXICO, 1969

Primera edición, 1928

Derechos reservados

Copyright © 1966, por EDITORIAL PORRÚA, S. A.

Av. República Argentina, 15, México 1, D. F.

Queda hecho el depósito que marca la ley

Nº 1684

IMPRESO EN MÉXICO

PRINTED IN MEXICO

A LA MEMORIA DE TODOS LOS ESCRITORES
QUE CON ABNEGACIÓN Y NOBLEZA HAN TRA-
BAJADO DURANTE CUATRO SIGLOS POR LA CUL-
TURA DE MÉXICO.

107415

PREFACIO

Pretendo abarcar en conjunto la literatura mexicana desde sus orígenes hasta nuestros días. Cuatro siglos de historia literaria bien podrían llenar sendos volúmenes; yo he preferido todo resumirlo en uno solo que venga a ser síntesis de la materia tratada y que de ella presente, escuetos, llanos, los lineamientos generales.

Suele formularse a menudo esta pregunta: ¿Existe una literatura mexicana? Y pensando que la respuesta, antes que de argumentaciones sutiles, se desprendería, por sí misma, de una revisión de valores, de una ojeada retrospectiva encaminada a investigar lo que literariamente se ha hecho en México, decidí engolfarme en el pasado.

De la contemplación del pasado han salido estas páginas.

A él volví los ojos, lleno de unción y reverencia. No se me escapaba, ciertamente, la dificultad de penetrar sin tropiezo en el vasto campo inexplorado, para coordinar tantas figuras y sucesos remotos u olvidados, para reunir tantos y tantos datos dispersos. Acaso porque la empresa era ardua, no corresponda en perfección la obra, por lo demás, tan piadosa, tan ardientemente realizada. Téngase en cuenta, sin embargo, en su abono, la intención con que fue escrita; la cual, inspirándose en profundo apego a la tierra nuestra, no ha sido otra que revivir una tradición espiritual de la que debemos gloriarnos y a la que insistentemente hay que conocer y amar.

México, 1928.

BIBLIOGRAFIA *

ACADEMIA MEXICANA. *Memorias*. 1876-1910.

AGÜEROS, VICTORIANO. *Escritores contemporáneos*. México, 1880.

CASTILLO LEDÓN, LUIS. *Orígenes de la novela en México*. México, 1922.

CASTRO LEAL, ANTONIO. *Las cien mejores poesías mexicanas modernas*. México, 1939.

— *La poesía mexicana moderna*. México, 1953.

CUESTA, JORGE. *Antología de la poesía mexicana moderna*. México, 1928.

DÁVALOS, MARCELINO. *Monografía del teatro*. México, 1917.

ESTRADA, GENARO. *Poetas nuevos de México*. México, 1916.

GARCÍA ICAZBALCETA, JOAQUÍN. *Biografías*. (Col. Agüeros.) México, 1896-99.

— *Opúsculos*. (Col. Agüeros.) México, 1896-99.

— *Bibliografía mexicana del siglo XVI*. México, 1886. Nueva edición, 1954.

GOLDBERG, ISAAC. *La literatura hispanoamericana*. (Trad. de Cansinos-Assens.) Madrid (sin fecha).

HENRÍQUEZ UREÑA, PEDRO. *Don Juan Ruiz de Alarcón*. México, 1914. Nueva edición en *Seis ensayos en busca de nuestra expresión*. Buenos Aires, 1928.

ICAZA, FRANCISCO A. DE. *Sucesos reales que parecen imaginados de Gutierre de Cetina, Juan de la Cueva y Mateo Alemán*. Madrid, 1919.

IGUÍNIZ, JUAN B. *Bibliografía de novelistas mexicanos*. México, 1926.

MENÉNDEZ Y PELAYO, MARCELINO. *Historia de la poesía hispanoamericana*. Madrid, 1911.

MONTERDE, FRANCISCO. *Bibliografía del teatro en México*. México, 1934.

OLAVARRÍA Y FERRARI, ENRIQUE DE. *Reseña histórica del teatro en México*. México, 1895.

PEREYRA, CARLOS. *Historia del pueblo mexicano*. México (sin fecha).

— *La obra de España en América*. Madrid, 1920.

PIMENTEL, FRANCISCO. *Historia crítica de la poesía en México*. México, 1885.

— *Novelistas y oradores mexicanos*. México, 1904.

REYES, ALFONSO. *Prólogos sobre la vida y la obra de D. Juan Ruiz de Alarcón*. (En las ediciones correspondientes de "La Lectura" y de S. Calleja.) Madrid, 1918. Reunidos en *Capítulos de literatura española* (Primera serie). México, 1939.

— *Nosotros*. (En la revista "Nosotros".) México, 1914. Nueva edición, muy ampliada, en *Pasado inmediato y otros ensayos*. México, 1941.

---

* Hallándose contenida la de este libro en sus propias páginas, sólo se hace mención aquí de aquellas obras que, o no aparecen citadas en el texto, o han sido objeto de frecuentes consultas.

SIERRA, JUSTO. *Historia Política.* (En "México; su evolución social".) México, 1900. Nueva edición, con el título *Evolución política del pueblo mexicano.* México, 1940.

SOSA, FRANCISCO. *Biografías de mexicanos distinguidos.* México, 1884.

URBINA, LUIS G. *La vida literaria de México.* Madrid, 1917. Nueva edición, con el estudio *La literatura mexicana durante la Guerra de Independencia.* México, 1946.

URBINA, HENRÍQUEZ UREÑA Y RANGEL, NICOLÁS. *Antología del Centenario.* México, 1910.

VIGIL, JOSÉ MARÍA. *Reseña histórica de la literatura mexicana.* (Inconclusa.)

VILLAURRUTIA, XAVIER. *La poesía de los jóvenes de México.* México, 1924.

PRINCIPALES COLECCIONES DE TEXTOS:

BIBLIOTECA DE AUTORES MEXICANOS: colección publicada de 1896 a 1910, por Victoriano Agüeros. Consta de 78 vols. Contiene muchos autores secundarios, y aunque sus textos suelen no ser siempre fieles, todavía es útil en todo aquello que no se encuentra en nuevas ediciones.

COLECCIÓN DE ESCRITORES MEXICANOS: en curso de publicación. Apareció en 1944, la edita la Editorial Porrúa, S. A., y lleva publicados 81 vols. En un principio la dirigió Joaquín Ramírez Cabañas, y desde la muerte de éste, la dirige Antonio Castro Leal. Es sin duda la colección más autorizada, pues sus ediciones están al cuidado de los mejores críticos y eruditos mexicanos.

BIBLIOTECA DEL ESTUDIANTE UNIVERSITARIO: en curso de publicación. Apareció en 1939, la edita la Universidad Nacional Autónoma de México y lleva publicados 75 vols. Es una colección de antologías escolares de textos literarios e históricos, incluyendo algunas versiones al español de obras precortesianas en lenguas indígenas.

EL SIGLO XVI

PRIMERA PARTE

EL SIGLO XVI

Capítulo I

LOS ORIGENES

La literatura mexicana es una rama de la española. Como ésta, sírvese de un mismo instrumento: el idioma común; pero de ella difiere por las modalidades que ha llegado a imprimirle el espíritu nacional.

Del esfuerzo de los primeros civilizadores arranca la historia de nuestras letras.

Consumada la conquista con la ocupación de la antigua Tenochtitlan el 13 de agosto de 1521; iniciada, sobre las ruinas todavía humeantes de la metrópoli azteca, la reconstrucción de la ciudad que sería capital de la Nueva España; puestas las bases de la organización política, y establecida la corriente inmigratoria de la Península, quedaba en pie y era menester intentar una obra mucho más compleja y difícil: la de incorporar los pueblos aborígenes a la civilización hispánica; la de crear, aquí mismo, la civilización.

Implicaba semejante tarea un fin primordial: la conversión de los indios al dogma y a la moral cristianos; y fue en sus principios, por su naturaleza misma, de carácter esencialmente religioso. Pero el acto de convertir traía necesariamente aparejado el de conocer y el de enseñar. Había que entrar en íntima relación con los naturales, familiarizarse con su lengua, costumbres y carácter, investigar su historia y tradiciones, ahondar, en suma, en su espíritu, y, a medida que esto se realizaba, crear en ellos sentimientos e ideas que los identificasen con las nuevas formas de civilización que habían penetrado en el Nuevo Mundo. Tal obra fue la que acometieron los misioneros. Obra en verdad gigantesca, si se atiende, por una parte, al triple aspecto que ofrecía, o sea el de investigación, evangelización y enseñanza; por la otra, a la dificultad extrema de llevarla a cabo entre gente de diversas lenguas lacerada por las rudezas de la conquista; y, en fin, al exiguo número de hombres que la iniciaron, frente a frente de los millones de seres a quienes había que impartir educación intelectual, moral y religiosa.

Pero si la empresa era en sí excepcional por su magnitud, los ejemplares varones que la acometieron, justamente por ser ellos mismos de excepción, pudieron abordarla con éxito. Unían a la pobreza evangélica, la bondad que presto les ganó el amor y la confianza de los vencidos. A la perseverancia, la cultura que hubo de capacitarlos para ser, a la vez que apóstoles, maestros; al vigor espiritual y físico, el heroísmo.

La acción de los misioneros no sólo fue religiosa, sino eminentemente social. Extendida, en el orden evangélico, a la inmensa extensión del territorio, se resolvió a menudo en protección y amparo para los naturales. Y lejos de circunscribirla, en las ciudades, al recinto de los templos, junto a éstos los misioneros fundaron escuelas, donde a la vez que difundían las primeras letras, inculcaban en los educandos nociones estéticas y los iniciaban en las artes industriales a fin de proporcionarles prácticos medios de vida.

Fueron dichas escuelas los primitivos focos de donde irradió la civilización en la Nueva España; y no ya por las actividades que en ellas emprendieron los escolares, sino principalmente por las allí desarrolladas por los maestros, puede considerárselas como la cuna de la cultura mexicana.

1. *Los colegios.*—Correspondió a Fr. Pedro de Gante (1479-1572), flamenco de origen y deudo de Carlos V, uno de los tres franciscanos que primero llegaron al territorio en 1523, la gloria de haber sido el fundador del primer plantel de enseñanza en América: la escuela de San Francisco de México, que él mismo dirigió con habilidad y constancia asombrosas por espacio de medio siglo.

En aquel establecimiento se congregaron hasta mil alumnos, pertenecientes muchos de ellos a la nobleza indígena. Impartíaseles instrucción religiosa y civil de carácter elemental, reducida al aprendizaje de las más rudimentarias materias. Se la adicionó más tarde con la enseñanza del latín, la música y el canto. Abrióse después en el mismo local una escuela de oficios y artes industriales para adultos, de la que salieron escultores, pintores, talladores, bordadores, canteros, sastres, carpinteros y zapateros. Y, no satisfecho con todo esto el inmortal franciscano, llevado de los impulsos de su caridad ardiente, fundó un hospital para niños dentro de aquel vasto centro de enseñanza, que no sólo sostenía sino agrandaba con tesón indomable.

Pero el que fue primer obispo de México, Fr. Juan de Zumárraga, quería, en materia educativa, algo más en favor de los indios; algo que sobrepasase a la enseñanza rudimentaria y a la propagación de oficios útiles: un plantel de cultura superior, propicio a la formación de grupos selectos. Y con tal fin inauguró el 6 de enero de 1536 el colegio de Santa Cruz de Tlatelolco. Tenía éste al abrirse sesenta alumnos indígenas. Aparte moral y religión, las materias de enseñanza eran: lectura, escritura, gramática latina, retórica, filosofía, música y medicina mexicana. Los profesores, franciscanos todos, eran de lo más granado, y contábanse entre ellos personalidades relevantes por su virtud y saber, tales como Fr. Andrés de Olmos, ilustre políglota; Fr. Bernardino de Sahagún, el historiador y etnólogo insigne; los franceses Fr. Arnaldo de Basacio y Fr. Juan Focher, doctor en leyes este último por la Universidad de París.

Del colegio de Santa Cruz de Tlatelolco salieron los maestros indígenas que enseñaron a los españoles la lengua mexicana y les dieron luces acerca de la historia, ritos y antiguas costumbres; amanuenses, colaboradores y tipógrafos, que hicieron posible la realización de la gran obra filológica e histórica del siglo XVI.

Entretanto, y algunos años después de la conquista, había surgido una nueva casta: la de los *mestizos,* fruto por lo común ilegítimo de las relaciones entre las dos razas. Desconocidos frecuentemente por sus padres los niños de ese origen y carentes de recursos las madres para sostenerlos, dióse el caso de que los mataran o los abandonasen a su propia suerte. Para favorecer a esa nueva clase social se fundó el Colegio de San Juan de Letrán por el Virrey D. Antonio de Mendoza. Dicho plantel tenía el doble carácter de asilo para niños y escuela destinada a la formación de profesores a quienes se encomendaba la función de establecer colegios de la misma índole en la Nueva España. Tres teólogos nombrados por el rey lo dirigían. De ellos, uno, por turno anual, asumía las funciones de rector, y los dos restantes, a título de conciliarios, tenían a su cargo, respectivamente, el primero, ser profesor en la escuela y enseñar al pueblo la doctrina ciertos días, con ayuda de los alumnos más aventajados, y, el segundo, dar lecciones de gramática latina y conducir a la Universidad a los colegiales que debieran seguir allí sus cursos.

Había, pues, en el Colegio de San Juan de Letrán, dos especies de alumnos: los que, no mostrando sobresaliente capacidad, aprendían primeras letras y un oficio en el propio plantel, en el que podían permanecer hasta tres años, y los que, al final de cada curso escolar, y por sus singulares dotes, eran escogidos en número de seis para que siguiesen, por espacio de siete años, la carrera literaria.

Aparte las fundaciones de establecimientos de enseñanza para niñas indias y mestizas, hechas así por el obispo Zumárraga como por el Virrey Mendoza, hay que hacer mención, para completar este sumario cuadro de la instrucción pública en su primer período, de las escuelas para niños criollos. Eran éstas de carácter particular, en virtud de que los educandos no podían concurrir a las de indios o mestizos; profesores españoles, mediante retribución, enseñaban allí primeras letras, y entre ellos figuró, en los iniciales años de su permanencia en México, el Dr. Francisco Cervantes de Salazar.

Los agustinos fueron los primeros en fundar casas de estudios para españoles y criollos conjuntamente: la de Tiripitío, en 1540; y, años más tarde, en 1575, el Colegio de San Pablo, instituido por Fr. Alonso de la Veracruz, quien allí reunió selecta biblioteca, a más de una para aquel entonces valiosa colección de mapas, globos e instrumentos científicos.

Hacia la misma época, en 1573, se fundó el Colegio de Santa María de Todos Santos, con diez becas a beneficio de jóvenes distinguidos y sin recursos, con lo cual dábase nuevo impulso a la difusión cultural, que hubo de acentuarse con la llegada de los jesuitas en 1572.

Asumieron éstos —a juicio de D. Carlos Pereyra— "el papel de directores de conciencia de las clases selectas, y el de instructores de la juventud perteneciente a esas mismas clases", y "tuvieron en sus manos las atribuciones más altas del poder moral en las nuevas sociedades".

Tras de allanar graves obstáculos, fundaron el 1º de enero de 1573 el Colegio de San Pedro y San Pablo, y, en 1575 y 76, los seminarios de San Miguel, San Bernardo y San Gregorio. Contando con más de trescientos colegiales, abrieron los estudios menores el 18 de octubre de 1574, con gran pompa. Mas, como los alumnos dieran muestra de notable aprovechamiento, pues que a la edad de doce y catorce años "componían y recitaban en público piezas latinas de muy bello gusto, en prosa y verso", bien pronto, el 19 de octubre de 1575, se inauguraron los estudios mayores, comenzando el primer curso de filosofía.

Los colegios de San Miguel y San Bernardo se unieron en uno solo, en 1583, con el nombre de San Ildefonso. El de San Gregorio quedó dedicado exclusivamente a los indígenas. Y el Colegio Máximo de San Pedro y San Pablo contaba ya, al declinar el siglo XVI, con su edificio propio, amplio y sólido; el mismo que ahora conocemos.

Persiguiendo especialmente la propagación del saber entre los criollos, en su Colegio Máximo los jesuitas llegaron a competir ventajosamente con la Universidad. Dieron considerable impulso al conocimiento y estudio de la literatura clásica, y de la imprenta establecida allí salieron, para uso de los alumnos, textos de Cicerón, Virgilio, Ovidio y Marcial. Habían extendido su actividad más allá de la capital del Virreinato, estableciendo casas de estudio en Pátzcuaro, Valladolid, Oaxaca, Puebla, Veracruz y Guadalajara. Mas, comprendiendo que estaban en el deber de consagrar también su esfuerzo a la obra de evangelización, que más tarde llevarían a cabo en el inmenso campo de las misiones que se extendieron, desde California, por casi todo el Continente, afrontaron el estudio de las lenguas indígenas. Y tal fue el objeto del seminario que fundaron en el pueblo de Tepozotlán, verdadera escuela práctica de dichas lenguas, particularmente del nahua y del otomí.

2. La Universidad.—Pero volvamos un poco atrás.

Tal era el auge que la instrucción pública había alcanzado a los veinticinco años de iniciada en la ciudad de México, que bien pronto se hizo sentir la necesidad de un plantel donde tuvieran cabida los estudios superiores.

No se seguían éstos en ninguna de las escuelas ya establecidas entonces. Indios, mestizos y criollos hallábanse separados en ellas. Muchos jóvenes iban a España para completar allá su educación. Mas como este medio no estaba al alcance de todos, y como la ciudad pidiera se fundase en ella "una Universidad de todas las ciencias, donde los naturales y los hijos de los españoles fueran industriados en las cosas de santa fe católica y en las demás facultades", D. Antonio de Mendoza hizo un primer intento de creación universitaria, dotándola con unas estancias de ganado que eran de su propiedad particular.

Puede considerarse, pues, al egregio primer virrey, como fundador de la Universidad, tanto más cuanto que, no satisfecho de sus propios y personales empeños, y estimando que sólo el soberano podía ser capaz de levantar sobre resistentes bases el soñado instituto, acudió al Rey en unión de la ciudad, prelados y religiosos, pidiendo la creación formal de la Universidad con la dotación correspondiente.

Algo remisa debe haber andado la Corte en cuanto a decidir de asunto que tanto el primer virrey encarecía; pues no fue sino gobernando ya su inmediato sucesor D. Luis de Velasco, cuando el Emperador Carlos V, por cédulas despachadas en Toro, a 21 de septiembre de 1551, y firmadas por el príncipe (el que más tarde se llamaría Felipe II) ordenó la fundación de la Universidad de México, dotándola con mil

pesos de oro de minas cada año, además de lo que producían las estancias donadas por D. Antonio de Mendoza, y concediéndole —con algunas limitaciones que después fueron levantadas— los mismos privilegios y franquicias que gozaba la de Salamanca. La Silla Apostólica, a petición del Rey, confirmó en 1555 la fundación y privilegios; concedió el patronato a los monarcas españoles como fundadores, y más adelante le dio el título de Pontificia.

El 25 de enero de 1553 se inauguraba la Universidad. Reunidos el Virrey, Audiencia, Tribunales y Religiones en el Colegio de San Pablo, se cantó misa solemne, fueron nombrados (mientras se hacía la elección de funcionarios universitarios) rector y maestrescuelas, respectivamente, los oidores D. Antonio Rodríguez de Quesada y D. Gómez de Santillana, y se organizó luego brillante procesión rumbo a la primera casa que ocupó la Universidad, precisamente la que forma esquina en las calles del Seminario y la Moneda.

Con una oración latina del Dr. Francisco Cervantes de Salazar se abrieron los estudios el 3 de junio. Y, del 5 al 24, fueron inaugurándose sucesivamente las cátedras, pues el Virrey y Audiencia quisieron presenciar, uno a uno, dichos actos. Las cátedras se cubrieron con profesores de los colegios mexicanos ya establecidos. Resaltaban entre ellos nombres tales como los de Fr. Alonso de la Veracruz, el sabio agustino; D. Juan Negrete, maestro en Artes por la Universidad de París; el Dr. Francisco Cervantes de Salazar, cuyo nombre tan íntimamente va enlazado a la cultura de la Colonia en el siglo; y, en suma, el Dr. Frías de Albornoz, discípulo del famoso jurisconsulto Diego de Covarrubias. Materias cuya enseñanza primeramente se instituyó fueron las siguientes: Teología, Sagrada Escritura, Cánones, Decreto, Leyes e Instituta, Artes, Retórica y Gramática. Algunas se añadieron más tarde: la de medicina, y, bien corrido medio siglo, las de idiomas mexicano y otomí.

Quedaba instalado el docto instituto: su existencia habría de abarcar cerca de tres siglos. Y aunque de sus vicisitudes bastante y no siempre en pro habrá que hablar, innecesario parece señalar que tal fundación fue el coronamiento de la cultura mexicana.

3. *La imprenta.*—Con los colegios y la Universidad un poderoso instrumento más vendría a cooperar en la obra cultural: la imprenta.

Cabe a México la gloria de haber sido la ciudad donde se estableció la primera imprenta que funcionó en América. Por documento auténtico consta que Juan Cromberger, célebre impresor de Sevilla, envió a la capital de Nueva España una imprenta con todos los útiles necesarios, a instancias del Virrey D. Antonio de Mendoza y del obispo Zumárraga. Llegó aquélla —en opinión de García Icazbalceta— ya entrado el año de 1536. Instalada desde luego, ocupóse tal vez en la impresión de cartillas u otros trabajos pequeños muy urgentes, y a principios de 1537 salió de las prensas el primer libro impreso en América, que fue la *Escala espiritual para llegar al cielo,* de San Juan Clímaco, traducida del latín por Fr. Juan de la Madalena.

Habíase establecido la imprenta mexicana de Cromberger en la casa "de las campanas", situada en la esquina suroeste de las hoy calles de la Moneda y Licenciado Verdad. Estuvo a cargo de Juan Pablos (Giovanni Paoli), italiano, natural de Brescia, en Lombardía. Recibido por vecinos de la ciudad en 17 de febrero de 1542, en mayo del año siguiente se le concedió un solar por el barrio de San Pablo, para que edificara casa, y en 1548 obtuvo privilegios como impresor y libreros, los cuales le fueron renovados en 1554.

Contra tales privilegios alegó en la Corte Antonio de Espinosa, con tan buena fortuna, que en 1559 estableció otra imprenta. De Juan Pa-

blos no se tiene noticia más allá de 1560 y parece que su sucesor fue Pedro Ocharte, que imprimió muchos libros en lenguas indígenas, produjo ediciones notables y trabajó por más de treinta años, hasta las postrimerías del siglo.

A las dos primitivas imprentas se sumó en 1575 la de Pedro Balli, y entre 1577 y 1579 la de Antonio Ricardo. Este Antonio Ricardo —o Ricciardi— era nativo de Turín, imprimía muy bien, y de aquí trasladó su taller a Lima, donde fue el introductor de la imprenta.

Un hombre insigne hay que agregar al de nuestros primitivos impresores: el de Enrico Martínez, autor del desagüe del Valle de México. Y cierra la lista de aquéllos en el siglo XVI, Melchor Ocharte, hijo o pariente de Pedro.

Extraordinaria fue la actividad de la imprenta en México en la mencionada centuria. La mayoría de las obras publicadas eran cartillas, doctrinas, vocabularios y gramáticas de los frailes; libros de rezo o de liturgia: misales, salterios, antifonarios. No faltaron, sin embargo —aunque fueron escasos—, los de legislación, filosofía, ciencias naturales, medicina, arte militar, náutica o historia.

Un registro de todos los impresos del siglo XVI puede verse en la *Bibliografía mexicana del siglo XVI,* de Joaquín García Icazbalceta (nueva edición preparada por Agustín Millares Carlo. México, 1954).

4. *La Babel indígena.*—El principal obstáculo que, para llevar a cabo la obra que se habían propuesto encontraron los misioneros al arribar al Continente, fue la rareza y variedad de lenguas que hablaban los naturales. No sólo eran todas radicalmente diversas de las conocidas en Europa, sino que entre sí ofrecían profundas diferencias. Y con razón ha afirmado D. Carlos Pereyra que "la Nueva España era una Babel de lenguas tan extrañas unas a otras como puede serlo el idioma ruso del francés o el español del vascuence".

Aprender primero los rudimentos necesarios para la comunicación indispensable con los indios; penetrar luego en sus secretos y dominarlos completamente; aprovechar, por último, tales conocimientos para redactar obras que facilitasen el aprendizaje a los religiosos que vendrían después: tal fue el programa que siguieron los misioneros.

Fr. Pedro de Gante y sus compañeros Fr. Juan de Tecto y Fr. Juan de Ayora, que llegaron al país el 30 de agosto de 1523, apenas ocupada Tenochtitlan, fueron los iniciadores de tan ardua tarea.

Cuéntase que el medio de que primitivamente se valieron los frailes para conocer el idioma mexicano, fue el de "volverse niños con los niños". Participaban en sus juegos e. iban anotando nimiamente los vocablos que de labios de los pequeños recogían, para darles después la traducción que en romance "les parecía más convenir". Posible es que en un principio echaran mano de tan rudimentario recurso; pero a poco encontraron otro mejor. Como supieran que vivía en México una señora española, que había venido a raíz de la Conquista y que, viuda a la sazón, tenía dos niños que por su constante trato con los indígenas de su edad, estaban ya versados en su lengua, pidiéronle y obtuvieron que les cediese al mayor. Alonso, que así se llamaba el muchacho, siguió a los misioneros. Fue su compañero constante. Sirvióles admirablemente de intérprete. Predicaba, traducidos al mexicano, los sermones que le daban. Y como mostró tener ardiente vocación por la vida religiosa, llegado que hubo a la edad conveniente tomó el hábito franciscano, y fue el eximio lingüista a quien se conoce con el nombre de Fr. Alonso de Molina.

Representa éste, por lo que se refiere al lenguaje, el primer eslabón entre los misioneros y los indios. Después, a medida que las escuelas se abrían y prosperaban, otros niños, los indígenas, que allí llegaban a ser

buenas lenguas no ya en romance, sino hasta en latín, allanaron la tarea a los frailes. A poco, y por arte de maravilla, hubieron de conocer ellos los idiomas indígenas en forma de predicar a los naturales en su propia habla. Gante, Motolinia, Sahagún. Mendieta, alcanzaron a ser consumados lingüistas. Y, aparte otros merecimientos, a los misioneros debemos el que hayan sido los creadores de la filología americana.

5. *Los filólogos.*—Prodigiosa es, en verdad, tal obra; no ya, tan sólo, por su valor intrínseco, sino por las condiciones excepcionales en que se realizó. "Hoy —observa García Icazbalceta— el estudio de un grupo de lenguas, tal vez de una sola, levanta a las nubes la fama de un filólogo, que casi siempre encuentra andado en trabajos anteriores gran parte del camino; entonces los misioneros aprendían, o más bien adivinaban todo desde sus principios; y uno solo abarcaba cinco o seis de aquellas lenguas sin analogía, sin filiación común, sin alfabeto conocido, sin nada que facilitase la tarea. Hoy se hacen esos estudios, por la mayor parte, en la tranquilidad y abrigo del gabinete; entonces en los campos, en los bosques, en los caminos, a cielo abierto, en medio de las fatigas del apostolado, del hambre, de la desnudez, de la vigilia." "Los misioneros —añade— no emprendían tan graves tareas por alcanzar fama; no comparaban las lenguas, no las trataban de una manera científica: querían ajustarlas todas al cartabón de la latina; pero iban derechos a la utilidad práctica de entenderse con los naturales, y echaban los sólidos cimientos que podrían servir para levantar un magnífico edificio."

FR. ANDRÉS DE OLMOS, que llegó a México en 1524, es, cronológicamente, el primero de nuestros filólogos. Aprendió varios idiomas de los chichimecas, entre los cuales anduvo, y escribió, aparte otros libros, gramáticas y vocabularios de las lenguas mexicana, huasteca y totonaca.

Todas sus obras, que comprenden algunos importantes tratados históricos, se perdieron, menos una: la *Gramática mexicana*, concluida en 1547 y no publicada sino hasta 1875, en París, por Rémi Siméon.

FR. ALONSO DE MOLINA, quien, como se ha dicho, fue el intérprete de los franciscanos y posiblemente su primer maestro, dedicóse a la predicación durante cincuenta años hasta su muerte, ocurrida en México en 1585, y está considerado en el grupo de los filólogos como personalidad insigne. En 1555 se imprimió su *Vocabulario castellano-mexicano*, y en 1571 este mismo corregido, notablemente aumentado y adicionado con el *Vocabulario mexicano-castellano*. Su *Arte mexicano* o "gramática", como ahora diríamos, publicóse también en el propio año de 1571.

FR. MATURINO GILBERTI, francés, de la orden franciscana, vino al país en 1542 y se consagró al estudio del tarasco, que hubo de poseer con absoluta maestría y del que dejó un *Vocabulario* y una *Gramática*, publicados en 1558 y 1559.

FR. JUAN BAUTISTA DE LAGUNAS, franciscano, nativo de la Nueva España, ilustró la propia lengua tarasca con un *Arte*, un *Diccionario breve* y otras obras, todo ello impreso en un volumen en 1574.

FR. FRANCISCO DE CEPEDA (1532-1602), dominicano, nacido en la Mancha, aprendió en la provincia de San Vicente de Chiapa varios idiomas. Su obra *Artes de los idiomas chiapaneco, zoque, tzendal y chinanteco* imprimióse en 1560.

FR. JUAN DE CÓRDOBA (1503-1595), dominicano, de noble cuna, soldado de Carlos V en Flandes y Alemania antes de tomar el hábito, es autor de un *Vocabulario zapoteca* y *Arte* de la misma lengua, publicados en 1578.

FR. ANTONIO DE LOS REYES, dominico español, que pasó a México en 1555 y falleció en 1603, se consagró al estudio de la lengua mix-

teca. Su *Arte* de la propia lengua fue impreso en 1593.

FR. FRANCISCO DE ALVARADO, de igual orden que el anterior y originario de México, fue autor de un *Vocabulario en lengua mixteca*, publicado el propio año de 1593.

Al jesuita P. ANTONIO DEL RINCÓN, natural de Texcoco, de cuyos reyes descendía, y que murió en 1601, débese un *Arte mexicano* que salió a luz en 1595. Y, por último, se tiene noticia de un *Arte* y *Vocabulario* mayas publicado por FR. LUIS DE VILLALPANDO.

6. *Literatura religiosa.* — Aparte vocabularios y gramáticas, los libros que mayormente produjo la imprenta en México en el siglo XVI, fueron de carácter religioso: destinados, unos, a adoctrinar a los indios; otros de rezo o liturgia, algunos de legislación eclesiástica, y pocos de ascética y hagiografía.

Los más comunes eran las *Doctrinas* o *Catecismos*. La primera fue la que Fr. Pedro de Gante escribió en mexicano y mandó imprimir a Amberes en 1528. Otras, a semejanza de la suya, y por distintos religiosos, fueron compuestas en tarasco, huasteco, zapoteco, mixteco, otomí y otros dialectos. Todo lo cual hace presumir —particularmente si se atiende a la abundancia de *Doctrinas* en mexicano— que la obra de los religiosos había dado presto sus resultados en cuanto a la enseñanza de las primeras letras.

Fr. Bernardino de Sahagún compuso, con el título de *Psalmodia Cristiana*, una colección de salmos o cantares para las fiestas de los indios. El Padre Gaona publicó en mexicano unos *Coloquios de la paz y tranquilidad del alma*, muy señalados por la pureza del lenguaje, según la opinión de los contemporáneos. Escribió Fr. Maturino Gilberti, en tarasco, su *Tesoro espiritual* y su famoso *Diálogo de la Doctrina Cristiana*, que el Consejo de Indias mandó recoger. El dominico Fr. Antonio de Hinojosa hizo imprimir en 1597 su *Vida y milagros del glorioso San Jacinto,* obra hoy perdida, y, a juicio de Remesal, amenísima y en la que se hallaban muchas poesías latinas y castellanas de ingenios mexicanos. Contamos, en suma, con una colección de *Sermones* del agustino Fr. Juan de la Anunciación, escritos en náhuatl.

Considerable, como se ve, es el caudal lingüístico que nos legaron los misioneros. Podemos creer, no obstante, que sólo se conoce parte mínima de él: incontables obras permanecen inéditas, y, de las publicadas, muchísimas, por el constante uso, el transcurso del tiempo y la falta de nuevas ediciones, quedaron destruidas para siempre. Pero en lo que de ellas resta, hay que estimar —como afirma García Icazbalceta— aparte el inmenso valor filológico, el histórico nada despreciable: algunas *Artes* o *Gramáticas* de lenguas indígenas contienen noticias importantes acerca de las razas aborígenes; y, en los *Confesonarios,* encuéntranse curiosos datos relativos a supersticiones y costumbres.

Por eso, ante la obra portentosa realizada en poco más de medio siglo por aquellos insignes civilizadores, ha podido decir con razón el aludido sabio mexicano, que el grupo lingüístico de nuestra literatura es uno de los que más la honran, bien que no conozcamos sino una parte de él.

7. Filosofía y Teología escolásticas: FR. ALONSO DE LA VERACRUZ.

—Aquella rama del conocimiento tan en completa decadencia, y, a pesar de ello, tan favorecida todavía en el siglo XVI, llénala en nuestra historia la figura del ilustre agustino.

Originario de Caspueñas, en la diócesis de Toledo, Alonso Gutiérrez nació hacia el año de 1504. Era hijo de familia rica y recibió educación esmerada en Alcalá y Salamanca, universidad esta última donde se graduó en teología, se ordenó sacerdote, y leyó un curso de Artes, como entonces se designaba a la enseñanza filosófica.

Instado por el agustino Fr. Francisco de la Cruz, se decidió a abandonar su posición de catedrático en Salamanca para venir a México, a donde llegó el 2 de julio de 1536. A su paso por Veracruz tomó el hábito de la orden agustina, y su apellido de Gutiérrez cambiólo por el nombre de aquella ciudad, que llevó desde entonces y por el cual le conocemos.

En 1540, al fundarse la primera casa de estudios de Tiripitío (Michoacán), fue enviado allí como profesor de Artes y Teología y para que aprendiese la lengua tarasca. Esforzóse en dicha región por atender a las necesidades de su orden y fue fundador de varios conventos. Gobernó el obispado de Michoacán en ausencia del venerable D. Vasco de Quiroga, y en 1553 hubo de nombrársele catedrático de Prima de Teología Escolástica en la Universidad de México.

Había compuesto, y por aquel tiempo dio a la estampa, sus obras *Recognitio Summularum* (1554), *Dialectica Resolutio* (1554) y *Physica Speculatio* (1557). Ya por aquel entonces —como observa García Icazbalceta— la poderosa dialéctica del escolasticismo había venido a convertirse "en un necio afán de disputas sostenidas con pueriles y vacías argumentaciones"; y la dificultad de sus intrincadas doctrinas había llegado a ser tanta, "que raro entendimiento había bastante vigoroso para encontrar salida al laberinto". En tal estado de corrupción del sistema, imponíase, pues, una reacción saludable, una tentativa de reforma; y de ésta, aunque tímidamente, se hizo cargo en sus libros el P. Alonso de la Veracruz: se había propuesto desembarazar a la dialéctica de su vana hojarasca. Con todo, si bien es cierto que cercenó algunas ramas superfluas, "no se atrevió a meter la hoz en la maleza". Con él, las doctrinas escolásticas no ganaron mucho en claridad, y "en la que llama Física es tan oscuro e inútil como puede serlo cualquier otro de su escuela: llena sus páginas con la máquina metafísica que ocupaba entonces el lugar de la verdadera física experimental". Pero si sus libros no implicaron de hecho la reforma que él soñaba, "son notables por su intento, y porque demuestran un espíritu menos servil que el de la generalidad de los profesores de su época".

Las tres mencionadas obras de Fr. Alonso de la Veracruz, así como la intitulada *Speculum Conjugiorum,* impresa en 1556, y que tenía por objeto resolver los intrincados casos que se presentaban tocante al matrimonio de los indios, fueron reimpresas en España, y todavía la última de ellas en Milán al finalizar el siglo XVI.

Varón sabio y extraordinariamente laborioso; dotado, además, de singular sentido práctico, tanto como de un brioso espíritu de independencia, Fr. Alonso intervino en algunas de las más difíciles cuestiones religiosas suscitadas en su tiempo. Con motivo del conflicto surgido entre las comunidades y los obispos, estuvo en España en 1561, y regresó en 1573, rehusando honores y elevados cargos para continuar consagrado como hasta entonces a la predicación y a la enseñanza. Fundó el Colegio de San Pablo, a que ya se aludió; fue varias veces provincial de su orden; escribió aún diversas obras de carácter teológico, que permanecieron inéditas y tal vez se han perdido. Y cargado de merecimientos y de años falleció en México a principios de junio del año 1584.

Si su obra, juntamente con la escuela filosófica que la informó, ha muerto, no por ello deja de ser Fr. Alonso de la Veracruz una de las figuras representativas de su época.

8. *Primeras obras científicas.*— Incompleta quedaría esta fugaz reseña de las actividades culturales realizadas en México en el siglo XVI, si no consignásemos las obras de carácter principalmente científico que salieron de las prensas.

Respecto a jurisprudencia, en 1563 se publicó el *Cedulario* del Dr. Vasco de Puga, primera recopilación que se hizo de leyes de América, y obra de alta importancia para la historia primitiva de la dominación española en México.

De las ciencias de observación cultivóse en especial la medicina. El doctor Francisco Bravo escribió su *Opera Medicinalia,* impresa en 1570. En 1578 apareció la *Suma y recopilación de Cirugía,* de Alonso López de Hinojoso; al año siguiente el *Tratado breve de medicina,* de Agustín Farfán, y, en 1591, la *Primera parte de los problemas y secretos maravillosos de las Indias,* del Dr. Juan de Cárdenas. Libros todos estos desprovistos hoy día de valor científico, son interesantes, sin embargo, para el estudio del estado en que se hallaban las ciencias naturales a raíz de la conquista; y, a título de documentos originales, alguna de ellas —la de Cárdenas— por tratar cuestiones propias de nuestro país, encierra datos curiosos nada desdeñables para la historia.

Hay que mencionar, por último, dos libros del Dr. Diego García de Palacio: los *Diálogos militares* (1583) y la *Instrucción náutica* (1587). El primero, que tiene traza de ser un curso de arte militar, consta de una serie de diálogos entre un Vizcaíno que ha estado en las guerras de Italia, y un Montañés que se encontró en las de Indias. En cuanto a la *Instrucción náutica,* probablemente perdida, algún mérito tendría, al menos en lo relativo al léxico, cuando la Real Academia Española la eligió para comprobar las voces de su *Diccionario de Autoridades.*

Entrando ahora en la historia propiamente literaria, examinemos, para completar el cuadro de la cultura mexicana en el siglo XVI, la obra de los cronistas, así como los comienzos de la poesía y el teatro.

CAPÍTULO II

LOS CRONISTAS

El descubrimiento de América y la conquista de México dieron materia en España a historiadores y cronistas oficiales para la composición de obras en las que se narraban aquellos grandes sucesos. Por su parte, algunos de los conquistadores, empezando por el principal de ellos, ocupáronse en relatar el magno acontecimiento en que habían participado, consignando sus propios lances y hazañas, y describiendo lo que de nuevo y singular habían visto en las remotas tierras a donde arribaron. Los misioneros, a su vez, hallándose en íntimo contacto con los indígenas, y penetrado que hubieron los secretos de su lengua y tradiciones, reunían en sus crónicas preciosos datos sobre los orígenes de estos pueblos, su antigua religión y costumbres, sus leyes, el medio físico y social en que vivían, las características de las diferentes razas. Y, en suma, rivalizando con los propios misioneros, una vez que la obra de cultura dio sus frutos, aparecieron los historiadores indígenas que —como ha expresado García Icazbalceta— emprendieron "con laudable celo la tarea de conservarnos lo que habían aprendido de sus mayores".

Floreció, pues, la historia en el siglo XVI con excepcional brillo. Y no es el menor de los méritos de tal actividad —particularmente por lo que a los religiosos respecta— el que haya sido generosa y desinteresada. No perseguían los frailes con sus libros ningún fin utilitario; acaso ni siquiera el renombre. Ignorado fue su esfuerzo por los contemporáneos. Durante siglos pemanecieron arrumbadas —perdidas, diríamos mejor— en los archivos las grandes crónicas del Seiscientos. Y no es sino hasta nuestro tiempo cuando se las ha publicado y conocido, en forma de aquilatar su inmenso valor como documentos fidedignos y únicos para el conocimiento y estudio de uno de los más apasionantes períodos de nuestra civilización.

En cuatro grupos clasificaremos a los cronistas:

PRIMER GRUPO

Comprende a los que, sin haber venido al Continente, trataron de Indias:

1. PEDRO MÁRTIR DE ANGLERÍA fue el patriarca de la historia de América. Nacido en Arona, cerca de Anghiera, en el ducado de Milán, el 2 de febrero de 1457, murió en Granada en 1526. Se trasladó a España en 1487. Humanista y escritor, ocupó elevados puestos bajo la protección de los Reyes Católicos y de Carlos V. Nombrado cronista de Indias en 1510, escribió, intitulándola De Orbe Novo, una "Historia del Nuevo Mundo" dividida en ocho décadas o libros. Se publicaron éstas completas, por primera vez, en Alcalá (1530).

Pedro Mártir participaba del inmenso interés con que en su siglo se veía cuanto tuviera relación con el recién descubierto Continente. Era acucioso para recoger noticias; conocía los diarios, derroteros y relaciones de los primeros navegantes y conquistadores, a quienes trató personalmente. "Por eso sus décadas —expresa García Icazbalceta— contienen muchas especies que en vano se buscarían en otra parte." Su espíritu sagaz penetraba en el fondo de las cosas, descubría sus nexos, apreciaba sus consecuencias. "No es un testigo ocular; pero las muchas proporciones que tenía para purificar la verdad, le hacen acreedor al grado inmediato de crédito y 'si algunas falsedades sus décadas contienen', como dice Las Casas, debe atribuirse a la dificultad de apurar todos los hechos ocurridos a tan larga distancia y, sobre todo, a la precipitación y descuido con que escribía unas obras que nunca quería limar ni corregir, porque no las destinaba a la luz pública. Escritas en diversos lugares y tiempos, sus décadas adolecen de algunas contradicciones, y de falta de orden y método; pero son, con todo, uno de los documentos más preciosos para la historia del Nuevo Mundo." La obra del primitivo historiador sólo alcanzó hasta la muerte de Cristóbal de Olid en las Hibueras.

2. Escasos son los datos que tenemos acerca de la vida de FRANCISCO LÓPEZ DE GÓMARA. Perteneciente a distinguida familia, nació en Gómara, pueblo de la provincia de Soria, en 1511, y allí mismo falleció hacia 1566. Profesó la cátedra de retórica en la Universidad de Alcalá, se ordenó sacerdote, como tal fue a Roma, y, a su regreso de esta ciudad, entró al servicio de Hernán Cortés como capellán de su casa y familia por los años de 1540, cuando ya el conquistador estaba de vuelta en la Península. Por esta época, y de seguro con ánimo de lisonjear a su señor, empezó a escribir su *Historia general de las Indias*. Acompañó en la expedición de Argel a Cortés, y, fallecido éste, continuó al servicio de su hijo D. Martín, sin que se tengan más noticias sobre su persona.

No habiendo estado jamás en América, para componer su libro, Góma-ra se sirvió de las relaciones de Cortés y otros conquistadores, así como de datos que le proporcionaron navegantes y personas conocedoras de tales asuntos. Dos partes abarca la obra: en la primera se narran las conquistas y descubrimientos de las Indias en general, con excepción de la Nueva España, hasta 1552; la segunda comprende exclusivamente la conquista de México. Hombre de evidente cultura literaria, se apartó, sin embargo, de los procedimientos habitualmente seguidos por los humanistas, al referir aquellos grandes hechos, y lo hizo con genuina originalidad. Por lo común es ponderado y sensato, en tanto que no se trate de D. Hernando, y no idealiza a conquistadores ni a conquistados. Su estilo es fácil, elegante y ameno. Pero, aparte las inexactitudes y errores que contiene, el gran defecto de su crónica, que rudamente hubo de atacar Bernal Díaz del Castillo, es el de que no parece haber sido escrita sino para ensalzar desmesuradamente a Cortés, desentendiéndose de la cooperación y ayuda que en las realizadas hazañas le prestaron sus soldados.

Publicada la primera edición de la obra de Gómara en Zaragoza, en 1552, edición a la cual siguieron en los años inmediatos de 53 y 54 otras hechas en España y en Amberes, presto fue la *Historia de las Indias*, traducida al italiano, al francés y al inglés, y en estas lenguas grandemente difundida en Europa. Por real cédula se la prohibió y mandó recoger en la metrópoli en 1553; y, debido a esto, tanto como al singular crédito que alcanzara el libro famoso de Bernal Díaz del Castillo, el de Gómara permaneció en el olvido hasta 1727 en que, levantado el entredicho, el erudito D. Andrés González Barcia lo incluyó, aunque mutilándolo lastimosamente, en su *Colección de historiadores primitivos de las Indias Occidentales*. Sólo una edición —asimismo mutilada— se había hecho en México de la *Historia general de las Indias*, de Francisco López de Gómara; publicóse en dos volúmenes en 1826 por D. Carlos María de Bustamante. Considerábase como la mejor entre las modernas la que figura en el tomo primero de *Historiadores primitivos de Indias,* de la Biblioteca de Rivadeneyra. Mas la que ahora propiamente tiene la primacía es la que en 1943 publicó en México la Editorial Robredo, con introducción y notas de D. Joaquín Ramírez Cabañas.

3. Desempeñó D. ANTONIO DE HERRERA Y TORDESILLAS (1549-1625) el puesto de Cronista de Indias y de Castilla. De su pluma salieron las *Décadas o Historia general de los hechos de los castellanos en las islas y tierra firme del Mar Océano,* publicada en 1601 y comúnmente conocida con el nombre de *Historia general de Indias.* Es la del Nuevo Mundo desde el descubrimiento hasta el año de 1554. Obra de humanista, ampulosa y con escaso sentido crítico, Herrera, que nunca pisó el Continente, utilizó en especial para componerla la *Crónica de la Nueva España,* de Cervantes de Salazar.

4. Algo semejante habría de ocurrir a su sucesor en el puesto de Cronista de Indias, D. ANTONIO DE SOLÍS (1610-1686). Su en un tiempo famosa *Historia de la conquista de México* es —a juicio de García Icazbalceta— "un panegírico del Conquistador; una hermosa pieza literaria, si se quiere; pero nunca la historia de la conquista de México, que la nación española deseó en vano durante largos años".

SEGUNDO GRUPO

Fórmanlo los historiadores de la Conquista; en su mayor parte soldados que, trocando la espada por la pluma, o requiriendo ésta en las postrimerías de su vida, narran los hechos en que habían sido actores o testigos:

⑤ HERNÁN CORTÉS (1485-1547) es el primer historiador de su propia hazaña. Lo fue sin quererlo, sin proponérselo deliberadamente, en las largas misivas que entre los años de 1519 a 1526 dirigió a Carlos V. Son éstas cinco, y se las conoce con el nombre de *Cartas de relación sobre el descubrimiento y conquista de la Nueva España.*

Tienen, como atributo propio del género epistolar, la frescura; abundan en el vigor de la impresión directa. Pero, aun siendo su lenguaje sencillo y familiar, por la naturaleza misma de los hechos que narran, derrochan elocuente grandiosidad. No percibimos a través de ellas la rudeza del soldado; el estilo de Cortés es pulido y limpio, cosa explicable si se atiende a que había estudiado en Salamanca y sabía de humanidades. Se ha dicho que las cartas de Cortés recuerdan a Julio César en sus *Comentarios.* Difiere de éste, sin embargo, por la simpatía con que discurre acerca del pueblo conquistado; por la complacencia que pone en contar, no ya los sucesos de carácter propiamente militar de la expedición que encabezó y dirigió, desde su llegada a Cozumel hasta su viaje a las Hibueras, sino en referirse a las instituciones, personajes, usos y costumbres con que se encontró en los fabulosos países sojuzgados. A tal extremo, y desde este punto de vista, son interesantes las *Cartas de relación,* y tanto con la exposición de maravillosos aunque realísimos incidentes exaltan la fantasía, que a ratos se antojan cuadros novelescos.

Con varia suerte corrieron dichas epístolas. Impresas en folio en España a poco de escritas, la segunda, tercera y cuarta fueron leídas con avidez en Europa y traducidas al latín y al italiano en el propio siglo XVI. El arzobispo Lorenzana las publicó en México el año de 1770 y, vertidas de la publicación de Lorenzana, aparecieron en francés hacia 1778. Perdidas, entretanto, por siglos, la primera y la quinta, hallóselas al fin en la Biblioteca Imperial de

Viena, y la colección completa no hubo de publicarse sino hasta 1852, en Madrid, por D. Enrique de Vedia, en la Biblioteca de Autores Españoles de Rivadaneyra.

6. Natural de Madrid, GONZALO FERNÁNDEZ DE OVIEDO Y VALDÉS (1478-1557) participó en la toma de Granada, guerreó en Italia a las órdenes del Gran Capitán, y en Indias, desde 1513, luchó como soldado y fue alcalde de la fortaleza de Santo Domingo, en la Isla Española. Nombrado Cronista de Indias al declinar de sus años, redactó su *Historia general y natural de las Indias*. Publicóse la primera parte de esta obra en Sevilla, en 1535; pero las dos restantes, una de las cuales comprende la conquista de México, no las vio impresas su autor, posiblemente a causa de haberlo impedido su enemigo, el P. Las Casas. Editáronse hasta 1851-55 por Amador de los Ríos.

Considérase el libro de Fernández de Oviedo como un caudaloso acopio de datos útiles; pero se le niega valor desde el punto de vista de la crítica histórica.

7. De la extraordinaria vida y hechos del famoso capitán BERNAL DÍAZ DEL CASTILLO poco registran las historias, como no sea la por él mismo escrita.

Hacia 1492 —el año memorable del descubrimiento— vio la luz en Medina del Campo, y en 1514 vino al Nuevo Mundo como soldado de Pedrarias Dávila, nombrado gobernador y capitán general de Darién, el cual a poco habría de ser el cruel verdugo de Vasco Núñez de Balboa. Habiendo pedido permiso para pasar a Cuba, allí permaneció Bernal Díaz tres años cerca de Diego Velázquez. Figuró sucesivamente en las expediciones de Francisco Hernández de Córdoba y Juan de Grijalva. Alistóse, por último, en la de Hernán Cortés, y, al lado de éste, fue testigo y actor en la fabulosa epopeya de la Conquista, desde la salida del puerto de Santa María, el 18 de febrero de 1519, hasta la malaventurada expedición a las Hibueras. Soldado valeroso y fiel, rendido al peso de los lauros de 110 batallas en que tomó parte retiróse a la ciudad de Santiago de Guatemala, de la que fue regidor, y en la que vivió pobre hasta edad avanzada, sin que se sepa la fecha de su muerte.

A los setenta años, sin acopio de documentos y fiado tan sólo en su portentosa memoria, comenzó a redactar su historia de la Conquista. Poco llevaría escrito cuando cayeron en sus manos las crónicas de Paulo Giovio, López de Gómara y Gonzalo de Illescas. Y advirtiendo que era común en todas la tendencia de atribuir por manera exclusiva a Cortés la gloria de la gran hazaña, sin tener para nada en cuenta los méritos de sus compañeros; el viejo soldado, hosco y resentido, amplió de seguro el primitivo plan de su libro, proponiéndose entonces en éste, no ya únicamente relatar aquel extraordinario suceso, sino rectificar las inexactitudes y tendenciosos errores de quienes lo conocían sólo de oídas. Así dio término en 1568 a su *Historia verdadera de la conquista de la Nueva España*. Se sacaron —probablemente corregidas— dos copias de ella: una fue remitida a España para su impresión, la cual no llegó a hacerse, y la otra quedó en Guatemala en previsión de que la primera se extraviase.

Obra maravillosa y única en su género en todas las literaturas, cautiva así por la pujante rudeza del estilo, como por lo que el relato mismo tiene de deslumbrador y pintoresco. Tanta naturalidad hay en ella, tan penetrante sentimiento de verdad y calor de vida se desprende de sus páginas, que Bernal Díaz nos da la impresión, no de un escritor que narra y comenta, sino la del viejo soldado que cuenta de viva voz y en desaliñada y expresiva forma sus aventuras. "Su libro —afirma Pereyra— fue formado con lo que se hace todo libro inmortal: con una pasión dominadora, con una imaginación de alucinado y con una voluntad que no cede ni a las dolencias del cuerpo ni a los quebrantos del alma. Es el libro de historia por excelencia; el único libro de historia que merece vivir; la historia en un sentido etimológico: el testimonio de los hechos." Sin rebajar los méritos del principal caudillo, reivindica para sí y sus camaradas la gloria que les correspondía. Escenas y personajes surgen en las páginas con poderoso relieve. Por ellas hace desfilar a los conquistadores. Se refiere desapasionadamente y a menudo con simpatía y elogio a los vencidos. Pinta batallas. Y con la emoción de su propio deslumbramiento ante el mundo nuevo que veía, nos hace penetrar en la vida, usos y costumbres de los indígenas.

Inédita permaneció por largos años la sin par crónica. La primera edición publicóse en Madrid en 1632 por Fr. Alonso Remón, quien habiendo hallado la primitiva copia manuscrita —de que se sirvió Herrera en su *Segunda Década*— y reconociendo su mérito, quiso salvarla del olvido. Por desgracia, no reprodujo Remón fielmente el original. Introdujo falsedades, efectuó cambios, omisiones, supresiones e intercalaciones caprichosas. Traducida a las principales lenguas modernas, dicha versión de Fr. Alonso ha sido por muchos años el único texto que se conociera de la crónica de Bernal Díaz. En 1904, el historiógrafo mexicano D. Genaro García, quien obtuvo copia exacta y completa del original autógrafo existente —al contrario de la segunda copia manuscrita que se ha perdido— en el Archivo del Ayuntamiento de Guatemala, publicó, conforme a ella, una nueva edición. Ni uno, ni otra, representan, empero, en su integridad, el texto bernaldino: la de Remón, porque adulteró la primitiva copia manuscrita; la de García, porque procede del original autógrafo que es presumible corrigió y enmendó considerablemente el propio autor al disponerlo para la imprenta. Faltaba,

pues, una definitiva edición crítica, resultante del cotejo que se hiciera entre las dos ediciones susodichas. Tal se ha intentado en los últimos tiempos, y aun aprovechando otra nueva copia que ha aparecido de la *Verdadera historia*. Y lo que puede considerarse como el mejor fruto de tales trabajos es la espléndida edición de la *Historia verdadera de la conquista de la Nueva España*, que en tres volúmenes y con introducción y notas de D. Joaquín Ramírez Cabañas, publicó en México, en 1939, la Editorial Pedro Robredo.*

8. En el tomo tercero de la *Colección* que lleva su nombre, publicado en 1556, incluyó el célebre viajero y publicista veneciano Juan Bautista Ramusio, un curioso documento intitulado *Relazione d'un gentiluomo di Fernando Cortés*, escrita muy poco después de la Conquista. Aunque breve, preciosa y única en su género es esta relación del estado de la Nueva España en aquella época. No se conoce el original castellano, y sin duda se habría perdido a no ser por la traducción italiana de Ramusio. Igualmente se ignora el nombre del autor, a quien Clavijero fue el primero en llamar EL CONQUISTADOR ANÓNIMO. D. Carlos María de Bustamante, con alguna ligereza, dado que probablemente desconocía la *Relación* y no adujo pruebas en apoyo de su aserto, afirmó que aquél era el poeta Francisco de Terrazas. Esto no ha llegado a verificarse, y, en realidad, del mismo modo que no existen motivos para asegurar que Terrazas escribiera el compendioso relato, tampoco los hay para negarlo.

Lo que sí está fuera de duda es que *El Conquistador Anónimo* fue un compañero de armas de Cortés,

---

* La "Editorial Porrúa", S. A., ha publicado en su "Biblioteca Porrúa", dos ediciones autorizadas de la que llevó a cabo D. Joaquín Ramírez Cabañas, y aparecida originalmente en la expresada Editorial Pedro Robredo. Es la primera de 1955, y la segunda de 1960.

y que, impresionado más que por las incidencias de la guerra, por la vida y costumbres de los naturales, nos dejó de éstas un pintoresco cuadro. "Es verídico, exacto y curioso —escribe Clavijero—. Sin hacer mención de los sucesos de la conquista, cuenta lo que vio en México de templos, casas, sepulcros, armas, vestidos, comida, bebidas, etc. de los mexicanos, y nos manifiesta la forma de sus templos. Si su obra no fuera tan sucinta, no habría otra que pudiera comparársele en lo que toca a antigüedades mexicanas."

Ternaux-Compans publicó una traducción francesa de *El Conquistador Anónimo* tomándola de la de Ramusio. La primera castellana de la *Relazione* débese a García Icazbalceta, quien la publicó en el tomo I de su *Colección de documentos para la historia de México* (1858).

9. Hombre muy dado a los goces hípicos, y de gran pericia y conocimiento en cuanto con caballos y caballería se relaciona, JUAN SUÁREZ DE PERALTA no figuraría entre nuestros cronistas, a no ser por el hallazgo de un interesante manuscrito: el que con el abreviado título de *Noticias históricas de la Nueva España* publicó en 1878 el historiador español D. Justo Zaragoza, y que yacía con el polvo de tres siglos en la Biblioteca provincial de Toledo.

Fue Suárez de Peralta vecino natural de la ciudad de México, donde nació por los años de 1535 a 1540. Su padre, uno de los primeros pobladores o conquistadores de la Nueva España y grande amigo y favorecedor de Hernán Cortés, presúmese haya sido Juan Suárez, hermano de doña Catalina, primera mujer de aquel Capitán, aunque se sabe con certeza que fue el primer encomendero de Tamazulapa. En México debió pasar su juventud Peralta, viviendo la vida libre, despreocupada y ruidosa de los hijos de conquistadores. Con éstos compartió sin duda la afición al arte hípico, que todo señor aquí y entonces con empeño cultivaba, empezando por el Virrey D. Luis de Velasco, de quien asienta "que era muy lindo hombre a caballo". Con la flor y nata de la juventud mexicana tomó parte principalísima en las fastuosas tanto como ruidosas fiestas organizadas para recibir a D. Martín Cortés, segundo marqués del Valle en 1563. Contrajo matrimonio por esta época con la hija del conquistador Alonso de Villanueva Tordesillas. Fue testigo presencial de los conflictos y trágicos lances a que la permanencia del hijo de Hernán Cortés en la Nueva España dio origen. Y mermada su hacienda, o fatigado acaso por las turbulencias de aquel agitado período que habría de reseñar, se trasladó a España en 1579.

Allá publicó Suárez de Peralta al año siguiente, en Sevilla, su *Tratado de la caballería de la gineta y brida*, y redactó el *Libro de alveitería*, que aun se conserva inédito en la Biblioteca Nacional de Madrid. En España ha de haber permanecido hasta 1589, año en que terminó el *Tratado del descubrimiento de las Indias y su conquista* y en que fue nombrado Virrey don Luis de Velasco el segundo. Presumible es que, dada la estrecha amistad que con éste le ligaba, Peralta regresara a México; por más que ello, a ciencia cierta, se ignora, así como el lugar y fecha de su fallecimiento.

"Si Bernal Díaz del Castillo —observa Artemio de Valle Arizpe— es el capitán de los cronistas, D Juan Suárez de Peralta es el que le sigue como brillante gonfalonero por la agradable sencillez de sus escritos y por ese su estilo tan jugoso y tan sápido, tan de movilidad y de encanto." Ocupa Suárez de Peralta una posición única, casi diríamos que excepcional entre los cronistas de la Nueva España. Hombre —como él mismo dijo— que "no tenía sino una poca de gramática, aunque mucha afición de leer historias y tratar con personas doctas", tuvo la feliz ocurrencia de narrar cuanto vio y miró en la dramática época en que le tocó vivir. De ahí, por lo que se refiere al estilo, un inapreciable don: es la lengua hablada, usual y corriente, entre los criollos del siglo XVI. De ahí también que sus páginas reflejan la impresión vivaz, palpitante, de un observador curioso, no sólo de los grandes acaecimientos de la política, sino del menudo vivir, de las costumbres de la gente de su tiempo. Desde los puntos de vista filológico, psicológico e histórico, las *Noticias de la Nueva España* son un libro delicioso; y para penetrar en las intimidades del virreinato en sus principios y conocer la vida social de entonces, nada como la obra de Suárez de Peralta.

Con lo cual queda implícito que, abarcando ésta desde "el origen y principio de las Indias e indios" hasta el gobierno del Virrey D. Martín Enríquez, encierra dos aspectos no igualmente valiosos. Suárez de Peralta, tratándose de las cosas de su tiempo, es imponderable cronista; en lo que sabe de oídas o por bien escasas lecturas, no pasa de mediocre y a veces inexacto historiador, que a lo sumo repite, mal, lo que otros dijeron bien. Para él sólo vive, sólo palpita lo actual, o lo inmediato a lo actual. Si poco interesa describiendo las Indias, o las costumbres e idolatrías de los indios como las encontraron los conquistadores; no tiene, en cambio, par, reseñando el gobierno del segundo Virrey y pintando con vivos colores la sociedad contemporánea. Sin abandonar nunca su naturalidad y sencillez —a la manera de un espectador que, viendo, comenta— despierta honda emoción dramática cuando se ocupa de la rebelión atribuída al segundo marqués del Valle, y, sobre todo, cuando narra el ajusticiamiento de los hermanos Avila. Son movidos y pintorescos los capítulos relativos al desembarco de John Hawkins en San Juan de Ulúa y la prisión de los corsarios ingleses.

Habría que mencionar finalmente a Baltasar de Obregón, nacido en la ciudad de México en 1544, autor de una *Historia de los descubrimientos antiguos y modernos de la Nueva España* (publicada hasta 1924 a pesar de haber sido escrita en 1584) y a quien el P. Mariano Cuevas llama "el primer historiógrafo de nacionalidad mexicana".

TERCER GRUPO

Entran en éste los religiosos historiadores; misioneros los principales de ellos que, en las rudas tareas de la evangelización, se dieron tiempo para reunir datos preciosos en lo que atañe a la historia y a la etnografía de México. No sólo, para el logro de tal empresa, consignaban lo que por propia observación podían asir, sino que espigaban en la tradición oral valiéndose de su acercamiento a los naturales, y, asimismo, con la ayuda de éstos, aplicábanse a la interpretación de las pinturas jeroglíficas: único documento que refrendaba el pasado de aquellos pueblos ignorantes de la escritura.

10. Fr. Bartolomé de las Casas nació en Sevilla en 1474 y murió en Madrid, a los noventa y dos años, en 1566. Hijo de un soldado que acompañó a Colón en su primer viaje al Nuevo Mundo, estudió en Salamanca y pasó a Indias en 1502. Pero no era su destino trabajar la tierra, sino preservar a los que la trabajaban. Así, abrazó el sacerdocio en 1510 y, en Cuba, se dedicó a la evangelización. En 1514, indignado por los "repartimientos de indios", que entonces se hallaban en todo su apogeo, y considerando que era injusto y tiránico el tratamiento que a aquéllos daban los conquistadores, decidió consagrarse a su protección y defensa. Esta había de ser su principal misión. Renunció a sus haciendas. En favor del derecho de los naturales a la libertad, levantó su voz ante las autoridades civiles y eclesiásticas de España. Promovió investigaciones. Ideó nuevos sistemas de colonización; él

mismo, aunque sin resultado feliz, trató de colonizar. Incansable, iba y venía del Viejo al Nuevo Mundo. A su tenacidad se debió que se promulgaran las Nuevas Leyes que refrenarían la inhumanidad desbordada. Dominico desde 1523, obispo de Chiapas a los setenta años, predicando ya con la palabra, ya con el ejemplo, litigando aquí, discutiendo allá, amenazado, perseguido, amado, odiado, vivió para una idea: erigir, sobre las ruinas de la opresión, el derecho de los naturales a vivir libres.

Por esto su figura, batalladora y ardiente, se proyecta con fúlgidos destellos en el horizonte de nuestro dramático siglo XVI. Por esto, más que a la de las letras, pertenece a la historia de las libertades humanas.

Tres obras le debemos: la *Historia de las Indias*, que abarca desde Colón hasta 1520, y que fue impresa en 1875-76; la *Historia apologética*, suplemento de la anterior publicada en 1909, y la famosa *Brevísima relación de la destrucción de las Indias*, que su autor destinó a Carlos V, fue impresa en Sevilla en 1552, y causó enorme sensación en su tiempo. La crítica moderna objeta el valor histórico de la obra de Las Casas. Estímasele como un doctrinario fanático que, empeñado en demostrar que los indígenas de América eran dechado de virtudes y fueron corrompidos por los españoles, se lanza por los campos de la fantasía, sin parar mientes en los datos de la realidad.

Insistamos: en Fr. Bartolomé de Las Casas, más que al historiador hay que tener en cuenta al paladín de una causa. "Exageró y abultó quizá —ha escrito D. Justo Sierra— la bondad esencial de los indígenas y la maldad de sus explotadores, no tanto como otros documentos lo demuestran. Pero aun así, esta clase de hombres que exageran y extreman de buena fe la pintura del mal, son necesarios en las épocas de crisis; así el remedio, aunque sea deficiente, viene pronto."

11. Fr. Toribio de Benavente (Motolinia), por su verdadero nombre Toribio Paredes, era natural de la villa de Benavente en la provincia de Zamora. Cambió su primitivo apellido por el nombre de su pueblo natal, según costumbre de entonces, al tomar el hábito en la orden de San Francisco en la Provincia de Santiago. Ya se le reputaba predicador y confesor docto cuando le fue ordenado partiera a la Nueva España con los doce primeros religiosos franciscanos que vinieron con Fr. Martín de Valencia en 1524. Habiendo desembarcado éstos en Veracruz, en mayo, emprendieron a pie y descalzos su camino rumbo a la ciudad de México. Al pasar por Tlaxcala detuviéronse para descansar. Era día de mercado y se asombraron —refiere Mendieta— "de ver tanta multitud de ánimas cuanta en su vida jamás habían visto así junta"; por lo que "alabaron a Dios con grandísimo gozo por ver la copiosísima mies que les ponía por delante". Los indios andaban tras ellos y, maravillados de verlos en tan humilde traza como desgarrados hábitos, prorrumpían en exclamaciones diciendo: "¡Motolinia! ¡Motolinia!", lo cual en lengua mexicana significa *pobre* o *pobres*. Ignorante de ésta Fr. Toribio preguntó a un español el sentido de tal palabra. Y una vez que lo supo, declaró: "Este es el primer vocablo que sé de esta lengua, y porque no se me olvide éste será de aquí en adelante mi nombre."

Los trabajos del fraile en las nuevas tierras adonde arribó fueron semejantes a los de tantos otros de sus ilustres compañeros: cifráronse en aprender la lengua mexicana, desplegar fogoso celo en la evangelización y proteger, asimismo, a los indios, en cuanto era posible, contra la opresión. Refiriéndose al nombre indígena adoptado por el franciscano, tanto como a la singular persona que lo llevaba, escribe Bernal Díaz del Castillo "que quiere decir *el fraile pobre*, porque cuanto le daban, por Dios lo daba a los indios y se quedaba algunas veces sin comer, y traía unos hábitos muy rotos, y andaba descalzo, y siempre les predicaba, y los indios le querían mucho porque era una santa persona".

Infatigable y ardiente fue la vida de Motolinia en la Nueva España. Apenas llegado a México, donde quedó de guardián al lado de Fr. Martín de Valencia, a tiempo que Cortés marchaba a su expedición de las Hibueras, le tocó tomar parte como actor principalísimo en la terrible contienda suscitada en 1525 con la Audiencia criminal y despótica. Ausente el Conquistador, desencadenábanse los apetitos y codicias de sus hombres. Y fueron entonces los franciscanos los que, desafiando a los fuertes que desatentadamente ejercían el poder, y sin cuidarse de odios ni persecuciones, calumnias ni amenazas, asumieron la salvaguardia de las víctimas. "Ponían los frailes —dice el propio Motolinia— la paciencia por escudo contra las injurias de los españoles; y cuando ellos muy indignados decían que los frailes destruían la tierra en favorecer a los indios contra ellos, los frailes para mitigar su ira respondían con paciencia: Si nosotros no defendiésemos a los indios, ya vosotros no tendríades quien os sirviese. Si nosotros los favorecemos, es para conservarlos, y para que tengáis quien os sirvan; y en defenderlos y enseñarlos, a vosotros servimos y vuestras conciencias descargamos; porque cuando de ellos os encargasteis, fue con obligación de enseñarlos, y no tenéis otro cuidado si no que os sirvan y os den cuanto tienen y pueden haber." Y agregaba, fulminante: "... ¡No costaron menos a Jesucristo las ánimas de estos indios como las de los españoles y romanos!" Más a la palabra asociaba el P. Motolinia la acción. Siendo guardián de Huexotzingo, en abril de 1529 dio asilo en su monasterio a los principales caciques con sus mujeres e hijos para impedir que se les apresase por orden de la Audiencia. Tan resuelta actitud y tal fortaleza para contrarrestar vejaciones e injusticias de la autoridad, dio alguna vez pábulo a la calumnia: en agosto del mismo año acusábasele de tramar una conspiración; especie falsa a la que si algo diera visos de probabilidad —como expresa D. Fernando Ramírez— "sería la circunstancia de referirse a la época del intolerable despotismo y desorden del gobierno de los oficiales reales".

Como misionero y civilizador, las actividades de Motolinia rebasaron la Nueva España y extendiéronse a las provincias de Guatemala, Nicaragua y Yucatán. Conocedor de la lengua y costumbres de las gentes a quienes evangelizaba, fogoso e intrépido, andaba leguas y leguas por centenares (cuatrocientas confiesa él que recorrió de México a Nicaragua), y no había pueblo en que no predicase, dijese misa, enseñara y bautizase niños y adultos. Nos lo imaginamos —esforzado y recio— en sus incesantes correrías apostólicas. "Los unos pueblos —dice— están en lo alto de los montes, otros están en lo profundo de los valles, y por esto los frailes es menester que suban a las nubes, que por ser tan altos los montes están siempre llenos de nubes, y otras veces tienen que abajar a los abismos, y como la tierra es muy doblada y con la humedad por muchas partes llena de lodo y resbaladeros, aparejados para caer, no pueden los pobres frailes hacer estos caminos sin padecer grandísimos trabajos y fatigas." Fundó conventos, entre otros el de Atlixco. Tomó participación principalísima en la fundación de la ciudad de Puebla, a la que él mismo llamó de los Ángeles, en cuyo trazo tomó personalmente parte, y en la que dijo la primera misa el 16 de abril de 1530. Fue sexto provincial de su Orden en toda la Nueva España, y guardián de Texcoco y Tlaxcala. Hombre de grandes y singularísimas virtudes, entre las que no eran menores la humildad y la caridad sin límites; perseverante y activo, en forma que nunca conoció la fatiga y

de los misioneros "fue el que anduvo más tierra", murió cargado de
años y en olor de santidad en el convento de San Francisco de México
—donde fue enterrado— el 10 de
agosto de 1568. Llegó con los primeros franciscanos y fue, de ellos, el
último en marcharse. "Es —dice con
razón García Icazbalceta— uno de
los tipos más admirables y completos del misionero español del siglo XVI."

Difícil sería consignar una bibliografía exacta y completa del franciscano. Como suyas se enumeran las
siguientes producciones: *Guerra de
los Indios de Nueva España, Camino
del Espíritu, Tratados de materias
espirituales y devotas, Doctrina cristiana en lengua mexicana, Venida
de los doce primeros padres y lo que
llegados acá hicieron, Memoriales,
Historia de los Indios de Nueva España, Carta de Fr. Toribio de Motolinia y Fr. Diego de Olarte a D. Luis
de Velasco, Virrey de la Nueva España, sobre los tributos que pagaban
los indios antes de su conversión*
(firmada en San Francisco de Cholula, 27 de agosto de 1554), *Carta al
Emperador Carlos V* (fechada en
Tlaxcala, 2 de enero de 1555). De
los anteriores escritos, todos, con
excepción de los cuatros últimos, se
desconocen, y sólo se tiene de ellos
noticia por los historiadores. Gran
parte del contenido de los *Memoriales* (publicados en 1903, en México, por D. Luis García Pimentel)
se halla en la *Historia*. En cuanto
a las cartas, la primera publicóla
Ternaux-Compans en sus *Voyages*,
y la segunda Fr. Daniel Sánchez
García en su edición de la *Historia
de los Indios de Nueva España* (Barcelona, 1914).

Es ésta la obra más importante,
la única que por su extensión y calidad literaria merece tal nombre
entre las de Motolinia. Lord Kingsborough la publicó incompleta y
con otro título en sus *Antiquities of
Mexico* (1848), y quien la dio a
conocer íntegramente fue nuestro sabio D. Joaquín García Icazbalceta

en el tomo I de su *Colección de documentos para la historia de México*. Puede considerársela como la
más antigua que se haya escrito acerca de la Nueva España. Empezó a
componerla su autor en Tlaxcala,
cuando era allí guardián, hacia 1536,
a ratos perdidos y en horas robadas
al sueño y al descanso. No le animaba en semejante tarea ninguna
vanidad literaria; aspiraba al incógnito: "Si esta relación —escribe al
Conde de Benavente— saliere de manos de Vuestra Señoría ilustrísima,
dos cosas le suplico en limosna por
amor de Nuestro Señor: la una, que
el nombre del autor se diga ser un
fraile menor, y no otro nombre..."
Se divide en tres partes: comprende
la primera, religión, ritos y sacrificios de los aztecas; la segunda, su
conversión al cristianismo y manera
como celebraban las fiestas de la
Iglesia; la tercera, índole y carácter
de la nación, su cronología y astronomía, con noticias de algunas ciudades y de los productos que más
abundaban en el país. Como historiador, distinguían a Motolinia la ve-
racidad y la prudencia. Dista de
ser crédulo y usa de gran cautela.
No afirma —salvo cosas de milagre-
ría, en las que es de un candor ado-
rable— sino aquello de que por personal experiencia está convencido.
Escribe con graciosa soltura y naturalidad. Es fluido y ameno, y se
lee con agrado. Personajes, usos, paisajes, píntalos con sobriedad y elocuencia. Tiene a menudo profunda
penetración política: en 1540 anti-
cipaba la profecía del Conde de
Aranda sobre los destinos de las
colonias de América. Fáltale, sin embargo, lo que a muchos ingenuos
cronistas del siglo XVI: la armonía,
el método. Hacina noticias de cuanto
observa y le parece más interesante.
Corta bruscamente la narración para
intercalar una anécdota. Es a veces
incoherente y confuso. No obstante,
su *Historia* es un arsenal de datos
y, en antigüedades aztecas, es una
autoridad de primer orden. Consúl-
tese la excelente *Vida de Motolinia*,

de José Fernando Ramírez, en la "Colección de escritores mexicanos" de la Editorial Porrúa, S. A.

12. Fr. Bernardino de Sahagún era Ribeira por su verdadero apellido, y usó en religión el nombre de su natal villa de Sahagún, en el reino de León, en la cual vio la luz hacia el último año del siglo xv.

Estudió en Salamanca. Era de gallarda apostura; su retrato, existente en el Museo Nacional, nos lo revela como un tipo de fina belleza ascética. Muy joven aún, tomó el hábito en el convento de San Francisco de la vieja ciudad universitaria. Vino a la Nueva España en 1529 con otros diecinueve frailes que trajo Fr. Antonio de Ciudad Rodrigo. Consagróse al estudio de la lengua mexicana con ardor y sapiencia. Habiendo comenzado a aprenderla durante la travesía misma, con los indios que por orden del Emperador, y tras de haber sido llevados a España por Cortés, regresaban a su patria; continuó, ya en México, el estudio de aquel idioma que hubo de poseer con absoluta perfección.

Los primeros años de su residencia los pasó en el convento de Tlalmanalco, y por ese tiempo emprendió una expedición al Popocatépetl y al Ixtaccíhuatl. Entregado a los menesteres de su orden anduvo por el valle de Puebla y por Michoacán, y fue, a lo que se conjetura, guardián del convento de Xochimilco. Pero el período más largo, no interrumpido y, acaso por fecundo, el mejor de su vida, lo pasó en el colegio de Santa Cruz de Tlatelolco. A poco de fundado éste, en 1536, se encargó de dar la cátedra de latinidad a los jóvenes indios de familias principales que allí acudían, puesto en el que duró hasta 1540. Al propio colegio volvió hacia 1570, y, consagrado a la enseñanza tanto como a la administración del establecimiento y a sus trabajos históricos, permaneció hasta el fin de sus días. Falleció en el convento de San Francisco de México el 5 de febrero de 1590.

La obra de Sahagún es gigantesca y dificilísima de establecer su bibliografía. "Ocupado casi cincuenta años en escribir —expresa García Icazbalceta— no solamente trabajó muchas obras, sino que a estas mismas dio diversas formas, corrigiéndolas, ampliándolas, redactándolas de nuevo y sacando de ellas extractos o tratados sueltos que corrían como libros distintos. Ya escribía en español, ya en mexicano, ya agregaba el latín o daba dos formas al mexicano." Evangelizador, filólogo e historiador, la obra de Sahagún sigue estas tres direcciones de su actividad. En el género religioso escribió: *Epístolas y evangelios de las domínicas en mexicano, Sermonario, Evangeliarum, Epistolarium et lectionarium;* una *Vida de San Bernardino de Sena según se escribe en las Crónicas de la Orden, traducida al mexicano; Ejercicios cuotidianos en lengua mexicana, Manual del Cristiano, Doctrina Cristiana en mexicano, Tratado de las Virtudes Teologales en mexicano, Libro de la venida de los primeros padres y las pláticas que tuvieron con los sacerdotes de los ídolos, Catecismo de la Doctrina Cristiana, Psalmodia Cristiana,* y muchos tratados sueltos sobre diversas cuestiones, tales como: *Pláticas para después del bautismo de los niños, Lumbre espiritual, Bordón espiritual, Regla de los casados, Impedimento del matrimonio, Doctrina para los médicos,* etc., etc. En materia filológica se registran las siguientes: un *Arte de la lengua mexicana,* un *Vocabulario trilingüe: en castellano, latín y mexicano,* y el llamado *Calepino,* que nadie vio y forma probablemente parte de la *Historia.*

Toda esa enorme producción es, en cierto modo, incógnita. De sus libros, el único publicado en vida de Sahagún, es la *Psalmodia Cristiana.* De los demás, unos existen manuscritos, otros se hallan perdidos, y no faltan los que sólo se conocen por referencias de los historiadores. Es la *Historia general de las cosas*

aprovechando los trabajos de Paso y Troncoso, Jourdanet, Rémi Siméon, y Seler, publicó D. Pedro Robredo en cinco espléndidos volúmenes (México, 1938). La Editorial Porrúa, S. A., publicó en 1956 en cuatro volúmenes una nueva edición de la *Historia general* del P. Sahagún, confiada al P. Angel Ma. Garibay K., quien hizo una revisión del texto sobre el *Códice Florentino;* corrigió la mala grafía de las palabras nahuas, dividió las parte de la *Historia* en párrafos marginales para facilitar la localización de materias, y compuso el cuarto tomo con ricos materiales que amplían las proporciones y alcances, hasta ahora conocidos, de la obra sahaguniana.

13. De FRANCISCO CERVANTES DE SALAZAR, nombre por muchos títulos ilustre en la historia de nuestras letras, se sabe que vino al mundo en Toledo, por los años de 1513 ó 1514. Estudió humanidades en su ciudad natal y cánones en Salamanca. Muy joven viajó por Flandes desempeñando un cargo oficial cuya naturaleza se desconoce; y, al retornar a España, era secretario latino del Cardenal Fr. García de Loaysa. Buena fama de latinista gozaría ya por entonces: y, fruto de sus actividades literarias en ese orden, lo fue el volumen de sus obras impreso el año de 1546 en Alcalá de Henares por Juan de Brocar. Intitúlase este libro: *Obras que Francisco Cervantes de Salazar ha hecho, glosado y traducido,* y comprende tres partes. En la primera figura el "Diálogo de la dignidad del hombre", comenzado por el Maestro Hernán Pérez de Oliva y concluido por Cervantes de Salazar, quien lo dedicó a Cortés. En la segunda aparece el "Apólogo de la ociosidad y el trabajo", del protonotario Luis Mexía, precedido de un "Argumento y moralidad de la obra", original de Cervantes de Salazar y erizado de notas eruditas. La tercera y última parte ocúpala la famosa "Introducción a la Sabiduría", escrita en latín por Juan Luis Vives y vertida al castellano por el propio Cervantes.

Ni gloria ni fortuna le han de haber dado el susodicho libro. Encontrámosle en 1550 como catedrático de retórica en la Universidad de Osuna, y en ese mismo año o al siguiente, persiguiendo tal vez hallar empleo que le permitiera subsistir, emigra a México.

Modestos fueron aquí sus comienzos; se ganaba el pan enseñando gramática latina en una escuela particular. Mas, al erigirse la Universidad, cuyos estudios inauguró con una oración latina en la ceremonia efectuada el 3 de junio de 1553, Cervantes de Salazar ocupó la cátedra de retórica con el magro sueldo de ciento cincuenta pesos anuales. Alumno y profesor a la vez, en la propia Universidad estudió artes y teología con Fr. Alonso de la Veracruz; se graduó de licenciado y maestro en artes "por suficiencia" el 4 de octubre del antes expresado año; en junio del siguiente se presentó a examen de bachiller en cánones, y optando por el estado eclesiástico, recibió las órdenes sagradas en 1555, antes de concluir sus estudios teológicos, que terminó, sin embargo, en la susodicha Universidad, obteniendo sucesivamente los grados de bachiller, licenciado y doctor.

En abril de 1559 aparece como cronista de la ciudad de México, nombrado por el Cabildo. Hace en 1562 un viaje a las Minas de Zacatecas, y logra en la Metropolitana de México una canonjía, de la que toma posesión el 16 de marzo de 1563. No ha de haber sido muy firme la vocación eclesiástica de Cervantes de Salazar; el arzobispo Moya de Contreras acusábale en una carta-relación de ser "liviano y mudable" y no estar acreditado de "honesto y casto". Venido a la Nueva España de seglar, acaso abrazó el sacerdocio por la fuerza de las circunstancias. Más que el pastoreo de almas le gustaron sin duda los afanes universitarios y el ejercicio de las letras. Aparte la de retórica sirvió la cátedra de Decreto en la Universidad, y se le eligió rector de la misma en noviembre de 1567; cargo que ocupaba el año anterior al de su muerte, ocurrida entre los meses de septiembre a noviembre de 1575. Fuera de obras literarias, tales como los *Diálogos* y el *Túmulo Imperial,* de las que se hablará en su lugar, la que a Francisco Cervantes de Salazar acredita como historiador es la *Crónica de Nueva España.*

Aunque constara que por encargo del Ayuntamiento de México la había escrito, y que tanto el cronista Antonio de Herrera (que la plagió largamente), como el bibliógrafo González Barcia la habían visto y examinado, la *Crónica* de Cervantes de Salazar se daba por perdida. El original o copia de ella lo había remitido el autor a España en 1567 acompañando una solicitud al Rey en que pedía el cargo de Cronista Real; pero de la obra, en nuestro tiempo, no se había vuelto a tener noticia. Figuraba como manuscrito anónimo en la Biblioteca Nacional de Madrid, y el privilegio de haber identificado y descubierto se lo disputaron nuestro eminente polígrafo D. Francisco del Paso y Troncoso y la distinguida americanista señora Zelia Nuttall. El primero afirma haber hecho tal descubrimiento en 1908. La segunda, dio cuenta en el Congreso de Americanistas, celebrado en Londres en 1912, de haber hallado el manuscrito el año anterior. Sea de ello lo que fuere, lo cierto es que la única versión completa del códice es la que se publicó en 1914 bajo los auspicios de *The Hispanic Society of America*, y que el señor Del Paso y Troncoso, quien a su vez y el propio año emprendió la impresión de la misma obra, sólo imprimió el primer tomo de ella y los dos restantes los publicó en 1936 el Museo Nacional de México.

La idea primitiva de Cervantes de Salazar había sido escribir una Crónica General de las Indias, dividiéndola, a imitación de la de Gómara, en dos partes: la primera, que comprendería todo lo ocurrido desde Colón hasta la conquista de Yucatán, por lo menos, y la segunda, consagrada a narrar la historia de la conquista de la Nueva España. De presumir es que el autor no llegó a componer nunca dicha primera parte, y, de la otra, no se podría asegurar que la concluyó, pues lo que ha llegado a nosotros está incompleto. De seis libros consta la *Crónica* de Cervantes de Salazar. Los dos primeros tratan de la descripción y descubrimiento de la Nueva España; los cuatro restantes, de la conquista de México, desde que llegó Cortés a San Juan de Ulúa hasta que despachó a Villafuerte y a Sandoval a la mar del Sur. El relato queda interrumpido aquí, pues de los treinta y cuatro capítulos que comprende el libro sexto, del último no hay sino el epígrafe.

Tiene, sin embargo, tal crónica, grandísima importancia, y no falta quien la considere, entre las de su género, como el relato de mayor valor histórico en la crítica y apreciación de los sucesos. En cuanto a concepción y ejecución, denuncia al hombre de letras profesional, que sabía lo que quería tratar y no ignoraba cómo artísticamente había de tratarlo; y, por lo que se refiere al estilo, la prosa flúida, clara y jugosa está proclamando que quien así la manejaba era consumado escritor.

Las fuentes principales de que se valió Cervantes de Salazar para escribir su libro, fueron las *Relaciones de Cortés* (a quien conoció y trató personalmente en España); las memorias de Alonso de Ojeda y Andrés de Tapia, capitanes del ejército de aquél, que tomaron parte en casi todas las batallas y expediciones; los *Memoriales* de Motolinía, y la obra de López de Gómara, que tuvo siempre a la vista. Todo sin contar algunas fuentes secundarias, y la circunstancia principalísima de haber vivido el historiador en la ciudad de México durante veinticinco años, muy poco después de la conquista, lo que lc permitió comunicarse con personas que en ella directamente intervinieron y recibir todo género de útiles y preciosas informaciones que bien supo aprovechar.

14. Nació Fr. Jerónimo de Mendieta en la ciudad de Vitoria (España) el año de 1525. Y tiene esto de particular y extraordinario el haber sido Fr. Jerónimo el último de los cuarenta hijos que tuvo, como fruto de tres matrimonios, su prolífico señor padre.

Tomó el hábito de San Francisco siendo todavía muy joven, en el convento de Bilbao, y vino a la Nueva España en 1554. En el convento de Xochimilco, adonde se le destinó, cursó Artes y Teología. Dióse a estudiar luego la lengua mexicana; y por tan singular manera llegó a dominarla que, siendo tartamudo en castellano, en cuanto se ponía a predicar a los indios en su idioma, la lengua se le soltaba, ágil y maravillosa.

Estuvo en Tlaxcala y en Toluca, y entre 1564 y 67 anduvo un año por tierra caliente, hacia Teutitlán, Tlatlauquitepec y Hueytlalpan. Gozaba de gran prestigio en su Orden. En 1570 volvió a España y moró en el convento de su ciudad natal. Desde allí entabló interesante correspondencia con el magistrado D. Juan de Ovando, del Consejo de la Inquisición, el cual, sabedor de las buenas prendas y conocimiento que en negocios de Indias el P. Mendieta tenía, acudió a él en demanda de informaciones. En dichas cartas éste expuso originales puntos de vista sobre el estado social de la Colonia y medios —a su juicio— de mejorarlo. A fuer de franciscano mostrábase simpatizador de los indios, por cuyo bienestar y defensa luchó. "El tono de su correspondencia —escribe García Icazbalceta— revela la vehemencia de su carácter; con la misma libertad que a éste hablaba al Rey, y aún más. La carta que a éste dirigió en 1565 es una especie de cartilla o *Sillabus* de todo lo que

pesaba sobre la conciencia real por el descuido en la gobernación de las Indias. Dudo que un simple funcionario de hoy tolerase sin muestra de enojo la terrible serie de cargos arrojados sobre el mayor monarca de aquel siglo."

A México se volvió en 1573, trayendo encargo de escribir en lengua castellana relación y noticia de la tarea llevada a cabo en la conversión de los infieles. Con ser activo, tardó veinticinco años en redactarla. Fue guardián de Xochimilco, Tepeaca y Huexotzingo, estuvo al frente del convento de Tlaxcala, y ocupó dos veces el cargo de definidor. Mostrábase celoso de la eficacia y pureza de su Orden. Aunque fogoso y enérgico, era en su trato sufrido, silencioso y reportado. Tanto amaba y defendía a los indios, que llegaba en ocasiones a ser injusto con los españoles. Cerca andaba de los ochenta años, cuando, al cabo de cruel dolencia, falleció en su convento de México el 10 de mayo de 1604, y allí fue sepultado.

Fuera de las *Cartas,* que publicó García Icazbalceta en el tomo I de su *Nueva colección de documentos para la historia de México* (1886), la única obra que, según noticias, haya escrito Mendieta, es la *Historia eclesiástica* indiana, que permaneció ignorada e inédita por más de dos siglos, y no vino a publicarse sino hasta 1870, en México, gracias a los empeños de aquel insigne erudito.

Divídese la *Historia* en cinco libros. En el primero se habla "de la introducción del Evangelio y fe cristiana en la Isla Española y sus comarcas, que primeramente fueron descubiertas", y comprende: el descubrimiento de América, la donación de la Silla Apostólica, el escaso éxito de la predicación en Indias, la rebelión del cacique Enrique y las crueldades de los españoles con los naturales de aquellas tierras. El segundo trata "de los ritos y costumbres de los Indios de la Nueva España en su infidelidad"; para escribirlo, se inspiró el autor, según propia declaración, en una obra hasta hoy perdida de Fr. Andrés de Olmos, y en los escritos de Motolinía. En el tercer libro "se cuenta el modo con que fue introducida y plantada la fe de Nuestro Señor Jesucristo entre los indios". Trata el cuarto "del aprovechamiento de éstos y su conversión"; y en él se reseñan la venida de los dominicos y agustinos, la fundación de la Provincia de Michoacán, las jornadas de los Misioneros; háblase de cómo se instruyó a los naturales en el colegio de Tlatelolco, y se encomian su habilidad e ingenio; diserta el autor sobre los repartimientos y los abusos de los españoles, diciendo cómo transgredieron las disposiciones de los reyes de España en favor de los indios; y, en suma, luego de haber narrado las pestes y calamidades que la raza vencida sufrió, y de dar el catálogo de los Provinciales y Comisarios de la Orden, de los Obispos de las diversas diócesis, así como noticia de los religiosos franciscanos que escribieron en lenguas indígenas, termina con una invectiva contra los españoles por los daños que a la conversión y al buen gobierno causaron por su desmedida codicia. Finalmente, el quinto y último libro, dividido en dos partes, constituye un extraordinario repertorio de noticias biográficas de los misioneros.

La *Historia eclesiástica indiana,* a juicio de García Icazbalceta, es obra de singular mérito: "El elevado espíritu de rectitud y justicia que en ella domina, el vigor y libertad con que está escrita, hasta su claridad y buen lenguaje enaltecen el valor de la narración sencilla y tersa, y la hacen agradable al lector". Y si "Mendieta no es un escritor primitivo en la rigurosa acepción de la palabra, tiene mucho de original, así en hechos como en juicios, y merece un puesto muy distinguido entre nuestros historiadores".

15. Del dominico Fr. Diego Durán apenas se conserva otra noticia que la despectiva y magra consignada por Dávila Padilla, Cronista de su Provincia, quien afirmó "era hijo de México, que escribió dos libros, uno de historia y otro de antiguallas de los indios; que vivió muy enfermo y murió en 1588".

Considera, no obstante, el erudito mexicano D. José Fernando Ramírez que fue Durán "uno de los primeros frutos de los enlaces legítimos de españoles con las hijas del país", y estima que el año de su nacimiento no puede fijarse con posterioridad al de 1538, diecisiete después de la conquista, pues hay datos para juzgar que sea anterior.

Fr. Diego consumó larga y laboriosa vida en útiles trabajos. Por sus obras se infiere que fue de los más ardientes propagadores del Evangelio en el siglo XVI; y son, asimismo, tales obras, demostración fehaciente de las prendas de quien las ejecutó, como diligente investigador y conservador de tradiciones y monumentos históricos. Mas si la incuria de historiadores y cronistas dio lugar a que no quedasen huellas de su paso por la vida, con el ilustre dominico fue más piadoso el tiempo, que permitió llegar hasta nosotros su quizá único libro, o sea la *Historia de las Indias de Nueva España y islas de Tierra Firme.* Del códice existente en Madrid mandó sacar copia D. José Fernando Ramírez; puso en orden, aderezó y pulió la bárbara prosa; y, habiendo publicado el primer tomo de la obra en México en 1867, ésta no se vino a concluir sino hasta 1880.

La crónica de Durán, terminada el año de 1581, se halla dividida en tres partes o tratados: la primera comprende la historia de México desde sus orígenes hasta la conquista, y termina con la expedición de Cortés a las Hibueras; en la segunda se da noticia de las divinidades mexicanas, ritos, festividades y templos; y la última, cuyo asunto esencial es el Calendario mexicano, continúa la relación de festividades, indicando las que se hacían en cada uno de los meses del año.

Obra de auténtico, pronunciado y rancio sabor primitivo, Durán tomó como base y plan para ella el antiguo compendio histórico originariamente escrito por un indio mexicano en su propia lengua, hoy conocido con el nombre de "Códice Ramírez". Probablemente, además, tuvo a la vista alguna otra historia o memorias arcaicas. Pero lo evidente es que los materiales que el fraile empleó en su libro fueron casi exclusivamente mexicanos, tomados de viejas pinturas históricas de los indios tanto como de las memorias que escribieron cuando les fue dable usar los caracteres alfabéticos; y que Durán se nutrió también en la tradición oral tanto de mexicanos como de españoles que habían sobrevivido a la conquista.

De aquí el gran valor de su libro, que Ramírez define diciendo que "es una historia radicalmente mexicana con fisonomía española". Áspera, ruda y poco atractiva de corteza, lleva su compensación "en la sustancia que envuelve"; aunque acaso sería ilegible, a no haber "adecentado" con paciente fidelidad dicho erudito el monstruoso original tal y como se contiene en el códice.

En suma, y concretando la opinión del docto historiógrafo sobre la obra de Durán: "La particularidad de ésta es que ella nos representa al vivo el pueblo mexicano; que le vemos moverse, le oímos discurrir, sentimos lo que siente; y cual si nos encontráramos en medio de él, podemos mejor apreciar las buenas y malas calidades de los individuos, los aciertos y errores de sus instituciones y de sus gobernantes. El autor, con su rudo lenguaje, es admirable en el conocimiento de los hombres. Ninguno ha retratado más al natural el carácter del indio. Además, entra en minuciosos pormenores relativos a las prácticas religiosas y civiles, usos y costumbres públicos y domésticos que han desdeñado los escritores, como impropios a la gravedad de la historia, participando

así del interés que tienen las memorias."

16. Originario de Medina del Campo, donde nació hacia 1539, y habiendo ingresado muy joven en la Compañía de Jesús, el P. JOSÉ DE ACOSTA residió en el Perú por largos años. En 1586 estuvo en México y de aquí pasó a España. Ocupó en la Península importantes cargos; vivió sus años postreros en Valladolid componiendo limpios sermones latinos, y murió en 1600.

Su *Historia natural y moral de las Indias* imprimióse en Sevilla en 1590; y el extraordinario favor de que tal obra disfrutó, pruébalo el hecho de que, aparte las seis ediciones españolas que tuvo, fue prontamente traducida al italiano, al francés, al alemán, al inglés, al holandés, e inserta, finalmente, en latín, por Teodoro de Bry en su *América*.

Los cuatro primeros libros de la obra de Acosta comprenden lo que él llama historia natural de las Indias: remontándose a la antigüedad clásica, se refiere a los orígenes de América y sus pobladores; con el gran acopio de datos que sus observaciones directas le proporcionaron, ocúpase de los meteoros y particularidades geográficas del Nuevo Continente; habla de los metales, de su explotación, y es el primero en expresar el modo y arte de beneficiar la plata por medio del azogue; estudia, en fin, los animales y plantas propios de Indias. En cuanto a la "historia moral", encontrámosla en los tres libros restantes: idolatría; organización social y política de incas y mexicanos; historia particular, en suma, de estos últimos, desde los antiguos moradores y fundación de México hasta la muerte de Moctezuma, dan materia para la sucesión brillante de esos breves, incisivos capítulos característicos de Acosta.

No se equivoca, por lo común, la posteridad, cuando concede a un escritor reiterada privanza. Acosta es un clásico: el más sobrio, atildado y elegante de los cronistas de Indias, y un modelo de prosista didáctico incluido con razón por la Academia entre los que constituyen autoridad en el idioma.

Como historiador no ha faltado quien le ponga por las nubes. Pesa, empero, sobre Acosta, el mote de plagiario. El primero en dárselo fue Dávila Padilla, quien, en su *Crónica de la provincia dominicana de México* publicada en 1596, asentó, hablando de Durán, que "vivió muy enfermo y no le lucieron sus trabajos, aunque parte de ellos están ya impresos en la *Filosofía natural y moral* del P. Josef Acosta, a quien los dio el P. Juan de Tovar". Y tal título de plagiario lo ratificaron Antonio de León, Kingsborough y nuestros historiadores más conspicuos, tales como Ramírez y Orozco y Berra.

El descubrimiento del *Códice Ramírez* vino a comprobar, en efecto, con respecto a Acosta, que si bien es verdad que no había plagiado a Durán, de cuya obra posiblemente no tuvo noticia, en cambio se apropió, sin aludir a la fuente, la relación del anónimo cronista indio, siguiéndole "casi" a la letra.

Mas, aun siendo innegable el plagio —en lo cual Acosta no andaría muy distante de los caminos que en esas materias seguían los cronistas del siglo XVI—, ¿quién podría negar que quedan en pie, por otros conceptos, los méritos y reales bellezas, así de información como de pensamiento y estilo que resaltan en los libros de su *Historia?*

17. Fr Juan de Torquemada vino a México siendo todavía niño. A los dieciocho o veinte años, en febrero de 1583, tomó el hábito en el convento de San Francisco, del que llegó a ser guardián. Murió repentinamente, en el coro de la iglesia de Tlatelolco, el año de 1624, en día y mes que se ignoran. Y trasladado con gran pompa su cadáver al susodicho convento, allí se le dio sepultura.

Nada más se sabe de la vida de Torquemada. El hombre permanece incógnito. No así su obra, que, con la de Acosta, fue la única entre las crónicas de Indias que conocieron impresa los contemporáneos. Mientras que habrían de pasar siglos para que los viejos códigos de Motolinia, de Sahagún, de Mendieta fueran exhumados, Torquemada mereció los honores de la publicidad a principios del siglo XVII. Su *Monarquía indiana,* terminada en 1612, vería la luz tres años después.

No por eso esta producción supera, ni siquiera iguala, a las anteriores. Antes bien, y por ser de ellas en buena parte mero reflejo y compilación frecuente, mantiénese respecto de las mismas a considerable distancia.

Libro copioso y tedioso, sembrado de torpes digresiones, al que si "se quitara lo inútil, el bulto quedaría reducido a poco más de la mitad", según afirma García Icazbalceta, la *Monarquía indiana* representa abigarrado bazar en el que se exhiben prendas pertenecientes a otros escritores. Torquemada entró a saco en los *Memoriales* de Motolinia, posiblemente en los escritos de Fray Andrés de Olmos, y de modo descarado en Mendieta, a cuya *Historia eclesiástica indiana* hurtó capítulos enteros, desfigurándolos de vez en cuando a fin de hacerlos pasar como propios, y suprimiendo de ellos invariablemente cuanto Mendieta había escrito a favor de los indios y en contra de los conquistadores.

CUARTO GRUPO

Lo integran historiadores indios: primera flor de la civilización hispánica en el Nuevo Mundo. Rudos y espontáneos, su originalidad y mayor mérito consiste en que nos dejaron los únicos documentos psicológicos por medio de los cuales podemos directamente penetrar en el alma indígena.

18. Al ocurrir la destrucción del convento grande de San Francisco de México en 1856, fue hallado por D. José Fernando Ramírez el precioso manuscrito conocido por EL ANÓNIMO o CÓDICE RAMÍREZ, nombre que se le dio más tarde en memoria de su descubridor.

Formábanlo, en un tomo encuadernado en pergamino, una "Relación del origen de los Indios que habitan esta Nueva España según sus historias", y tres fragmentos pertenecientes a otras obras, de los cuales uno contiene sucesos relativos a la historia de Moctezuma I; el otro, hechos de la Conquista desde la llegada de los españoles a Texcoco hasta los inmediatos a la rendición de México, y el último, aunque incorporado al añoso volumen, no muestra tener conexión alguna con los anteriores.

Por lo que a la Relación respecta, el autor de ella —a quien Ramírez llama *El Anónimo*— parece haber sido un indígena del estado secular, el cual la escribió en su lengua materna. Funda estas conjeturas el citado erudito: "primero, en las varias etimologías y traducciones que se dan a los nombres mexicanos, aunque algunas son erradas; segundo, en el elogio y particular estimación con que habla de los mexicanos, y tercero, en el laconismo con que menciona, sin disculpar, la matanza que los españoles hicieron en Cholula; en la horrible descripción que hace de la que ejecutó Alvarado en la nobleza mexicana, sin justificarlo, y antes bien, admitiendo entre los motivos la codicia de los conquistadores; en el desvío y aun desprecio con que habla de Moctezuma al describir su trágica muerte, atribuyéndola a los españoles mismos; y así en otras especies diseminadas en el cuerpo de la narración que no les son muy favorables". Y en cuanto a que el autor pertenecía al estado secular, induce a creerlo la severidad con que trata a los eclesiásticos, a quienes reprocha su indolencia y descuido en la instrucción cristiana parango-

nándola desventajosamente con el sacerdocio del antiguo culto idolátrico.

Créese que el ignoto autor escribió su obra hacia la mitad del siglo XVI, y, según Chavero, es ésta una interpretación extensa de algún códice jeroglífico de los antiguos mexicanos, hecha con apego a la tradición más pura.

Acreciéntase la importancia de la Relación si se atiende, además, a que sirvió de núcleo a las crónicas de Durán, Tezozomoc y Acosta. A raíz de escrito, grande ha de haber sido su popularidad. Traducida al castellano por el jesuita Tovar, el P. Acosta, sin indicar procedencia, la incluyó en su *Historia natural y moral de las Indias*. Una copia, o tal vez el original, sirvió de base a la *Historia* de Durán, quien, a diferencia del anterior, no se limitó a reproducirla, sino antes bien, la aumentó con multitud de pormenores y tradiciones recogidos de los contemporáneos, hasta formar un volumen cinco o seis tantos mayor que la narración anónima. Tezozomoc, en fin, túvola también a la vista, guióse por ella; pero, a semejanza de Durán, la extendió mucho más enriqueciéndola con datos y noticias de su cosecha. Y he aquí cómo —ha escrito D. Alfredo Chavero —"estas cuatro crónicas: el *Códice Ramírez*, Durán, Acosta y Tezozomoc, que son en realidad una sola, presentan la única fuente verdadera para escribir la historia del poderoso imperio a que puso cimientos el atrevido Tenoch, y que dejó derrumbar el pusilánime Motecuhzoma Xocoyotzin".

La única edición que del *Códice Ramírez* se ha hecho, es la que, precediendo a la *Crónica mexicana* de Tezozomoc, formando con ella un tomo, publicó en México D. José María Vigil en 1878.

19. Hijo de Cuitláhuac, el penúltimo emperador azteca, adoptó el famoso historiador indio al bautizarse el nombre de D. HERNANDO DE ALVARADO TEZOZOMOC.

Escasos datos hay acerca de su vida. Orozco y Berra infiere haya nacido pocos meses antes o después de la muerte de su padre, acaecida en 1520; y de un pasaje de su *Crónica* —originariamente escrita en lengua castellana— se deduce que ésta la compuso en edad avanzada, hacia 1598.

La *Crónica mexicana* de Tezozomoc debía comprender, conforme al pensamiento primitivo de su autor, dos partes: la primera, destinada a relatar la historia de los antiguos mexicanos hasta la venida de Cortés; la segunda, a narrar los sucesos de la Conquista. Esta última se ha perdido, o quizá no llegó a redactarse. En cuanto a la primera, publicóla por primera vez Lord Kingsborough en 1848 en sus *Antiquities of Mexico;* tradújola al francés Ternaux-Compans y la publicó en 1853; pero la única edición que del original se ha hecho es la mexicana a que antes aludimos.

Compuesta en lenguaje rudo y desaliñado la obra del cronista indio, sus locuciones son a veces forzadas y oscuras; faltan en ocasiones palabras para completar el sentido, y hasta ocurre que el autor emplee voces en acepción distinta de la que les es propia. Atribuye esto Orozco y Berra a que Tezozomoc luchaba contra la dificultad de expresar sus pensamientos, concebidos en su lengua propia, la náhoa, en el castellano que no le era tan conocido y familiar. Abundaba también en la carencia absoluta de cronología, debido a que no sabía concertar con precisión las fechas del antiguo calendario azteca con las del corregido gregoriano. Y su origen indio se evidencia, asimismo, en las frecuentes invectivas que lanza "contra el gran diablo y abusón Huitzilopochtli", temeroso de aparecer poco cristiano y apegado aún a las aborrecidas creencias de sus mayores.

Pero en su carácter netamente indígena reside, precisamente, el máximo atractivo de Tezozomoc. "Todo lo escrito acerca de historia antigua, por propios y principalmente por extraños —dice Orozco y Berra—, tiene más o menos la forma artificiosa que a este ramo del saber humano dieron los clásicos de las diversas épocas, apartándose a veces completamente del tipo verdadero y peculiar de las razas indígenas; cada quien se curó más de lucir el propio ingenio, que de hacer parecido el retrato que iba bosquejando en el papel. La *Crónica* de Tezozomoc presenta la leyenda en su prístina sencillez; tiene el sabor de esas relaciones conservadas desde tiempos remotos por los pueblos salvajes, transmitidas de generación en generación con ciertos visos de lo prodigioso y lo fantástico; pinta las hazañas y las costumbres de los héroes con cierta elevación unida a la rusticidad que tanto encanta en los personajes de la *Ilíada;* narra las causas que motivaron las guerras y el resultado de éstas, dejando traslucir cuanto había de grosero, de arbitrario, de injusto en la conducta de los monarcas de la triple alianza; los diálogos son naturales, el estilo duro, descuidado, propio de los pueblos a quienes pertenecen; en suma, es la tradición, la tradición verdadera que los mexica conservaban en sus seminarios y hacían aprender de coro a los jóvenes educandos."

Escrita hacia la misma época que la *Historia de las Indias* de Durán, la *Crónica mexicana* de Tezozomoc hubo de inspirarse en iguales o parecidas fuentes, singularmente —como antes se ha expuesto— en la "Relación del origen de los indios que habitan esta Nueva España según sus historias" del anónimo historiador. Y si a través de Durán percibimos el sentimiento del mestizo interpretando a la raza aborigen, es en Tezozomoc el alma india la que se estremece y palpita.

20. Si por boca de Tezozomoc habló el azteca interpretando la historia, D. FERNANDO DE ALVA IXTLILXÓCHITL representa al texcucano aplicado a idéntica tarea.

Era descendiente de Ixtlilxóchitl

de los reyes acolhuas; trasnieto del último rey o señor de Texcoco, procedía del matrimonio de éste con doña Beatriz Papantzin, hija del penúltimo emperador de México, Cuitláhuac. Nacido hacia 1568, estudió en el colegio de Santa Cruz de Tlatelolco; fue en las postrimerías de su vida intérprete del Juzgado de indios, y murió por el año de 1648, ya octogenario.

Se le deben varias *Relaciones,* de las cuales las primeras, aprobadas por el Cabildo de Otumba en 1608, y relativas a los Tultecas, a los Chichimecas, a las Ordenanzas de Nezahualcóyotl y Noticia de los pobladores fueron originariamente escritas en mexicano. Pero la principal de sus obras es la *Historia chichimeca,* que ocupó el declinar de su luenga existencia. Probablemente forma parte de una "Historia general de la Nueva España" que Ixtlilxóchitl, conforme a vasto plan, proyectaba; y aun la propia *Historia chichimeca* está trunca, pues, remontándose a la creación del mundo, según la tradición india, llega hasta la conquista, y termina el último capítulo con la narración del primer ataque dado por Cortés a la ciudad de México, aunque falta el relato de los demás acaecimientos del sitio.

Del historiador texcucano ha dicho García Icazbalceta que "ojalá hubiese escrito menos, con más detenimiento y atención a la cronología, porque es casi imposible seguirle en el laberinto de sus 'relaciones', que no suelen ser más que variaciones de un mismo tema; pero variaciones tales que no hay medio de reducirlas a un sistema perfecto".

Dan, sin embargo, extraordinario valor a los escritos de Ixtlilxóchitl las fuentes en que se inspiró. Fueron éstas las pinturas jeroglíficas de los antiguos, las relaciones de los indios ancianos y los viejos cantares. Las pinturas jeroglíficas le ilustraron sobre los hechos culminantes; y en los cantares encontró multitud de pormenores relativos a las hazañas y vidas de los señores. De aquí que —a juicio de Chavero— las obras de Ixtlilxóchitl merezcan fe; bien que, por reflejar ellas solamente la versión texcucana de la historia, para encontrar la verdad sea preciso comparar dicha versión con la mexicana que dieron Tezozomoc y Durán.

Publicadas esas obras en la colección de Kingsborough, y traducidas al francés por Ternaux-Compans la *Historia chichimeca* y la *Relación de pobladores,* la mejor edición que de Ixtlilxóchitl se conoce es la que bajo la dirección de D. Alfredo Chavero salió a luz en México en 1891-1892.

21. *Otros historiadores.* — Ocupando lugar secundario respecto de los antes enumerados, figuran algunos cultivadores más de la historia:

En primer término, señalaremos a FR. AGUSTÍN DÁVILA PADILLA (1562-1604), dominico natural de México, notable orador sagrado y arzobispo que fue de Santo Domingo. En 1596 se publicó en Madrid su *Histria de la provincia de Santiago de México de la Orden de Predicadores.* Continuador de Dávila Padilla fue su discípulo FR. FERNANDO DE OJEA, quien vino a la Nueva España hacia 1582 y escribió también una *Historia religiosa de la provincia de México.*

Asimismo cabe consignar el nombre de D. DIEGO MUÑOZ CAMARGO, mestizo tlaxcalteca, intérprete de los españoles y diligente investigador de las antigüedades de su patria. Nació, según Torquemada, en los primeros años de la Conquista —1526 ó 1530—, y murió muy anciano, a fines del siglo XVI. De él se conoce una obra original que ha llegado trunca hasta nosotros: la *Historia de Tlaxcala,* impresa en México con notas de Chavero en 1892.

Capítulo III

LA POESIA Y LA PROSA

No ocupó ancho espacio la literatura amena en la producción mexicana durante el siglo XVI.

Desconocida fue la novela, tan en boga en España entonces en su forma caballeresca; pero cuyo acceso a las Indias hubo de vedarse tempranamente, puesto que, por cédula de 4 de abril de 1531, se prohibía vinieran al Continente "libros de romances de historias vanas o de profanidad, como son de *Amadís* e otros de esta calidad, porque éste es mal ejercicio para los indios, e cosa en que no es bien se ocupen ni lean". Lo peor era que el temor al "mal ejercicio" abarcase en realidad no sólo a los indios, sino a españoles y criollos, quienes apenas si en mucho tiempo se dieron el gusto de esparcirse en lecturas profanas gracias al contrabando.

La época era ruda. El anónimo traductor del libro latino *Meditatiunculæ,* cuya versión castellana se hizo por encargo de la segunda esposa de Hernán Cortés, decía, en la dedicatoria del mismo, escrita en el primer tercio del siglo —desde Cuernavaca, "el más fresco y apacible pueblo de la Nueva España"—: "De buena gana hice lo que pude en la traducción de este libro; si no va mi romance tan pulido como lo hilan algunos retóricos castellanos, no es de maravillar; porque al cabo de tanto tiempo como ha que peregrino por estas tierras y naciones bárbaras, donde se tracta más la lengua de los indios que la española, y donde se tiene por bárbaro al que no es bárbaro entre los bárbaros, no es mucho

que esté olvidado de la elegancia de la lengua castellana..."

No privaba, por lo visto, la prosa. Cultivábasela, a lo sumo, sin preocupación mayor, por los frailes que escribían crónicas, gramáticas o devocionarios; pero nadie hubo que trabajara en libros de mero solaz.

1. *Los "Diálogos" de Cervantes de Salazar.*—Puede considerarse ésta como la única obra en prosa que registra la literatura amena en este período, bien que haya sido escrita en latín y con fines de carácter universitario.

"El renacimiento de las letras a fines del siglo decimoquinto —expresa García Icazbalceta— trajo consigo la necesidad de purificar la lengua latina, bárbaramente corrompida durante la Edad Media. Los idiomas modernos, no bien fijados todavía, eran vistos con desprecio por los sabios, quienes consideraban el latín como el medio universal y exclusivo de comunicación entre ellos. Los profesores prohibían severamente que se hablase otra lengua en las escuelas; y de entre los mismos discípulos nombraban espías que denunciaran a los que se atreviesen a usar los idiomas vulgares, aun en el trato íntimo del hogar doméstico. De aquí la necesidad de acomodar el latín al lenguaje familiar, donde a cada paso tropezaba con la falta de voces para expresar objetos nuevos y ocupaciones desconocidas a la antigüedad. Con el fin de suplir esa falta y evitar que los estudiantes, contagiados de los barbarismos que afeaban los libros de enseñanza, continuasen empleando o inventando frases intolerables, se discurrió redactar Diálogos, a manera de *Manuales de conversación* en que los autores procuraban introducir locuciones clásicas, y a falta de ellas los completaban, como mejor podían, con otras ajustadas a las reglas del idioma. Los más eruditos echaban mano del griego, para ayudarse en esa tarea imposible de infundir vida a una lengua muerta, y acomodarla a nuevos tiempos y costumbres."

Obra la más famosa en esa época, entre las de su género, lo fueron los *Diálogos* de Luis Vives. No satisfecho del ya existente de Pedro de Mota, Cervantes de Salazar, antes de venir a México, había escrito un comentario acerca de ella. Y adoptados que fueron los *Diálogos* de Vives por nuestra Universidad, en la que figuraba como catedrático de latín Cervantes, procedió éste a imprimirlos aquí, adicionándolos con el comentario de Mota y el suyo propio, y continuándolos con siete diálogos más, de los cuales los tres últimos: *Academia Mexicana, Civitas Mexicus interior* y *Mexicus exterior* acertaron a salvar del olvido este esfuerzo del docto humanista, y son los que tienen lugar especialísimo y particular valor en la literatura mexicana.

Bajo el título de *México en 1554* tradújolos García Icazbalceta en limpia prosa castellana y los anotó y publicó en 1875.

Son, como él mismo lo ha dicho, inestimables documentos históricos. El primero describe la Universidad y encierra preciosos datos sobre el funcionamiento y componentes de ella. En el segundo, los interlocutores se pasean por la ciudad flamante, erigida sobre las ruinas de Tenochtitlan; por la ciudad a la que Cervantes había titulado insigne, y de la que decía parecerle razón "supiesen de mí antes que de otro la grandeza y majestad suya". El tercero y último pinta los alrededores de la capital.

Tienen estos diálogos el acartonamiento académico propio de la lengua muerta en que fueron escritos. Indudablemente, Cervantes de Salazar no era artista; pero, en cambio, y ello basta, era vecino de México; un vecino que nos transmitió su visión de la ciudad. Nos hace pasear por las calles; nos muestra las alineadas casas que tenían solidez de fortalezas; extasíase ante el primitivo real palacio; nos habla de la dilatada plaza donde se celebraban ferias o mercados y se encontraba toda clase de mercaderías; refiérese a acequias y pintorescos canales en los que se advierte tal abundancia de barcas, que no hay motivo para echar de menos las de Venecia; perfílanse, a través del relato, monasterios e iglesias; en compañía de los personajes que dialogan vamos a Tacuba, a Chapultepec, a Coyoacán, los pintorescos sitios aledaños; y, en fin, desde las alturas, vemos cómo otean el panorama maravilloso del Valle de México, para ponderarlo y cantarlo con toda suerte de entusiastas loanzas.

Si hemos de creer a su impresor Juan Pablos, Cervantes de Salazar, en los *Diálogos,* "describió tan erudita y copiosamente la ciudad de México y sus alrededores, que no parece que describe, sino que pone las cosas a la vista"; por más que, en esto, convenga hacer algunas reservas al interpretarlo, pues, a juicio del eminente traductor castellano —quien en la materia constituye autoridad— en la mencionada obra se nota "cierta propensión a ponderar el mérito de lo que realmente existía".

2. *Primeras producciones en verso.*—Con mejor fortuna corrió la poesía. Aceptábasela de buen grado, y, andando los años, hasta con efusión. Se la enseñaba en la Universidad, y era elemento preponderante en conmemoraciones y fiestas. Aseguraríase que toda la prevención y sospechosa desconfianza que a los directores de la cosa pública en los nuevos dominios infundían las enrevesadas historias de Amadises y Palmerines, se trocaba en blando acogimiento de las rimas sonoras, ya

se tratase de la vieja manera castellana, o bien de la italianizante que
por aquel entonces, con Garcilaso y
Boscán, había triunfado en la Península.

Unos versos latinos insertos en el
libro intitulado *Manual de Adultos,*
impreso en México en 1540, pasaban
por ser la primera producción poética
de que se tenía noticia; subscribiólos
Cristóbal Cabrera, natural de Burgos,
quien vino muy joven a la Nueva
España y ya en 1535 figuraba como
notario apostólico. Sin embargo, y
no ya en latín sino en romance, se
habían compuesto versos con anterioridad. Corresponde la primacía en
el orden cronológico a los villancicos en español que aparecen en el
auto *Adán y Eva,* escrito en mexicano y representado en 1538, en los
festejos con que los tlaxcaltecas celebraron el día de la Encarnación, según consta por las páginas alusivas
de Motolinia. Y hasta, si entramos
en el terreno de la poesía popular
y en buena parte anónima, pondría-
mos también entre los primeros versos castellanos que conoció la Nueva
España, las sátiras y pasquines dirigidos por los propios conquistadores
contra Cortés en Coyoacán, para dar
salida a sus reconcomios por no haber sido lo bastante favorecidos a
la hora de las recompensas.

Posteriormente, en 1559, sin abandonar el carácter circunstancial, pero
asumiendo una forma culta y modernísima para la época, regístrase
una nueva manifestación poética.
Ocurrió ello con motivo de las exequias del Emperador Carlos V, celebradas en la iglesia de San Francisco.
Erigióse un soberbio túmulo, que
Cervantes de Salazar describe cum-
plidamente en el opúsculo que publicó al año siguiente con el título de
*Túmulo imperial de la gran ciudad
de México a las obsequias del invec-
tísimo César Carlos V.* El tal túmulo,
obra de arquitecto excelente, y "extraña y de gran variedad para todos
los que la vieron", llevaba multitud
de inscripciones en prosa y verso, así
latinas como castellanas.

Aunque el cronista no revela quiénes fueron los autores de esas producciones literarias, crée se que hayan
salido de la pluma del propio Cervantes. Algunos, al contrario, opinan
que él sólo escribió la parte latina
y no la castellana. Ésta, que era la
menor, reducíase a sonetos y octavas
reales; curioso dato por el que podemos afirmar que las primeras voces
cultas de la poesía española en América se escucharon a la manera italiana. De las composiciones aludidas,
las octavas reales pecaban de torpes,
en tanto que los sonetos revelan
facilidad de versificación, limpieza y
pulcritud de lenguaje, a falta de ele-
vadas ideas: condiciones todas que
inducen a suponer en el autor que se
hallaba familiarizado con las letras
de su tiempo.

3. *Auge de la poesía.*—Fenómeno singular y digno de anotarse es
que la superabundancia poética que
siempre ha distinguido a México se
hizo sentir desde el siglo XVI.

Siendo escasísimo el bagaje que
de entonces nos resta, hay motivos,
no obstante, para presumir que los
poetas o aspirantes a serlo eran numerosos. Al certamen concertado en
1585, con motivo del tercer Concilio
provincial mexicano, concurrieron
trescientos, según Bernardo de Balbuena, que fue uno de los laureados.
Y por si tal aserto, en su elocuencia
numérica, no bastare, allí está el de
nuestro dramaturgo Fernán González de Eslava. En cierto coloquio
hace decir éste a uno de sus personajes que "hay más poetas que es-
tiércol"; bien que el gracioso, tras
de afirmarlo, añade en son de consejo a su interlocutor y con referencia a los escasos rendimientos de
la poesía: "...Busca otro oficio:
más te valdrá hacer adobes en un
día, que cuantos sonetos hicieres en
un año".

Exageración tal vez la había en
cuanto a la descomunal copia de versificadores. Pero, aun reduciéndola
a sus proporciones mínimas, todo
hace creer que en la Nueva España,

y en la segunda mitad del siglo, habíase llegado a cierto auge poético.

Monumentalmente, la antigua Tenochtitlan resurgía de sus ruinas. Atraídas por el afán de riqueza afluían a ella nuevas gentes que más y más la poblaban. A la par que la del engrandecimiento material, la obra de la cultura empezaba a dar sus frutos. Si con meridional expresión Eugenio de Salazar habla de

Los edificios altos y opulentos
de piedra y blanco mármol fabricados,
que suspenden la vista y pensamientos;

Bernardo de Balbuena, refiriéndose a la Universidad y comparándola con las de Alcalá y Lovaina, afirma que podrán preciarse éstas.

. . .de tener las aulas llenas
de más borlas, que bien sería posible,
mas no en letras mejores ni tan buenas.

Atendiéndose a tan fogosos encomios, habrá que creer que la noble cultura española trasplantada a la capital del virreinato, aquí florecía con lindas galas. En México —afirma Balbuena— es

donde se habla el español lenguaje
más puro y con mayor cortesanía.

Cuanto encierra humano entendimiento —torna a expresar—

los gallardos ingenios desta tierra
lo alcanzan, sutilizan y perciben. . .

La nueva raza naciente, la juventud criolla, distinguíase por su inteligencia y despejo, y vástagos de la antigua mostraban notables dotes en el ejercicio de varias disciplinas. Por lo que a eruditos literarios atañe, es evidente que las enseñanzas de aulas y colegios empezaban a dar sus frutos y no el menor de ellos era la afición a versificar.

Los ingenios de la Corte.—Indudable influencia tuvo en el desarrollo de la cultura de entonces el esplendor y brillo del Siglo de Oro español; bien que, en materia de libros, no fuesen muchos los que acá arribaban. Alguna también ha de haber tenido los pocos aunque preclaros escritores que, de la Península, vinieron a la Nueva España en el siglo XVI. Fueron éstos Gutierre de Cetina, Juan de la Cueva y Eugenio de Salazar.

4. GUTIERRE DE CETINA vino a México hacia los veintiséis años, en 1546, acompañando a su tío Gonzalo López, Procurador General de Nueva España.

De familia noble y acomodada, había nacido en Sevilla en 1520. Educado en su ciudad natal, desde temprana edad se familiarizó con los clásicos latinos. Como soldado, aunque "en peregrinación más apasionada que guerrera" —como expresivamente afirma D. Francisco A. de Icaza— siguió a la corte por España, Italia y Alemania. Amigo de Hurtado de Mendoza y de Jorge de Montemayor, del príncipe de Ascoli y de la princesa Molfetta, y prendado de la condesa Laura de Gonzaga, a la que cantó en sus versos, ignórase a ciencia cierta cuáles hayan sido los motivos que le trajeron a América. Cuando llegó aquí, el poeta estaba hecho. Ya era uno de los más señalados representantes de la escuela ítaloespañola iniciada por Garcilaso y Boscán. Su obra, abundante en sonetos, madrigales, epístolas y canciones, amén de algunas composiciones en prosa, había sido elaborada. Obra de juventud, escrita entre los veinte y veintiséis años, era, sin embargo, obra definitiva.

Qué influencia literaria haya tenido la estancia de Cetina en México, no sabríamos decirlo puntual y pormenorizadamente; ¡como que se carece aún de datos respecto a las actividades literarias del poeta en la Nueva España! En sus escritos conocidos no hay alusión alguna a América; salvo en la célebre *Paradoxa en alabanza de los cuernos*, posiblemente compuesta antes de salir de España. Pacheco, su biógrafo, asegura que aquí escribió Cetina un libro de comedias morales, pero éste no se encuentra. Con todo, y atendiendo al genio esencialmente dinámico que lo distinguió, cabe suponer que no permaneciera ocioso durante los ocho años de su residencia en México, máxime cuando su posición y circunstancias, así como un presumible estado sentimental creado por amorosas remembranzas de los años inmediatos, han de haberle sido propicios a la producción poética.

En la Biblioteca Nacional de Madrid existe un antiguo códice intitulado *Flores de varia poesía*, recopilado en México en 1577. Hállase incompleto; contiene 330 composiciones de treinta y un autores, y corresponde la mayor parte de ellas a Cetina, de quien son setenta y ocho. ¿No habrán sido escritas algunas en la Nueva España, y así como las compiladas en ese cancionero se salvaron, otras muchas no se habrán perdido?

Sea lo que fuere, de lo que se dice que escribió Cetina en México no queda rastro. Ni tampoco consta noticia alguna de su estancia aquí, salvo la relativa a la romancesca aventura que truncó en flor aquella inquieta existencia. En la Puebla de los Ángeles, la noche del 1º de abril de 1554, fue acuchillado alevosamente el poeta bajo las ventanas de doña Leonor de Osma, por Hernando de Nava, hijo del conquistador llegado a la Nueva España con Narváez. Herido de muerte, caballerescamente negóse a revelar quién era su heridor. Nava, empero, fue sentenciado; y, si escapó a la degollación, no dejó en parte de purgar su delito: en la Plaza Mayor de México le fue cercenada la mano derecha el 7 de julio del mismo año. Tres después, en 1557, uno de los cómplices pidió indulto. En la petición consta que ya Cetina había muerto.

Tan breve como infortunada fue, pues, la vida de Cetina: el brillante cortesano que en eróticos devaneos anduvo por Italia; el amigo de letrados y príncipes; el enamorado de la condesa Laura Gonzaga, caía mortalmente herido en oscura ciudad, ante las ventanas de una mujer que tal vez no amó, ni de la cual fue tampoco amado. Y no menos infortunado hubiera sido su destino literario. Dispersa su obra, ignorado por siglos, le salvó del olvido un madrigal, el más bello que se haya escrito en lengua castellana:

Ojos claros, serenos,
si de un dulce mirar sois alabados...

5. JUAN DE LA CUEVA, a diferencia de Cetina, sí dejó huella literaria de su paso por la Nueva España.

Sevillano también —créese haya nacido en 1550—, vino a México en compañía de su hermano Claudio, nombrado más tarde arcediano e inquisidor, y tenía por entonces no más de veinticinco años. Documentalmente, y valiéndose para ello de las poesías que Cueva compuso a raíz de su viaje, D. Francisco A. de Icaza ha fijado la estancia del poeta en Nueva España, de octubre de 1574 a los primeros meses de 1577.

Desde su niñez leyó y tradujo Cueva a los clásicos latinos, y fue en sus comienzos italianizante y petrarquista, aunque después abominara de ello. Al venir a México es seguro que todavía no gozaba de renombre. Lo más de su producción lírica considérase posterior. Respecto a sus comedias —que constituyen el mejor título de su fama— evidente parece que no haya escrito ninguna con anterioridad a su arribo al Nuevo Mundo, pues la primera se estrenó en Sevilla dos años después de su regreso, en 1579, y las demás fueron sucesivamente representadas en la misma ciudad hasta 1581. Y en cuanto a sus obras restantes, en que ensayó los más diversos géneros poéticos, todas datan de la época de su retorno a la Península, hasta 1609, en que se pierde todo rastro de su existencia.

Conforme lo expresa Icaza, parte de los versos que figuran en las *Obras* de Juan de la Cueva, publicadas en 1582, ya aparecen en las

Flores de varia poesía —el manuscrito fechado en 1577, a que antes hemos aludido— y pertenecen, por tanto, a su mocedad y primera juventud.

La mayor parte de las poesías de Cueva se conservan manuscritas en la Biblioteca del Cabildo Eclesiástico de Sevilla. Por su diligente examinador y comentarista ya citado —quien ha hecho el más alto elogio del sevillano diciendo que "en sus colecciones está esbozada toda la lírica posterior, quizá con más claridad que el teatro, de que fue precursor"— sabemos que Cueva, durante su corta permanencia en México, cultivó dos géneros de composiciones poéticas: "En las primeras describe y pinta lo que llama su atención en aquellas tierras para llevarlo a conocimiento de los amigos que dejó en España, o para comentarlo entre sus nuevas amistades de México; en las segundas vive de recuerdos, y los canta con más sinceridad y desesperada nostalgia que ternura y poesía verdadera".

Bien lo muestra así la larga *Epístola* dirigida al licenciado Laurencio Sánchez de Obregón, primer Corregidor de México, en la cual advertimos cómo vio y sintió a esta ciudad el poeta. Efusivamente, con calor, con entusiasmo, la describe. Sus ojos se extasían ante la naturaleza, y nos habla de frutas y flores para él desconocidas:

Mirad aquestas frutas naturales,
el plátano, mamey, guayaba, anona...

Llama su atención la cocina indígena, que aun hoy perdura y es una originalidad del pueblo mexicano:

Que un pipián es célebre comida,
que al sabor dél os comeréis las ma-
[nos...

A semejanza de los cronistas, aunque por distinto modo, le interesan el carácter y pintorescas costumbres de los naturales, y conviértelos en elemento de poesía:

Dos mil indios (¡oh extraña maravilla!)
bailan por un compás a un tamborino
sin mudar voz aunque es cansancio
[oílla...

Al principio —según consta por la *Epístola*— el poeta ha de haber sentido hondamente el encanto de la nueva tierra, donde las nubes "destilan oro".

Vivo en mi libertad y gusto mío...
mi voluntad me rige y me gobierna,
y del que así no vive burlo y río...

expresa en aquella composición. Pero le ganó al fin, al fin hubo de devorarle la nostalgia, como lo da a entender en un soneto dirigido a su hermano; soneto que es, como si dijéramos, el reverso de todos los entusiasmos paradisíacos de que se sintiera poseído:

Los alegres placeres han huído
y el descanso que siempre nos seguía,
Claudio, desde el postrero y cierto día
que partimos del dulce y patrio nido...

No sería larga la añoranza. El poeta estaba de vuelta en España en 1577.

6. EUGENIO DE SALAZAR, por haber residido en Nueva España más tiempo que los anteriores, por el cargo que aquí ocupó, y hasta por sus actividades universitarias; aun siendo poeta menor respecto de Cetina y Cueva, ha de haber ejercido mayor influencia en el ambiente poético de México, del cual nos ofrecen sus producciones halagüeño reflejo.

Nacido en Madrid hacia 1530, pasó por las Universidades de Alcalá y de Salamanca, y se graduó de licenciado en leyes en la de Sigüenza. Contrajo matrimonio en 1557 con doña Catalina Carrillo —la honesta Dulcinea de sus innumerables versos amatorios—, tuvo en ella dos hijos, y tras de haber desempeñado algunas comisiones en España e importante cargo en las Islas Canarias, pasó con el empleo de oidor a Santo Domingo y luego con el de fiscal a la Audiencia de Guatemala. Con este mismo carácter se trasladó a México por los años de 1581, y aquí también, más adelante, fue oidor. En 1591 se doctoró en la Universidad; y, por último, Felipe III lo llamó al Consejo de Indias, en el que servía en 1601, sin que se sepa la fecha de su muerte.

De incomparable donaire y agudeza en sus cartas en prosa —según Menéndez y Pelayo—, fue poeta fecundísimo y en la versificación fácil. "Hay sin duda en la enorme cantidad de versos que encierra su *Silva de varia poesía* —todavía inédita en su mayor parte—, muchos cosas medianas e insignificantes, en la que la soltura degenera en desaliño, y la ternura conyugal en prosaísmo casero; pero hay en la parte erótica, es decir, en los innumerables versos hechos 'a contemplación de doña Catalina Carrillo, su amada mujer', un afecto limpio, honrado y sincero, muy humano y a cien leguas distante de la monotonía petrarquista; y en la parte descriptiva mucho lujo y gala de dicción, y ciertos conatos de dar a sus paisajes color local y americano..." Siguió en esto los mismos rumbos que Juan de la Cueva. Su descripción en octavas reales de la lengua de Tenochtitlan, y la *Epístola* en tercetos dirigida a Fernando de Herrera —insertas ambas en el *Ensayo de una Biblioteca española de libros raros y curiosos*— son, la primera, un poema en que resalta, en efecto, la preocupación de Salazar por el color local, y, la segunda, un atrayente cuadro donde el poeta pone por las nubes el grado de cultura a que la ciudad de México había llegado, así en el orden científico como en el literario.

Resumiendo: verosímil es que la residencia de los tres poetas antes mencionados en la Nueva España, en diferentes períodos del siglo XVI, haya contribuido —como presume Menéndez y Pelayo— "al desarrollo de las buenas prácticas literarias difundidas por las escuelas de Salamanca y de Sevilla". Si Cetina apenas dejó rastro de su paso por estas tierras, Cueva y Salazar fueron, en cambio, una anticipación de Balbuena, en quien la poesía habría de ser ya plenamente americana.

7. *Bernardo de Balbuena y "La grandeza mexicana"*.—Al contrario de los anteriores poetas, que sólo fueron aves de paso, Balbuena se halla ligado a nuestra historia literaria con más estrechos vínculos.

En Valdepeñas vio la luz Bernardo de Balbuena, el 20 de noviembre de 1568. [1] Muy niño fue traído a México, y aquí hizo sus estudios bajo la protección de su tío D. Diego, canónigo de la Catedral. Ingenio precoz, y de natural y decidida vocación por las letras, a los diecisiete años hacía sus primeras armas, saliendo triunfante en el certamen convocado en 1585, a que aludimos antes. En 1607, o sea hombre formado ya, regresó a España, y allá obtuvo el grado de doctor en teología en la Universidad de Sigüenza. En 1608 fue electo abad de la isla de Jamaica, y nombrado o b i s p o de Puerto Rico en 1620. Asistió al sínodo provincial reunido en Santo Domingo; celebró otro en sus diócesis en 1624, y murió en 1627.

Tres obras se conocen de Balbuena: *La grandeza mexicana*, impresa en México en 1604; *El siglo de oro en las selvas de Erifile*, colección de églogas (1608), y el *Bernardo o Victoria de Roncesvalles* (1624), bravo poema escrito nada menos que en cinco mil octavas reales.

Desentendiéndonos de las dos últimas producciones citadas, por no cumplir ellas a nuestro objeto, hablemos solamente de *La grandeza mexicana*.

Es éste un poema descriptivo de la capital de la Nueva España en las postrimerías del siglo XVI. Los ocho

---

[1] Se ha aventurado la hipótesis de que Balbuena haya sido originario de la Nueva España. D. Victoriano Salado Álvarez, en su estudio *Un gran poeta mexicano restituído a su patria*, sostuvo que el autor del *Bernardo* nació y se educó en Guadalajara (Jalisco).

capítulos de que se compone constan de otros tantos argumentos que el autor resume en la siguiente octava:

De la famosa México el asiento,
origen y grandeza de edificios,
caballos, calles, trato, cumplimiento,
letras, virtudes, variedad de oficios,
regalos, ocasiones de contento,
primavera inmortal y sus indicios,
gobierno ilustre, religión y estado,
todo en este discurso está cifrado.

Aspiraba, pues, Balbuena, a pintar a México en todos sus aspectos: el material externo, el espiritual, el social y el político. Y a fe que lo consigue, poniendo a contribución su prodigiosa exuberancia verbal, su extraordinaria fuerza descriptiva, su lujo inaudito de color y su rica fantasía.

Embelesado, discurre por la entonces nueva capital.

La ciudad, "bañada de un templado y fresco viento", se alza sobre las claras lagunas. Percibimos torres, capiteles, ventanajes. Bajo un cielo "que es de ricos", surgen aquí y allá alamedas y jardines "de varias plantas y de frutas bellas". Por caminos y calzadas pasan recuas, carros, carretas, carretones. Y una multitud abigarrada va de una parte a otra: arrieros, oficiales, contratantes, "cachopines", caballeros, galanes, clérigos, frailes, hombres, mujeres; todos de diversa color y diferentes en lenguas y naciones. Las calles son como tablero de ajedrez; el cristal de las aguas "en llamas de belleza se arde". Suben las torres amagando vencer a las nubes en altura, y la ciudad, flor de ciudades, es gloria del poniente.

Dulce es el habla. En maneras la gente es afable y cortesana. Las damas son de la beldad misma retrato, y, además, honestas y recatadas. En los caballeros abundan los sutiles ingenios amorosos.

Al poeta le gustan mucho los caballos. De ellos nos habla copiosamente en el canto III. Bellos caballos briosos de perfectas castas, de diverso color, señales y hechuras;

de manos inquietas, de pechos fogosos. ¡Y qué jaeces, penachos y bordaduras realzan su gallardía! ¡Y cómo los jinetes son diestros y de hermosísimas posturas!

En México se hacen primores de cosas: trabajan y trabajan joyeros, lapidarios, relojeros, herbolarios, vidrieros, batihojas, fundidores, estampistas, farsantes, escultores, arquitectos. No escasean poetas raros que todo lo penetran y atalayan. Atenas no vio tal abundancia de bachilleres y pululan, en suma, borlados doctores tan grandes en ciencia como en pareceres graves.

En verano, cuando brotan los jazmines y el deseo, las fiestas no faltan. La ciudad del siglo XVI, que muchos suponen adusta, se llena de fiestas: hay saraos, visitas, máscaras, paseos, cacerías, músicas, bailes y holguras...

Considerando sus efusivos encomios, que, por lo demás, concuerdan con los expresados por los contemporáneos, podría creerse que cuanto pinta, pondera y enaltece Balbuena, tocante a la grandeza de México, haya sido obra de su fantasía y obligado tema de su genuina manera pomposa y deslumbrante. Pero a esto se opone testimonio tan respetable como el de García Icazbalceta. Nuestro gran historiador juzga que el poeta "no había de fraguar lo que no existía", y que su obra —con "las precauciones debidas"— merece, independientemente de su valor literario, ser estimada como documento histórico.

A juicio de Menéndez y Pelayo, "si de algún libro hubiéramos de hacer datar el nacimiento de la poesía americana propiamente dicha, en éste nos fijaríamos". Es "una especie de topografía poética". "Aunque el paisaje, en medio de su floridez y abundancia, no tenga más que un valor convencional y aproximado, y esté, por decirlo así, traducido o traspuesto a un molde literario, todavía en el raudal de las descripciones de Balbuena se siente algo del prolífico vigor de la primavera mexicana."

Casi olvidada por luengos años, desde que salió a luz la edición príncipe hecha por Ocharte en 1604, *La grandeza mexicana* no hubo de reimprimirse —aunque incompleta— sino hasta el pasado siglo, en que tuvo cinco ediciones: tres en Madrid, en 1821, 1829 y 1837; una en Nueva York en 1828, y otra en México en 1860. En 1927 la Sociedad de Bibliófilos Mexicanos publicó una reproducción facsimilar de la edición primitiva, que es la única completa, pues que al poema acompañan en ella la célebre carta dirigida por Balbuena al Dr. D. Antonio de Ávila y Cadena, Arcediano de la Nueva Galicia, y el *Compendio apologético en alabanza de la poesía*, documentos ambos importantísimos por lo que mira tanto a la personalidad como a la estética del poeta.

8. FRANCISCO DE TERRAZAS.—En el Canto de Calíope, que figura en el libro sexto de *La Galatea*, escribió Miguel de Cervantes Saavedra dos octavas loando a otros tantos ingenios americanos, de los cuales uno nos pertenece:

De la región antártica podría
eternizar ingenios soberanos,
que si riquezas hoy sustenta y cría
también entendimientos sobrehumanos.
Mostrarlo puedo en muchos este día,
y en dos os quiero dar llenas las manos:
uno de Nueva España y nuevo Apolo,
del Perú el otro, un sol único y solo.

Francisco el uno de Terrazas tiene
el nombre acá y allá tan conocido
cuya vena caudal nueva Hipocrene
ha dado al patrio venturoso nido...

"¿Quién era ese Francisco de Terrazas? —se pregunta García Icazbalceta—, ¿qué escribió para que su nombre fuese «acá y allá tan conocido»? Si nada imprimió, como parece, ¿de dónde hubo Cervantes la noticia de su existencia, y qué vio en sus escritos para que así los elogiase?" Documentalmente podemos considerar a Francisco de Terrazas

como el más antiguo de los poetas mexicanos. Datos sobre su vida y fragmentos de su obra cupo la fortuna al propio García Icazbalceta de encontrarlos en la *Sumaria Relación* de Baltasar Dorantes de Carranza.

Hijo primogénito era Francisco de Terrazas del conquistador del mismo nombre que vino con Cortés y fue su mayordomo. Del padre sábese que murió en 1549 siendo alcalde ordinario de México. En cuanto al hijo ignórase la fecha de su nacimiento y se presume que haya muerto a fines del siglo XVI o principios del XVII. De lo dicho por Cervantes se induce que vivía aún en 1583, año en que fue escrita *La Galatea;* y hasta conjetura el erudito antes citado que acaso haya ido Terrazas a España —donde le conocería el autor del *Quijote*— "porque era muy frecuente en hijos y nietos de conquistadores pasar a la corte en busca de premio a los servicios de sus padres o abuelos".

Sea lo que fuere, a Terrazas se le conocía y celebraba en México y en España. Más todavía: según testimonio de Dorantes de Carranza fue "excelentísimo poeta toscano, latino y castellano". Que lo fuese latino, nada tenía de extraño: ese idioma se estudiaba en nuestras aulas y muchos llegaron a poseerlo y a versificar en él. Mas lo de toscano da lugar a dos conjeturas: la de que, en efecto, Terrazas haya estado en la Península, donde por alguna circunstancia pudo familiarizarse con aquella lengua, o —¿por qué no ha de ser esta también verosímil?— la de que le haya sido transmitida por el propio Gutierre de Cetina, de quien tal vez fue discípulo, a quien imitó, y con quien es de suponer haya tenido íntimo trato.

Las primeras obras de Terrazas de que nos ha llegado noticia son los tres sonetos suyos publicados en el *Ensayo* de Gallardo y tomados de las *Flores de varia poesía*, el famoso cancionero manuscrito fechado en 1577, el cual, amén de dichos sonetos, contiene dos más de nuestro poeta. La circunstancia de que uno de ellos presente tan a lo vivo la influencia de Cetina, hizo presumir a Menéndez y Pelayo que Terrazas bien pudo ser amigo o discípulo del autor del *Madrigal*. Tal presunción es fundadísima. Gutierre de Cetina vino a México en 1546. Terrazas, cuyo padre habría de morir en 1549, era acaso entonces joven como Cetina, quien a la sazón contaba veintiséis años; y nada aventurado sería suponer que le conoció y trató, ya que el sobrino del Procurador General de Nueva España y el hijo de un conquistador y Alcalde ordinario de México hallábanse colocados en semejante condición social. ¿Sería, en consecuencia, aventurado inducir que la influencia de Cetina sobre nuestro poeta, ejerciéndose personalmente, no se limitó a la poesía, sino que quizá fue más allá, a la comunicación y enseñanza de la lengua toscana, en la que, sin duda, era docto el enamorado de la Condesa Laura Gonzaga? Si así fuere, quiere ello decir que sin abandonar la Nueva España pudo ser Terrazas en lengua toscana "poeta excelente" —bien que no tengamos pruebas fehacientes de ello—; quiere decir, asimismo, que en 1577, al compilarse el cancionero, era ya célebre, y, tal vez, andaba más allá de los cincuenta.

Ahora bien: si tenemos en cuenta el hecho de que tal cancionero estaba ya en España a principios del siglo XVII, pues que en 1612 y en Sevilla pertenecía a Andrés Faxardo, ¿no es presumible que se lo hayan llevado de México a raíz de su compilación, y que por dicho cancionero, y no por contacto personal con el poeta, ya en aquel entonces probablemente sexagenario, haya conocido Cervantes a Francisco de Terrazas, de quien, por lo demás, parece estar comprobado que no publicó sus versos?

Por esto mismo se hace difícil formular un juicio cabal acerca del poeta, ya que de su obra sólo conocemos parte mínima y fragmentaria.

De los tres sonetos ya aludidos que publicó Gallardo, uno, el que empieza: *Dejad las hebras de oro ensortijado...*, es el que recuerda a Cetina; el otro —mejor— se ha tachado de un poco libre, y el tercero, está dedicado "a una dama que despabiló una vela con los dedos".

Pero Terrazas aspiraba a la realización de construcciones poéticas de m a y o r enjundia. Atribúyesele un *Tratado de mar y tierra,* que cita Muñoz Camargo en su *Historia de Tlaxcala* y en el que se contaban las andanzas de Cortés y sus compañeros en la expedición de las Hibueras. E insertos desmadejadamente en la relación de Dorantes de Carranza aparecen fragmentos de un vasto poema: *Nuevo Mundo y Conquista,* que quedó sin concluir por fallecimiento del poeta. Dicho poema, escrito en octavas, inspírase en Ercilla; y, aunque manuscrito, ha de haber corrido en manos de los contemporáneos con gran favor. Alonso Pérez, en un hiperbólico epitafio puesto en el túmulo del poeta, equipara a Terrazas con Cortés, el héroe mismo cuyas hazañas canta; y un poeta ignoto —a quien Dorantes designa con el nombre de Arrázola— nos habla de

Francisco de Terrazas, fénix solo
único desde el uno al otro polo.

No sabríamos, en verdad, verificar tales hipérboles. Revueltos con otros del susodicho Arrázola y de un tal Salvador de Cuenca, los fragmentos que nos quedan de Terrazas, y que García Icazbalceta logró identificar en la *Sumaria relación* de Carranza, carecen de la unidad y conexión necesarias.

En el tono y con la grandilocuencia propia del género, Terrazas inicia el poema de esta suerte:

No de Cortés los milagrosos hechos,
no las victorias inauditas canto
de aquellos bravos e invencibles pechos
cuyo valor al mundo pone espanto...

Refiérese, en uno de los fragmentos, la expedición de Francisco Hernández de Córdoba a las islas de los Guanajos; se encarece, en otro más, la pequeñez del ejército que salió a la conquista, comparando a Cortés con Jerjes; descríbese la pesca maravillosa de un tiburón —hecho consignado en la Relación de Andrés de Tapia—; cuenta el poeta, en fin, la plática que D. Hernando hizo a los indios de Cozumel por medio del indio Melchorejo, interprete del Ejército. Pero, de todos estos trozos, en el irremediable naufragio del poema, el único que ofrece la unidad de un episodio, es la encantadora historia de los amores de Huitzel y Quetzal.

Por dicho delicioso cuento comprobamos que en Terrazas era mucho más expresiva la musa idílica que la épica. Poeta elegante y fácil en los sonetos, por su hoy fragmentario e inconcluso poema se ve también que versificaba con soltura, aunque le faltaban brío y rotundidad. Adivínase al hombre culto y enterado del movimiento literario de su época; y razón ha de haber habido para que los contemporáneos lo ensalzasen desmesuradamente, a pesar de que, en la única de sus obras concebida conforme a vasto plan que conocemos no pase de "honrada medianía", según expresión de G. Icazbalceta.

Las obras de Terrazas que figuran en la compilación *Flores de varia poesía* (1577) y en la *Sumaria relación* de Dorantes de Carranza, con otras encontradas posteriormente, han sido publicadas por Antonio Castro Leal (Francisco de Terrazas, *Poesías*. Porrúa y Cía. México, 1941).

9. *Otras manifestaciones de la poesía épica.*—Que la epopeya de la Conquista fuera incentivo literario para poetas verdaderos o falsos, y los moviese a pretender encerrar en verso las extraordinarias hazañas que con mayor fortuna se contenían en la brava y arriscada prosa de los cronistas primitivos, muéstralo no sólo el incompleto poema de Terra-

zas, sino otras obras que de poemas sólo tienen el nombre.

ANTONIO DE SAAVEDRA GUZMÁN era mexicano de nacimiento, como Terrazas, aunque, a diferencia de éste, nada poeta. Hijo de uno de los primeros pobladores, descendía del primer conde de Castelar D. Juan Arias de Saavedra, de quien era biznieto. Casó con una nieta de Jorge de Alvarado, capitán de Cortés y hermano del célebre D. Pedro; se consagró al estudio de las bellas letras, especialmente la poesía y la historia, y hasta se asegura que haya poseído a la perfección la lengua mexicana. Fue corregidor en Zacatecas, visitador en Texcoco, y a fines del siglo XVI pasó a España, probablemente con alguna pretensión, sin que se sepa si volvió o qué hizo.

Siete años había tardado en reunir los materiales de *El peregrino indiano*, y en los setenta días que duró la navegación rumbo a la Península, infligió a las musas el martirio de componerlo. Imprimió su poema en Madrid en 1599, y claros ingenios como Espinel y Lope de Vega no tuvieron reparo en precederlo de sonetos laudatorios.

A través de 2,039 octavas reales, D. Antonio aspira a que "no queden sin memoria los valerosos hechos de Hernán Cortés y los demás que ganaron la Nueva España". Escrita con "balanceos de nao", según dice, su obra se inicia con la expedición que Cortés organizó en Cuba y termina con la prisión de Cuauhtémoc. Es —como graciosamente expresa García Icazbalceta— "un verdadero diario de operaciones, adornado con parlamentos de los indios, arengas de Cortés, batallas, tempestades y amoríos de indias: todo pobrísimo". En el orden fantástico intervienen multitud de personajes alegóricos, fieras y vestiglos. Luzbel tiene no poca parte en la formidable tempestad que azota a las naves del Conquistador. Y, en cuanto a la forma, de lo arriba dicho puede colegirse cuál sea.

Mentira parece, en vista de lo anterior, que haya habido discrepancia en cuanto a fallo cerradamente condenatorio de tal libro. Prescott considera al autor más cronista que poeta; Ticknor más poeta que cronista. Aseguró Clavijero que la obra de Saavedra "debe contarse entre las históricas, pues sólo tiene de poesía el verso". Y nuestro excelente canónigo Beristáin la compara nada menos que con la *Farsalia* de Lucano.

En verdad no sería osado afirmar que ninguno de ellos haya leído los miles de octavas de esta venerable pieza de nuestra arqueología literaria.

El capitán GASPAR DE VILLAGRÁ no le va en zaga a Saavedra Guzmán en cuanto a escribir poemas abrumadores con traza de crónicas rimadas; antes bien, lo aventaja: su *Historia de la Nueva México,* impresa en Madrid en 1610, consta de treinta y cuatro cantos en verso suelto, en los que con toda naturalidad intercala provisiones, reales cédulas y otros documentos. Atendiendo a su rareza, reimprimió esta obra el Museo Nacional de México en 1900.

10. *El resquemor criollo.*—Independientemente de su significación artística, en la producción poética del siglo XVI se hace notar una particularidad o tendencia que no puede pasar inadvertida para el historiador de aquella sociedad en formación. Nos referimos al conflicto que ya entonces se agitaba en el seno de ella: el antagonismo entre peninsulares y criollos; conflicto que no sólo tuvo una enorme trascendencia social y política (como que en él hay que buscar los gérmenes de la independencia) sino que se reflejó, en cierto modo, en el desarrollo literario de la Nueva España.

No se resignaban los hijos del país a que los peninsulares los postergasen en los altos puestos para los cuales venían nombrados desde España, y a los que, los aquí nacidos, creían tener mayor derecho. Pero dicha rivalidad se acentuaba en los descendientes de los conquistadores, quienes, por serlo, considerábanse con derecho a una situación privilegiada.

La querella, ciertamente, se había iniciado desde los tiempos de la conquista. Los compañeros de Cortés levantaron entonces sus quejas. Acusábanlo de que, aparte las ventajas materiales, pretendía adjudicarse por entero la gloria de la portentosa hazaña; y ya se ha visto cómo la resonante prosa de Bernal Díaz desbordó de la pluma del viejo soldado para contrarrestar las —por exclusivas— injustas lisonjas de López de Gómara al Capitán Hernán Cortés.

Con todo, no habían corrido ellos con mala fortuna, en la generalidad de los casos, al arraigar en las sojuzgadas tierras. Pero, con el transcurso de los años y la desaparición de los directamente beneficiados, las holgadas posiciones vinieron a menos. Fenecían las encomiendas, amenguaban o se empeñaban las rentas, se multiplicaban las familias. Al finalizar el siglo XVI muchos hijos y nietos de conquistadores se hallaban en la miseria. Creyendo formar una especie de aristocracia, rehusaban ganarse la vida en labores que conceptuaban de baja ralea, las cuales, y señaladamente la agricultura y el comercio, proporcionaban bienestar y riqueza a los españoles que a ellas venían a consagrarse. Aspirando eternamente, en su pobreza, a los puestos públicos, veíanselos arrebatar por los "advenedizos" que nombraba el monarca.

"¡Oh Indias! —exclamaba en furibunda invectiva Dorantes de Carranza—: madre de extraños, abrigo de forajidos y delincuentes, patria común a los innaturales, dulce beso y de paz a los recién venidos..." Y Terrazas, en uno de los fragmentos de su poema inconcluso, clama en parecido tono dirigiéndose a la Nueva España:

Madrastra nos has sido rigurosa
y dulce madre pía a los extraños...

Nota semejante encontrámosla en *El peregrino* indiano de Saavedra Guzmán (canto XV). Pero la ojeriza contra los peninsulares que en tierras de América lograban hacer grandes fortunas o gozaban del favor burocrático, no era sólo propia de los descendientes de conquistadores, sino de los criollos en general. De ello da muestras la musa anónima, y véase, como ejemplo, el conocidísimo soneto:

Viene de España por el mar salobre
a nuestro mexicano domicilio
un hombre tosco sin algún auxilio,
de salud falto y de dinero pobre.

Y luego que caudal y ánimo cobre,
le aplican en su bárbaro concilio,
otros como él, de César y Virgilio
las dos coronas de laurel y robre.

Y el otro que agujetas y alfileres
vendía por las calles, ya es un conde
en calidad y en cantidad un Fúcar:

Y abomina después el lugar donde
adquirió estimación, gusto y haberes,
y tiraba la jábega en Sanlúcar.

Hasta qué punto influyó este antagonismo no ya en el proceso de desarrollo social, sino literario, de la Nueva España, no sería breve puntualizarlo. Si, para los criollos, el camino no se ofrecía ancho y despejado en las más comunes actividades de la vida, de presumir es que tampoco estuviera en las de la literatura.

Singular es advertir que, mientras en los campos de la historia nuestro siglo XVI fue rico y fecundo, aparezca, en cambio, en los de la poesía de una angustiosa esterilidad. No obstante la abundancia de poetas de que los contemporáneos daban fe; no obstante las ponderaciones de Eugenio de Salazar, para quien en la Nueva España "resonaba el canto de las musas deleitosas" por tal forma y manera que en estas apartadas tierras se cultivaba la poesía en todos los géneros, aun los más opuestos,

sin que uno solo faltara; no obstante los grandilocuentes y desapoderados conceptos de Balbuena, el que formalmente aseguraba que aquí florecían "los hombres más eminentes en toda ciencia", verdaderos "monstruos en perfección de habilidades" y "en humanas y divinas letras", cuyos gallardos ingenios todo lo alcanzaban, sutilizaban y percibían; a pesar de todo esto, decimos, lo cierto es que, por mucho que nos empeñemos en buscarlo, en nuestro siglo XVI, nacido, criado y floreciendo aquí de tal suerte que iluminara el patrio suelo con el fulgor de su estro, no hallaremos un solo poeta. Terrazas continúa siendo para nosotros ignoto. Y de los dos únicos conocidos que como poetas lo fueron de cuerpo entero, o sean Balbuena y Alarcón, para dar sus frutos les fue menester salir de la Nueva España.

En su epístola al Arcediano D. Antonio de Ávila y Cadena, inserta en *La grandeza mexicana*, estampa Balbuena unas frases que vienen a ser la contrapartida de la música laudatoria a que antes aludimos. Refiriéndose a los trabajos literarios que, aparte el susodicho poema, ya tenía o pensaba escribir, asegura que "si algún día merecieren salir a luz, sería gozando de las comodidades de España, enviándolos allá o disponiéndome yo a llevarlos". "Entretanto —añadía con relación a *La grandeza*— quiero que esta sombra y ademán de cosa vaya a descubrir tierra y ver el acogimiento que el mundo le hace."

Palabras reveladoras que nos indican que en las descubiertas tierras, acaso por escasamente propicias a la poesía, en pos de gloria y mejores aires los poetas se afanaban por nuevamente descubrir las antiguas; y que poco 'mundo' era éste cuando el cantor de la mexicana grandeza lanzaba su poema más allá de los mares quedando en espera de observar el acogimiento que "el mundo" le hiciere.

Capítulo IV

EL TEATRO

1. La evangelización por medio del teatro.—Fueron de carácter religioso las primeras representaciones que se celebraron en la Nueva España. Deseosos los misioneros de atraerse por artes de divertimiento a los naturales, ya de tiempo atrás habituados a las frecuentes y numerosas fiestas de su religión cruenta, sustituyéndolas por otras no menos brillantes, aunque encuadradas en la moral y dogma cristianos; y considerando, asimismo, qué inmensas ventajas el teatro ofrecía para hacer comprender objetivamente los misterios de la religión de Cristo a las muchedumbres que se trataba de convertir, diéronse a organizar y establecer las representaciones sagradas.

Eran éstas algo a manera de derivación de los autos sacramentales españoles. Los frailes mismos componían o adaptaban las piezas; y cuando no originales, las traducían al idioma del auditorio, tarea en que solían ayudarles los colegiales indios de Tlatelolco. Inspirábanse los argumentos en diferentes pasajes de la Escritura. Los papeles corrían a cargo de indios, y se cree que los de mujer eran desempeñados por muchachos. Siendo insuficientes los templos para tales representaciones, por su limitada capacidad, se levantaron capillas de muchas naves y con el frente descubierto, para que la multitud, extendida hasta los amplios atrios, pudiese ver las ceremonias. Y como ni esto mismo al fin bastara, las representaciones acabaron por hacerse al aire libre, involucradas en las procesiones y formando parte del programa de ellas.

Así venían a ser no lo principal sino una parte de la fiesta religiosa. La procesión se ponía en marcha; irradiaba el sol en el cielo azul. Los sacerdotes llevaban bajo palio al Santísimo Sacramento, y, en lujosas andas, conducían los fieles a las imágenes. Por dondequiera se veían cruces y banderas, y las velas encendidas en millares de manos. El camino estaba regado de flores; flores caían, en lluvia de pétalos, sobre los circunstantes; y de flores estaban henchidos los arcos triunfales que se alzaban aquí y allá. Había de trecho en trecho capillas con sus altares y retablos bien aderezados, donde se hacía descansar al Santísimo, en tanto que cantores y bailarines lo honraban con cánticos y danzas. Reanudaba la procesión su marcha, y el propio día —si alcanzaba el tiempo— o en alguno de los siguientes en que volvía a sacársele, representábase en tablados o "cadalsos" escenas mudas, verdaderas pantomimas en que se reproducían episodios sacros, o autos en mexicano que tenían por asunto algún episodio devoto.

La primera y brillantísima fiesta de este género que hubo en la Nueva España fue la celebrada por los tlaxcaltecas el día del Corpus de 1538. Descríbela Motolinia con primor de colorido y de ingenua gracia. Efectuada la procesión del jueves 20 de junio, poco después, el lunes, día de San Juan Bautista —24 de junio de 1538— se representaron cuatro autos: el primero tuvo por tema la Anunciación de la Navidad de San Juan Bautista hecha a su padre Zacarías; siguió a éste el de la Anunciación de Nuestra Señora; luego el de la Visitación a Santa Isabel, y, por último, el de la Navidad de San Juan.

Más importante que todas las anteriores ha de haber sido la representación del auto de *Adán y Eva* por los propios tlaxcaltecas el día de la Encarnación. Motolinia habla de ella con lujo de pormenores. Notemos, en primer término, la singularidad del escenario. "Estaba tan adornada la morada de Adán y Eva —cuenta el cronista—, que bien parecía paraíso de la tierra, con diversos árboles con frutas y flores, de ellas naturales, y de ellas contrahechas de pluma y oro, en los árboles mucha diversidad de aves, desde buho y otras aves de rapiña, hasta pajaritos pequeños..." El árbol de la Vida se alzaba en medio y, muy cerca, el de la Ciencia del bien y del mal. Llegada a aquel lugar la procesión comiénzase el auto, en un todo apegado al texto bíblico. Maculados por la culpa, Adán y Eva salen al fin del paraíso desterrados y llorando. A él le llevan tres ángeles y a ella otros tres. Un querubín queda guardando la puerta con la espada en la mano. Una vez que arriban al mundo, los ángeles muestran a Adán cómo ha de labrar y cultivar la tierra y a Eva danle husos para hilar. "Y consolando a los que quedaban muy desconsolados, se fueron cantando por derechas, en canto de órgano, un villancico que decía:

> Para qué comió
> la primer casada,
> para qué comió
> la fruta vedada.
>
> La primer casada,
> ella y su marido
> a Dios han traído
> en pobre posada,
> por haber comido
> la fruta vedada."

Los versos castellanos del villancico antes transcrito, con los que dio fin el auto de *Adán y Eva* escrito

en lengua mexicana, son a los que se hizo referencia en el capítulo anterior, como los más antiguos que se conocieron en la Nueva España.

El carácter de los primitivos autos era, por lo que se va observando, más que literario, docente y moral en su sencillez pintoresca. Semejante tendencia se acentúa en otras piezas. Los propios indios de Tlaxcala, para festejar "las paces hechas entre el Emperador y el Rey de Francia", celebraron una fiesta el día de Corpus de 1539. Iniciada con un simulacro guerrero, representáronse a continuación tres autos: De ellos, el inicial versó sobre la tentación de Cristo por Lucifer, quien venía disfrazado de ermitaño, sin que acertara a encubrir dos cosas: los cuernos y las uñas; y quien, tras de intentar el vencimiento del Señor, enumerándole y ofreciéndole cuanto de placentero y rico había en la Nueva España y en el mundo entero (especialmente los vinos, a que por igual españoles e indios eran aficionadísimos) excusado es decir que sufrió el más sonado fracaso. Habiendo respondido Cristo a sus requerimientos con la frase "Vade, Sathana", el diablo se hundió en el averno, junto con los demás demonios, y entraron en seguida los ángeles, "que parecía que venían del cielo", con comida para el Señor, le pusieron la mesa, y luego empezaron a cantarle. Representado, como el anterior, en una plaza, el segundo auto se inspiraba en la leyenda de la predicación del Pobrecillo de Asís a los pájaros, escenificada con ruda y deliciosa ingenuidad.

Por idéntico estilo han de haber sido las representaciones sacras que en la Nueva España se efectuaron en el curso del siglo XVI y en el inmediato siguiente. Señalemos de pasada la del auto del *Juicio Final*, escrito en lengua mexicana por el sabio misionero Fr. Andrés de Olmos y representado en México en la capilla de San José de Naturales, con asistencia del Virrey D. Antonio de Mendoza, del obispo Fr. Juan de

Zumárraga y numeroso concurso, entre los años de 1535 a 1548. En Etla, pueblo de Oaxaca, hubo el día de Corpus de 1575 una representación de la Sagrada Escritura, que por cierto terminó trágicamente. Y, en fin, cumple citar las representaciones probablemente mímicas sobre pasajes de la Pasión, que en las postrimerías del siglo organizó en México Fr. Francisco de Gamboa, las cuales se efectuaban los viernes en la capilla de San José durante el sermón; así como los autos o *neixcuitilli* —en mexicano "dechado" o "ejemplo"— que introdujo, escribió e hizo escribir el historiador Fr. Juan de Torquemada, que se representaban los domingos, que llegaron a constituir costumbre por más de un siglo, y que dieron origen, entre los indios, a las representaciones mímicas de esa naturaleza que se han prolongado hasta nuestros días.

Indudablemente, dada la difusión que las representaciones sacras tuvieron, es de presumir que el número de las composiciones escritas para tal objeto haya sido considerable. Poquísimas de ellas, sin embargo, han llegado hasta nosotros. Tres publicó en el original náhuatl y tradujo al castellano don Francisco del Paso y Troncoso: el auto de la *Adoración de los Reyes* (anónimo), que ya en la primera mitad del siglo XVI se representaba en las fiestas del pueblo de Tlacomulco; la *Comedia de los Reyes,* escrita a principios del siglo XVII por Agustín de la Fuente, y el auto de la *Destrucción de Jerusalem,* también anónimo y de la propia época, inspirado en un texto lemosín.

Muy escaso, por no decir nulo, es el valor literario de todas estas producciones. Toscas de estilo, desmadejadas e incongruentes en su acción, a menudo estarían sembradas de dislates en que errores geográficos e históricos íbanse dando la mano. No obstante, constituyen documentos inapreciables para juzgar de lo que fue nuestro teatro primitivo.

2. *El teatro entre españoles y criollos.*—Si los misioneros se esforzaban por introducir entre los indios la celebración del Corpus con fiestas que tanto tenían de religioso como de profano, los españoles, por su parte, continuaron en los nuevos dominios aquella vieja costumbre.

La primera referencia que de esto se tiene consta en el acta del Cabildo de 9 de enero de 1526. Por ella y otras semejantes sabemos que en la ciudad reconstruida, y con motivo de la susodicha fiesta, salían en procesión los oficiales de las diversas artes mecánicas, tanto indios como españoles, llevando al frente a sus alcaldes y las imágenes de sus santos patronos; que se suscitaron agrias y hasta prolongadas disputas entre los "oficios", respecto al lugar que deberían ocupar en la procesión; que a tal género de discordias no eran ajenos aun los mismos funcionarios, puesto que la prerrogativa de quién debería llevar las varas del palio en la procesión susodicha, dio origen a una muy enconada entre el Ayuntamiento y la Audiencia, y que, en suma, en la procesión salían a usanza de España, *gigantes* y probablemente la popular *tarasca*.

Figuraban de seguro en tales festejos las representaciones teatrales. Demuéstralo la circunstancia de que el obispo Zumárraga —según asienta Mendieta— "había vedado por causas justas que le movieron, los bailes y danzas profanas y representaciones poco honestas, que se hacían en la procesión general de la fiesta de Corpus Christi..." Y el propio Zumárraga, en el apéndice que añadió a un tratado de Dionisio Cartujano sobre cómo deben hacerse las procesiones con reverencia y devoción, firmaba que "cosa de gran desvergüenza y desacato parece que ante el Santísimo Sacramento vayan los hombres con máscaras y en hábito de mujeres, danzando y saltando con meneos deshonestos y lascivos, haciendo estruendo, estorbando los cantos de la Iglesia, representando profanos triunfos, como el del

Dios del Amor, tan deshonesto, y aun a las personas no honestas, tan vergonzosos de mirar..."

Grande ha de haber sido, por otra parte, la afición que por esos espectáculos se tenía, pues la prohibición del Prelado subsistió tan sólo hasta su muerte, acaecida en 1548. El cabildo eclesiástico volvió a permitir bailes y representaciones en la fiesta religiosa indicada; y no sólo, sino que años más tarde acordó dar "una joya de oro o plata, de valor de hasta treinta escudos, a la mejor representación o letra que se hiciese para representarse el día del Corpus"; recompensa que, sin duda, se sumaba a las que ya por aquel entonces solía discernir el Ayuntamiento a los autores. Por último, el tercer Concilio mexicano, celebrado en 1585, prohibió en las iglesias las representaciones y cantos profanos, cualesquiera que fuesen las festividades que trataran de efectuarse, aunque haciendo la salvedad de que "si hubiera de representarse alguna historia sagrada, u otras cosas santas y útiles al alma, o cantarse algunos devotos himnos, preséntese un mes antes al obispo, para que sea examinado por él".

Carecemos de documentos para seguir paso a paso la evolución y desarrollo de las representaciones así sacras como profanas en México en el siglo XVI. Por lo que se refiere a las primeras, García Icazbalceta —el sabio investigador de los orígenes de nuestro teatro— considera probable que, como en todas partes, comenzaran a celebrarse en los templos, estando los papeles a cargo de eclesiásticos, y que después se verificasen en la calle, por comediantes de profesión, de igual suerte que las comedias profanas, como consta ocurrió en el siglo XVII.

Hacíanse las representaciones en tablados que provisionalmente se levantaban para ese objeto, y con el aparato escénico rudimentario propio de los tiempos. Y no sólo se echaba mano de ellas para celebrar el Corpus u otras festividades religiosas, sino en las entradas de virreyes y siempre que sobrevenía algún acontecimiento importante.

3. *El "Desposorio espiritual" y el "Triunfo de los santos".*—Sean ejemplo de lo antes dicho dos representaciones famosas: la que se efectuó en la Catedral el 8 de diciembre de 1574, con motivo de la imposición del palio al Arzobispo D. Pedro Moya de Contreras, y la celebrada en 1578, como parte de las festividades que se organizaron para recibir las reliquias enviadas a México por el Papa Gregorio XIII.

En la primera de ellas figuró una comedia intitulada *Desposorio espiritual entre el Pastor Pedro y la Iglesia Mexicana,* compuesta por el Presbítero Juan Pérez Ramírez. Era éste natural de México, donde había nacido hacia 1544, e hijo de conquistador. Conocía las lenguas mexicana y latina, había oído cánones y teníasele por hombre de habilidad y buen poeta en romance. Podemos considerarlo, en consecuencia, como el más antiguo de nuestros dramáticos. Su *Desposorio espiritual* es una pieza de sencillo argumentto: simbolízase en ella, a la manera pastoril, el desposorio místico del prelado con su Iglesia, e intervienen como figuras alegóricas las virtudes teologales y cardinales, sin que falte el *bobo* para alegrar al concurso. Obra de circunstancias, la de Pérez Ramírez se distingue, empero, por la facilidad de la versificación, por el ingenioso desarrollo que el autor da a la ingenua farsa y, sobre todo, por la discreción y mesura con que hace intervenir en ella al elemento cómico representado por el Bobo; particularidad esta última que no será más tarde extraña al teatro de nuestro D. Juan Ruiz de Alarcón. [1]

[1] El manuscrito del *Desposorio espiritual,* así como curiosas noticias acerca de la representación, existen en la Biblioteca Nacional; y publicó tal comedia D. José María Vigil en su inconclusa *Reseña histórica de la literatura mexicana.*

Que lo sagrado y lo profano andaban juntos en estas celebraciones, revélalo un curioso suceso registrado en la propia fiesta de que hacemos mención. Acaeció que, habiéndose representado en la Catedral, a más de la comedia, un entremés muy gracioso, que causó risa y regocijo del pueblo, y que trataba de un alcabalero o alguacil que sacaba prenda por la alcabala; como esto ocurriese en ocasión de que se establecía el servicio de alcabalas en la Nueva España, la autoridad civil se sintió aludida y lastimada. Mereció el Arzobispo violentas censuras del Virrey y de la Audiencia, quienes le atribuían ser intencionado el entremés susodicho; cuando en realidad, a lo que parece, la pequeña pieza procedía de Castilla y era allá popular. El asunto originó ruidoso proceso, a resultas del cual se ordenó la prisión de Juan de Victoria, por ser quien representó, con los muchachos del coro, la comedia; de Hernán González (de Eslava), autor dramático —según veremos después— y clérigo de Evangelio, porque la ordenó; y de Francisco de Terrazas, por ser gran poeta y achacársele ciertas coplas que una mañana se hallaron fijadas en la iglesia y que no fueron del agrado de la autoridad civil que en ellas salía mal parada.

Mucho más solemne, de mayor esplendor y boato fue la festividad que se efectuó cuatro años después, en 1578, al recibirse las reliquias que a los jesuitas de la provincia de México remitió el Papa Gregorio XIII.

Se anunció la fiesta con suntuoso paseo de estudiantes de los colegios. Iban éstos a caballo con ricas libreas "en diferentes cuadrillas de españoles, ingleses y turcos". Uno, vestido de seda y oro, y montando blanco corcel primorosamente enjaezado, hacía de "príncipe". Armado de punta en blanco, un rey de armas llevaba en dorada lanza el cartel anunciador de los certámenes. Con música de atabales y trompetas el desfile terminó en la Plaza Mayor, y en rico dosel que ocupaba una de las ventanas de la casa del Ayuntamiento fijóse el cartel aludido. La procesión que a esto siguió fue grandiosa. Se levantaron soberbios arcos triunfales con inscripciones alusivas en diversos idiomas. Hubo, al amparo de ellos, las consabidas danzas. En otros aparecieron ángeles, indios o figuras simbólicas que recitaron poesías. Y, además, en los seis primeros días de la octava se celebraron representaciones sagradas, entre las que sobresalió la tragedia en cinco actos intitulada *Triunfo de los Santos,* cuyos papeles estuvieron a cargo de los estudiantes. Ignórase quién haya sido el autor de dicha obra, aunque se supone colaboraron en ella plumas diversas. Tenía por asunto la persecución de la Iglesia por Diocleciano y el esplendor que la misma llegó a alcanzar bajo el imperio de Constantino. Como personajes figuraban el Papa Silvestre, los emperadores ya citados, el adelantado Daciano y el presidente Chromacio, San Pedro, San Doroteo, San Juan y San Gorgonio, los caballeros Albinio y Olimpio, un nuncio y su secretario, dos alguaciles, la Iglesia, la Fe, la Esperanza y la Caridad, la Gentilidad, la Idolatría y la Crueldad.

La índole del asunto elegido, así como tan extraña mezcla de personajes, inclinan a pensar que el valor literario de la pieza ha de haber sido muy relativo. Sin embargo, el efecto que causó en el auditorio fue extraordinario. El jesuita autor de la carta impresa en 1579, a la que debemos estos datos, asegura que produjo "un nunca visto sentimiento y lágrimas y conversión de muchos". Y grande sería la fuerza catequista de la tragedia, así como la suave ingenuidad de quienes la escucharon, cuando afirma quien redactó la tal epístola que "bastara a convertir turcos que se hallaran presentes".

Obras de circunstancias: representaciones frecuentemente mudas o escritas en tosco lenguaje para los nativos, con fines de evangelización; comedias profanas intercaladas en los festejos religiosos: a eso se redujo nuestro teatro en sus orígenes. De suponer es que fuesen a la escena, para regalo de españoles y criollos, algunas piezas traídas de España, y que con ellas alternaran las de los ingenios de la naciente colonia. Indicios no faltan de que en México, y durante el siglo XVI, hubo producción dramática. De Gutierre de Cetina afirma su biógrafo que aquí compuso un "libro de comedias morales en prosa y verso", bien que hasta hoy nadie lo haya visto; Eugenio de Salazar, en su epístola a Fernando de Herrera, incluye "el trágico y el cómico" entre los géneros a la sazón cultivados; Bernardo de Balbuena, en fin, alude a los espectáculos teatrales. Cuanto pudiera decirse no pasa, con todo, de meras conjeturas. En realidad, y fuera de los datos apuntados, ignórase qué comedias se representaran ni quiénes fuesen sus autores. Sólo uno de los que florecieron en el siglo XVI conocemos: González de Eslava.

4. *González de Eslava y sus "Coloquios".*—En 1610, y años después de muerto su autor, el agustino Fr. Fernando Vello de Bustamante sacó a luz los *Coloquios espirituales y sacramentales y poesías sagradas* del PBRO. FERNÁN GONZÁLEZ DE ESLAVA.

Poco se sabe de éste. García Icazbalceta, a quien se debe el bien inestimable de haber reimpreso los *Coloquios,* salvándolos así del olvido y aun de irreparable pérdida, sospecha que haya sido andaluz y, tal vez, de Sevilla. Pero que González de Eslava gozó en su tiempo de nombradía, colígese de algunos conceptos asentados por el colector Bustamante en la edición príncipe, así como del hecho de que figurase en el cancionero inédito de 1577, y de que haya ilustrado con versos laudatorios obras de distinguidos contemporáneos.

A juicio de Menéndez y Pelayo, fue Eslava "ingenio de grandísima facilidad y rica vena; pródigo, aunque no selecto, en los donaires; rico de malicia y de agudeza en las alu-

siones a sucesos contemporáneos; excelente versificador, sobre todo en quintillas; bien fundado y macizo en la doctrina teológica". Los coloquios son dieciséis, y deben de haber sido escritos en México entre 1567 y 1600. Aunque por su inspiración semejante a los autos sacramentales, de éstos difieren por la estructura y muchas veces por el asunto. Familiar es en ellos el diálogo; sencilla la trabazón dramática; abundan las pinceladas cómicas a menudo extremadas hasta lo grotesco; en los personajes, cuando no son alegóricos, se sorprenden cierto cariz y gracia populares; y, en tratándose de ilustrar tesis teológicas, el dramaturgo tiene la habilidad de exponer y argumentar con llaneza, poniéndose a tono con el auditorio —que lo era así de indios como de españoles—, aun a riesgo de quebrantar la majestad y obligada grandilocuencia en que el tema mismo le coloca.

Atendiendo a la nota en ellos dominante, los dieciséis coloquios de González de Eslava pueden clasificarse en religiosos y morales, históricos y de circunstancias. En un acto y en verso son todos, con excepción de dos: el Coloquio de la Consagración del Arzobispo Moya de Contreras, que está escrito en prosa y verso, y consta de siete jornadas, y por su asunto tiene singulares analogías con el *Desposorio espiritual* de Pérez Ramírez, de que antes se trató; y *El bosque divino,* en prosa y verso también y en dos jornadas. Asimismo son los coloquios todos de carácter religioso, siendo de notar cómo el obligado símbolo mete en apuros al autor cuando se trata de asuntos circunstanciales; en los siete fuertes que mandó construir el Virrey Enríquez representa a los Siete Sacramentos; en el coloquio para celebrar la entrada del Conde de la Coruña, dialogan el Don de Fortaleza, la Fe, el Entendimiento; y en el que festeja el arribo de D. Luis de Velasco intervienen el Contento, el Tiempo, la Esperanza, San Miguel, San Gabriel y San Rafael.

Por las modalidades de su obra, González de Eslava pertenece al teatro anterior a Lope de Vega, y conceptúase *El bosque divino* como brillante concepción alegórica que revela innegable y no vulgar talento poético en el dramaturgo. Interesantísimos en sí como documento precioso para el estudio de nuestro teatro en el siglo XVI, los *Coloquios*, aparte de su valor literario, tienen elevada significación desde el punto de vista de la lingüística y de la historia. En ellos se refleja el habla criolla en sus orígenes, tan rica en locuciones andaluzas como influida por la lengua náhuatl. Y en ellos también, justamente porque abundan —sobre todo cuando son de circunstancias— en lo que ahora llamamos "color local", el historiador encuentra rasgos relativos a las costumbres, al modo de pensar y sentir de los habitantes de la Nueva España; así como alusiones a sucesos contemporáneos, que son datos de auténtica valía para el conocimiento de la vida mexicana de entonces. Una nueva edición de los *Coloquios* ha sido hecha por José Rojas Garcidueñas, en la "Colección de escritores mexicanos" de la Editorial Porrúa, S. A. (México, 1958), con un interesante prólogo que recoge todas las últimas informaciones sobre el poeta.

Las poesías sagradas de González de Eslava forman la segunda parte del volumen en que aparecieron los coloquios: son canciones, chanzonetas y villancicos; "versos de cancionero", a juicio de Menéndez y Pelayo, que están en la tradición literaria que va de Fr. Ambrosio Montesino hasta Juan López de Úbeda, Damián de Vega y el maestro Valdivieso, e igualan a veces a lo mejor de cuanto escribieron estos poetas. Sacó Vello de Bustamante del "abismo del olvido en que con su descuido y muerte su caro amigo las había dejado" estas obras; y aunque el impresor de 1610 prometió dar pronto a conocer "las obras a lo humano" de González de Eslava, o no llegaron a publicarse, o de la edición hecha no se tiene noticia.

5. *Ruiz de Alarcón.*—Nacido, según unos, en el Real de Minas de Tasco, y, según otros, en la ciudad de México, con anterioridad a 1581, D. JUAN RUIZ DE ALARCÓN Y MENDOZA pertenecía a antigua y acomodada familia. Tal vez protegido por el primer Virrey, el abuelo del poeta, D. Hernando de Alarcón, había venido a establecerse en la Nueva España. Era, además, el futuro autor dramático, de claro linaje: por su padre, D. Pedro Ruiz de Alarcón, descendía de una familia de Cuenca ennoblecida en el siglo XII; pero por su madre, doña Leonor de Mendoza, era de todavía más ilustre ascendencia: la de la casa de los Mendozas, que dió a Castilla su primer Almirante y a México su primer Virrey, y en la que figuraron nombres tan señalados en las letras como el Canciller López de Ayala, el Marqués de Santillana, ambos Manriques, Garcilaso de la Vega y Hurtado de Mendoza.

Plácidos y tranquilos han de haber corrido los años de su infancia. Presumible es que su familia gozara de mediana cuando no holgada posición económica: su padre era minero del Real de Tasco; la social túvola excelente. Destinado a la carrera de las letras, hacia 1594 ingresó en la Universidad de México, donde hizo los estudios de Artes y casi todos los de Cánones. Encontrábase a la sazón nuestra Universidad —si hemos de juzgar por los encomios de Cervantes de Salazar— en el apogeo de su esplendor juvenil; pero, ello no obstante, grande atracción ejercían en los estudiantes mozos de la Nueva España los emporios universitarios de la Península. Sea por ésta u otra causa, el joven Alarcón fue enviado a España en 1600.

A mediados de agosto de aquel año encontrábase ya en Sevilla. Ha de haber salido en seguida para Salamanca, en cuya Universidad, dos meses después, el 25 de octubre, obtenía el bachillerato en Cánones. Gradúase allí mismo de bachiller en Leyes el 3 de diciembre de 1602. Para auxiliarlo en sus estudios, un pariente suyo de Sevilla, Gaspar Ruiz de Montoya, le fija una pensión anual de 1,650 reales; dato éste que mueve a creer que quizá por aquel tiempo la familia de Alarcón se habría empobrecido o arruinado. Y en tal convicción nos afirma el hecho de que el poeta súbitamente corta la carrera, abandona a Salamanca, márchase a Sevilla, y allí, para atender a su subsistencia, aparece en 1606 ejerciendo, aunque sin título, la abogacía. En situación tan poco lucida, posiblemente difícil, acaso angustiosa, natural es que pensara en el retorno a su patria. En México vivían aún sus padres y su hermano Pedro. México ofrecía tal vez al estudiante "destripado" de Salamanca mejores perspectivas: la esperanza de continuar y concluir la interrumpida carrera; la probabilidad de asegurar, con la ayuda de personas de valimiento, algún puesto.

El retorno a Indias parece que fue su idea predominante. Escaso andaba de recursos; pero no faltó quien le amparase: un vecino de Jerez de la Frontera, al morir en 1607, le deja un legado de 400 reales para ayuda del viaje. Magra es la suma; otras de seguro no vinieron a redondearla. De ahí que se las ingenie el poeta para emprender la travesía como criado de Fr. Pedro Godínez Maldonado, obispo de Nueva Cáceres, en Filipinas, que salía aquel mismo año en la flota de Nueva España. Demanda, de la Casa de Contratación, para ese efecto, la licencia respectiva; pero el proyectado viaje fracasa, debido a que la flota es de pronto destinada a la persecución de los piratas holandeses. No por esto desmaya Alarcón; está resuelto a partir, y partirá. Al año siguiente —1608—, en abril, pide otra vez licencia a la Casa de Contratación para hacerse a la mar, y no ya él solo, como fuera de suponer, sino con *sus tres criados*. Menos que dudoso era que los tuviese quien se ganaba la pitanza ejerciendo de "tinterillo", como acá decimos; pero júzguese que tan aparentemente rumboso arbitrio no llevaba otro propósito, por parte de Alarcón, que el de negociar las licencias sobrantes para allegarse mayores recursos.

Por fin realiza su sueño; el 12 de junio de 1608, y formando probablemente parte del séquito de Fr. García Guerra, Arzobispo de México, sale en la flota de D. Lope Díez de Aux Almendáriz. Lo acompaña un individuo que se dice su criado y su secretario, y en la misma flota viaja Mateo Alemán, el ilustre autor de *El pícaro Guzmán de Alfarache*. Dos meses después contempla las playas del país nativo: la flota arriba a San Juan de Ulúa el 19 de agosto. Por el camino de Tlaxcala, con Fr. García Guerra, dado que haya figurado en su séquito, se dirige Alarcón a México. Aquí ha de haber encontrado, tal vez intacto, quizá mermado —y de seguro empobrecido— el hogar que dejó. Con su llegada coincide un gran acontecimiento: la inauguración de las obras del desagüe del Valle de México, por el Virrey D. Luis de Velasco, a quien acompañaba el recién venido Arzobispo, el 17 de septiembre de 1608.

¿Qué hizo D. Juan Ruiz de Alarcón de vuelta en su tierra? La verdad es que las ilusiones que posiblemente se había forjado, se realizaron en muy pequeña parte, y, en mucha mayor, se desvanecieron.

Gradúase de Licenciado en Leyes por la Universidad de México el 21 de febrero de 1609. No alcanza, sin embargo, a doctorarse, a pesar de que, vista su pobreza, se le dispensa la pompa para obtener el grado. Escribe el *vejamen* o sátira académica al doctorarse su amigo Brición Díez Cruzate. De 1609 a 1613 se opone sucesivamente a las cátedras de Instituta, Decreto y Código; pero no consigue ninguna. Si malaventurado en estos lances universitarios, no le va mejor en sus pretensiones a cargos públicos. Su deformidad física dista de recomendarle para ellos. Lo más a que llega es a prestar sus servicios como abogado de la Real Audiencia de México.

Por bien de las letras y por la gloria del dramaturgo debemos celebrar estos continuados descalabros. ¿Qué hubiera sido de la carrera literaria de Alarcón si se queda en la Nueva España? ¡Gracias le sean dadas a los próceres que lo desampararon; gracias también a la muy insigne Universidad que no lo acogió! Muerto desde 1612 Fr. García Guerra —su protector por lo visto no sobrado diligente—; fallidas sus esperanzas burocráticas a la sombra del Virreinato, y acaso —¿por qué no suponerlo ya que por entonces tenía escritas algunas de sus comedias?— deseoso de probar la fama literaria que le facilitaría hallar mejor acomodo en la Corte, a España decidió volverse, como en efecto lo hizo, saliendo de México en los últimos días de mayo de 1613. A fines de este mismo año ha de haber llegado a Madrid. Documentalmente consta que en Sevilla se encontraba en 1615.

Entonces da comienzo su vida literaria, vida de ruda lucha, activa, batalladora y a la par hosca y amarga, que consume los mejores años de su existencia, hasta que la silueta del dramaturgo, alejado al fin de las musas, se esfuma en el fondo grisáceo de la quietud funcionaresca. Grande fue su genio cuando, siendo en realidad un extranjero, habiendo escrito tan poco, en comparación con sus émulos, logró imponerse como personalidad original en aquel mundo de los corrales madrileños, dinámico, arrollador, cambiante, señoreado por el inmenso Lope de Vega.

Nadie tan combatido como Alarcón; nadie tan burlado y vilipendiado. La flor y nata de los ingenios en aquel maravilloso momento del Siglo de Oro, hizo armas —harto innoblemente, por cierto— en su contra. Motejábasele, ante todo, por su deformidad física: era corcovado de pecho y espalda, barbitaheño y probablemente, moreno de color. Por lo cual le zahieren a porfía Góngora, Quevedo, Lope, Tirso, Vélez de Guevara, Salas Barbadillo, Antonio de Mendoza, Montalbán, Suárez de Figueroa... Quién le llama "zambo de los poetas", "Don Talegas" o "Don Cohombro"; quién asegura que "tiene, para rodar, una bola en cada lado"; quién lo compara con el enano Soplillo. Se le escarnece considerándolo "hombre en embrión", "baúl-poeta" o "señor bola matriz". Y es célebre la quintilla del regidor Juan Fernández:

> *Tanto de corcova atrás*
> *y adelante, Alarcón, tienes,*
> *que saber es por demás*
> *de dónde te corco-vienes*
> *o a dónde te corco-vas.*

Pero dignamente, moldeando en serenidad su amargura, el poeta responde a tales befas por boca de uno de sus personajes en *Las paredes oyen:*

> *En el hombre no has de ver*
> *la hermosura o gentileza:*
> *su hermosura es la nobleza;*
> *su gentileza, el saber.*

También inclinaban a chacota sus pretensiones aristocráticas, tan características y comunes en los criollos de la Nueva España. Ya hemos visto que era de noble prosapia; pero los escritores de la Península no transigían con que él se empeñase en anteponer a su nombre el "don" de que ahora todo el mundo usa. "Amaneció hecho un *don*..." —escribe Suárez de Figueroa—. "Los apellidos de D. Juan crecen como hongos... —léese en una censura atribuida a Quevedo— ... Yo aseguro que tiene las corcovas llenas de apellidos. Y adviértase que la D no es *don,* sino su medio retrato."

Y allí de Alarcón haciendo decir a uno de sus héroes en *La prueba de las promesas:*

Si fuera en mí tan reciente
la nobleza como el DON
diera a tu murmuración
causa y razón suficiente;
pero si sangre heredé
con que presuma y blasone
¿quién quitará que me endone
cuando la gana me dé?

¡Qué más! Hasta daba pasto a la
sátira su modo de ser afable y cortés, con algo de dulzón, como de
genuino americano. A las veces, sin
embargo, no se detenían sus rivales
y envidiosos en la frase maligna;
iban más allá: Al estrenarse *El An-*
ticristo echaron aceite pestilente en
las candilejas, con ánimo de interrumpir la representación. Desarrollóse ésta en medio de silbidos, sofo-
caciones y estornudos. Y, al final, la
obra hubiera ido irremisiblemente al
fracaso, a no haber sido por la intre-
pidez de la comedianta que hacía de
protagonista. Por estos hechos, a
juzgar por una carta de Góngora,
se ordenó la aprehensión de Lope de
Vega y de Mira de Mescua.

Quien semejantes ataques provoca-
ba, llevaba implícita la realidad de
su propio valer. Las comedias de
Alarcón se imponían. Interesaron a
la Reina. No tardaría el esperado favor oficial que, satisfaciendo al pretendiente, aniquilase al poeta. En
1623, con motivo de las fiestas organizadas en Madrid para celebrar
los conciertos matrimoniales entre
Carlos Estuardo, Príncipe de Gales,
y doña María de Austria, Infanta
de Castilla, el autor de *La verdad*
sospechosa fue designado para escribir el acostumbrado *Elogio descrip-*
tivo. Deseoso de congraciarse con los
de arriba, apremiado por el tiempo y
carente de dotes —¡él, que tanto las
necesitaba!— para el cultivo de ese
género de retórica ocasional y cortesana, se allegó algunos amigos para
que le ayudasen a sobrellevar tan
pesada carga, tramando, con él, sendas octavas. Con lo que resultó tal
y tan endiablado engendro ("poema
sudado, hijo de varios padres" lo llamó Pérez de Montalván), que llovie-

ron sobre el autor frases hirientes y
chuscas.

¡Pero algún día había de cuajar
el ansiado nombramiento para este
poeta que, aguardándolo, había compuesto, a guisa de entretenimiento
y para edulcorar la espera, tan buenas comedias! El 17 de junio de
1626, merced a la protección del
presidente del Consejo de Indias D.
Ramiro Núñez Felipes de Guzmán,
obtiene Alarcón el puesto de Relator
interino del mismo Consejo, cargo
que se le confirma en propiedad a
13 de junio de 1633. Confinado en
la vida burocrática; atento a negocios
mercantiles de América que algo le
habrán producido, y acaso, en el
fondo, muy en el fondo, desencan-
tado de la vida literaria, D. Juan
Ruiz de Alarcón y Mendoza abandonó, al menos ostensiblemente, el
cultivo de las letras. Silencioso, meditativo, se ha de haber encerrado
en su casa. De tiempo atrás había
tenido en doña Ángela Cervantes
una hija natural que llevaba el nombre de Lorenza de Alarcón. "Hacia
el fin de sus años —escribe Alfonso
Reyes— vivía con cierta holgura en
la calle de las Urosas; tenía coche,
criados y dinero para sus amigos."
Falleció en Madrid el 4 de agosto de
1639. Descansa en la parroquia de
San Sebastián.

Junto a la opulencia lujuriosa del
teatro de Lope de Vega, junto al de
Calderón y aun al lado de Tirso, la
obra dramática de Alarcón resulta
escasa por el número de títulos: contando las dudosas y las escritas en
colaboración no llegan a treinta y
cinco las comedias del mexicano.
Dos volúmenes publicó de ellas su
autor: el primero en 1628, con ocho
piezas; el segundo en 1634, con doce:
veinte en total, a las que hay que
agregar cuatro más, tenidas como
rigurosamente originales y auténticas. De tales comedias, unas siguen
las huellas de Lope y Tirso: *El se-*
mejante a sí mismo, El desdichado
en fingir, La cueva de Salamanca, La
industria y la suerte. Otras son de
carácter: *La verdad sospechosa, Las*

paredes oyen, La prueba de las promesas, Mudarse por mejorarse, El examen de maridos, No hay mal que por bien no venga, Los favores del mundo. Entre las dramáticas figuran: *El Anticristo, La crueldad por el honor, El tejedor de Segovia* (segunda parte), *Quien mal anda, mal acaba, La culpa busca la pena, y el agravio, la venganza, El dueño de las estrellas.* De tipo heroico: *Ganar amigos, Los pechos privilegiados, Todo es ventura, La amistad castigada.* En fin, de enredo, sólo se cuenta una: *Los empeños de un engaño;* y de tramoya, otra: *La Manguilla de Melilla.* [1]

La escasa fecundidad de Alarcón explícase en parte por los azares de su vida dificultosa. Explícase también por la hostilidad del público, a quien, en el prólogo de sus comedias, apellidaba Alarcón "bestia fiera" y, al ofrecérselas impresas le decía: "...trátalas como sueles; no como es justo, sino como es gusto, que ellas te miran con desprecio y sin temor, como las que pasaron ya el peligro de tus silbas, y ahora pueden sólo pasar el de tus rencores".

Pero lo que no sólo explica, sino justifica esta escasa fecundidad, es la naturaleza misma de dicho teatro, que dista de la improvisación y, por sus características esenciales, revela ser obra meditada, de sereno y pausado pulimento. Si empezó imitando a Lope, acabó Alarcón por crear un tipo de comedia personalísimo e inconfundible. A la par que entretener proponíase edificar y enseñar. "Orgulloso y discreto, observador y reflexivo —observa Pedro Henríquez Ureña—, la dura experiencia social lo llevó a formar un código de ética práctica cuyos preceptos reaparecen a cada paso en las comedias." Fustiga vicios: la ingratitud, la maledicencia, la mentira, la inconstancia. Exalta virtudes: la piedad, la sinceridad, la gratitud, la

lealtad. Pero tal propósito moral no se realiza directamente por medio de la prédica; va implícito en la fábula, envolviéndola, iluminándola. Fue incomparable en el arte de crear personajes, vigilando su desarrollo lógico, sin desentenderse de su condición humanísima. La minuciosidad y fuerza penetrante del análisis psicológico, corre en él parejas con la observación menuda de las costumbres. Y por lo que toca no ya al fondo, sino a la forma, a la exterioridad artística de la comedia alarconiana, son tales sus cualidades, que la hacen caso único y de excepción en literatura castellana. Tanto se preocupa el poeta de la composición, del ordenamiento arquitectónico de la obra, como del estilo. Proporción y armonía ofrecen el plan, en sus lineamientos generales, y la intriga, en su desarrollo. Sobrio por naturaleza, el autor se aparta de enredos y personajes inútiles. Corta con viveza actos y escenas. Sus diálogos son breves; concisos los monólogos. De escasos vuelos líricos, su versificación es limpia y elegante, tanto como hermoso el lenguaje por su sencillez y pureza.

Habiendo cultivado, pues, casi todos los géneros, Ruiz de Alarcón creó uno que le pertenece por legítimo e indiscutible señorío: la comedia moral y de costumbres. Teniendo por antecedente remoto al latino Terencio, con el que la crítica le señala grandes semejanzas, influyó directamente en Corneille, fue el precursor de Molière y de él procede el teatro de Moratín, por lo cual puede afirmarse que es Alarcón, así en la literatura francesa como en la española, la fuente de donde arranca la comedia moderna.

Nació el gran dramático y se educó en México; pero vivió poco más de la mitad de su vida y murió en España; en España hizo su carrera literaria y sus comedias son de asunto español. ¿Debemos considerarlo como mexicano? ¿Fue, más bien, español?

Durante mucho tiempo se creyó esto último; ahora México reivindica

---

[1] Seguimos la clasificación hecha por los señores Hurtado y González Palencia en su *Historia de la literatura española* (Madrid, 1921.)

su derecho a considerar como suya esa gran figura universal de las letras.

La tesis del mexicanismo del insigne escritor es relativamente nueva: data de 1913, cuando, en memorable conferencia, el crítico hispanoamericano don Pedro Henríquez Ureña sostuvo que Alarcón "pertenece de pleno derecho a la literatura de México y representa de modo cabal el espíritu del pueblo mexicano".

En comprobación de tal aserto, obsérvese, desde luego, una característica del dramaturgo: su "singularidad" dentro del teatro español de su época. El primero en advertirla fue un contemporáneo: Montalván: "las dispone —decía— con tal novedad, ingenio y *extrañeza*, que no hay comedia suya que no tenga mucho qué admirar..." Aludiendo a esto mismo, Fitzmaurice-Kelly expresa "que la personalidad tan marcada del genio de Ruiz de Alarcón —la *extrañeza* de que habla Montalván— da lugar a que casi se le aprecie mejor en el extranjero que en España". E insistiendo en lo que él llama la "nota personal", el "equilibrio" de Alarcón, declara que estas cualidades le colocan "algo *aparte* de los dos o tres más eminentes autores dramáticos españoles". Basta, en efecto, leer a Alarcón, para comprenderlo así; para enterarse de que el dramaturgo era una unidad aparte entre las grandes figuras del teatro del siglo de oro.

Ahora bien: si aquél se diferenciaba de éstas, ¿ofrecía, en cambio, su arte, algunas peculiaridades que revelaran su origen mexicano? Henríquez Ureña ha señalado varias: la discreción, la sobriedad, el desarrollo pausado —no agitado ni vertiginoso— de sus comedias, que coinciden con "el sentimiento discreto, el tono velado, el matiz crepuscular" que se advierte en la poesía mexicana; así como (cualidades que derivan del modo de ser mexicano) la brevedad en la observación, lo imprevisto en la réplica, la abundancia de fórmulas epigramáticas, y, por último, la cortesía. "El propósito moral y el temperamento meditativo de Alarcón iluminan con pálida luz y tiñen de gris melancólico este mundo estético, dibujado con líneas claras y firmes, más regular y más sereno que el de los dramaturgos españoles, pero sin sus riquezas de color y forma."

Pero aun hay consideraciones de otra índole que conviene examinar al respecto. Cuando Alarcón partió para España en 1600, tras de haber pasado en la tierra natal su niñez y primera juventud, y hecho buena parte de su carrera universitaria, era un espíritu formado ya; "había ya vivido —como expresa Alfonso Reyes— en un ambiente de sello inconfundible y propio los primeros veinte años de su vida, que es cuando se labran años para siempre los rasgos de toda psicología normal". Probablemente ya por entonces había iniciado su carrera literaria, escribiendo sus primeras comedias —no, es cierto, de las mejores entre las suyas, pero sí de las que acusan rasgos distintivos de su genio—. Hartzenbusch afirma, con copia de razones, que *El desdichado en fingir*, *La culpa busca la pena* y *La cueva de Salamanca*, fueron escritas por los años de 1599; es decir, cuando Alarcón aun no salía de México, cuando era aquí estudiante de la Universidad. *La industria y la suerte* y *Quien mal anda, mal acaba* datan, según el propio Hartzenbusch, de 1600 y 1602, respectivamente; por lo que habrá que considerarlas como pertenecientes a la época en que el poeta estudiaba en Salamanca, si no es que la primera de dichas comedias fue compuesta todavía en México. Abrese luego en la tabla cronológica de Hartzenbusch un paréntesis: de 1602 a 1616, o sea el período que comprende la apurada permanencia de Alarcón en Sevilla, litigando, y el retorno a México, de 1608 a 1613. Anterior a 1616 juzga el crítico español que haya sido *El semejante a sí mismo*. Acaso fue escrita esta

obra —y así lo admite como verosímil Menéndez y Pelayo— al volver Alarcón a su patria; pues en
la primera escena refiérese a la
inauguración de las obras del desagüe de esta ciudad, que tal vez
presenció. Y cabe presumir que de
la misma época o muy poco posterior sea *La prueba de las promesas*, en la que figura un personaje
—el mago D. Illán— que conjeturó
Fernández Guerra hubiera sido inspirado al dramaturgo por la extraña
personalidad, toda ella rodeada de
misterio, del sabio Enrico Martínez,
autor de las susodichas obras del desagüe del Valle de México.

Si, pues, D. Juan Ruiz de Alarcón nació, se educó y pasó su primera juventud en México; si aquí se
reveló su vocación literaria y dio su
arte los primeros frutos, y si, por
último, este arte, así entonces como
en su desarrollo ulterior mostró diferenciarse del predominante en España en la misma época, y presenta,
además, características de sensibilidad, de expresión, que lo asemejan
al peculiar modo de ser mexicano,
es evidente que por mexicano hay
que tener a Alarcón.

Ciertamente "exiguo" y "desproporcionado" para dramático de tal
perfección y grandeza resulta el marco de la poesía colonial, como afirma Menéndez y Pelayo. Mas no por
estar fuera del marco, deja de per-
tenecernos la figura. Una sociedad
naciente no podía ofrecer, no ofreció —ya lo hemos visto— ambiente
propicio a las letras. Nuestra poesía
en el siglo XVI redújose a balbuceos
retóricos, a unos cuantos versos circunstanciales, y al perfil de un poeta
arcano. En el teatro, dentro de horizontes estrechísimos, sólo tuvimos
un ingenio menor: González de Eslava. Inédita en su mayor parte, durante siglos, permaneció la obra pre-
clara de los cronistas... ¡Y como
para compensarnos de tanta y tan
penosa indigencia, bien que proyec-
tándose sobre el fondo magnífico de
la España del Siglo de Oro —único
que podía contenerla—, se yergue,
altiva y solitaria, la gloriosa y muy
mexicana figura de D. Juan Ruiz de
Alarcón!

SEGUNDA PARTE

LOS SIGLOS XVII Y XVIII

CAPÍTULO I

DECADENCIA Y REACCION

1. *De siglo a siglo.*—Fue el siglo XVI la etapa heroica de nuestras letras. Ensayo de trasplantación de una cultura, constituyó, a la vez, un afán de creación no exento, sino antes por el contrario, rebosante de originalidad.

Al esfuerzo material de la conquista para allegar nuevos dominios, correspondió el espiritual encaminado a establecer, dando formidable salto, la avanzada civilización europea en el Nuevo Mundo. Junto al templo se levantó la escuela. Extendióse la evangelización por los ámbitos del extenso territorio. Llegó a alcanzar la enseñanza extraordinario auge; multiplicáronse los planteles educativos y se llevó la instrucción pública hasta su más extremo grado: el coronamiento universitario. Con el estudio del pasado y de la lingüística indígena, habíanse añadido nuevas ramas a la historia y a la filología. Los estudios en las aulas, y quizás también, aunque en menor parte, la influencia de los escritores venidos de la Península, promovieron el cultivo de las letras; cultivo que, si bien en poesía no pasó de informes balbuceos de imitación con innúmeros versificadores ocasionales de certamen, hubo de producir, sin embargo, junto a figuras de auténtica valía a las que ahogó el medio, como Terrazas, esplendorosos ingenios que, como Ruiz de Alarcón y Bernardo de Balbuena, dieron lustre a las letras castellanas. Había difundido la imprenta los libros con tal profusión, que aquéllos llegaron a formar bibliografía copiosa. En suma: la capital de Nueva España, levantada orgullosamente sobre las ruinas de Tenochtitlan, había venido a ser el emporio de la civilización en América.

Considerando la fuerza incontenible de tal impulso creador, era de esperar que se ensanchase y resplandeciese aún con mayor brillo en el siglo inmediato. Y así sucedió, en efecto, hasta la primera mitad de éste: la Nueva España —y muy particularmente su metrópoli— continuó el inusitado desenvolvimiento, sobre todo material; la ciudad se transformaba, embelleciéndose; erguíanse nuevos monumentos arquitectónicos; la pintura llegaba a su apogeo. Mas, aseguraríase que había sido tal la magnitud del esfuerzo realizado, que al fin sobrevino el cansancio; a la múltiple actividad siguió letal estancamiento.

El siglo XVI transmitió al XVII, con ideas y formas, su espíritu literario. Al empezar éste todavía trabajaban escritores representativos del anterior. En su ciudad natal escribía Alarcón comedias que habrían de darle fama y renombre. No faltaban tampoco escritores peninsulares que, a semejanza de Cueva y Salazar, pasaran al Continente y aquí prosiguiesen su actividad literaria: Mateo Alemán, el autor de *El pícaro Guzmás de Alfarache,* quien, como se ha dicho antes, formando parte del séquito de Fr. García Guerra, vino a México en 1608, terminó y publicó en 1609 su *Ortografía castellana;* estuvo a servicio de aquel prelado y, muerto el mismo, dio a luz en 1613 la relación intitulada *Sucesos de D. Fray García Guerra, Ar-*

zobispo de México, que encierra curiosos pormenores sobre la vida en la Nueva España, así como la *Oración fúnebre* conmemorando el fallecimiento de dicho Virrey-Arzobispo, cuya memoria celosamente exaltaba y defendía a título de leal protegido; tales escritos son acaso los postreros de Alemán, el cual probablemente murió en México en fecha y circunstancias que se ignoran. Hacia la misma época anduvo por estas tierras el poeta Luis de Belmonte Bermúdez: su *Vida del Padre Maestro Ignacio de Loyola,* poema compuesto en quintillas dobles e impreso en México en 1609, contiene un *Elogio* escrito por Mateo Alemán, que no deja de ser interesante para el estudio de este novelista. Otro poeta español, Diego Mexía, en viaje por el interior de la Nueva España, tradujo las *Heroidas* de Ovidio.

Con todo, así como en el orden social el siglo XVII presto habría de diferenciarse del precedente, también en el literario presentaría rasgos distintivos que lo caracterizaran y definiesen.

2. *El gongorismo.*—El Siglo de Oro de las letras tocaba en España a su término. Cristalización, en la poesía, del grande ideal del Renacimiento que se cifraba en revivir la belleza de los clásicos antiguos, había llegado a su máximo esplendor con Fr. Luis de León. Alcanzado el límite de humana perfección por este camino, persistir en él llevando hasta el exceso la imitación de los poetas grecolatinos, tenía que conducir necesariamente a la decadencia. Germen de ésta que propagándose e inficionándolo todo acabó por producirla, completa y fatal, fue el *gongorismo* o *culteranismo,* que por ambos nombres se designó a tal escuela: el primero, por el de su pontífice máximo el genial D. Luis de Góngora; el segundo, por pretender ella representar, en oposición a lo vulgar, lo refinado y culto, e informarse, antes que todo, en las disciplinas que constituían la cultura literaria de entonces, o sea el estudio de los clásicos.

En su afán de señalar nuevos derroteros a la poesía, el gongorismo perseguía substancialmente los siguientes propósitos: amoldar el castellano al latín, introduciendo no sólo multitud de voces de esta lengua, sino también, y en imitación servil de ella, graves alteraciones sintácticas; suplantar el significado directo de las palabras por el translaticio; abundar en metáforas artificiosas, buscando entre los términos metafóricos relaciones sutiles, casi imposibles de percibir, como no fuera para el que las establecía; multiplicar, en fin, las alusiones y referencias a la mitología clásica. De esta suerte, el culteranismo llegaba a convertir la poesía en manjar de cultos, apartándola de la general comprensión, y creando, en síntesis a la frase sencilla y diáfana, una nueva manera de decir, si apartada de lo natural y corriente, tan estrafalaria y oscura, que nadie, por mucho que se empeñase, acertara a entenderla.

Pronto vino a unirse al gongorismo otro artificio más: el conceptismo, fórmula que tendía a alambicar y sutilizar no ya la forma, el externo ropaje, sino el concepto, la idea misma. Por lo demás, y proponiéndose ambas escuelas semejante objeto, se asimilaron y confundieron, al grado de que, andando los años, no fuera fácil distinguir a culteranos de conceptistas, ya que por uno u otro aspecto, o por los dos, todos pecaban de oscuros, extravagantes y vacíos.

3. *La influencia culterana en Nueva España.*—El culteranismo, al aparecer en la Península, encontró oposición de eminentes ingenios, que lo fustigaron cruelmente. Pero nada fue bastante a contener aquella epidemia, que, en cierto modo, aparece contemporáneamente en diversos países. Cundió, pues. Y la revolución literaria de Góngora, sin Góngora, acabó por producir sus funestos efectos señoreando la literatura toda, y sumiéndola, a continuación

de la deslumbradora época áurea, en fatal decadencia.

Claro está que, teniendo las modas literarias de España extraordinaria e inmediata resonancia en América, pronto encontró aquí la mala hierba gongorina extenso campo donde reproducirse. Se podría afirmar aún más: que no sólo hubimos de acentuar la nota, llevándola a su último límite de ridiculez y vacuidad, sino que de tal modo arraigó el gongorismo en la Nueva España, que cuando en su comarca de origen ya había pasado casi, barrido por los restauradores del *buen gusto*, en México se continuaba gongorizando rabiosamente.

A la manera que se verá adelante, el culteranismo se apoderó de la poesía en su forma así latina como castellana. Pero no se detuvo allí: invadió la historia, algunos de cuyos cultivadores —si bien nada sobresalientes— complaciéronse en la hinchazón verbal; infestó por completo la literatura religiosa, por cierto abundantísima, aunque de ningún valor artístico, y hasta produjo a los predicadores *gerundios,* quienes con la palabra, ya que no con la pluma, encargábanse de propagar el mal gusto. Nadie se resignaba a ser comprensible, y si a fines del siglo XVII el bachiller Pedro Muñoz Camargo publicaba su "Exaltación magnífica de la Betlemítica rosa de la mejor americana jericó, y acción gratulatoria por su plausible plantación dichosa, nuevamente erigida en religión sagrada por la Santidad del señor Inocencio XI que celebró en esta nobilísima ciudad de México el venerable Deán y cabildo de esta Santa Iglesia Metropolitana y sacratísimas religiones"; en el siglo XVIII aparecía un librito de devoción, que fue muy popular y favorecido, con el título de "Mística toalla o dulce ejercicio para enjugar a Cristo nuestro Señor Caído y mojado en las negras aguas del Torrente Cedrón". Tales títulos bastan para juzgar del contenido de semejantes obras. Y si se considera que no eran raras, por

lo demás, sino copiosísimas las del mismo jaez, fácilmente se comprenderá cómo el indicado vicio literario, en fuerza de extremarse, y de predominar la vacuidad palabrera sirviendo al escamoteo del auténtico ingenio, condujo al curioso resultado de que, en las manifestaciones de la inteligencia en el cultivo de las letras, pareciera como que aquélla había totalmente desaparecido.

Pero, ¿fue el gongorismo la causa principal de la decadencia en la literatura mexicana; o la inferioridad de ella, en el período a que nos referimos, y hasta la extraña difusión y persistencia que el culteranismo tuvo en la Nueva España, obedecieron a otros motivos, no menos ostensibles, aunque más profundos?

4. *Decadencia literaria.*—No era ajena la Nueva España a la fertilidad del ingenio. Aparte las ponderaciones de Salazar y de Balbuena, a que ya hemos aludido, conviene recordar que el Dr. Juan de Cárdenas, en el siglo XVI, afirmaba refiriéndose al de los criollos que lo tenían "agudo, trascendido y delicado", y que era su "hablar tan pulido, cortesano y curioso, y con tantos preámbulos, delicadeza y estilo retórico, no enseñado ni artificial, sino natural, que parece que ha sido criado (el español nacido en América) toda su vida en corte y en compañía de gente muy hablada y discreta". A mayor abundamiento, Fr. Juan de Grijalva, en el siglo XVII, decía: "Generalmente hablando son los ingenios tan vivos que a los once o doce años leen los muchachos, escriben, cuentan, saben latín y hacen versos como los hombres famosos de Italia."

Descontando lo que de pueril ingenuidad pudiese haber en el dicho del clérigo, y teniendo en cuenta así la frecuencia como la unanimidad de los testimonios, quedaría, pues, probado que ni la capacidad ni aun la decidida inclinación literaria se hallaban aquí ausentes.

No obstante, de bien poco serviría esto cuando las condiciones del ambiente intelectual distaban de ser propicias, y cuando, por tratarse de un país en formación y atento más que todo a su desarrollo material, el medio literario no existía. "Estrecho y pequeño mundo" llamaba al de por acá Bernardo de Balbuena en su *Epístola* al Arcediano de la Nueva Galicia. Y añadía que "aunque de tierra grandísima, es de gente abreviado y corto, y fuera de esta rica ciudad (la de México), casi de todo punto desierto y acabado en lo que es trato de letras, gustos, regalos y curiosidades de ingenio, por haber tiranizado las granjerías y codicia del dinero los mayores pensamientos por suyos". Poco incentivo habría para que los criollos asumieran las difíciles y poco lucrativas tareas literarias. "Los más —aseguraba el doctor Antonio de Peralta Castañeda, en el prólogo de la *Historia de Tobías* (1667)— vacilan de la necesidad, desmayan de falta de premios y aun de ocupaciones, y mueren de olvidados, que es el más mortal achaque del que estudia." Apenas si al amparo de la Iglesia y gozando de los beneficios de un puesto eclesiástico era posible consagrarse a las letras. Y esto explica por qué los escritores de la Nueva España fueron en su infinita mayoría durante los dos últimos siglos del Virreinato, sacerdotes o religiosos, y tuvo entonces la literatura uniforme cariz claustral. Con la diferencia de que, si en el siglo XVI los ingenios pertenecientes a las órdenes monásticas, atareados en la obra civilizadora, fueron los grandes historiadores, los grandes etnólogos, los grandes lingüistas que ya conocemos, en la segunda mitad del XVII y en la primera del XVIII —salvo excepciones contadísimas— su mente se esterilizó en los ejercicios de una retórica artificiosa y falsa, en los libros teológicos y de devoción, harto lejanos estos últimos de las puras fuentes de los místicos españoles de la edad áurea, y tan numerosos, que se calcula que de todo lo impreso en la décimooctava centuria ocupaban el setenta por ciento.

5. *El estado social.*—Pero si los obstáculos materiales que se oponían al fácil y lozano desenvolvimiento del ingenio criollo eran insuperables, nada halagüeño parecía el cuadro social que presentaba la Colonia así para despertarlo como para estimularlo y ennoblecerlo.

La vida, silenciosa y monótona, no ofrecía incentivo alguno a la actividad literaria. Aislada se encontraba la Colonia de toda influencia extranjera y, por eso, aun más que España, fue ajena a la renovación intelectual que sufría el mundo. La censura impedía que entrasen libros sin previo y riguroso examen; con lo cual dicho se está que entraban muy pocos. Tampoco, sin su venia, podía aquí imprimírseles. Así, lejos de toda extraña emulación, y aherrojado en casa por falta de libertad, el pensamiento no podía tener franco el vuelo.

Por otra parte, ni siquiera le era dable reaccionar y sobreponerse. Encontrábase adormecido en un ambiente donde el estancamiento de la cultura hacíase más y más profundo con el correr de los años. "La filosofía, la historia, la literatura, todas las ciencias —como ha expresado don José María Vigil— vivían en pacífico consorcio a la sombra de la Teología." La Universidad, a quien, por su naturaleza misma, correspondía la fomación de grupos selectos; la Universidad, que desde sus principios —según observó D. Justo Sierra— fue extraña casi por completo a 'la formidable remoción de las corrientes intelectuales renacentistas, permanecía "emparedada intelectualmente", y continuaba siendo, y fue siempre —conforme al incisivo juicio que de ella formó aquel eminente pensador— una escuela verbalizante en que la palabra, y siempre la palabra latina, era "la lanzadera prestigiosa que iba y venía sin cesar en aquella urdimbre infinita de conceptos dialécticos".

¿Qué podía, pues, esperarse? Sin libertad, en letal aislamiento, y en un medio de sórdido fanatismo, que el Santo Oficio se encargaba, vigilante, de mantener, ¿qué destino podía caber a las letras en Nueva España, si no el mismo —aunque considerablemente empeorado— que cupo a la literatura de la propia Península en la época de decadencia que culminó con el desastroso reinado de Carlos II, el último de los Austrias?

6. *La renovación.*—Al advenimiento de la dinastía borbónica se hizo sentir en España un espíritu de renovación. Algo de éste se reflejó en América.

La renovación fue lenta, sin embargo, y en el campo intelectual no empezó a manifestarse sino a mediados del siglo XVIII. Debilitada un tanto la censura, o bien a pesar de ella, nuevas ideas penetraban en el quieto, inmovilizado ambiente de la Colonia.

En literatura iníciase la reacción clásica; tal movimiento lo llevan principalmente a cabo en sus colegios los jesuitas, entre quienes florecen entonces los mejores cultivadores que de la poesía latina hemos tenido, y el primer gran historiador.

La expulsión de aquéllos quebranta, pero no detiene en México el movimiento cultural. Surge una franca oposición a la escolástica; un mexicano ilustre, el filipense Benito Díaz de Gamarra (1745-1783) introduce la filosofía moderna con su obra capital: *Elementa Recentioris Philosophiae*, publicada en 1774. Las ciencias físicas tienen un afanoso cultivador y propagandista en el sabio Padre José Antonio Alzate (1729-1790). Contemporáneos de Alzate y trabajadores infatigables son otros mexicanos eminentes: don Francisco Javier Gamboa, jurisconsulto y geólogo, don Joaquín Velázquez de León, geodesta y astrónomo; don Antonio León Gama, astrónomo, geógrafo y arqueólogo; el matemático don José Ignacio Bartolache; el botánico don José Ignacio Mociño.

En 1784 aparece el primer periódico formal: *La Gaceta de México*. Tanto en éste —principalmente informativo— como en pasajeras publicaciones que lo habían precedido, y en las que de Alzate habían venido sucediéndose, tenían cabida trabajos de geografía, historia natural, geología, medicina.

Fúndase en 1792 el Colegio de Minería, a cuyo nombre asocian el suyo sabios tan insignes como don Fausto Elhúyar y D. Andrés del Río, autor este último de la mejor obra de mineralogía que se había escrito en lengua castellana. Considerando las actividades de aquel instituto, y en general las de orden científico que durante su visita observó en México, el Barón de Humboldt pudo afirmar que el ardor con que entonces se abrazaba en la capital de Nueva España el estudio de las ciencias exactas era "mucho mayor que el consagrado al estudio de las lenguas y literatura antiguas".

Mas si, en efecto, el estado de la literatura en las postrimerías del siglo no correspondía en la Colonia al esplendor que en su destierro le dieran los humanistas e historiadores jesuitas, en cambio, las artes plásticas tuvieron un período de señalada actividad. En 1783 se había creado la Academia de San Carlos. La arquitectura florecía: era la época de las grandes construcciones en que descollaban el español Tolsá y el mexicano Tresguerras.

Tras dilatado período de estancamiento, al acercarse al fin del Virreinato, la Nueva España asistía a una franca renovación intelectual. No podía ser ésta, por lo demás, ajena al surgimiento, a la elaboración lenta de nuevos ideales políticos. Con la filosofía y la literatura europeas del siglo XVIII, que penetraban con los libros o a través de los hombres que empapados en ellas venían —o retornaban— a la Colonia, se esbozaban nuevas formas de organización social y cobraban cuerpo y consistencia, aspiraciones que ya existían en las conciencias, y que pronto, con los acontecimientos que al alborear el nuevo siglo habrían de sobrevenir, se resolverían en acción creadora de la nacionalidad.

CAPÍTULO II

LA POESIA

1. *La moda culterana.*—Parte principal para conseguir la difusión del gongorismo, fueron las condiciones en que la poesía, desde el siglo anterior, venía desarrollándose, así como la educación pedantesca que se daba a los ingenios que habrían de producirla.

Propiamente hablando, no existía en México poesía popular. La poesía fue, desde sus principios, erudita. Nacía y se alimentaba en las aulas; la cultivaban, en sus ocios, personas de prosapia universitaria y de bueno o mediano acomodo civil o eclesiástico. Inveteradamente circunstancial, y reducida a celebrar exaltaciones o fallecimientos de monarcas, entradas de virreyes, dedicaciones de templos o canonizaciones de santos, en certámenes convocados al efecto, carecía de espontaneidad y sinceridad; era forzada y de encargo, y antes que el libre vuelo del estro representaba la aplicación paciente del ingenio a meros ejercicios retóricos; ejercicios que, por lo demás, cuadraban con las disciplinas intelectuales en que los ingenios mismos se formaban, cifradas en el desarrollo de la facultad verbalizante al amparo de la dialéctica.

Vino, pues, como de molde, aquella moda literaria. Tanto o más que la obligada sutileza y extravagancia propias de la manera culterana, complacía a poetas y seudopoetas que la ensayaron, la gimnasia retórica que la acompañaba. Estaban a la orden del día las combinaciones métricas estrafalarias: solamente de sonetos —para no hablar de otro género de composiciones— los había simples, doblados o terciados; con cola o con ecos; continuos, encadenados o retrógrados; acrósticos o con retornelo. Y ni siquiera el ejemplo de los clásicos grecolatinos era bastante a enfrentar tales aberraciones. El mal gusto no sólo había infestado los dominios de la versificación castellana; había cundido también en la versificación latina. En una *Poética* compuesta en México en 1605, antes de la invasión culterana, por el P. Bernardino Llanos, *ad usum studiosae juventutis,* se encuentran, al lado de las consagradas doctrinas y preceptos clásicos, multitud de invenciones grotescas: el centón, el laberinto, el anagrama; figuran también allí el *pangramatón* y el *metronteleón,* consistentes, respectivamente, en hacer caber en un verso todas las letras del alfabeto o todas las partes de la oración; danse, además, recetas para hacer versos latinos que suenen como castellanos, lo cual no es sino una anticipación al caro ideal gongorino que luchó, a la inversa, porque los castellanos tuvieran traza semejante a los latinos.

Así, consagrados a tamañas prácticas esterilizadoras del ingenio, los versificadores en uno y otro idioma se daban la mano en cuanto a extravagancia; y el gongorismo, al sobrevenir, no hizo sino que de modo inequívoco parecieran locos de remate.

Fray Juan de Valencia, mercedario, que llegó a definidor en su orden y murió siendo comendador en el convento de Veracruz en 1646, realizó dos proezas, a cual más inútil: aprenderse de memoria un diccionario, el *Calepino,* y escribir un elogio de Santa Teresa compuesto de trescientos cincuenta dísticos latinos en versos retrógrados, esto es, que lo mismo podían leerse al derecho que al revés. Tan ardua y peliaguda era esta última empresa, que el jesuita Canal, gran latinista que pretendió imitarla, haciendo a su vez en dísticos retrógrados el elogio de la susodicha *Teresiada* de Valencia, estuvo a pique de perder la razón. Quizá la perdió de veras —o al menos arriesgan perderla cuantos lo lean— el licenciado Francisco Ayerra y Santa María, al confeccionar su famoso centón de las obras de D. Luis de Góngora. Cabe advertir, a propósito, que los centones, fueran latinos o castellanos, gozaban por aquellos días de singular privanza, y que su artificio consistía en sacar de su lugar los versos de determinado autor, para formar con ellos nuevos poemas. Góngora, tanto como Virgilio, sufrieron este desacato. Por lo demás, el autor del *Polifemo* había hechizado de tal suerte con su postrer manera a los versistas de la Nueva España, que éstos habíanle puesto en el propio altar de los clásicos, y allá se andaba D. Luis, entre Homero y Horacio, leído, comentado y hasta aprendido de memoria en las escuelas.

Como en los buenos tiempos de González de Eslava, o aun más que entonces, había plétora de versificadores en latín y en castellano. Beristáin, en su *Biblioteca hispanoamericana septentrional*, cita más de ciento. En 1623, publícase en México una *Floresta latina culta en honra y alabanza de dos bellísimas plantas y santíssimas Virgines Lucía y Petronila*, y en ella figuran copia de poetas. Menudeaban los certámenes. En el celebrado por la Universidad de México en 1682 en honor de la Inmaculada Concepción, y que don Carlos de Sigüenza y Góngora reseñó en su obra intitulada *Triumpho parthénico*, las composiciones presentadas pasaron de quinientas, y, de ellas, sesenta y ocho obtuvieron premio.

2. *Los poetas del "Triunfo parthénico".*—Ante éxito tan singular por su cuantía, y considerando que entre los laureados en esa justa, aparte poetas de renombre, había doctores, licenciados, bachilleres, prelados —gente, en fin, que había llegado a la conquista de grados académicos difíciles de obtener— creeríase que la Nueva España era en las postrimerías del siglo XVII luminoso y fragante jardín de las musas.

Nada menos cierto. En semejante fárrago se hallan ausentes no sólo el buen gusto y la poesía, sino la sensatez y el decoro literario. Forma el *Triunfo parthénico* una sentina de extravagancias y desafueros al sentido común. Si allí el ingenio, a veces, se deforma sometido a la tortura de ridículas sutilezas, y más a menudo se le simula entre la hojarasca rimbombante de huecas palabras, por lo general, podría decirse que las ideas están en todo momento y en todo verso ausentes, y que tan apurado malabarismo retórico ejecútase por saltimbancos ociosos en pleno vacío intelectual.

¿A qué detenerse, por consiguiente, en el estudio de todos y cada uno de los versificadores del *Triunfo parthénico*, quienes representan —de igual suerte que la colección en que figuran— la cúspide del gongorismo mexicano? Bastará señalar algunos, haciendo de paso mención de las curiosas particularidades que les dan aire de familia.

LUIS DE SANDOVAL Y ZAPATA, de ilustre familia mexicana, "era —según el P. Florencia— de un espíritu poético tan alto, que pudo igualar a los mejores de su siglo". Escribió *Poesías varias a Nuestra Señora de Guadalupe*, de las cuales basta para muestra el siguiente soneto, celebradísimo por sus contemporáneos, y en el que se compara —al decir de Pimentel— la transformación de las flores en la imagen de la Virgen, con la metamorfosis del fénix mitológico:

6

El astro de los pájaros expira,
aquella alada eternidad del viento,
y entre la exhalación del movimiento
víctima arde olorosa de la pira.

En grande hoy metamorfosis se admira
mortaja a cada flor; más lucimiento
vive en el lienzo nacional aliento
el ámbar vegetable que respira.

Retratan a María sus colores:
corre cuando del sol la luz las hiere
de aquestas sombras envidioso el día.

Más dichosas que el fénix morís, flores;
que él, para nacer pluma, polvo muere,
pero vosotras para ser María.

Publicó, además, Sandoval, en 1645 —y barruntando quizá la mucha que se necesitaba para leerlo— un *Panegírico de la paciencia.*

JUAN DE GUEVARA, gongorino tan aventajado como el anterior, fue capellán del convento de Santa Inés y gozó fama de poeta; tanta, que en 1654 la Universidad lo honró eligiéndole secretario en el certamen por ella celebrado en loor de la Virgen María. Escribió un centón y multitud de versos sagrados. Y nadie se acordaría de él a no aparecer unido su nombre al de Sor Juana Inés de la Cruz, con la que colaboró en la comedia *Amor es más laberinto* componiendo la jornada segunda.

JOSÉ LÓPEZ AVILEZ, capellán y maestro de pajes del Virrey fray Payo Enríquez de Rivera, versificó abundantemente y mereció de Sigüenza y Góngora el ser tenido por "gran padre de las musas y honra de los certámenes académicos". Este gran padre de las musas publicó en 1669 un pavoroso tomo en folio de versos latinos en alabanza de la Virgen de Guadalupe.

FRANCISCO AYERRA Y SANTA MARÍA, licenciado, presbítero secular y capellán de Jesús María, era oriundo de Puerto Rico; mas por mexicano debe tenérsele, ya que México fue teatro de su florecimiento dichoso.

Aparte "elegante latino, poeta admirable, agudo filósofo" y otra multitud de perfecciones que le atribuía, considerábalo el coleccionador del *Triunfo parthénico* "una erudita enciclopedia de las floridas letras". Tiene títulos negativos, aunque bien ganados ante la posteridad, con el famoso cuanto estrafalario centón con versos extraídos de las obras de don Luis de Góngora a que antes nos hemos referido.

PEDRO MUÑOZ DE CASTRO, bachiller y presbítero, parece haber sido persona de ingenio tan agudo como fecundo, a juicio de Sigüenza y de Beristáin. Era infatigable. Su especialidad la constituían los títulos. Los hizo extraordinarios. Véase uno de ellos, que basta y sobra para darse cuenta de la personalidad de semejante escritor: "Ecos de las cóncavas del Monte Carmelo y resonantes balidos tristes de las Raqueles ovejas del aprisco de Elías carmelitano sol con cuyos ardores derretidos en llanto sus hijas las religiosas carmelitanas de México lamentan la pérdida de su amantísimo benefactor el excelentísimo Sr. D. Fernando de Lencastre Noroña y Silva, Virrey que fue desta Nueva España" (1717).

D. CARLOS DE SIGÜENZA Y GÓNGORA, en fin, honra y prez que fue de la cultura de la Nueva España —acaso en su tiempo únicamente representada por él— no debe faltar, como poeta, en esta sumaria enumeración. De los méritos del sabio se hablará en otro lugar. Aquí cumple decir algo acerca del rimador y del crítico. Como crítico —ya lo hemos visto— Sigüenza era facilísimo a la alabanza. Extraña también que no haya sido ajeno a la inconsecuencia. Él condenaba severamente el cultiparlismo: "Escribir de una difunta —decía en el prólogo del *Paraíso occidental*— el que en vez de mostrar pálidas tristezas o marchitas perfecciones, se sonroseaba de rojos colores, o coloría de rosas carmesíes, las cuales alindaban más de lo que pueda encarecerse la cara apacible de la difunta yerta; y servir todo esto de circunloquio para decir el que conservaba después de muerta los mismos colores que cuando viva, ¿qué otra cosa es sino condenar un autor su libro (y más formándose todo él de semejantes períodos) a que jamás se lea?" Y, sin embargo de no ser por convicción culterano, D. Carlos de Sigüenza derramó la lluvia copiosa de sus elogios sobre los poetas gongorinos del *Triunfo,* y él mismo gongorizó a más y mejor; aunque —fuerza es reconocerlo— tan sólo en verso, y creyendo, sin duda, que extravagancias y dislates, si inadmisibles eran en llana prosa, pasaban gallardamente y aun se imponían al amparo de la rima.

La *Canción* suya que figura en el *Triunfo parthénico* y que obtuvo el primer premio de la Universidad, es tan abstrusa y vacua, y tan ruidosa y de mal gusto como todas las demás de la colección. Tampoco se recomienda su poema sacro-histórico de la Virgen de Guadalupe intitulado *Primavera indiana* (1668), escrito en setenta y nueve calamitosas octavas reales; ni el compuesto en elogio de San Francisco Javier. No le llamaba Dios, seguramente, por el de la poesía; otro era su camino.

3. MATÍAS DE BOCANEGRA Y SU "CANCIÓN A LA VISTA DE UN DESENGAÑO".—De toda la caterva de versificadores gongorinos, acaso el único que merezca recordación y estima es el jesuita de este nombre. Nacido en Puebla a principios del siglo XVII, fue muy valido de virreyes y obispos, así por su ingenio como por su mucho saber en letras y sagradas ciencias. Es tan sólo un poema sin embargo —que está muy por encima de cuanto se escribió en su tiempo— el que le salva del olvido. Aludimos a su *Canción alegórica a la vista de un desengaño,* sentida parábola en que el poeta se propone demostrar las excelencias de la vida religiosa, que austera y mansa se desliza en soledad

y silencio, por sobre los placeres y disipaciones del vivir mundano que origina no más que desengaños y amarguras. Obra "no despreciable —a juicio de Menéndez y Pelayo— así por la fluidez de los versos como por la delicadeza del sentido místico", la *Canción* de Bocanegra fue popularísima en su tiempo e imitada a porfía por diversos poetas en los siglos XVII y XVIII.

*

* *

El azote de los versificadores gongorinos llegó a extenderse, en plena apoteosis del culteranismo, a todos los géneros. Se versificaba, gongorizando, a más y mejor: en verso se escribió una biografía de Fr. Payo Enríquez; en verso salieron a porrillo vidas de santos; y, tramadas en sibilinos renglones cortos tuvimos, en fin, descripciones de honras fúnebres, fiestas reales, canonizaciones y hasta viajes.

Por lo que toca a los poetas, semejaba la Nueva España en el siglo XVII una greguería de urracas disonantes.

Mas he aquí que, de pronto, escúchase un gorjeo melodioso. Era la Décima Musa la que cantaba.

4. NACIÓ JUANA INÉS DE ASBAJE —que tal fue el nombre que la gloriosa monja llevó en el siglo— en la alquería de San Miguel Nepantla, jurisdicción de Amecameca, el 12 de noviembre de 1651.

Indicio de la robustez de su genio fue su precocidad. A los tres años, y a hurtadillas de la autora de sus días empezó a estudiar. "...Enviando mi madre a una hermana mía, mayor que yo, a que se enseñase a leer, en una de las que llaman *amigas,* me llevó a mí tras ella la travesura; y viendo que le daban lección, me encendí yo de manera en el deseo de saber, que engañando, a mi parecer, a la maestra, le dije que mi madre ordenaba que me diese lección." Breve y asequible habría de ser la tarea para alumna de vocación tan decidida. En dos años —al decir del P. Calleja, su biógrafo— aprendió "a leer, escribir, contar y todas las menudencias curiosas de labor blanca".

Vino al mundo con el don natural de expresarse en verso. Antes de los ocho años compone una *Loa* para la festividad del Corpus. Crece y crece, entretanto, en ella, la inquietud de saber. Oye decir que en México hay Universidad y escuelas en que se estudian ciencias. "...Y apenas lo oí, cuando empecé a matar a mi madre con instantes e importunos ruegos, sobre que, mudándome el traje (pretendía la futura monja vestirse de hombre), me enviase a México, en casa de unos deudos que tenía, para estudiar y cursar la Universidad; ella no lo quiso hacer —y hizo muy bien—, pero yo despiqué el deseo en leer muchos libros varios que tenía mi abuelo, sin que bastasen castigos ni reprensiones a estorbarlo..."

Ocho años había cumplido cuando con sus padres pasó a la capital de Nueva España. Aquí todos se admiraban —ella lo cuenta— "no tanto del ingenio, cuanto de la memoria y noticias que tenía, en edad que parecía que apenas había tenido tiempo para aprender a hablar". Bástanle veinte lecciones del bachiller Martín de Olivas para llegar a aprender el latín, que poseyó con absoluta maestría. No es sólo su talento; es su voluntad la que trabaja. Cuando quiere adquirir un nuevo conocimiento, apela al cruel medio de fijarse un plazo para conseguirlo, cortándose el cabello. Y si éste crece sin que la dueña haya logrado su fin, entonces vuelve a mutilarlo; pues no estimaba justo "que estuviese vestida de cabello cabeza que andaba tan desnuda de noticias, que era más apetecible adorno".

Era hermosa, con una hermosura espiritual y profunda que no se olvida cuando hemos visto el retrato que de ella, ya en religión, nos legó el pintor Miguel de Cabrera. Asociado como estaba ingenio a belleza, empezó a correr su fama, y presto figuró en la corte como dama de honor de la Virreina. Lisonjeábase ésta con los muchos versos que la poetisa le dedicaba. Asombrado a poco el virrey Marqués de Mancera de la sabiduría de que Juana Inés daba muestras, y deseando aquilatarla, convocó en palacio, para que la examinasen, a todos los profesores de la Universidad y a cuantos hombres doctos en artes y ciencias había en México. Reuniéronse alrededor de cuarenta teólogos, escriturarios, filósofos, matemáticos, historiadores, humanistas y poetas. Ante ellos compareció la joven. Y "a la manera —son palabras del Virrey— que un galeón real se defendería de pocas chalupas que lo embistieran, así se desembarazaba Juana Inés de las preguntas, argumentos y réplicas que tantos, cada uno en su clase le propusieron".

Tanto como admirada por sus raras prendas, era, en la mansión virreinal, cortejada por su belleza. Mas he aquí que, súbitamente, se determina a abrazar la existencia monástica.

No obstante que, para el espíritu y las costumbres de la época, semejante resolución nada tenía de extraño, para quienes conocen un aspecto —quizás el mejor: el amoroso— de la lírica Sor Juana, ocúltase en ese momento importante y posiblemente dramático de su vida un misterio que acaso nunca llegue a desentrañarse. ¿Fue una pasión escondida, tal vez desengañada, el móvil que la impulsó al claustro? Ella explicó, ciertamente, el motivo a que obedecía al dar aquel paso: "Entréme religiosa, porque aunque conocía que tenía el estado cosas (de las accesorias hablo, no de las formales) que repugnaban a mi genio; con todo, para la total negación que tenía al matrimonio, era lo menos desproporcionado y lo más decente que podía elegir en materia de la seguridad que deseaba de mi salvación, a cuyo primer respeto, como el más importante, cedieron y sujetaron la cerviz todas las impertinencias de mi genio, que eran de querer vivir sola, de no tener ocupación alguna obligatoria que embarazase la libertad de mi estudio, ni rumor de comunidad que impidiese el sosegado silencio de mis libros." Mas basta, al calor de la llama que tiembla en algunos versos de la poetisa, pensar que los anteriores razonamientos los hizo siendo ya monja y no cuando aspiraba a serlo, para que la incógnita quede en pie.

Lo cierto es que el 14 de agosto de 1667, cuando aun no cumplía los dieciséis años, ingresó en el convento de Santa Teresa la Antigua, habiendo concurrido a la ceremonia los virreyes Marqueses de Mancera. No pudo, sin embargo, soportar por mucho tiempo las rigideces de la regla; enferma abandonó aquel recinto el 18 de noviembre. Pero su decisión era irrevocable: poco más de un año después, el 24 de febrero de 1669, profesaba en el convento de San Jerónimo, y, esta vez, para quedar allí el resto de sus días.

A la sombra del claustro vivió, entre sus libros, mapas e instrumentos músicos y científicos, consagrada al estudio. Pero ni tal consagración pudo siempre ser constante, ni tampoco tranquila. No faltó prelada "muy santa y muy cándida" que, considerando el estudio cosa inclinada a pecado, le ordenase que de él se abstuviera. Mirando por su salud, otra vez los médicos le hicieron también recomendación semejante. Mas como era de voluntad recia, como amaba demasiado los libros y el afán de saber constituía su razón de vivir, dedicada a sus ocupaciones sabias pasó la casi totalidad de la clausura.

No fue sino hacia las postrimerías de su existencia cuando un incidente la apartó del sendero que obstinada seguía. Sucedió que, habiéndosele ocurrido a Sor Juana impugnar un sermón del P. Vieyra, predicador famoso, ello dio margen a que el entonces obispo de Puebla D. Manuel Fernández de Santa Cruz, ocultándose bajo el seudónimo de *Sor Filotea,* dirigiera a la monja jerónima una

torpe misiva en la que, tras de lisonjearla por la impugnación susodicha, la exhortaba a que, poniendo los ojos en el cielo, se apartase de las profanas letras para consagrarse por entero a la religión. "Mucho tiempo ha gastado usted —concluía el Obispo— en el estudio de los filósofos y poetas; ya será razón que se perfeccionen los empleos y se mejoren los libros."

La historia literaria debe mucho a la impertinencia de *Sor Filotea;* le debe tanto, que, si no fuera por ella, no contaríamos con el mejor documento para trazar la biografía y retrato psicológico de la poetisa: nos referimos a la preciosa carta que Sor Juana dirigió en respuesta al obispo de Puebla; carta en la cual consignó ella los mejores datos que poseemos acerca de su carácter, de su vida, de sus inclinaciones literarias y penas que éstas le originaron; y donde además, con nobilísima entereza, se declaró en pro de la cultura de la mujer y sostuvo su derecho a impugnar el sermón que había impugnado.

Efecto muy hondo han de haber producido, no obstante, en el ánimo de la ilustre jerónima, aquellas exhortaciones relativas a su exclusiva consagración a lo religioso con pleno apartamiento de lo profano. Poco después mandaba vender, a beneficio de los pobres, los cuatro mil volúmenes de su biblioteca, así como los instrumentos músicos y científicos y mapas que tenía. Hizo confesión general y firmó con su sangre dos protestas de fe. En la soledad de su celda no quedaron sino algunos libros devotos, cuya lectura han de haber interrumpido muchas veces los rigores de crueles penitencias.

En la embriaguez de aquel místico ardimiento había pasado Sor Juana dos años, cuando una epidemia de fiebres malignas que asolaba a México, invadió el convento. Henchida de caridad desvivióse entonces la poetisa por atender y cuidar a sus hermanas enfermas; y, contagiada a su vez, penetró en el arcano de la muerte a los cuarenta y cuatro años, el día 17 de abril de 1695.

Algo de sobrenatural y extraordinario, como observa Menéndez y Pelayo, tiene la aparición de Sor Juana Inés de la Cruz en la desastrosa época literaria que le tocó vivir.

Las mismas cualidades que la aíslan y colocan muy por encima de la literatura de su tiempo, salváronla de perecer en tal ambiente. Rasgos distintivos de la personalidad de la monja jerónima eran la inquietud de su espíritu, tan ávido siempre de conocer e investigar; la universidad de su cultura; el brío de su ingenio; la desbordante fantasía, y el sentimiento que, por incontenible y ardiente, sólo podía hermanar con la sinceridad.

De ahí que, si ella, como no podía menos de suceder, a menudo pagó tributo al mal gusto dominante, en sí encontrara los elementos necesarios para no dejarse señorear y vencer por él. En su producción abundantísima no faltan, ciertamente, los versos circunstanciales y de encargo en que la nota enfática corre parejas con el alambicamiento del concepto. Rindió también parias al culteranismo, llegando a imitar en su fantasía del *Sueño* al Góngora de las *Soledades*, y aun a sobrepasarlo en extravagancias y oscuridad en el *Neptuno alegórico*. Pero ni fue absolutamente gongorina, a pesar de que gongorizó, ni se equiparó tampoco a los versificadores ocasionales de su tiempo. Su gongorismo tenía algo de mera virtuosidad literaria; no era una manifestación genuina y sincera de su espíritu, por esencia cristalino y diáfano. Por otra parte, bastante desarrollado estaba en ella el instinto de la versificación para que se encerrase en las combinaciones artificiosas gratas a los que de él carecen; mucho y bueno tenía, además, que decir, para gustar exclusivamente del vacío sonoro que tanto favorecía a los simuladores del ingenio; y, en suma, por su cultura, no era extraña a las corrientes de sana tradición literaria del siglo XVI.

No ajena siempre la poesía de Sor Juana a la afectación; tendiendo a menudo a la ingeniosidad complicada y sutil que la acerca al conceptismo, hay en ella, sin embargo, fuera de toda escuela y como expresión individual y única, composiciones de "valor poético duradero y absoluto" —como ha expresado Menéndez y Pelayo— que hacen de la monja el mejor poeta de su época, y que la colocan al lado de los mejores en lengua castellana.

Haciendo a un lado la multitud de versos de circunstancias que escribió, así como las imitaciones o ensayos gongorinos, la poesía de Sor Juana, en su esencia más pura, hay que buscarla en sus lindos villancicos en que —según expresa Manuel Toussaint— "Sor Juana parece cantar con voz de ángel"; y, sobre todo y muy principalmente, en sus poemas de amor profano y en sus poesías místicas.

"Los versos de amor profano de Sor Juana —a juicio de Menéndez y Pelayo— son los más suaves y delicados que han salido de pluma de mujer." Hay en ellos tal elocuencia, tan fácilmente acierta Sor Juana "con la expresión feliz, con la expresión única, que es la verdadera piedra de toque de la sinceridad de la poesía afectiva", que han dado pábulo a la sospecha —fundadísima— de que una pasión, tan férvida como misteriosa, llenó la vida de la sin par poetisa. Los amorosos requerimientos, los blandos arrullos, las dolidas quejas, los arrebatos celosos, el dolor con vibraciones de sollozo que en tales poemas aparecen, no son, no pueden ser cosa artificial y fingida: tienen el acento inconfundible de la verdad.

Entre esos versos profanos considéranse como los más notables el *Romance de la ausencia*, las *Liras*, los sonetos *A la rosa*, *Detente, sombra*, y a la muerte del Duque de Veragua; en fin, sus famosas redondillas *Hombres necios...*, todavía hoy popularísimas.

Justamente por haber sentido tan

hondo el humano amor, se elevó, asimismo, Juana Inés, al expresar el místico, a muy altas regiones. Refiriéndose a lo que estima más bello de sus poesías espirituales —a las canciones intercaladas en *El Divino Narciso*—, aquel insigne crítico a quien tan a menudo hemos citado, afirma que "tan bellas son, y tan limpias, por lo general, de afectación y culteranismo, que mucho más parecen del siglo XVI que del XVII, y más de algún discípulo de San Juan de la Cruz y de Fr. Luis de León que de una monja ultramarina".

Poco cultivó Sor Juana la prosa; bien que, cuando lo hizo, demostró plena maestría, como lo revelan sus cartas: la *Athenagórica*, o sea la impugnación al P. Vieyra, y la *Respuesta a Sor Filotea;* las cuales, con dos escritos más de carácter devoto, son lo único que, en prosa, de ella conocemos.

En cambio, y siguiendo las huellas de Calderón, sobresalió en el teatro. *Los empeños de una casa* es una bellísima comedia de capa y espada. Menos afortunada que ésta, la que lleva el nombre de *Amor es más laberinto,* peca de culteranismo. En ella, según se ha dicho antes, colaboró en el segundo acto el bachiller Juan de Guevara; pero en los restantes no deja de contener hermosos pasajes evidentemente obra de la poetisa. Los autos de *El Divino Narciso*, de *San Hermenegildo* y del *Cetro de San José* —de briosa inspiración calderoniana—, así como la *Loa a la Concepción,* forman, con las comedias antes citadas, la producción teatral de la monja jerónima.

Fuera del *Neptuno alegórico,* impreso en 1680 ó 81, y de los villancicos que se imprimían en los años mismos en que los componía la autora, las obras de Sor Juana circularon primitivamente en copias manuscritas. Comenzó a coleccionarlas D. Juan de Camacho Gayna, y el primer tomo de ellas se publicó en Madrid en 1689, con el calamitoso y desmesurado título de "Inundación castálida de la única poetisa, musa dézima, Sor Juana Inés de la Cruz, religiosa profesa en el monasterio de San Jerónimo de la imperial ciudad de México; que en varios metros, idiomas y estilos fertiliza varios assumptos, con elegantes, sutiles, claros, ingeniosos, útiles versos para enseñanza, recreo y admiración". El tomo segundo se publicó en Sevilla en 1692, y el tercero y último en Madrid, en 1700, muerta ya la autora. De dichos tomos se hicieron reimpresiones en Madrid, Barcelona, Valencia, Zaragoza y Lisboa durante los siglos XVII y XVIII. Pocas, incompletas y malas son las ediciones que de Sor Juana se han hecho en el siglo XIX. Sus versos corren plagados de groseros errores, en antologías, periódicos y revistas. Y excepto la preciosa selección publicada por D. Manuel Toussaint *(Obras escogidas,* México, 1928), y la bellísima edición de los *Sonetos* (México, 1931), hecha y anotada por Xavier Villaurrutia, podía afirmarse que, en volumen, era desconocido para el público de hoy el texto original, auténtico y completo de las poesías de la *Décima Musa.* Venturosamente, el Dr. Alfonso Méndez Plancarte emprendió la publicación de las *Obras completas* en cuatro volúmenes, que comprenden: *Lírica personal, Villancicos y letras sacras, Teatro sacro y profano, Prosa* (Fondo de Cultura Económica, 1951-1957). Los 3 primeros volúmenes fueron preparados por él y, a su muerte, completaron la obra Alí Chumacero y Alberto G. Salceda.

5. *Decadencia del culteranismo.*— En la primera mitad del siglo XVIII, el culteranismo, que había llegado al apogeo en la anterior centuria, alcanzó su plena decadencia. Ante la general corrupción del gusto, podría considerarse que la poesía había en realidad desaparecido. No ejerció influencia alguna Sor Juana en cuanto ella tuvo de personal y robusto apartándose a veces de la moda literaria preponderante en la Nueva España; por lo contrario, el gongorismo siguió imperando, cada vez más

fosco y degenerado, hasta extinguirse al mediar el siglo.

Entre los versificadores ínfimos que ocupan ese período, sólo cabe citar a dos poetas de valor desigual. Es el primero de ellos, en orden cronológico, D. MIGUEL REYNA ZEBALLOS, abogado de la Audiencia de México, quien publicó en 1738, con el título de *La elocuencia del silencio,* una vida de San Juan Nepomuceno. Más que gongorino era Reyna Zeballos conceptista; y aunque su libro sea por el nombre un símbolo de la actitud que él y sus congéneres debieron guardar, reconócese que versificaba con vigor.

Supéralo bastante FRANCISCO RUIZ DE LEÓN, originario de Tehuacán de las Granadas. Aparte varios tomos de poesías que dejó manuscritos, de él se publicaron: en 1755 un poema heroico: la *Hernandía, Triumphos de la Fe y gloria de las armas españolas;* en 1791, en Bogotá, y tal vez fallecido su autor, el poema religioso intitulado *Mirra dulce para aliento de pecadores.* En los doce cantos en octavas que la componen, la *Hernandía* nos presenta la historia de la conquista de México desde la expedición de Juan de Grijalva hasta la prisión de Cuauhtémoc. De los ensayos fallidos de poemas épicos en loor de Hernán Cortés, considérase éste el más interesante, aunque no pase de mediocre. Adoleciendo de todos los vicios de la escuela gongorina, de la cual fue en la Nueva España el postrer representante, Ruiz de León era, sin embargo, hábil versificador, ingenioso y hasta en ocasiones profundo. Superior a la heroica aparece en él la inspiración religiosa; en las décimas de su *Mirra dulce,* narrando los dolores de la Virgen María al pie de la cruz, halla a veces tan conmovedores acentos, expresados con espontaneidad y sencillez, que no sería aventurado afirmar que en dicha obra, todavía gongorina, hay vislumbres de la nueva escuela que a la culterana hubo de seguir: el seudo-clasicismo.

6. *La reacción clásica.*—La reacción contra el culteranismo que había señoreado la poesía mexicana durante casi todo el siglo XVII y parte del XVIII, inicióse hacia mediados de éste por dos causas que concurrieron a producir semejante efecto: el esfuerzo de los jesuitas, quienes en sus estudios tendían a restaurar el gusto clásico en cuanto tiene de armonía, proporción y claridad, no sólo explicando sino traduciendo e imitando a los grandes poetas latinos; y la influencia de los neoclásicos españoles que con los Borbones habían trasplantado a la Península el gusto francés: así Luzán, tieso e inflexible preceptista; el P. Isla, prosista gallardo y suelto, azote de predicadores gerundios; D. Nicolás Fernández de Moratín, atildado poeta; como después Cadalso, fino y comprensivo espíritu, los fabulistas Iriarte y Samaniego, y el almibarado Meléndez Valdés.

La Colonia no hacía en esto sino seguir la moda literaria de España, y recibir su influencia. Mas si en la imitación gongorina habíamos ido más allá de donde fueron sus originales creadores e inmediatos adeptos peninsulares, en la reacción contra el gongorismo fuimos a parar en el extremo opuesto, en lo que constituía la exageración viciosa del indicado movimiento literario: el prosaísmo. A los culteranos estrafalarios e indescifrables, sucedieron de pronto los chabacanos poetas prosaicos; al exceso de galas poéticas, la ausencia total de ellas; a la oscuridad, la espesa vulgaridad. Y no fue sino hasta los albores del siglo XIX cuando se encontró el apetecido equilibrio en la persona de un oscuro franciscano, genuino poeta neoclásico.

Fr. Manuel de Navarrete representa, efectivamente, entre nosotros, el neoclasicismo; en tanto que en otro poeta contemporáneo suyo, Sartorio, se refleja por entero el prosaísmo.

7. Nació D. JOSÉ MANUEL MARIANO ANICETO SARTORIO en la ciu

dad de México el 17 de abril de 1746 y en la misma murió el 28 de enero de 1829. Hijo de italiano y mexicana, recibió educación superior a lo que hiciera esperar su pobreza; fue alumno del Colegio de San Ildefonso, donde tuvo una beca que conservó hasta la expulsión de los jesuitas en 1767, estudió latín y varias lenguas vivas. Siguió la carrera sacerdotal, y se distinguió como predicador, pues poseía gran facilidad de palabra; sin que por ello hubiese nunca llegado a pasar de simple presbítero, no obstante haber desempeñado numerosos cargos: rector de colegio, catedrático, presidente de academias, examinador sinodal del Arzobispado de México, censor de obras teatrales y de libros y periódicos.

Su vida modesta y sencilla tanto como larga y trabajada se repartió entre el ejercicio de su ministerio y el cultivo de las letras. Aunque humilde, tranquila y dulce ha de haber sido hasta que vino a sacudirla un grave acontecimiento: la revolución de Independencia. Simpatizador de ella, se negó Sartorio, desobedeciendo los mandatos virreinales, a convertir el púlpito en arma política contra la libertad. Atrájose, con esto, las sospechas de las autoridades, que culminaron con una orden del fiscal de la Inquisición para aprehenderlo; aprehensión de la que le salvó la Condesa de Regla. Tuvo entonces prestigio político: participó, como elector, en las elecciones populares de ayuntamientos conforme a la Constitución española de 1812; y, consumada la Independencia, fue vocal de la Junta Provincial Gubernativa, firmó el acta de emancipación el 28 de septiembre de 1821, y, en esa misma fecha memorable predicó en la función de gracias celebrada en la Catedral de México. Amigo de Iturbide, quien lo condecoró con la Cruz de Guadalupe, se vio en peligro de ser expulsado al caer el imperio. Las pasiones políticas, atrabiliarias siempre, contuviéronse ante los méritos del anciano

sacerdote, y se le dejó acabar en paz sus días.

De Sartorio quedaron inéditas no escaso número de obras originales y traducciones —entre ellas veinte volúmenes de sermones— y sólo publicó el poeta en vida pequeños libros de devoción, dos o tres sermones y otras tantas cartas, algunos folletos religiosos y unas *Liras* en elogio de Carlos IV, premiadas por la Universidad. La edición póstuma de sus *Poesías sagradas y profanas* se imprimió en Puebla en 1832, y comprende siete gruesos tomos en octavo.

En tan copiosa obra poética se advierten dos maneras: una, familiar y circunstancial; mística o, como más exactamente diríamos, *mariana*, la otra.

Aparece Sartorio, en la primera, invariablemente prosaico. En los susodichos siete volúmenes de sus poesías se leen —escribe Luis G. Urbina— "décimas de encargo, sonetos sobre temas familiares, octavas para felicitación, epigramas insulsos, redondillas para colectar limosnas, epitafios extravagantes, fábulas insubstanciales, canciones para despertar a las novicias el día de su profesión; versos sueltos a personas y animales, a damas nobles, a madres abadesas, al Arzobipo, al Virrey, y a un can llamado el *Mono*, y a la *victoria de un perico;* a las caseras, a los pobres que andaban desnudos, y a una viejecita que pidió versos al poeta; verdaderas inocentadas todas. Varias de estas fruslerías están escritas en versos latinos. Las más, en castellano de inferior calidad. Se dirían ensayos de un párvulo en una pizarra escolar".

En las composiciones de carácter religioso, aunque procurando guardar la compostura propia del género, no deja de mostrarse Sartorio tan prosaico e inhábil de estilo como en las profanas. Con una sola excepción: los versos que con brío italiano salen de su pluma en loor de la Virgen María: "deliciosos himnos de amor sacrosanto —volvemos a citar a Urbina— inspirados en la más pura fuente mística"; versos en que "es incorrecto todavía, pero ya no torpe, ni inferior, ni trivial", y en que se manifiesta "un verdadero poeta, no exento de los defectos de artificiosa retórica de su época; mas expresivo, sincero, embargado por un hondo sentimiento y abrasado por las lumbres del estro".

A pesar de todo, no fue, no podía ser Sartorio quien recogiera el cetro de la poesía, caído de manos de Sor Juana Inés de la Cruz en las postrimerías del siglo XVII. El poeta a quien correspondió tal honra, y al que, por lo mismo, debemos considerar como el restaurador de la poesía lírica en México, llamóse Fr. Manuel de Navarrete.

8. En 1806 empezaron a salir en el *Diario de México* unas lindas anacreónticas, en que a la limpidez musical de Garcilaso para expresar emoción, uníase la serenidad virgiliana ante el espectáculo de la naturaleza. Había tal gracia y elegancia en ellas, que el poeta estaba muy por encima y muy aparte de los de su siglo: era como milagrosa flor en un erial.

El misterio del incógnito suscitó curiosidad en torno a la figura de quien así cantaba; y diéronle sus versos tal popularidad y renombre, que la Arcadia que reunía en su seno a los más entusiastas simpatizadores del gusto neoclásico, le nombró su *mayoral*, en virtud de tenerle por el primer poeta de la Nueva España.

Llamábase el autor de aquellas odas Fr. José Manuel Martínez de Navarrete. De familia hidalga, aunque pobre, había nacido en Zamora de Michoacán el 16 de junio de 1768. Estudió latín en su ciudad natal. Vino muy joven a México. Decidido a abrazar la vida monástica, partió a los diez y nueve años para Querétaro, donde entró en el convento franciscano de San Pedro y San Pablo. Allí hizo el noviciado; perfeccionó sus estudios latinos en el convento del Pueblito; cursó tres años de filosofía en el de Celaya, y, de retorno en Querétaro, al terminar sus cursos de teología, fue catedrático de latinidad en el convento de su Orden. Estuvo en el de Valladolid (hoy Morelia); y, ordenado ya sacerdote, ejerció como predicador en Ríoverde y Silao, hacia 1805; fue después cura párroco de San Antonio Tula (1807), y trasladado como guardián al convento de Tlalpujahua, allí murió el 19 de julio de 1809.

Hombre de extremada sencillez y modestia, tan amable como tímido, y de grata y atrayente figura; por su vida religiosa, gris y sin incidentes, podría afirmarse que, más que la de su persona, nos interesa su biografía poética.

Con el título de *Entretenimientos poéticos* publicáronse en México sus versos en dos volúmenes (1823).

Visible es en buena parte de su obra la imitación de Meléndez Valdés, el más popular y gustado entre los neoclásicos españoles de su tiempo. Sin embargo, la cultura latina de Navarrete; lo familiarizado que estaba con la antigua poesía castellana, singularmente con Garcilaso y Lope; y, sobre todo, el ser un poeta nato, de rica sensibilidad y naturales dones para versificar que la bien adquirida cultura afinaba y pulía, dan a su personalidad literaria valor y prestigio a los que el mero imitador no alcanza.

Tenía —dice Menéndez y Pelayo— "el sentido del número y de la armonía, no sólo de cada verso, sino del período entero", lo cual "es claro indicio de organización esencialmente poética". Su lengua era "naturalmente sana y bastante copiosa, sin alarde ni esfuerzo alguno", al contrario de la casi totalidad de nuestros poetas de los siglos XVII y XVIII.

Donde la imitación de Meléndez Valdés es notoria, es en las poesías amorosas: en aquellas odas eróticas que podrían movernos a sospecha tocante a la pureza del humilde franciscano, si no fuera porque tan ardorosas exaltaciones de Clori y Clorila, de Filis y Anarda, antes que pasión de verdad y sensuales arrebatos, son candoroso y simple artificio retórico a que el inocente fraile apelaba por prurito de escuela.

Precisamente por insinceros son los versos amorosos de Navarrete los menos consistentes y bellos entre los suyos. Supéranlos, sin duda, los poemas en que el franciscano da rienda suelta a su ternura contemplativa ante la naturaleza, y los de carácter moral y sagrado, muchos de ellos de noble elevación.

Táchase a Navarrete de ser a veces excesivo en la extensión de sus composiciones; de tener su inspiración algo de intermitente y desigual; y aun de no escapar en ocasiones al prosaísmo. Ostensibles son, no obstante, en él, la espontaneidad, la frescura, la delicadeza sensitiva, el don de lo pintoresco, y —observa Menéndez y Pelayo— "cierto fervor melancólico, que es como tibia aurora del sentimiento romántico".

Con sus cualidades y defectos, la poesía de Fr. Manuel de Navarrete es —con la de Sor Juana Inés de la Cruz— la nota más elevada de nuestra lírica colonial; y, por lo que se refiere a la época en que se produjo, representa, en nuestras letras, la madurez del gusto neoclásico, en el cual se formaría el grupo de poetas del período de la Independencia.

CAPÍTULO III

LOS HUMANISTAS Y EL TEATRO

Si alguna tradición literaria puede señalarse a México, ella es la clásica. La cultura grecolatina se abrió paso desde los remotos días de la fundación de los primeros colegios por los misioneros; afirmóse después en la Universidad, y encontró, por último, sabios cultivadores y propagandistas en los jesuitas.

Desde fines del siglo XVI el latín se cultivaba en la Nueva España tanto como el castellano. En latín se redactaban epigramas laudatorios, inscripciones, epígrafes y dísticos que ornaban monumentos, túmulos y arcos triunfales. El latín absorbió casi por entero la literatura didáctica; y, en suma, según ya se ha visto, tan numerosos fueron aquí los versificadores en la nuestra como en la lengua del Lacio, inficionados a la postre de culteranismo.

Fueron los jesuitas quienes, reaccionando contra la decadencia literaria imperante, llevaron a cabo, por medio del cultivo de la buena poesía latina y la traducción de los clásicos, el movimiento humanístico más importante que registra la cultura de América. Y la aparición de los insignes humanistas del siglo XVIII constituye un grande acontecimiento en las letras mexicanas.

"Género de literatura de colegio, que tiene siempre algo de artificial y falso", llama Menéndez y Pelayo al que dichos escritores llevaron a su extrema perfección; y quizá a esto, tanto como al abandono del idioma en que fueron compuestas, se deba el olvido en que sus obras yacen. Pero —como aquel mismo crítico arguye— es preciso distin-

guir "entre los poemas de centón y taracea, llamados *versos de colegio,* que no pueden tener otro valor que el de una gimnasia más o menos útil, y cuyo abuso puede ser pernicioso, y los versos latinos verdaderamente poéticos compuestos por insignes vates que eran al mismo tiempo sabios humanistas, y que, acostumbrados a pensar, a sentir, a leer en lengua extraña, que no era para ellos lengua muerta, sino viva y actual, puesto que ni para aprender, ni para enseñar, ni para comunicarse con los doctos usaban otra, encontraron más natural, más fácil y adecuado molde para su inspiración en la lengua de Virgilio, que en la lengua propia".

Tres grandes humanistas representan en la Nueva España el pleno florecimiento de la poesía de expresión latina.

1. Uno de ellos es el P. DIEGO JOSÉ ABAD. De familia rica, nació el 1º de julio de 1727 en una hacienda cercana al pueblo de Jiquilpan (Michoacán). Habiendo hecho en aquella finca sus primeros estudios con maestros particulares, pasó al colegio de San Ildefonso de México, del cual fue alumno esclarecido. En 1741 ingresó en la Compañía de Jesús en el noviciado de Tepozotlán. Catedrático de retórica, filosofía y ambos derechos en los Colegios de México y Zacatecas, señalóse, como mentor de la juventud, por su espíritu renovador. Combatió, en filosofía, a la escolástica, y, en literatura, al gongorismo. Se consagró por entero al estudio y a

la enseñanza. Era rector del Colegio de Querétaro al ocurrir la expulsión. Emigró a Italia y residió en Ferrara, donde continuó sus tareas literarias, que le valieron consideraciones y honores. Murió en Bolonia el 30 de septiembre de 1779.

Diversas obras de carácter científico publicó o dejó manuscritas el Padre Abad. Tradujo al castellano algunas églogas de Virgilio; pero su renombre de gran humanista débelo a su poema latino *De Deo*, cuya primera parte es una Suma Teológica en exámetros, y la segunda una "Cristiada" o vida de Cristo. De esta obra, que empezó a escribir en Querétaro, hiciéronse, aún antes de que el poeta la diera por concluida, diversas impresiones. La edición definitiva y completa en cuarenta y tres cantos, dedicada a la juventud mexicana, apareció en Cesena en 1780.

En concepto de Menéndez y Pelayo, el latín del P. Abad no es completamente puro, ya por el neologismo a que le obligaba el asunto, ya por resabios gongorinos que no evitó del todo. Pero vence en él "a la limpieza de dicción y armonía en que otros le aventajan, la copia grande de pensamientos y de doctrina", "la efusión lírica de los frecuentes apóstrofes con que interrumpe la severidad de la materia didáctica; el vuelo constante del espíritu hacia las regiones más altas de la contemplación; la suavidad y gracia de algunas descripciones, y como dote característica de su estilo, una cierta concisión, sentenciosa y grave".

2. Pasa por ser el P. FRANCISCO JAVIER ALEGRE el primer latinista mexicano.

Nació en el puerto de Veracruz el 12 de noviembre de 1729. En el Colegio de San Ignacio de Puebla estudió retórica y filosofía, y a los diez y siete años entró en la Compañía de Jesús, haciendo su noviciado en Tepozotlán. Como su contemporáneo Abad cifró el ideal de su existencia en el estudio; la teo-

logía y la historia, pero muy particularmente la literatura clásica, fueron objeto de su fiel dedicación. Por algún tiempo residió en La Habana. De allí pasó a Mérida, donde en el colegio respectivo tuvo a su cargo la cátedra de cánones. Más tarde fue llamado a México para que continuara la historia de la Provincia empezada por el P. Florencia. Al ocurrir la expulsión marchó desterrado a Bolonia en 1767. Endulzaron las letras los postreros años de su vida de desterrado, la cual hubo de extinguirse el 16 de agosto de 1788.

Numerosas obras dejó el P. Alegre impresas o manuscritas. Las literarias comprenden: un pequeño poema épico sobre la conquista de Tiro por Alejandro Magno (1775); las traducciones latinas de la *Ilíada* —impresa en Bolonia en 1776— y de la *Batracomiomaquia;* así como las castellanas de algunas sátiras y epístolas de Horacio, y de los tres primeros cantos del *Arte poética* de Boileau; a más de versos latinos originales, entre los que merece señalarse la égloga *Nysis* (que vertió a nuestra lengua el Obispo Joaquín Arcadio Pagaza), obras estas últimas que hubo de publicar en México García Icazbalceta con el título de *Opúsculos inéditos latinos y castellanos del P. Francisco Javier Alegre* (1889).

Como prosista latino, Alegre se equiparaba, por la pureza clásica de la dicción, con Melchor Cano o algún otro rarísimo teólogo del Renacimiento, a juicio de Menéndez y Pelayo. Asimismo, y si sólo se atiende a méritos de versificación y lengua, su versión de la *Ilíada* "es, sin duda, uno de los monumentos de la poesía latina de colegio"; bien que, cotejada con el original, sea traslado de los menos homéricos que se han hecho de Homero, y aparezca más bien como una *Ilíada* "virgiliana". Tocante al poema de Alejandro y a las poesías sueltas de Alegre, considéraselos como meros ejercicios de estilo, preparatorios de la magna obra antes citada; y, en cuanto a los pocos versos castellanos que escribió, lo mejor es su versión libre y parafrástica de Boileau, llena de gallardía, facilidad y elegancia, y realzada por excelentes notas en las cuales el traductor revela, tanto como su erudición, la noble flexibilidad y amplitud de su gusto.

3. Aunque por el lugar de su nacimiento no pueda en rigor reputársele mexicano, por su espíritu y por sus versos el P. RAFAEL LANDÍVAR en buena parte nos pertenece. No fue extraño nuestro país —al que por cierto grande amor profesó el poeta— a la formación intelectual de éste. Y hay tanto del alma y del paisaje de México en la *Rusticatio Mexicana,* que no puede menos de figurar este poema en la historia de nuestras letras. Nacido en la Antigua Guatemala (que pertenecía entonces al Virreinato de la Nueva España) el 27 de octubre de 1731, vino Landívar a México muy joven. Contaba apenas diecinueve años cuando entró en la Compañía de Jesús, en el noviciado de Tepozotlán, en 1750. Allí mismo enseñó filosofía, y, en el Colegio Seminario de San Jerónimo de Puebla, retórica y poética. Al ordenarse la expulsión Landívar se encontraba en Guatemala. Marchó a Italia, y murió en Bolonia el 27 de septiembre de 1793.

Landívar es —a juicio de Menéndez y Pelayo— "uno de los más excelentes poetas que en la latinidad moderna pueden encontrarse". Por su genio descriptivo, de haber escrito en castellano ocuparía el primer lugar entre todos los poetas de América en aquel género; y, por el color local americano que acertó a imprimir a su poema, colócase la *Rusticatio* entre la *Grandeza Mexicana* y las *Silvas* de Bello.

La *Rusticatio Mexicana,* escrita en exámetros latinos, en quince cantos y un apéndice, es —a diferencia de las *Geórgicas* de Virgilio, en que se inspira— algo más que un poema agrícola: vasta y primorosa pintura de la naturaleza y de la vida del campo en América. Una serie de maravillosos frescos son los tres primeros cantos: el poeta nos muestra los Lagos Mexicanos, la erupción del Jorullo y las cataratas de Guatemala. Describe luego la florida campiña oaxaqueña; la producción de la grana y de la púrpura; la siembra, cultivo, cosecha y elaboración del añil. Pinta las curiosas costumbres de los castores, y diversas maneras de cazarlos. Su musa se detiene a considerar la vida en las minas y el beneficio de la plata y del oro. Describe el cultivo de la caña de azúcar. En una sucesión de cuadros de delicioso sabor rústico, nos habla de ganados mayores y rebaños. Los manantiales mexicanos suminístranle abundantes temas descriptivos. Nos habla de las aves, de nuestras aves: del guajolote, la chachalaca, el tordo, el zopilote, la torcaz y el centzontle. Por contraste solicitan luego su atención las fieras de la selva americana. Y, al final, el poeta bucólico con ribetes de naturalista cede el puesto al costumbrista para describir algunos juegos populares: peleas de gallos, corridas de toros, el palo ensebado, el juego de pelota. Concluye el poema con un apéndice sobre la Cruz de Tepic, en el que Landívar pinta el valle y la ciudad de aquel nombre, y termina con una exhortación a la juventud mexicana:

...Tú, empero, a quien eleva
genio sutil sobre la plebe ruda,
de la vida anticuada te desnuda,
y vístete el ropaje de la nueva...

Muy pocos, entre los cultivadores de la poesía neolatina —según Menéndez y Pelayo— tuvieron, como Landívar, inspiración tan genial y tan nueva, riqueza tan grande de fantasía descriptiva, y una tal variedad de formas y recursos poéticos como la que se encuentra en su poema.

Las dos primitivas ediciones de la *Rusticatio Mexicana* se hicieron en Italia: la primera en Módena, en 1781, y la segunda —notablemente aumentada, por lo que es la completa y definitiva— en Bolonia, en

1782. Diversos fragmentos se han traducido al castellano: el relativo a las peleas de gallos, por D. José María de Heredia; el primer canto —Los Lagos de México— en elegante versión parafrástica, por el Obispo Pagaza, y el canto segundo —el Jorullo—, por D. Rafael Dávalos Mora. Pero versiones completas del poema no las tuvimos sino hasta en días recientes: la magnífica que con el título de Geórgicas Mexicanas, en verso castellano y con eruditas notas hizo el P. Federico Escobedo; y la traducción literal en prosa, que con el nombre de Rusticación Mexicana y acompañada del original latino, debemos a D. Ignacio Loureda. Ambas se publicaron en México en 1924. Mucho después, en 1942, publicó la Universidad Nacional una nueva versión —en prosa— del poema, de la que es autor D. Octaviano Valdés, y que se intitula Por los campos de México. Es, quizá, la que más íntimamente refleja el espíritu de la obra de Landívar.

4. De otros humanistas mexicanos conviene hacer mención. Son ellos los jesuitas JUAN LUIS MANEIRO (1759-1802), que escribió en limpia prosa latina unas Vidas de varones ilustres mexicanos, y AGUSTÍN DE CASTRO (1728-1790), autor de La Cortesíada, poema épico sobre Hernán Cortés, que nunca llegó a terminar, y de otras obras que, al parecer, dejó manuscritas: entre ellas, traducciones castellanas de las Fábulas de Fedro y las Troyanas de Séneca, así como de varias poesías de Anacreonte, Safo, Horacio, Virgilio y Juvenal.

No careció tampoco el humanismo de figuras prosaicas: como tal cuéntase a D. JOSÉ RAFAEL LARRAÑAGA, natural de Zacatecas, traductor en verso castellano de todas las obras de Virgilio, cuya versión se publicó en México en 1787, en cuatro volúmenes, y que, si no se recomienda por su corrección y elegancia, algunos la alaban por su exactitud.

EL TEATRO

5. Su desarrollo material en los siglos XVII y XVIII.—El arte dramático había continuado el curso de su desenvolvimiento iniciado en la anterior centuria. Es indudable que las representaciones eran mejores y más numerosas, y que, con obras de los ingenios españoles en boga, alternaban las de algunos mexicanos. D. Luis González Obregón consigna la existencia de una Casa de comedias que ya funcionaba desde fines del siglo XVI; en el XVII, había teatro en Palacio, y allí se representaban comedias en el onomástico de los virreyer, en las juras del soberano y en otros días solemnes. En fin: desde antes de 1673 tenía México un teatro en forma, con compañía estable y normal funcionamiento; teatro que se encontraba situado dentro del Hospital Real, y que se quemó en 1722. A éste siguió otro: el Coliseo Viejo, donde se hicieron notar, hasta bien entrado el siglo XVIII, algunos comediantes famosos. Y, por último, ya en 1752 habíase empezado a construir el nuevo Coliseo, el ya desaparecido Teatro Principal, estrenado al año siguiente.

Hubo teatros y compañías, y acerca de ellos tenemos algunas importantes noticias; en cambio, bien escasas son las que nos han llegado sobre obras y autores, en forma que pudieran darnos exacta idea de nuestra literatura dramática de entonces.

Autores dramáticos.—Entre los autores del siglo XVII cítanse los nombres de JUAN ORTIZ DE TORRES, JERÓNIMO BECERRA y ALFONSO RAMÍREZ VARGAS, quienes compusieron autos y loas. De los de comedias, sabemos de AGUSTÍN SALAZAR Y TORRES y EUSEBIO VELA. Salazar y Torres, español de origen, vino muy niño a la Nueva España. Aquí ha de haber compuesto algunas de sus piezas teatrales. Regresó a la Península y allá se hizo notar como autor dramático. En cuanto a Vela, "poeta dramático —según Beristáin— si no igual a los Lope y Calderón, seguramente superior a los Montalvanes y a los Moretos en la decadencia de las jocosidades", era nativo de la Nueva España, donde vivió y floreció, y de él se citan hasta catorce comedias, las cuales, aunque impresas algunas, probablemente se han perdido. A juzgar por los títulos: *Por engañar, engañarse, Con agravios loco y con celos cuerdo, Por los peligros de amor conseguir la mayor dicha,* es de presumir que Vela estuviera influido por los comediógrafos del Siglo de Oro.

No corrió con mayor fortuna el teatro mexicano en el siglo XVIII: el PBRO. D. MANUEL ZUMAYA compuso un drama: *El Rodrigo* (1708) y una ópera: *Parténope* (1711), representados ambos en el Palacio Virreinal; Don CAYETANO CABRERA QUINTERO, también presbítero, es autor de las comedias *La Esperanza malograda* y *El Iris de Salamanca;* FRANCISCO SORIA hace representar tres obras dramáticas suyas: *Guillermo Duque de Aquitania, La Mágica mexicana* y *La Genoveva*... De presumir es que ni Talía ni Melpómene se hayan particularmente conmovido con la producción de estos ingenios.

CAPÍTULO IV

LA HISTORIA

Los sucesos de la conquista; el propósito de penetrar en los orígenes, desenvolvimiento histórico y costumbres de los indígenas, así como conocer sus lenguas y dialectos para salvar la barrera lingüística que de ellos los separaba, informaron los trabajos de misioneros y soldados que crearon el monumento histórico y filológico del siglo XVI.

Pero no amenguaron, bien que encaminándose por nuevos derroteros, tales actividades, durante las dos centurias siguientes.

Fuera de Vetancourt, que pisó las huellas de sus predecesores, el siglo XVII lo llenan, casi por entero, en el género histórico, los cronistas de las provincias religiosas. Constituyen excepción escritores que, como López de Cogolludo, se consagraron a componer historias particulares de otro carácter, o que, como Sigüenza y Góngora, aparte la reseña de sucesos particulares, dedicáronse más bien a reunir materiales que facilitasen la tarea de los historiadores futuros.

Continuaron produciendo con ahinco, durante el siglo XVIII, los cronistas de las provincias religiosas. Pero ya entonces, gracias a los trabajos previos de Sigüenza, y a los no menores de Boturini, aparecieron historiadores que, como Clavijero y Veytia, sumando a la erudición el método y guiados por verdadero espíritu crítico, lograron trazar las grandes síntesis de la historia antigua mexicana.

Paralelamente a la historia, la filología no dejó de ser cultivada con empeño durante el período que nos ocupa. Edad de oro de la lingüística había sido —como era natural que ocurriese— el siglo XVI, en que se registró el primer contacto entre los misioneros civilizadores y los pueblos indígenas; pero las comunidades religiosas no cesaron en sus tareas encaminadas a ensanchar la fácil comunicación con los naturales, ahondando y extendiendo el conocimiento de sus lenguas y dialectos. Así, continuaron escribiéndose gramáticas, diccionarios y catecismos. A la lengua mexicana, cuyo aprendizaje se procuraba de preferencia a cualquier otra, y a las demás ya exploradas durante el primer siglo de la Conquista, hubo de sumarse el estudio de algunas nuevas, como la timucoana, la mame, la masahua, la maya, la cahita, la tepehuana, la tarahumara; y a los nombres de los primitivos filólogos hay que añadir otros no menos preclaros, entre los cuales citaremos los de Fr. Francisco de Pareja, Fr. Jerónimo Larios, el franciscano francés Fr. Gabriel de San Buenaventura y el del jesuita P. Horacio Carochi.

Además de historiadores y lingüistas sobresalieron, en fin, ya en las postrimerías del siglo XVIII, los bibliógrafos, cuyas investigaciones son tan valiosas para la historia literaria.

1. Nacido en la ciudad de México en 1620, Fr. AGUSTÍN DE VETANCOURT tomó en Puebla el sayal franciscano; fue cura párroco de la iglesia de San José de los Naturales, cronista de su provincia, Comisario General de Indias. Y su vida, consagrada al ejercicio de su ministerio tanto como al de la pluma, se extinguió en 1700.

Profundo conocedor de la lengua mexicana, de ella publicó un *Arte* en 1663, y así en español como en mexicano dio a luz algunos escritos de carácter religioso. La obra por la que su nombre ha pasado a la posteridad, es su *Teatro mexicano: descripción breve de los sucesos ejemplares, históricos, políticos, militares y religiosos del Nuevo Mundo* (México, 1698).

Cuatro partes comprende el *Teatro* de Vetancourt: la primera es su tratado de historia natural de México; en la segunda nárranse los sucesos políticos, desde los tiempos más remotos hasta la llegada de los españoles; dase noticia en la tercera de los acaecimientos militares desde el descubrimiento del Nuevo Mundo hasta la toma de Tenochtitlan, y la cuarta parte es la *Crónica de la Provincia del Santo Evangelio,* complementada por el *Menologio franciscano.*

Vetancourt, por lo que respecta a la historia antigua, no hizo sino sintetizar las noticias contenidas en la *Monarquía Indiana* de Torquemada, continuándolas hasta su época; por más que a Torquemada supera por la sobriedad de su estilo, claro y natural. De ahí que se le lea con mucho mayor agrado que al historiador que fue su principal fuente. Prefiérese del *Teatro Mexicano* la última parte, o sea la *Crónica de la Provincia del Santo Evangelio* y el *Menologio:* libros admirables que son elocuente cuadro de la gran obra civilizadora llevada a cabo por los franciscanos; y, asimismo, y por algunas de sus páginas, historia colorida y penetrada por grato sabor de intimidad de la vida y sucesos de muchos insignes frailes, cuya memoria no habría llegado hasta nosotros, a no ser por el acucioso y fiel cronista.

2. Apenas habrá rama de la cultura mexicana de su época en que no sea preciso considerar a D. CARLOS DE SIGÜENZA Y GÓNGORA.

Vino al mundo este esclarecido varón en la ciudad de México en 1645. Muy joven, en 1660, tomó la sotana de jesuita, e hizo los primeros votos en el colegio de Tepozotlán, en 1662, habiéndose separado poco tiempo después de la Compañía, en la que volvió a ingresar al tiempo de su muerte —acaecida en 22 de agosto de 1700—, como lo demuestra el hecho de que los jesuitas del Colegio Máximo de San Pedro y San Pablo le hicieron suntuosos funerales. Durante dieciocho años fue capellán del Hospital del Amor de Dios, y también limosnero del Arzobispo de México D. Francisco de Aguiar y Seijas; puestos ambos en que ejerció su piedad y caridad evangélicas, hermanándolas con lo que constituyó la suprema pasión de su vida: el estudio y la investigación científica.

Fue, en efecto, D. Carlos un leal servidor de la cultura. Era especialmente docto en física, astronomía y matemáticas; peritísimo en lenguas, historia y antigüedades de los indios; y en filosofía, enemigo de la peripatética y partidario de la cartesiana, que inspira sus escritos y los purga de la pesada jerga escolástica. Catedrático de matemáticas, por oposición, en la Universidad (1672); cosmógrafo regio, por nombramiento de Carlos II; y acompañante, en 1693 del General Almirante de la Armada de Barlovento D. Andrés de Pes, en la comisión científica encargada de explorar el Seno Mexicano, su fama traspasó las fronteras y ahondó más y más en su patria, donde rodeó a Sigüenza general consideración y respeto.

Mucho y sobre diversas materias, dada la universalidad de sus conocimientos, escribió el sabio mexicano. Sin embargo, sólo doce obras suyas se imprimieron, todas ellas en el siglo XVII; las demás, por material imposibilidad de su autor para publicarlas, quedaron inéditas.

Las publicadas, por orden cronológico, son: *Primavera Indiana, Poema sacro-histórico de María Santísima de Guadalupe* (1668), *Glorias de Querétaro* (1680), *Theatro de virtudes políticas que constituyen a un príncipe* (1680), *Manifiesto filosófico contra los cometas* (1681), *Triumpho parténico* (1683), *Paraíso occidental* (1684), *Infortunios de Alonso Ramírez* (1690), *Libra astronómica y filosófica* (1690), *Trofeo de la Justicia española* (1691), *Relación histórica de los sucesos de la Armada de Barlovento* (1691), *Mercurio volante con la noticia de la recuperación de las provincias de Nuevo México* (1693), *Oriental planeta evangélico, Epopeya sacro-panegírica* (1700).

De dichas obras, ya se ha hecho referencia en anterior capítulo a las de carácter poético. De las científicas, cabe señalar la *Libra astronómica y filosófica*, respuesta a la crítica que el P. Kino, jesuita alemán, hizo de un célebre *Manifiesto* en que Sigüenza combatió la popular y errónea creencia de que los cometas anuncian calamidades, con motivo de la alarma causada por la aparición de uno de ellos en noviembre de 1680. En cuanto a las históricas, sin duda la más importante entre las pocas suyas de ese género publicadas, es la intitulada "Infortunios que Alonso Ramírez, natural de la ciudad de San Juan de Puerto Rico, padeció así en poder de ingleses piratas que lo apresaron en las Islas Filipinas, como navegando por sí solo y sin derrota hasta parar en la costa de Yucatán", libro escrito en una prosa limpia y fluida, que hace de Sigüenza uno de los pocos buenos prosistas de la Nueva España en el siglo XVII; y que, por el interés verdaderamente romancesco de la narración ha movido a considerar los *Infortunios de Alonso Ramírez*, más que como obra histórica propiamente dicha, como nuestra primer novela.

Lo mejor de los trabajos históricos de Sigüenza y Góngora, tal vez se encuentre entre lo que dejó inédito y que sólo de oídas conocemos. Menciónanse, entre otros, una *Historia del imperio de los chichimecas*, la *Genealogía de los reyes mexicanos*, el *Calendario de los meses y fiestas de los mexicanos* y el *Teatro de las grandezas de México*. "Si hubiera quien costeara en la Nueva España las impresiones... —expresaba con amargura D. Carlos en el prólogo a su *Paraíso occidental*— no hay duda sino que sacara yo a luz diferentes obras, a cuya composición me ha estimulado el sumo amor que a mi patria tengo, y en que se pudieran hallar singularísimas noticias..."

Más que con sus propios escritos sirvió Sigüenza a la historia con sus investigaciones y la copiosa colección de documentos mexicanos que logró reunir, y que en veintiocho volúmenes legó al Colegio Máximo de San Pedro y San Pablo. Tan devoto era de ese género de documentos, que en el incendio ocurrido en las Casas de Cabildo la noche del 8 de junio de 1692, no vaciló en exponer su vida salvando de las llamas los preciosos manuscritos antiguos y modernos que allí había. Era, además, tan hidalga su generosidad para brindar en beneficio ajeno el fruto de sus propios estudios, que liberalmente proporcionó al viajero italiano Gemelli Carreri cuanto dato hubo menester referente a México para su obra titulada *Giro del Mondo*, impresa en 1700, traducida a varias lenguas, y, al castellano —en lo tocante tan sólo a la vista de Gemelli a México— por D. José María de Agreda y Sánchez, traducción esta última que, con el título de *Viaje a la Nueva España*, publicó la "Sociedad de Bibliófilos Mexicanos" en 1927. Y no sería, finalmente, osado afirmar que mucho más todavía debe la historia patria a Sigüenza coleccionista, que a Sigüenza historiador: del mismo modo que las investigaciones y documentos de Boturini habrían de servir de base a Veytia para la composición de su *Historia antigua de México;* de igual suerte el rico tesoro de documentos allegados gracias al esfuerzo y a la sabiduría de D. Carlos de Sigüenza y Góngora fue el punto de partida de Clavijero para trazar la magistral obra del mismo nombre que habría de inmortalizarlo.

3.   Hasta el siglo XVIII la historia antigua y la de la conquista de México no habían tenido sino meros cronistas. Nuestro primer gran historiador, el que con riguroso método, profundo espíritu crítico y sólida erudición, habría de presentar el maravilloso cuadro así de la civilización mexicana como de la empresa llevada a cabo por los conquistadores, fue el abate D. FRANCISCO JAVIER CLAVIJERO.

En el seno de ilustre familia nació Clavijero en el puerto de Veracruz el 9 de septiembre de 1731. Su padre, D. Blas Clavijero, era originario de la ciudad de León, en España, había recibido esmeradísima educación en París y vino a la Nueva España para encargarse del gobierno de las alcaldías mayores de Teziutlán y Xicayán en la Mixteca. Su madre, doña María Isabel Echegaray, procedía de Vizcaya, y era dama distinguidísima que contó entre sus parientes a una virreina de México.

Debido a la índole de las ocupaciones paternas, Clavijero pasó su infancia en el campo. A la par que se instruía y educaba en su propio hogar, la contemplación de las naturales bellezas de su tierra nativa, el constante trato con los indios y la observación de sus costumbres y lenguas, fueron parte a despertar la vocación del futuro historiador. En Puebla hizo sus estudios de latín, filosofía y teología en los colegios de San Jerónimo y de San Ignacio. Muy joven ingresó en el noviciado de la Compañía de Jesús, y el 13 de febrero de 1748 hubo de vestir la sotana en Tepozotlán. A la manera de los grandes jesuitas de su tiempo, distinguióse Clavijero por su sólida y extensa cultura. A los diecisiete años ya había echado los cimientos de ella. Lejos de confinarse en la teología, extendió sus conocimientos a las ciencias exactas, físicas y naturales. Formó su espíritu artístico en la música, y su buen gusto literario nutrióse en el estudio de los clásicos, así latinos como castellanos. Fue, además, en lenguas, doctísimo: aparte griego y latín, conocía el hebreo y poseía a la perfección las principales lenguas europeas; de lenguas indígenas, hablaba y escribía el náhuatl, el otomí y el mixteco, y conocía gramaticalmente otras veinte y dialectos del país.

Como Abad, como Alegre, fue en filosofía y letras un innovador. Conocedor de nuevas direcciones del pensamiento, familiarizado con Descartes y Leibniz, y nutrido en una cultura filosófica tan desconocida como vitanda para su medio y su época, a su paso por los colegios de la Compañía, el de San Ildefonso de México y los de Valladolid y Guadalajara, luchó por destruir los anquilosados métodos, por "desmontar la intrincada maleza del *peripatetismo*, dictando a sus discípulos una filosofía escolástica más racional". Tal espíritu de modernidad filosófica lo hizo destacarse en su *Diálogo entre Filateles y Paleófilo*. De igual suerte, en el campo literario, el sano afán de renovación que inflamaba a Clavijero, hízose sentir en sus escritos y en sus enseñanzas en la cátedra, encaminadas a desterrar el hinchado y vacuo estilo gongorino y a volver por los fueros de la oratoria sagrada combatiendo a los predicadores "gerundios".

Entregado a tan nobles empeños de cultura se hallaba en el Colegio de Guadalajara cuando sobrevino el decreto de expulsión. Conducido a Veracruz, fue enbarcado con sus compañeros de destierro el 25 de octubre de 1767. Y era tal su afán de saber, que, en medio de las zozobras de una travesía difícil —la cual por grave dolencia interrumpió en La Habana, donde desembarcó para curarse— en el propio navío que le condujo a Europa emprendió estudios de náutica, física y astronomía. Habiendo arribado a Italia, residió, sucesivamente, en Ferrara y Bolonia. Su vida fue, a partir de entonces, hasta su temprana muerte, acaecida en esta última ciudad el 2 de abril de 1787, una consagración luminosa a la sabiduría. Con los ojos puestos en la patria emprendió la composición de la obra que le daría universal renombre: su *Historia antigua de México;* y, ansioso de rebatir los errores y calumnias en que al hablar de nuestro país habían incurrido escritores extranjeros tales como Paw, Buffon, Raynal y Robertson, hubo de complementarla con las admirables *Disertaciones.*

Para escribir la *Historia* estaba preparado Clavijero: ya se ha dicho que desde su niñez se había familiarizado con las lenguas, costumbres y carácter de los indios, así como con la contemplación de la naturaleza a que le obligaba su vida trashumante por las regiones que gobernaba su padre. Después, los concienzudos estudios que hizo de lenguas indígenas; la lectura de las viejas crónicas; el minucioso examen que de la rica colección de documentos reunidos por Sigüenza y Góngora llevó a cabo en la biblioteca de San Pedro y San Pablo, donde se conservaban, adiestrándose en la interpretación de los jeroglíficos indígenas, sirviéronle para depurar y dar consistencia científica a aquellas primitivas nociones. Pero, aun así, el haber emprendido su obra en tierra extraña, "por servir en lo que pudiese a su patria, y por divertir honestamente el ocio de su destierro", significa esfuerzo que sólo su tesón y su sabiduría fueron capaces de afrontar.

Hurgó bibliotecas y archivos, caminando muchas veces a pie —por falta de recursos— para allegarse datos; consultó y adquirió libros, substrayendo para esto en ocasiones lo necesario a su propio sustento; y, hablando de libros, bien pudo decir que "apenas se había publicado alguno, por nacionales o extranjeros, concerniente a las antigüedades de México, que no hubiese estudiado". Una vez hecho tal acopio de materiales, y digeridos que fueron, el autor puso manos a la obra. Nada descuidó para lograr su perfección: había procurado —dice en una carta dirigida al historiador Veytia— con "la mayor pureza y propiedad del lenguaje", "la mayor concisión, la mayor claridad y, sobre todo, la mayor imparcialidad y fidelidad en la narración".

Y a fe que lo consiguió. Es admirable de proporción y armonía la *Historia antigua de México.* En los diez libros que la forman, Clavijero, empezando por hablar de la geografía física de Anáhuac, trata a continuación de los pueblos que habitaron el Valle antes de los mexicanos. Narra la salida de éstos de Aztlán y su peregrinación hasta el lugar en que definitivamente habrían de fijarse. Presenta el cuadro de la vida política y militar de los aztecas y principales pueblos de Anáhuac. Penetra en su vida interna: religión, costumbres, cultura, organización social, fuentes de actividad y riqueza. Fija, por primera vez, la cronología de los pueblos indígenas. Y da término a su obra con la historia de la Conquista, desde la llegada de los españoles hasta el asedio de México y prisión de Cuauhtémoc, con lo que se consumó la ruina del imperio mexicano. En las *Disertaciones,* que vienen a ser como un complemento o amplificación de ella, y que tienen, por lo común, carácter polémico, Clavijero, discute, comenta, fija y pone en claro cuestiones tales como el origen de la población de América, particularidades geográficas de México, constitución física y moral, cultura y religión de los mexicanos, confines y población de Anáhuac.

Se ha podido objetar que Clavipero abultó algunos hechos y fantaseó en tales o cuales interpretaciones jeroglíficas. Pero unánimemente se reconoce que en caudal de erudición bien asimilada, en riguroso método que no excluye la amenidad, y en precisión y exactitud que hermanaban con un criterio fino y penetrante, la obra del historiador mexicano es única en su género.

Escrito el texto original en español, Clavijero vióse obligado a verterlo al italiano, y en esta lengua, con el título de *Storia antica del Messico,* se publicó la primera edición en Cesena en 1780-81. Dos traducciones castellanas se conocen: la de D. José Joaquín de Mora, impresa en Londres en 1826, y la del Dr. Francisco Pablo Vázquez, Obispo de Puebla, publicada en México en 1853. Desde que apareció, la *Historia* de Clavijero hubo de alcanzar singular renombre; anteriores a la primera castellana son las versiones inglesa (1787) y alemana (1789-90). En 1945 se publicó en la "Colección de escritores mexicanos", de la Editorial Porrúa, S. A., en cuatro tomos, la primera edición del texto original redactado en nuestra lengua por el insigne historiador, prologada y dada a la imprenta por el P. Mariano Cuevas, S. J. *

La *Historia antigua de México,* es la obra capital de Clavijero. Aparte ésta, sólo cabe citar, de la producción no inédita del jesuita mexicano, su *Historia de la Antigua o Baja California,* publicada por primera vez en italiano, en Venecia, en 1789, ya muerto el autor, y de la que se imprimió en México, en 1852, una traducción castellana debida al Pbro. D. Nicolás García de San Vicente.

4. Más que historiador, esforzado coleccionador de documentos para la historia nuestra fue el caballero italiano D. LORENZO BOTURINI BENADUCI, Señor de la Torre y de Hono.

Nacido en la villa de Sondrio, obispado de Como, hacia 1702, pasó a la Nueva España en 1736, con poderes de la condesa de Santibáñez, para cobrar una pensión que a ésta se debía como descendiente de Moctezuma.

Habiendo visitado el Santuario de Guadalupe, concibió el proyecto, a fuer de varón letrado y piadoso, de

---

dedicarse a reunir documentos que confirmaran el milagro de la aparición. Así lo hizo, y al cabo de seis años de pesquisas, penalidades y gastos, peregrinando por ciudades y pueblos, muchas veces sin encontrar albergue ni qué comer, transitando a menudo por caminos extraviados y pedregosos, andando en ocasiones veinte y treinta leguas en busca de algún sujeto que le indicaban podía proporcionarle alguna noticia, venciendo la desconfianza de los indígenas, afrontando y allanando los obstáculos que se le oponían, aquel esforzado italiano logró reunir la más espléndida colección de que se tenga noticia. Comprendía "como veinte tomos manuscritos, los más de autores indios, y un prodigio de mapas historiados con figuras, caracteres y jeroglíficos en papel indiano, pieles de animales y lienzo de algodón", amén de rarísimos libros impresos, importantes todos, ya que no para probar la aparición de la Guadalupana —como el investigador en un principio se lo proponía—, para escribir la historia de México.

Consagróse a estudiarlos pacientemente en una ermita del cerro del Tepeyac. Mas quiso su mala fortuna, valida de su devoción, que a tiempo que esto hacía se le ocurriera promover la coronación de la Virgen de Guadalupe y, más tarde, abrir una suscripción pública para ese efecto. Sorprendido el nuevo virrey Conde de Fuenclara de que un extranjero se arrogara semejantes facultades, hizo víctima a Boturini de las peores vejaciones: le mandó enjuiciar y encarcelar, le confiscó su "museo" y lo desterró a España en 1744.

El desventurado Boturini, tras de haber caído en manos de los corsarios ingleses que dieron con él en Gibraltar, a duras penas llegó a Madrid. Brindóle allí hospitalidad nuestro historiador D. Mariano Veytia. Consiguió el caballero italiano que el Consejo de Indias reconociera su inocencia, y aun promoviera se le recompensasen sus afanes de colec-

---

* Reimpresa en la misma "Colección de Escritores Mexicanos", el año de 1959, revisada por D. Antonio Castro Leal y con el agregado de la novena *Disertación,* que trata sobre "El origen del mal francés".

cionista, por lo que el Rey le nombró historiógrafo de las Indias con sueldo de mil pesos anuales —que tal vez nunca se le llegaron a pagar— y mandato de que volviese a México a recoger sus papeles, los cuales jamás, por cierto, le fueron entregados.

Sin duda los nada halagüeños recuerdos que de la Nueva España conservaba, influyeron en la decisión que Boturini tomó de continuar en la Península, entregado a sus trabajos históricos, que no llegó a concluir: pobre y oscuro vivió en Madrid, hasta que le sorprendió la muerte hacia 1756.

Dichos trabajos redúcense a la *Idea de una nueva historia general de la América Septentrional*, que seguida del *Catálogo* de su museo publicó en Madrid en 1746; y a la *Cronología de las principales naciones de la América Septentrional*, presentada al Consejo de Indias en 1749, que quedó inédita y probablemente se ha perdido.

A juzgar por la *Idea*, que García Icazbalceta califica de libro escrito "en estilo fantástico y pomposo" y, además, de poco provecho, no mostraba Boturini dotes que hicieran presumir aprovechase como historiador los tesoros que había reunido como coleccionista. Aprovechólos, sin embargo, Veytia, cuya *Historia antigua* —según se verá más adelante— debió tanto a Boturini, que de no haber mediado esta feliz circunstancia, el esfuerzo del ilustre cuanto infortunado investigador italiano habría sido estéril del todo: depositado su maravilloso museo en la secretaría del virreinato, el abandono, el descuido, la codicia y los ratones, en parte lo destruyeron; harto mermado pasó a la biblioteca de la Universidad, y los restos que de él pudieron salvarse hállanse ahora en el Museo Nacional.

5. Historiador que con Clavijero comparte el honor de haber sido el primero en escribir la historia antigua de México, D. MARIANO FERNÁNDEZ DE ECHEVERRÍA Y VEYTIA,

Señor de la Casa infanzona y solariega de Veytia, nació en Puebla el 16 de julio de 1718.

Se hizo notar por la precocidad de su ingenio. Bachiller en filosofía por la Universidad de México a los quince años; abogado a los diecinueve, su padre, que era oidor decano de la Audiencia de México, le envió en 1737 a la corte española al arreglo de "muchos y graves asuntos." Ventilados éstos trasladóse D. Mariano a la villa de Oña, de la que fue alcalde, procurador y regidor perpetuo, y donde vivió al lado de su abuela paterna. Viajó por España, Portugal, Italia, Francia, Inglaterra y Marruecos, consignando sus impresiones de viaje en un diario que ha quedado inédito. Vino tres veces a la Nueva España y recorrió sus provincias principales. Se cruzó caballero de Santiago en Madrid en 1742, e hizo la profesión correspondiente en Puebla en 1768.

Su afición a la historia habíale movido a coleccionar documentos antiguos. Entre éstos, varias relaciones escritas por indígenas mexicanos, que él estimaba auténticas, y que diferían de lo que habían publicado los cronistas españoles, hiciéronle comprender que estaba por escribir una verdadera historia de los antiguos pobladores, y de allí nació la idea de la obra que había de ocupar su vida. Disponíase a acometerla, cuando arribó a Madrid el caballero Boturini, deportado de la Nueva España. Veytia lo acogió en su casa, "donde —dice— se mantuvo casi dos años, en los que, con la íntima y familiar comunicación, contrajimos una fuerte y verdadera amistad que duró hasta su muerte". A esa amistad y comunicación con Boturini debió Veytia muchos conocimientos históricos: "Las primeras luces —expresa noblemente— que tuve en esta materia, y lo poco que en ella puedo hablar, lo debo a su instrucción verbal y a los documentos que él recogió con tanto trabajo y esmero."

En tanto que Boturini quedaba en España, Veytia volvió a México en

1749 y fijó su residencia en Puebla. Lo animaba el propósito de llevar adelante su obra. Quería escribir la historia antigua mexicana con un criterio imparcial y nuevo, deslindando lo fabuloso de lo cierto, y rehuyendo de toda idea preconcebida, pues afirmaba que "tanto los escritores nacionales antiguos que escribieron en sus jeroglíficos, como los modernos que los interpretaron, fueron hombres de diversas naciones, entre quienes había emulación, y enemigos ambiciosos de gloria, cada uno respectivamente por la suya, y así procuran desfigurar los sucesos que no les son ventajosos, y pintan con colores más relevantes los que les favorecen".

La tarea era enorme. Para realizarla, aparte la propia documentación que ya tenía, Veytia revisó minuciosamente, conforme a las indicaciones que del infortunado dueño traía, la colección de Boturini, existente en la secretaría del virreinato; se hizo copiar otros códices y manuscritos; se allegó todavía algunos más, investigando en bibliotecas y archivos. Y con tan copiosos materiales dio comienzo a su libro. Apenas iniciado, a pique estuvo de abandonarlo al tener noticia de la muerte de Boturini, que le llenó de pena; mas, considerando que sería lástima se perdieran las "antigüedades tan preciosas" que había coleccionado, reanudó sus tareas, "hurtando el tiempo a las muchas y penosas ocupaciones" que le abrumaban. En ello estaba y mucho había hecho de su obra, cuando le sorprendió la muerte en Puebla el 9 de abril de 1779.

Aunque incompleta, la *Historia antigua* de Veytia fue publicada en 1836, en tres volúmenes, con notas y un apéndice, por D. Francisco Ortega. Abarca desde la ocupación del Anáhuac hasta mediados del siglo xv. En el primer libro el autor trata de la situación de la Nueva España, origen de los primeros pobladores, calendario, primeras migraciones, la leyenda de Quetzalcóatl, los toltecas y su monarquía. El segundo refiérese a la venida de los chichimecas y fundación de su imperio, así como a los demás pueblos que en la propia época se establecieron y fundaron otras monarquías en la tierra de Anáhuac. El libro tercero debería comprender los hechos del emperador Netzahualcóyotl, sus guerras y conquistas, sus leyes y gobierno; así como los grandes progresos de la nación mexicana, sus leyes, reyes, costumbres y religión; y, en suma, los sucesos coetáneos en la república de Tlaxcala y otras provincias. Pero Veytia sólo llegó hasta el capítulo séptimo y apenas pudo desarrollar, aunque de manera incompleta, la primera parte del plan propuesto, o sea los sucesos del Rey Poeta. Ortega, en su apéndice, continuó la *Historia* hasta el sitio y toma de México por los españoles y la muerte de Cuauhtémoc, valiéndose, para redactarlo, de Torquemada y Clavijero.

El estilo de Veytia es natural y fácil, aunque en ocasiones prolijo; su documentación, admirable. Desde el punto de vista crítico, juzga Prescott que el historiador supera a cuantos le precedieron. Consagró Veytia preferente atención a la dinastía texcucana, y por esto su *Historia antigua* complementa, en cierto modo, la de Clavijero, que se dedicó principalmente a la civilización azteca.

Además de la *Historia antigua*, existen impresas dos obras más: la que en 1820 publicó su hijo Fr. Antonio María de San José con el título de *Baluarte de México*, o sea historia de las cuatro Vírgenes mexicanas más notables: la de Guadalupe, la de los Remedios, la de la Piedad y la de Bala, y la *Historia* de la fundación de Puebla, publicada en dicha ciudad en 1931. Otros trabajos del ilustre historiador quedaron inéditos, entre ellos varios discursos y disertaciones, y una traducción de las *Provinciales* de Pascal.

6. Entre los jesuitas mexicanos desterrados en Italia que escribieron de historia, debe consignarse el nom-

bre del P. Andrés Cavo. Originario de Guadalajara, donde nació el 21 de enero de 1739, ingresó en la Compañía de Jesús, se ordenó sacerdote, y ocupado en las misiones de infieles andaba en 1767, cuando por obra del decreto de expulsión tuvo que encaminarse a Veracruz. Allí se embarcó con destino a Italia. Fijó su residencia en Roma; allá se secularizó y dejó de pertenecer a la Orden, sin que por ello hubiera podido volver a su patria. En Roma vivía aún por los años de 1794, y se ignora la fecha de su muerte.

El P. Cavo era hombre apacible y piadoso, tanto como dado al estudio. Su única obra conocida es la *Historia civil y política de México*, que dejó manuscrita. Tal vez se hubiera perdido, a no encontrar copia de ella, en la biblioteca del Obispo de Tanagra, D. Carlos María de Bustamante, quien la publicó en México en 1836 con el título de *Los tres siglos de México durante el gobierno español*, y, a lo que se supone, con algunas alteraciones.

Cavo es, entre nuestros historiadores, el único que trató del dilatado período de la dominación española. Lejos de ser, sin embargo, una historia de ésta, *Los tres siglos*, conforme al falso título que concibiera el editor, son más bien unos anales de la ciudad de México, escritos sin pretensión alguna, y en los que —observa García Icazbalceta— ocupan lugar preferente las elecciones de alcaldes y regidores, anotadas año por año con lamentable prolijidad.

El libro del P. Cavo abarca, por riguroso orden cronológico, desde 1521 hasta 1766. Bustamante lo adicionó con un *Suplemento*, continuándolo hasta 1821 e insertando algunos importantes documentos.

7. *Cronistas de las provincias religiosas y otros historiadores.*—La literatura histórica se enriqueció muy especialmente durante los siglos XVII y XVIII con las crónicas de las provincias religiosas fundadas en la Nueva España tan pronto como se con-

sumó la conquista. Repútaselas, con razón, como fuentes históricas de valor inestimable. Aunque circunscritas a la narración de las actividades de las diferentes Órdenes, así como de la vida y hechos de sus miembros, humildes y oscuros cuando no esclarecidos; son rico tesoro de noticias para el estudio de las costumbres y de las creencias durante el período colonial, y, aun, a veces, documentos únicos para conocer la historia de la civilización en determinadas regiones.

Los agustinos tuvieron por cronistas a Fr. Juan González de la Puente, cuya *Crónica de Michoacán* se imprimió en 1624; a Fr. Francisco Burgoa (1605-1681), oaxaqueño, quien, a más de varias obras religiosas y de un *Itinerario de Oaxaca a Roma y de Roma a Oaxaca*, que dejó inédito, escribió la *Palestra historial o Historia de la Provincia de San Hipólito de Oaxaca* (1670), y la *Descripción geográfica de la América Septentrional y de la Nueva Iglesia de Occidente* (1674); y a Fr. Diego de Basalenque (1577-1651), español originario de Salamanca, autor de una *Crónica de Michoacán* (1673).

Los dominicos a Fr. Juan de Grijalva, colimense, nacido en 1559, escritor elegante y sencillo, autor de una *Historia de San Guillermo, Duque de Aquitania* (1620) y de la *Crónica de la Provincia de México* (1624); y a Fr. Antonio Remesal, gallego, quien en 1613 pasó a Guatemala y escribió la *Historia de la Provincia de San Vicente de Chiapa y Guatemala*, impresa en Madrid en 1619.

Los franciscanos a Fr. Alonso de la Rea, queretano nacido en 1624, autor de la *Crónica de la Provincia de San Pedro y San Pablo de Michoacán* (1643); y a Fr. Antonio Tello, quien a mediados del siglo XVII escribió la *Crónica miscelánea en que se trata de la conquista espiritual y temporal de la Santa Provincia de Xalisco*, que no se publicaría hasta más de dos siglos después, en Guadalajara (1891).

Los dieguinos a Fr. BALTASAR DE MEDINA (1600-1670), oriundo de la capital de Nueva España y cuyas *Crónicas de la Provincia de San Diego de México* publicáronse en 1681 y 1682.

Los jesuitas, en fin, al P. FRANCISCO DE FLORENCIA, nacido en la Florida española por 1620 y muerto a fines del siglo, quien fue rector del Colegio Máximo de San Pedro y San Pablo y escribió tan sólo la primera parte de la *Historia de la Provincia de la Compañía de Jesús de Nueva España* (1694); obra que años más tarde no ya continuó, sino rehizo por completo el ilustre P. FRANCISCO JAVIER ALEGRE, dándonos la más hermosa crónica religiosa de cuantas se escribieron en la Nueva España; obra de abundante documentación, excelente por su método y por su estilo, de la cual solamente se publicaron los tres primeros tomos en México en 1841 por D. Carlos María de Bustamante, mucho tiempo después de muerto su autor, y quedó inédito el último.

8. A los cronistas religiosos antes mencionados hay que añadir otros historiadores: GIL GONZÁLEZ DÁVILA, que en su *Teatro eclesiástico de las Iglesias de Indias,* reunió noticias muy interesantes, aunque no siempre exactas, para nuestra historia; el franciscano español FR. DIEGO LÓPEZ DE COGOLLUDO, a quien debemos una *Historia de Yucatán,* impresa en Madrid en 1688; el jurisconsulto D. MATÍAS DE LA MOTA PADILLA (1688-1776), autor de una *Historia de la Nueva Galicia,* que no llegó a imprimirse sino hasta 1856; el también franciscano FR. JOAQUÍN GRANADOS, obispo que fue de Sonora y Durango, muerto en 1794, y padre de un farragoso libro intitulado *Tardes americanas;* D. JOSÉ ANTONIO VILLASEÑOR Y SÁNCHEZ, natural de México y cosmógrafo del Reino, que escribió el *Teatro americano, descripción general de los reinos y provincias de la Nueva España* (1746); D. FRANCISCO SEDANO, mercader de libros nacido en México hacia 1742 y muerto en 1812, quien dejó manuscritas unas *Noticias de México* —que publicó Icazbalceta en 1880—: colección de curiosos datos reunidos por el autor en el curso de su vida y clasificados por orden alfabético; y, por último, el PBRO. CAYETANO CABRERA Y QUINTERO, cuya pluma se empeñó pacientemente en la pesada y voluminosa historia conocida por el título de *Escudo de armas de la ciudad de México.*

Desigual, si se las considera separadamente, bien que superior en conjunto es el valor de estas obras. Ellas dan idea de la actividad desarrollada en el género histórico durante los siglos XVII y XVIII en la Nueva España, y son, por algunos conceptos, las únicas fuentes a que podemos acudir para conocer nuestra historia colonial.

LOS BIBLIÓGRAFOS

No obstante que la producción literaria, a partir de la conquista, acreció y aun llegó a ser considerable, nadie, hasta bien entrado el siglo XVIII, se vio tentado a reunir noticias biográficas y bibliográficas de nuestros escritores. Fuera de los cronistas de las provincias religiosas, que consignaron en sus crónicas y referencias acerca de la vida y obra de los misioneros que se habían distinguido en las letras, no hubo persona que se interesase en esta especie de trabajos en verdad utilísima para formar juicio de la cultura literaria de una época y facilitar ulteriores investigaciones.

El primero en ocuparse de bibliografía americana fue el limeño León Pinelo en su *Epítome,* publicado en España en 1629; obra que en 1737 el coleccionista y editor D. Andrés González Barcia amplió, aunque imperfecta y desordenadamente. Escueto y árido catálogo de libros y manuscritos, sin referencia alguna biográfica, era tal obra. No trataba, además, exclusivamente de México. Y bien poco se sabría, por aquellos tiempos, de las letras y la cultura mexicanas cuando un humanista, el erudito Deán de Alicante D. Manuel Martí, en sus *Cartas latinas,* publicadas en Madrid en 1735, mostraba completa ignorancia respecto del estado intelectual de la Nueva España. En una de tales cartas, deseando persuadir a cierto joven de que debería hacer sus estudios en Roma y desistir de su intento de trasladarse a México con ese objeto, preguntábale qué fin podría traerle a esta ciudad, vasto desierto literario donde no hallaría maestros ni discípulos, ni quien estudiase o a lo menos quisiera estudiar, porque todos aborrecían las letras. "¿Qué libros registrarás? —decíale—. ¿Qué bibliotecas frecuentarás? Buscar algo de esto allá, es perder el tiempo..."

A las despectivas palabras del Deán de Alicante debió no poco la historia literaria nuestra, pues despertando la indignación de Eguiara al ver tan maltratada a su propia patria, decidiéronle a realizar el primer esfuerzo bibliográfico que registran nuestras letras.

9. Nacido en la ciudad de México a fines del siglo XVII, D. JUAN JOSÉ DE EGUIARA Y EGUREN fue estudiante del colegio real de San Ildefonso, doctor, rector, catedrático de Prima y Cancelario de la Universidad, y pasaba por ser docto en letras, canonista, jurisconsulto, filósofo, orador y matemático. Ocupó importantes puestos de carácter eclesiástico; nombrado obispo de Yucatán, renunció la mitra por motivos de salud y para dedicarse a la formación de una *Biblioteca Mexicana,* con la que pretendía demostrar, sacando a luz las vidas y obras de los muchos escritores de la Nueva España, cuán palmariamente había faltado a la verdad con sus aseveraciones el famoso Deán.

Eguiara había escrito e impreso mucho en materia religiosa y teológica, así en latín como en castellano, y padecía el mal gusto de su época mostrándose gongorista consumado. La única obra por la que ha pasado a la posteridad es la susodicha *Biblioteca,* en la que trabajó con brío e hizo imprimir en imprenta propia. Impaciente de verla publicada, no aguardó a tenerla concluida, y no bien hubo formado el primer tomo, lo dio a la prensa, de la que salió en 1755.

Ese grueso tomo en folio habría de ser el primero y único de la importante obra, a la que su autor no pudo dar término por haber muerto en México el 29 de enero de 1763. Comprende las letras A, B y C de los nombres de los escritores y lleva al frente una especie de prólogo dividido en veinte capítulos, al que Eguiara da el nombre de *Anteloquia,* y donde, tras de exponer el plan de la obra y refutar a Martí, bosqueja el cuadro de la cultura mexicana desde los orígenes, en estilo hinchado y pedantesco.

La *Biblioteca* de Eguiara abunda en grandes defectos: está escrita en latín, lo cual la hace hoy punto menos que inservible; traducidos al latín los títulos de las obras de los escritores, con los que se les desfigura mucho; y presentados estos últimos en orden a sus nombres de pila y no a sus apellidos. Carece de sentido crítico, y tal vez por ser obra de refutación, campea en ella un exaltado tono de panegírico.

No obstante, y a pesar de que quedó incompleta, la obra de Eguiara representa un esfuerzo útil.

10. Lo fue, sobre todo, el de Eguiara, porque engendró otro mucho mejor logrado: el de Beristáin. Originario de Puebla, donde nació el 22 de mayo de 1756, D. JOSÉ MARIANO BERISTÁIN Y SOUZA estudió en su ciudad natal, y, bachiller en filosofía por la Universidad de México, pasó a España con el obispo de Puebla Fabián y Fuero, electo

arzobispo de Valencia. En Valencia recibió el grado de doctor teólogo y fue regente de academias de filosofía. Fue catedrático de teología en la Universidad mayor de Valladolid, y, tras diversas vicisitudes, regresó a su patria premiado con una canonjía de la Metropolitana de México. Honráronlo con títulos diversas sociedades y academias literarias, y se le designó para importantes puestos. Beristáin era hombre versátil y servil. Combatió en el púlpito y con la pluma la revolución de la Independencia, sin que siquiera pueda abonársele la leatad de sus convicciones. No las tenía, probablemente, en política: su impudor llegaba al extremo de que, habiendo predicado en 1812 un sermón con motivo de la jura de la Constitución, a la que llamó "libro sagrado"; al enterarse en 1814 de que no la había querido jurar el rey, no tuvo empacho en predicar otro renegando de ella. Una apoplejía le derribó del púlpito de la Catedral de México tiempo después, y, a consecuencias de la misma, falleció el 23 de marzo de 1817.

Nuestras letras le son deudoras de la *Biblioteca hispano-americana septentrional* "o Catálogo y noticia de los literatos que o nacidos, o educados, o florecientes en la América septentrional española, han dado a luz algún escrito, o lo han dejado preparado para la prensa". La obra se publicó en México en tres volúmenes en 1816, 1819 y 1821.* Redactada en español, y con mejor plan que la de Eguiara, su autor gastó veinte años en componerla; ¡como que contiene noticias de cerca de cuatro mil escritores! Adolece del capital defecto de mostrar alterados, compendiados y reconstruidos los títulos de las obras; deja, a menudo, que desear en cuanto a corrección de estilo; y desde el punto de vista crítico, no recomienda el buen gusto de Beristáin. Mas, rica en datos, es el único diccionario biográfico y bibliográfico que poseemos, y en ello se basa el crédito de que goza.

---

* (Reimpresa por el P. F. H. Vera en Amecameca el año de 1883, en tres vols.)

TERCERA PARTE

LA EPOCA DE LA INDEPENDENCIA

Capítulo I

TIEMPOS NUEVOS

1. *El estado social.*—En tres siglos la Nueva España se había transformado. Entre las dos razas que la Conquista puso frente a frente: el español y el indio, un nuevo núcleo étnico había surgido: el mestizo. Y al lado de éste, el español nacido en América, o sea el criollo, multiplicábase más y más, hasta formar otro poderoso núcleo social. De la mezcla de todos estos elementos había nacido la sociedad mexicana: organismo heterogéneo, ciertamente; pero que —como ha expresado D. Justo Sierra— "ya formaba desde el siglo XVII, y continuó formando en el XVIII, un cuerpo aparte"; un cuerpo con tendencias visibles a constituirse en nacionalidad.

Esas tendencias se habían hecho notar de tiempo atrás; pero, con el crecimiento de la sociedad, que alcanzaba la edad adulta, se acentuaron durante la era del "despotismo ilustrado" de los Borbones.

Cuando el marqués de Croix, en su célebre bando a raíz de la expulsión de los jesuitas preconizaba que los vasallos habían nacido "para callar y obedecer"; si en realidad se callaba y obedecía, también, en voz baja, se discutía y opinaba; y los comentarios, el espíritu de inquietud entonces dominante, el sentimiento de resistencia que se hacía sentir, y hasta las sublevaciones que, parcialmente, ya ocurrían, reveladores eran de inconformidad con el estado de cosas subsistente, tanto como de ansiedad por cambiarlo.

Comenzaba a latir en la masa social el espíritu de independencia.

Varios acontecimientos contribuyeron poderosamente a despertarlo durante el reinado de Carlos III: la creación del ejército colonial; la reorganización financiera y administrativa del visitador Gálvez, que se resolvió en considerable aumento de las rentas reales; la ostensible ayuda dispensada por el gobierno español, debido a apremios de su política interior —que lo era de lucha contra Inglaterra—, a la emancipación de las colonias inglesas. Lo primero puso en manos de los mexicanos el instrumento necesario de la libertad: las armas; lo segundo, acentuó en ellos el sentimiento de protesta; lo tercero, hízoles ver que la emancipación, en sí, era hacedera y legítima.

El proyecto clarividente, casi profético, del Conde de Aranda en 1783, recomendando al soberano que se deshiciera de todas las posesiones sobre el Continente, era un augurio de que el conflicto estaba próximo. La política de mayor aislamiento que con ánimo de prevenirlo se puso entonces en vigor; la obra administrativa de dos virreyes ilustres —Bucareli y Revillagigedo—, sobre todo, retardaron el inevitable desenlace. Graves sucesos habrían al cabo de determinarlo y producirlo.

2. *La clase letrada.*—Criollos y mestizos formaban la clase letrada del país.

Los indios, que en los primeros tiempos de la conquista y gracias al esfuerzo de los misioneros recibieron los beneficios de la cultura en forma de haber producido personalidades tales como Ixtlilxóchitl y Tezozomoc, quedaron al cabo fuera de la corriente cultural. Al margen de ella estaban también, en su mayor parte, los españoles venidos al país: funcionarios o rudos hombres de trabajo, cuya misión en América se cifraba en desempeñar puestos o labrar fortunas.

Separadamente, pues, de las demás clases, los criollos y los mestizos —aquéllos principalmente— elaboraron la cultura. De esos núcleos habían salido las más preclaras que ilustran las letras mexicanas, desde el máximo dramaturgo del siglo xvi y la insigne poetisa del xvii, hasta los humanistas, historiadores, filólogos y poetas que durante este siglo y el siguiente dieron a nuestra cultura una fisonomía nacional y propia.

Ya hemos hablado de la renovación que se hizo sentir en las letras con el advenimiento del neoclasicismo, en la filosofía con una inicial oposición a la escolástica, en las ciencias con la introducción de los estudios experimentales que culminó en la creación del Colegio de Minería, y en las artes plásticas con la fundación de la Academia de San Carlos y las actividades arquitectónicas que llegaron a su más vivo esplendor en las magníficas obras de Tolsá y de Tresguerras.

No obstante, pretendiendo limitar el movimiento de expansión intelectual, la Inquisición vigilaba. Vigilaba, celosa de aherrojar al pensamiento: su oficio había venido casi a reducirse a la persecución de libros prohibidos, para mantener a la Nueva España en aislamiento espiritual con el resto del mundo. Sucedía, sin embargo, que los "libros prohibidos" (eran los mejores de la época) entraban a porfía, y, leídos por muchos, difundían las nuevas ideas propagadas por la Revolución Francesa.

Un comienzo de emancipación intelectual, precursora de la política, se hacía sentir. Inquietud había en el fondo del pensamiento mexicano; una acre fermentación, que no tardaría en hacerse visible.

3. *La vida literaria.*—No cabe duda que la expulsión de los jesuitas retardó la evolución que tan brillantemente apuntaba en las letras. Si en la literatura de expresión latina lograron alcanzar ellos resultados tales como los que revela la obra de un Abad, de un Alegre, de un Landívar, posible es que frutos semejantes hubiesen obtenido en la castellana. El violento destierro de tantas personalidades insignes, imposibles de substituir; la clausura de colegios que, al contrario de la Universidad que se retardaba y vegetaba, eran centros de actividad intelectual, significaron serio quebranto para la cultura. Veíase ésta, de pronto, interrumpida, y no era fácil, aun quedando las disciplinas, suplir por improvisación lo que por lógico encadenamiento venía produciéndose. Faltó a la juventud criolla de la Nueva España una dirección enérgica y coherente, y de ello se resintieron las generaciones que llegaban.

Lo cierto es que, al empezar el siglo xix, la renovación clásica todavía no se consumaba. Culteranismo y conceptismo, como seculares herencias, continuaban persistiendo en una literatura anémica y circunstancial, a pesar de la influencia de los retóricos de la escuela de Luzán, y del favor de que ya gozaban, en verso, Meléndez Valdés y Moratín el mayor, y en prosa Feijóo y Cadalso. En el púlpito predominaban los oradores gerundios. Y juntamente con la retórica enmarañada y vacía de cariz gongorino que se resistía a desaparecer, había comenzado a medrar, y prosperaba, el prosaísmo.

La producción de libros había venido a menos; se imprimían pocos; de carácter literario, acaso ninguno. Cierto que ya alentaba el periódico. Uno había en la capital de la Nueva España: la *Gaceta de México,* que, fundada en 1784, duraría hasta fines de 1809. En ella, además de una información precaria, aparecían artículos sobre geología, medicina, botánica, cronología, artes y algunos que otros versos. Subscribiendo los de carácter científico aparecían firmas de sabios tan reputados como don Antonio León y Gama y don Andrés del Río. Pero ni en la *Gaceta* ni en parte alguna, sobresalía figura literaria siquiera de mediano fuste. Padecían las letras un extraño marasmo.

No obstante, como siempre, había plétora de versificadores. Con motivo de la inauguración de la estatua ecuestre de Carlos IV —obra de Tolsá— efectuada el 9 de diciembre de 1803, la musa popular se excedió en cantar, y maña se dieron aprovechando aquel circunstancial, bien que extraordinario suceso, los poetas doctos. Tardo en esta ocasión, pero siempre pronto a la lisonja, quiso conmemorar tan sonado acontecimiento el canónigo de la Metropolitana D. Mariano Beristáin de Souza. Para ello convocó, premiosamente, a un certamen, el 24 de noviembre. Concurrieron, a pesar del apremio, cerca de doscientos poetas; cifra a todas luces respetable. Y muchas de las composiciones que participaron en la justa las coleccionó el propio Beristáin bajo el título de *Cantos de las musas mexicanas,* en un volumen impreso en 1804. Forzoso es consignar, sin embargo, que en los susodichos cantos, que venían precedidos de ampulosa dedicatoria del erudito bibliógrafo, resaltaba, junto al más ramplón y vulgar prosaísmo, el estilo pomposo y recargado, tan ininteligible como hueco, de la persistente manera gongorina.

Al través de aquella floresta de rimas no se percibía que hubieran dado aún sus frutos las doctrinas neoclásicas, de tiempo atrás preconizadas. El más rico que en nuestro suelo ellas produjeron: Navarrete —poeta, por el espíritu y por la forma, tanto como por la educación literaria, perteneciente al siglo XVIII— no se dejaría ver sino hasta 1806, en que aparecieron sus versos en el *Diario de México.*

4. *Florecimiento neoclásico.*—Un año antes, en 1805, habían fundado este periódico —el primer cotidiano que se publicó en la Nueva España— D. Carlos María de Bustamante y D. Jacobo de Villaurrutia. Fue el *Diario* —como expresa D. Nicolás Rangel— "reflejo exacto de la vida de la ciudad, no tanto en su aspecto oficial, como en el familiar y callejero, a la vez que en el intelectual". En él se aposentaba, de pronto, una nueva generación literaria: la fugaz y un poco retardada que formó el neoclasicismo. Vehículo a la vez que centro propulsor de grande actividad en las letras resultaba ser la flamante publicación. Hasta que desapareció, en 1817, y según cálculos de D. José María Lafragua, llegaron a escribir en el *Diario de México* alrededor de ciento veinte poetas, y no deben de haber sido menos los prosistas.

Allí figuraron —además de Navarrete—, Ochoa, Castro, Sánchez de Tagle, Barquera, Quintana del Azebo, Lacunza, Mendizábal, y se rendía especial culto a la poesía. Era ésta la impuesta por el neoclasicismo español a la sazón todavía en boga, aunque ya un tanto declinante en la Península; poesía artificiosa y sensiblera, de amantes edulcorados y falsos pastores y pastoras: Partenio, Clorila, Anarda, Silvia, Dalmiro, que suspiran y lloran flébilmente; figurillas de porcelana en compuestos escenarios iluminados por tenue rosicler.

Esta súbita irrupción de zagales y zagalas en nuestras hasta poco antes desmedradas letras, dio origen, en 1808, a la fundación de la *Arcadia,* sociedad literaria en un todo semejante a las que con el mismo nombre funcionaban en Europa. Destinada estaba tal institución a empollar y estimular la poesía pastoril. Fue primer "mayoral" de la Arcadia Fr. Manuel de Navarrete; y con nombres de pastores —*Damón, Batilo, Anfriso, Dametas, Mirtilo*— entraron en ella porción de versificadores y poetas.

Don Juan Wenceslao Barquera inicia el mismo año de 1808 la publicación del *Semanario económico de noticias curiosas y eruditas.* Tenía éste por objeto "facilitar, por medio de un papel corto, la ilustración que se halla en grande en las obras voluminosas y escasas". Y señal de que la cultura europea ya se infiltraba, es que entre los artículos sobre literatura, educación, higiene, moral, etc., a que el *Semanario económico* daba cabida, había algunos traducidos de obras francesas e inglesas.

5. *El teatro.*—Por lo que se refiere al arte escénico, ocupaban los carteles obras del teatro español de los siglos XVII y XVIII —posiblemente más de éste que de aquél—, algunas traducciones del teatro francés y una que otra del inglés. La mayoría de tales obras de que se conserva noticia, carecen de importancia literaria. Deben señalarse, sin embargo —en prenda de que, dentro del gusto reinante, no todo era malo—, algunas representaciones memorables: la del *Otelo,* de Shakespeare, en 1806; la de las comedias de Moratín: *El Café,* estrenada también en 1806, y *El sí de las niñas* —con extraordinario aplauso— en 1808.

Los autores mexicanos no permanecían del todo ajenos a la actividad dramática. Ochoa, Guridi y Alcocer, Barquera —entre los conocidos— escribieron para la escena; por más que de sus obras sólo conocemos el nombre, pues nunca llegaron a publicarse. Con anterioridad a 1808, promoviéronse por particulares o por periódicos, concursos de sainetes y comedias; y hasta certamen hubo de "tragedia nacional" con asunto que debería tomarse "de las antigüedades de este hemisferio, desconocidas a los europeos". De dicho torneo resultó una obra, la primera sin duda en su género; llevaba el nombre de *Xóchitl,* pero no se sabe siquiera si llegó a representarse. Sí, en cambio, se representaron dos de los sainetes premiados en concurso: *El blanco por fuerza,* de D. Antonio Santa Ana, y *El miserable engañado o la niña de la media almendra,* de D. Francisco Escolano y Obregón. También

figuran como de mexicanos dos obras —acaso comedias— representadas en 1806: *El Rábula* y *La mexicana en Inglaterra.* Sábese, en suma, que por esta época seguía cultivándose en México un género teatral: los "coloquios" —designados más tarde con el nombre de "pastorelas"—, los cuales se representaban no sólo en el teatro, sino en los corrales de los barrios. Nada de esto ha llegado hasta nosotros. Y tal vez no debamos deplorarlo: un subscriptor del *Diario,* haciendo la crítica de cierta pieza mexicana, *El falso Nuncio de Portugal,* a cuyo estreno había asistido, afirmaba que era "la peor de nuestras malísimas comedias".

Los acontecimientos políticos de 1808 apenas turbaron el plácido y un tanto infantil andar de las letras. Mientras el teatro balbucea, todavía en enero de 1809 la poesía circunstancial tiene en qué emplearse. En el certamen convocado por la Real y Pontificia Universidad "para solemnizar la exaltación al trono de su Augusto y Deseado Monarca el Señor Don Fernando VII", se levantaron —participando en ellos los árcades— algunos sonoros y laudatorios cantos.

Fueron los últimos de la poesía colonial. La literatura, como el organismo social, estaba en vísperas de transformarse: apuntaba el año de 1810.

6. *La Revolución.*—Los sucesos que preludiaron el movimiento de Independencia se habían seguido, uno a uno, vivos y fugaces: en 1805 la derrota de Trafalgar afloja los lazos del dominio colonial español; en 1808, estalla la Revolución de Independencia en la Península, significada por dos hechos que habrían de tener en América inmensa repercusión: el motín de Aranjuez, que afirmó la soberanía popular contra el poder absoluto de los reyes, y la creación de las juntas organizadoras del levantamiento contra los invasores franceses, que, poniendo en acción al pueblo mismo, originaron,

junto al de la soberanía popular, el principio de la nacionalidad frente a frente del yugo extranjero.

Menos de dos años habrían de transcurrir para que aquellas poderosas causas exteriores, uniéndose a las internas que desde mucho antes venían preparando el movimiento de emancipación, lo desencadenaran al cabo. El 16 de septiembre de 1810, en el pueblo de Dolores, el cura D. Miguel Hidalgo y Costilla proclamó la Independencia.

Desde su iniciación, hasta ser consumada en 1821, al través de cruentas vicisitudes, la revolución operó grandes cambios en la sociedad mexicana. A ellos no podía ser extraña la literatura, que se desarrolló y evolucionó íntima y directamente influida por los resonantes acontecimientos que conmovían al país. Imprimiéronle éstos un nuevo carácter: el político. Fue, ante todo, política, la literatura mexicana de esta época. En pro o en contra del movimiento insurgente salieron bandos, proclamas, edictos, manifiestos y arengas. Los prosistas fueron, casi exclusivamente, escritores políticos; la poesía asumió caracteres en consonancia con el batallador ambiente.

A reserva de estudiar adelante a prosistas y poetas, ocupémonos en reseñar las manifestaciones propiamente políticas de la literatura mexicana de aquellos días.

7. *Los folletos.*—Como medio de propaganda durante la Revolución sobresalieron los folletos y las hojas volantes. Los folletos, especialmente, fueron innumerables y escritos en el más vario estilo y por las plumas más diversas: desde el pulcro y razonado que se destinaba a los cultos, hasta el llano y vulgar pergeñado en el habla del pueblo para convencer al pueblo.

Inaugura la serie, en 1810, uno intitulado: *Pronóstico de la felicidad americana, justo regocijo de México, natural y debido desahogo de un español americano por el feliz arribo a estas provincias del Excmo. Señor Don Francisco Javier Venegas, Virrey, Gobernador y Capitán General de esta Nueva España.* Por el título, ya se comprenderá lo que es: una letanía de lisonjas al nuevo gobernante.

Desencadenada la Revolución, llueven folletos principalmente contra el iniciador de ella. Los hay notables por su procacidad, grosería y virulencia. No faltan, sin embargo, los de mesurada forma, enderezados a aconsejar paz, unión y concordia, borrando para siempre los odiosos nombres de *gachupines* y *criollos;* ni los de cierto cariz teológico, como aquel en que se pretende demostrar "los errores, absurdos y herejías" que comprende el manifiesto publicado por Hidalgo; ni faltan, en suma, los en que la admonición, la diatriba y la prédica política se embozan y revisten cierto carácter literario, ideando, principalmente por medio del diálogo, una acción, y confiando el debate a imaginados personajes por cuya boca habla el autor. Ya es un clérigo, que en medio de las sombras de la noche se presenta en el Tecpan de Santiago y pide hablar a la "Ronda de los leales y valientes indios" para persuadirlos de que deben pelear en las filas del rey; ya una mujer, Mariquita, que entra en coloquios con un soldado; o bien una "currutaca" erudita que se pone al habla con "Don Felipe"; o bien la charla "entre un dragón, una tortillera y su marido Pascual". El ingenio de los realistas, en su propaganda antirrevolucionaria, se aguza y multiplica; desbórdase la pasión en los folletos compuestos en la tan socorrida forma de diálogos, cuando no en la de cartas, discursos, memorias, prevenciones o proclamas. "Cartas patrióticas de un padre a su hijo, sobre la conducta que debe observar contra los seductores insurgentes"; "Memoria cristiano-política sobre lo mucho que la Nueva España debe temer de su desunión en partidos"; "Desengaño a los indios, haciéndoles ver lo mucho que deben a los españoles": tales son los títulos de algunos de esos folletos. Unos aparecían firmados; otros anónimos. Tan sólo en el último trimestre de 1810, los hubo a porrillo.

Amainó, no obstante, el chubasco folletista entre 1811 y 1812. De esta época es el intitulado "Nuevo encuentro del valiente mameluco D. Quijote con su escudero Sancho en las riberas de México, diálogo en verso entre amo y criado, para instrucción de la presente historia revolucionaria, en que igualmente se ridiculiza el execrable proyecto del Cura Hidalgo y socios". Por lo que se ve que en la furiosa campaña de pluma entablada por los realistas, la prosa no andaba ya sola, sino que iba cogida del brazo de la rima.

Del bando realista fueron, en efecto, la infinita mayoría de estas producciones. A los insurgentes les faltaban medios de publicidad, y en un principio se conformaron con una que otra proclama y con periódicos redactados e impresos con apremio entre el fragor de los combates. Pero ya en 1811 entra en escena un folletista revolucionario, más talentoso y más hábil que los del partido opuesto: Fernández de Lizardi. Y la fugaz libertad de imprenta, al proclamarse la no menos fugaz Constitución española de 1812, da armas en la propia capital del Virreinato a los amigos de la Independencia.

A los dos años de gozar de privanza, el nuevo género había decaído bastante. Pocos son los folletos que se publican de 1813 a 1819. La libertad de imprenta, restablecida en mayo de este año, resucita, sin embargo, la que había sido pasajera afición: más de quinientos salen de las prensas en 1820 sobre variadísimos asuntos: el régimen constitucional, la libertad de pensamiento, cuestiones sociales o temas humorísticos, crítica teatral o representaciones a las autoridades de la colonia... De la insulsez de no pocos son indicio títulos tan pintorescamente ridículos como "Un bocadito salado al autor más preocupado" y "Revoltijo y pulque para el revoltijo del P. Soto".

Algunos de los postreros folletos de la era virreinal remueven, en suma, las cenizas del rencor en vísperas de la Independencia, la cual, por cierto, en aquellos días, no era ya motivo de desacuerdo en una sociedad convencida de la urgencia de consumarla. Estaba próximo el abrazo de Acatempan.

8. *La prensa.*—Ya hemos hablado del estado del periodismo en México en los albores del siglo, hasta 1808.

La Revolución de 1810 da origen a la prensa insurgente. Comprendiendo los libertadores qué formidable arma de propaganda es el periódico, danse a fundar los suyos. Aunque consagrados especialmente a la publicación de proclamas, planes, manifiestos y partes militares, aparecen también en ellos poesías y artículos encendidos en ardor cívico.

Entre 1810 y 1812, los realistas, que llevaban a cabo su propaganda contrarrevolucionaria sobre todo por medio de folletos, lanzan algunas publicaciones periódicas, las cuales fueron de corta vida y casi todas hebdomadarias: Beristáin publica sus *Diálogos entre Filopatro y Aceraio* y *El verdadero ilustrador americano,* réplica al periódico insurgente del mismo nombre; D. Fermín Reigadas, *El Aristarco;* D. Ramón Roca, *El amigo de la patria* y una revista literaria de efímera existencia: *Museo mexicano.* Hay, en fin, publicaciones realistas de nombre tan estrambótico como el *Público curioso y el lego hablador,* sin contar con la llamada *El perico de la ciudad.*

La libertad de pensamiento, reconocida por la Constitución de Cádiz, provocó en México una inesperada cuanto pasajera expansión del periodismo en 1812. El *Diario de México* saludó con alborozo "la libertad de la prensa, base titular de la libertad política y civil". El ya citado Fernández de Lizardi lanzó a poco un semanario: *El Pensador Mexicano.* Simultáneamente, D. Carlos María de Bustamante hubo de fundar otro más, de solapada propaganda revolucionaria: *Juguetillos*. ¡Fugitivo aleteo de una libertad más ilusoria que real! Pasó pronto; más que un derecho precioso, resultó ser una celada. Quienes de la novísima franquicia usaron, acabaron en la cárcel o en la fuga.

De 1813 en adelante la actividad periodística viene a menos. Con vistas a la literatura sólo hay que anotar la aparición de un nuevo periódico, *El noticioso general,* en 1815: publica trabajos sobre cuestiones científicas y literarias, y da cabida a la producción poética más sobresaliente de aquellos días, por lo demás tan poco propicios a las musas.

9. *La oratoria.*—Ya iniciada la revolución de Independencia, salieron para España los representantes de México a las Cortes reunidas en Cádiz. Allí fue donde, por primera vez, luchando en defensa de los derechos e intereses de su país, se ensayaron los mexicanos en la oratoria política. Distinguiéronse D. Miguel Guridi y Alcocer, diputado por Tlaxcala, ardoroso y vibrante; D. Miguel Ramos Arizpe (1755-1843), diputado por Coahuila, esclarecido patriota y sostenedor del régimen constitucional, por lo que sufrió prisión en España misma, al triunfo del absolutismo; D. Antonio Joaquín Pérez Martínez (1773-1829), quien, al contrario del anterior, y siendo presidente de las Cortes que en 1814 Fernando VII disolvió, por su devoción al reinstaurado régimen tradicional obtuvo el obispado de Puebla.

La oratoria sagrada, que desde el siglo XVIII venía decayendo, en forma de quedar sus cultivadores en el número de los que el P. Isla flageló en su *Fray Gerundio de Campazas,* convirtióse, por obra de la Revolución, en arma política. En esta suerte de predicaciones contra los insurgentes sobresalió Fr. Diego Miguel Bringas y Encinas, franciscano, capellán principal en el ejército de Calleja: su *Sermón de la reconquista de Guanajuato,* predicado en diciembre de 1810, puede pasar por un modelo en el género. Émulo de Bringas y Encinas en su odio a los insurgentes, lo fue D. José Mariano Beristáin de Souza, el erudito bibliógrafo, cuyas originales inconsecuencias políticas en el púlpito son famosas, y cuyo *Sermón del Domingo de Ramos,* predicado en la Metropolitana de México en 1815, no cede a ningún otro en fogosidad intemperante, ya que en él andan mezclados Jesucristo, Barrabás, Hidalgo y Fernando VII.

10. *La Independencia y el nacionalismo.*—Al cabo de diez años de lucha mediante el plan llamado "de las Tres Garantías" que concertaron Iturbide y Guerrero en el pueblo de Iguala, quedó consumada la Independencia. Reconocida ésta por el último virrey O'Donojú —en los tratados de Córdoba—, la entrada del Ejército Trigarante en la ciudad de México el 27 de septiembre de 1821, señaló el comienzo de una nueva era en nuestra historia. Al cabo de tres siglos se emancipaba del dominio español la Nueva España, cediendo el puesto a México constituido como nación libre.

Cuando la Independencia se realizó en el orden político, hacía ya tiempo, sin embargo, que señoreaba las conciencias. Favorables a ella eran una inmensa mayoría de las clases sociales y aun considerable parte de los que la habían combatido. Se había elaborado en sentimiento, para cristalizar al fin en idea dominante. Y por eso, cuando acontecimientos inesperados súbitamente la produjeron, al calor de la lucha se había formado y fortalecido el espíritu nacional que, sobre acogerla con júbilo, sabría conservarla y defenderla.

La literatura —ya lo hemos visto— no pudo ser ajena a la revolución; antes bien, la influencia de ésta marcó en aquélla hondas huellas. Si durante la época colonial las letras en la Nueva España habían sido una especie de "mester de clerecía", patrimonio casi exclusivo de eclesiás-

ticos, elaboración de gabinete sin
contacto inmediato con el alma popular, su fisonomía y carácter hubo
de sufrir modificaciones profundas
en el período que reseñamos. Al
calor de la lucha nació la literatura
política —más que forma, toda ella
acción y pasión—; se desarrolló y
siguió nuevos rumbos la prensa; conoció sus principios, en las Cortes
de Cádiz, nuestra oratoria parlamentaria, a la par que se desnaturalizaba
la sagrada por su servil sumisión al
poder. Mas, aparte estas modalidades
políticas, acaso extrañas a la literatura misma, bien que muy interesantes para el conocimiento de la época,
en las letras mexicanas se registra,
coincidiendo con la lucha por la independencia, un fenómeno trascendental: el despertar del sentimiento
nacionalista.

El sentimiento nacionalista, que,
como adelante veremos, informó a la
poesía lírica, apuntó en el teatro, y
culminó con la aparición de la primer novela mexicana, será, a partir
de la revolución de Independencia,
una fuerza espiritual encaminada a
dar a la producción literaria de México aun más propia, inconfundible
fisonomía.

LA POESIA

Fueron los últimos poetas del siglo XVIII los primeros del XIX. Durante la inicial década de la nueva centuria, la lírica no hizo sino continuar las formas, imitar los modelos y nutrirse de las ideas que habían informado el movimiento literario inmediato anterior: entre los postreros ecos del gongorismo y la nueva manera prosaica, alentaba, luchando por imponerse, el seudoclasicismo español señoreado por sus rígidos y fríos preceptistas.

El estallido de la guerra hizo enmudecer las liras: Se desvanecieron los ingenuos erotismos seudoclásicos; la musa religiosa casi guardó silencio, y sólo quedó en pie —deslizándose con discreción para poder manifestarse— la satírica. Instintivamente la poesía asume entonces intención revolucionaria. Aparecen la fábula y el epigrama. Lo de menos es en ellos la galanura de la forma; poco se cuidan de excelencias de versificación y primores de lenguaje: de lo que se trata es de propagar la rebelión en el campo de las ideas, burlando, en lo posible, a la censura. Fuera de estas manifestaciones, la poesía guarda silencio. Un suceso, raro en medio de la conmoción de la época, muévela a descubrir una vez la velada faz: el certamen convocado a mediados de 1816 por el infatigable Beristáin para celebrar el retorno de los jesuitas.

Sin embargo, en el curso de la guerra de Independencia, y como el grano que germina al calor de la tierra, la lírica habíase transforma-

do. De bucólica y amatoria, se tornó heroica. Obra de los acontecimientos fue semejante transformación; pero ella se consumó literariamente debido a la influencia ejercida por tres grandes poetas españoles cuyo espíritu y cuya musa, encendidos en el fervor patriótico y cívico desencadenado en España por la lucha contra el invasor francés y el alborear del régimen constitucional, se mostraban acordes con el pensar y el sentir de los mexicanos en el vendaval de la primera revolución. Tales poetas fueron D. Manuel José Quintana, D. Nicasio Álvarez de Cienfuegos y D. Juan Nicasio Gallego. Como nuestros, ellos cantaban la libertad y la patria, ensalzaban a los héroes, y, en arrebatadas estrofas, barrían con la tiranía.

Tal cariz heroico —principalmente quintanesco— cobró la lírica en México hacia el año de 1812. Lo adoptaron y revistieron con él sus estrofas, así realistas como insurgentes. Y al consumarse el movimiento iniciado en Dolores, una nueva lira estaba en manos de nuestros principales poetas.

En resumen: resabios gongorinos, seudoclasicismo y prosaísmo, por una parte, al empezar el siglo; y, por la otra —antes de la revolución, durante ella y consumada que fue—, asomos nacionalistas en la representación de tipos y costumbres, intención satírica y política en apólogos y epigramas, entonación heroica y fervor cívico: he allí las dos etapas recorridas por la poesía en la época de la Independencia.

1. Cronológica y literariamente es D. ANASTASIO MARÍA DE OCHOA Y ACUÑA el poeta de transición entre los del grupo de fines del siglo XVIII y el que podríamos llamar de la época de la Independencia. Por su educación literaria, pertenecía al siglo XVIII —era, ante todo, un humanista—; pero por las características especiales de su poesía, en la que predomina la vena festiva con vistas al costumbrismo, hallábase dentro de la época en que, en medio del resonar de las liras de los cantores cívicos de la primera revolución, se oiría la risa de Periquillo.

Oriundo de Huichapan, donde nació el 21 de abril de 1783, estudió latín en México con el Dr. Juan Picazo; cursó filosofía en el Colegio de San Ildefonso, y hacia 1803 pasó a estudiar cánones en la Universidad. Alumno del Seminario Conciliar en 1813, se ordenó presbítero en 1816. Desde el año siguiente, hasta el de 1827, desempeñó diversos curatos en Querétaro. En 1828 volvió a México para consagrarse por entero a las letras, y aquí murió. durante la epidemia del cólera, el 4 de agosto de 1833.

Su festiva musa apareció en el *Diario de México* en 1806; usaba Ochoa en aquel periódico los seudónimos de *Atanasio de Achoso y Ucaña* y *El Tuerto*, y su gracejo era celebradísimo. En 1808 ingresó en la Arcadia de México con el nombre de *Damón*, que después cambió por el de *Astanio*, y fue premiado en el certamen convocado por Beristáin en 1816 para festejar la vuelta de los jesuitas.

No puede considerarse a Ochoa, en la poesía seria, como poeta de elevado estro, aunque sí desembarazado y discreto. Versificaba con galanura y corrección y era expresivo y abundante su léxico. Artificioso en ocasiones, conforme a la moda de su tiempo, a la que pagó tributo; más a menudo se inspiraba, sin embargo, en las enseñanzas de la poesía castellana de la edad áurea, cuya influencia refleja.

Mucho más popular fue Ochoa en la poesía festiva, a la que parece haberse dedicado de preferencia y en la que no reconoció rival en su época. Desde este punto de vista fue un precursor, y por lo que sus versos festivos tienen de sabrosa y genuinamente mexicanos, cabe afirmar que Ochoa es el introductor de cierto pintoresco nacionalismo en poesía. Adoptando por modelos en tal género a Iglesias en las letrillas y epigramas, y en los sonetos a *Tomé de Burguillos,* o sea Lope de Vega, a quien imita y sigue, y aun parodia en ocasiones, y no dejando de evocar —como atinadamente observa Urbina— a otros maestros tales como Baltasar de Alcázar, Góngora y Quevedo, Ochoa es, en verso, como Fernández de Lizardi lo fue en prosa, el mejor pintor de la vida social mexicana en las postrimerías del régimen colonial y principios de la era independiente. Los tipos que trazó y las escenas regocijadas que de su pluma salieron, no quedan por debajo de los del *Periquillo.*

Destácase también Ochoa como humanista. Se le debe una traducción de las *Heroidas* de Ovidio en romance endecasílabo, "muy exacta, y a las veces poética —a juicio de Menéndez y Pelayo—, con cierto suave abandono de estilo que remeda bien la manera blanda y muelle del original, y resulta agradable cuando la fluidez no degenera en desaliño". Tradujo, asimismo, algunos cantos del *Telémaco,* en octavas reales; el *Bayaceto,* de Racine, la *Virginia* de Alfieri, la tragedia latina del jesuita P. Andrés Fritz, intitulada *Penélope,* y *El Facistol o Lutrín,* de Boileau, bien que muchos de tales trabajos no llegaron a imprimirse. Algunos fragmentos del poema *De Deo* del Padre Abad y elegías latinas del P. Remond, vertidos al castellano, aparecen en la edición de las poesías de Ochoa. Finalmente, en el género dramático; hizo un arreglo de la *Eugenia* de Beaumarchais, escribió dos comedias que no llegaron a publicarse, y una tragedia que mereció los honores de la escena: *Don Alfonso.*

La colección general de sus versos publicóse en Nueva York en 1828, con el título de *Poesías de un mexicano.*

2. D. JOSÉ AGUSTÍN DE CASTRO es, como Ochoa, aunque a cierta distancia, una figura de transición.

Apenas hay datos biográficos de este poeta (a quien es preciso no confundir con el jesuita veracruzano Agustín Castro). Nativo de Michoacán, fue, hacia 1786, notario de la curia eclesiástica de aquella región; y, entre 1791 y 1797, notario mayor y público del Tribunal de Justicia y de la Vicaría general del Obispado de Puebla. En 1809 encontrábase en la capital de la Nueva España desempeñando probablemente algún cargo.

Colaboró en la *Gaceta* y en el *Diario de México* y llegó a gozar de cierta notoriedad. Editó en tres volúmenes su *Miscelánea de poesías sagradas y humanas* (1797-1809). Figuran en esta colección considerable número de poesías breves, loas religiosas, tres autos sagrados, otras tantas *Vidas* —en verso— de San Agustín, San Francisco de Asís y San Luis Gonzaga, una prosa intitulada *Exhortación privada a una novicia,* tal cual versión de poetas latinos, en particular de Horacio, y dos pequeñas piezas teatrales: *Los remendones* y *El Charro.*

Fue Castro —a juicio de Luis G. Urbina— poeta presuntuoso y prosaico, sobre todo en las poesías religiosas; aunque usaba, en las profanas, "con cierta agradable gallardía, de la dialéctica conceptuosa y de la riqueza culterana de los apólogos calderonianos". Defectuoso en su prosodia, y abundante en provincialismos, giros y construcciones de mala ley; su personalidad es interesante, sin embargo, porque hay en él claros intentos de emancipación literaria, una marcada tendencia hacia lo nacional y autóctono: en varias composiciones trata de enaltecer la germanía popular y *charra,* y en no pocas de las satíricas retrata el ambiente de la época. Esta tendencia, consonante con el estado espiritual que preludia la Independencia, acentúase mucho más en las tentativas teatrales de Castro: su petipieza *Los remendones* es el primer intento que en el siglo XIX se registra de llevar al tablado lenguaje, tipos y costumbres genuinamente populares.

3. Más que a la de la literatura, pertenece D. ANDRÉS QUINTANA ROO a la historia política de México.

Nacido en Mérida, el 30 de noviembre de 1787, inició con brillantez sus estudios en el Seminario Conciliar de aquella ciudad, y vino a continuarlos en 1808 en la Universidad de México, donde cursó el bachillerato en Artes y Cánones. A fin de obtener las licencias de abogado practicó como pasante en el bufete del Dr. D. Agustín Pomposo Fernández de San Salvador, jurisconsulto prominente, y en la casa de éste conoció a la que habría de ser el dramático y romancesco amor de su vida: doña Leona Vicario.

La revolución de Independencia y la extraordinaria novela amorosa con doña Leona llenan la juventud de Quintana Roo. Ardoroso partidario de la causa de la libertad, se entregó a ésta en cuerpo y alma. Era la pluma su mejor espada, y con ella luchó en el campo insurgente publicando dos famosos periódicos: el *Seminario Patriótico Americano* y el *Ilustrador Americano.* Diputado al Congreso de Chilpancingo, presidió la Asamblea Nacional Constituyente que hizo la declaración de independencia, y escribió el manifiesto lanzado a la nación con tal objeto. Primero solo, y acompañado después por doña Leona Vicario —quien, insurgente también, y, por insurgente, encarcelada, había escapado de la prisión para ir a reunirse y casarse con él— sufrió Quintana Roo la cruel serie de vicisitudes del Congreso. Despeados, hambrientos, miserables, sostenidos tan sólo por su exaltado patriotismo, más de un año anduvieron por abruptas serranías. En una cueva de fieras parió doña Leona a su primera hija. Y cuando, perseguido y cercado, en marzo de 1818 quiso escapar, sólo el temor de que su esposa al caer en manos de los realistas fuera fusilada, movió al patriota a pedir indulto.

Figura de las más relevantes en nuestra guerra de Independencia, al consumarse ésta, Quintana Roo se consagró a la política: la tribuna parlamentaria, el periodismo e importantes cargos en el gobierno, absorbieron sus actividades hasta su muerte, acaecida en México el 15 de abril de 1851.

Varón de acrisolada honradez y de grandes virtudes cívicas, Quintana Roo "tenía —como observa Menéndez y Pelayo— más de magistrado y hombre político que de poeta; pero si no ardían en él muy vivos los resplandores del numen, era elevado su pensamiento, noble y correcta su versificación, severo el tono, como cuadraba a la índole grave de su talento". Explícase esto por sus disciplinas clásicas: era Quintana Roo un latinista, y había bebido en las fuentes de Cicerón y Horacio. Su prosa —toda ella de manifiestos, proclamas y discursos— no excluye, dentro de la natural fogosidad y vehemencia, noble sobriedad y armonía. En su verso, de sencilla y severa elegancia, revélase el cultivador atildado del idioma. Este revolucionario poeta, que casi solamente cantó para la patria, tenía los ojos vueltos hacia el Lacio: la erudición literaria aventajaba en él a la espontaneidad.

Influido, como todos los de su grupo, por el español Quintana, su poesía, por el espíritu que la anima, es no obstante, característica de la época en que se produjo. Su obra, hasta hoy, no ha sido coleccionada; e igual suerte que sus trabajos en prosa, de carácter ocasional y valor puramente histórico, esparcidos en los periódicos en que aparecieron, han corrido sus poesías, de las cuales se conocen bien pocas.

4. No una; tres épocas literarias abarca la dilatada y laboriosa existencia de D. Francisco Manuel Sánchez de Tagle: las postrimerías del siglo XVIII, el período de la Independencia y el turbulento que va desde la consumación de ésta hasta mediados del siglo XIX.

Originario de Valladolid de Michoacán, donde nació el 11 de enero de 1782, e hijo de prominente familia —su padre pertenecía a la de los maqueses de Altamira—, hizo brillantes estudios en el Colegio de San Juan de Letrán de México, del cual, a los diecinueve años, el Virrey Iturrigaray nombrábale catedrático. Graduado en filosofía y teología en la Universidad; docto en lenguas clásicas y modernas, hacíase notar por sus aficiones enciclopédicas. Era hombre de extraordinaria prudencia; y esto, unido a su cultura y buenas prendas, le permitió navegar sin peligro de naufragio en medio de las turbonadas políticas y ser bien quisto de todos los regímenes: distinguióle el gobierno colonial; a la entrada del Ejército Trigarante fue miembro de la Junta Suprema Provisional Gubernativa, habiéndole tocado redactar el Acta de Independencia; ocupando curules en los congresos y elevados puestos del Estado vivió hasta sobrevenir la invasión norteamericana, la cual hubo de abatirlo tan profundamente, que originó su muerte, ocurrida en México el 7 de diciembre de 1847.

Su poesía refleja las tendencias predominantes en cada una de las tres épocas a que antes se hace referencia. En sus principios fue neoclásico, discípulo e imitador de Navarrete —a quien sucedió en 1809 en el puesto de "mayoral" de la Arcadia de México— y tan influido por Meléndez Valdés, como refrenado por los preceptistas entonces en boga; aunque clásicos, tienen sus versos de esta época una vaga resonancia gongorina. Los acontecimientos políticos que después se sucedieron, y el ejemplo, sobre todo, de Quintana y Cienfuegos, tornaron grandilocuente a su musa en la segunda etapa. En la tercera, llena del vaivén de nuestras discordias civiles, casi fue un romántico. Cantó al Amor, al Dolor, a la Religión y a la Patria. Odas, canciones amatorias, elegías, cantos patrióticos, estrofas de inspiración filosófica, forman el amplio caudal de su producción. Amamantado en la cultura del siglo XVIII, siguió de cerca el movimiento literario del XIX; tradujo a Juan Bautista Rousseau, a Metastasio y a Lamartine.

Sus *Obras poéticas,* bastante mermadas por las que el propio autor había destruido, se publicaron en México, ya muerto el poeta, en 1852.

5. Repútase a D. FRANCISCO ORTEGA como el más correcto y puro versificador de su tiempo.

Entró en el campo literario victoriosamente, al triunfar en el certamen promovido por Beristáin en 1816. Procedía de linajuda familia descendiente de los condes del Valle de Oploca. Nacido en México el 13 de abril de 1793, muy niño quedó huérfano; le recogió un canónigo, padrino suyo, y acaso sus aficiones literarias se despertaron al influjo de la culta dama que cuidó su infancia. Estudió latín y filosofía en el Seminario Palafoxiano de Puebla, y allí mismo empezó el curso de ambos Derechos, a la vez que trabajaba para ganarse el pan y hacía sus primeros ensayos literarios. Continuó sus estudios en México, aunque no llegó a recibirse de abogado. Tal vez contribuyeron a ello su pobreza y su decidida vocación por las letras. El mismo año en que resultaba premiado en el concurso que organizó Beristáin, obtenía un nombramiento de meritorio en la Casa de Moneda; por donde es Ortega el primero en realizar el tipo —común e inevitable— del literato mexicano obligado siempre a acudir a los arbitrios burocráticos para sustentarse. Modesto empleado en las postrimerías del régimen virreinal, saltó a la política en 1822, al ser electo diputado al

primer Congreso Nacional, en el que, a fuer de ardiente republicano, combatió a Iturbide, oponiéndose a su proyecto de imperio. Su lira comentó los acaecimientos de la turbulenta vida cívica de entonces; combatió su pluma en la prensa por ideales políticos. Apenas si su existencia ofrece incidente alguno pintoresco digno de apuntarse: hasta su muerte, ocurrida en México , de marzo de 1849, Ortega —aparte las tareas literarias— ocupó sus actividades sirviendo cargos de diputado o senador en diversas legislaturas, cuando no diferentes empleos en la administración y el puesto de subdirector del fugaz Instituto de Ciencias Ideológicas y Humanidades. Atribúyesele la redacción de las famosas *Bases orgánicas* de 1841.

Fue, ante todo, un poeta cívico. Nadie tuvo, como él, entre los de su generación, el dominio de la técnica del verso. Era atildado, mesurado, y también un tanto gélido. La razón privaba en él sobre la fantasía; la dignidad académica enfrenaba a menudo los arrebatos del entusiasmo. Con todo, su oda *A Iturbide en su coronación* es una fulminante invectiva. Creyente y patriota, sus inspiraciones no siempre fueron políticas; tuvo la religión no escasa parte en ellas. Su mejor poema es de asunto teológico: *La venida del Espíritu Santo,* y Menéndez y Pelayo juzga que "la manera de Ortega en la poesía sagrada es muy semejante a la de los poetas de la escuela sevillana de fines del siglo XVIII: Lista, Reinoso, Roldán, aunque quizá más jugosa y menos rígida". También cultivó Ortega la poesía amatoria con traza pastoril, al estilo de Navarrete y con influencia de Meléndez Valdés; sus cantos *A los ojos de Delia* (nombre tras el cual se emboza una pura y casta pasión del poeta) son de lo más agradable que dejó escrito.

No se mostró ajeno al teatro: entre sus poesías, publicadas en 1839, imprimióse un drama patriótico con pasajes para música: *México libre,* estrenado en 1821; y otras piezas dejó inéditas, además de una versión de la *Rosmunda,* de Alfieri. Sacó a luz, asimismo, la obra inédita e inconclusa de Veytia, que adicionó con un apéndice. Y, en suma, aparte colaboraciones periodísticas, disertaciones y memorias sobre diversos asuntos, la actividad literaria de Ortega se ejerció en el campo social. Fue su casa, en su tiempo, centro de reunión para los hombres de letras.

6. Otros poetas menores figuran al lado de los antes enumerados:

D. JOSÉ MARIANO RODRÍGUEZ DEL CASTILLO, fundador de la Arcadia, poeta mediano, por lo común trivial, aunque fácil, es el que más se acerca a Navarrete en los romances eróticos y pastoriles, y fue —según Pedro Henríquez Ureña— prosista de los más delicados en la época del *Diario de México.* De prosaico y vulgar, aunque en ocasiones no carente de elegancia, tíldase a Don JOSÉ MARÍA VILLASEÑOR Y CERVANTES, autor de unas *Festivas aclamaciones de la villa de Jalapa a Fernando VII,* así como de poesías a la estatua de Carlos IV y a la jura del *Deseado,* y de un melodrama alegórico: *La gloria de la nación por su rey y por su unión,* representado en México en la solemnidad de la jura de la Constitución; todo lo cual no obstó para que después fuese ardiente panegirista de la Independencia en su poema *Libertad* (1827), compuesto en el aniversario del grito de Dolores. En el punto medio de transición entre gongorismo y prosaísmo hállase D. JUAN WENCESLAO BARQUERA, político y prosista más que poeta: sus tratos con las musas fueron venturosamente escasos; también hay que anotarle una oda a Fernando

VII y otra *A la libertad.* Miembro, como los antes citados, de la Arcadia y colaborador infatigable del *Diario de México,* D. RAMÓN QUINTANA DEL AZEBO es un valor estimable: "su versificación —a juicio de Henríquez Ureña— es bien entonada y su expresión tiene cierta pureza"; bien que ninguna de sus composiciones sea digna de antología. Versificador fecundísimo y prolijo, tanto como imitador incansable, D. JUAN MARÍA LACUNZA abundaba en reminiscencias bíblicas, y de él se cuenta que puso en verso los *Salmos.* Por el contrario, D. JOSÉ IGNACIO BASURTO versifica con fluidez y corrección, y es, como fabulista, agradable y fácil, aunque en ocasiones absurdo; publicó en 1802 unas *Fábulas morales para la provechosa recreación de los niños que cursan las escuelas de primeras letras.* Fabulista también, y si falto de disciplinas literarias, no carente de ingenio y donaire, D. LUIS DE MENDIZÁBAL se valía de aquel género para la propaganda subversiva en el aludido *Diario;* su apólogo *El asno, el caballo y el mulo* dio mucho que hablar en aquellos agitados días. Prosaico incorregible, aunque lleno de gracia oportuna y chispeante asimismo en el apólogo, con los anteriores compartía el cultivo de la fábula D. MARIANO BARAZÁBAL. En fin, D. JOAQUÍN MARÍA DEL CASTILLO Y LANZAS (1781-1878), natural de Jalapa, diplomático, político y periodista, ha gozado de más perdurable fama que todos los poetas de este mismo grupo. Y la ha gozado, tan sólo por una poesía: el canto *A la victoria de Tamaulipas,* imitado del que Olmedo dedicó a la de Junín. Con el título de *Ocios juveniles* publicó Castillo y Lanzas sus poesías en Filadelfia, en 1835.

CAPÍTULO III

LA PROSA

País de poetas que había sido México, en la época de la Independencia tuvo prosistas numerosos. Los tiempos eran de lucha; la principal preocupación, propagar ideas. Y, para ello, requeríase un instrumento expedito, lejano del encrespamiento artificioso y rebuscada oscuridad que por largos años habían privado, y más cerca de la asequible simplicidad.

Aun más que el verso, la prosa había sufrido ya al comenzar el siglo una casi completa transformación. Las enseñanzas de los preceptistas del neoclasicismo, acogidas y propagadas en los colegios desde mediados de la anterior centuria; el ejemplo de los escritores españoles en boga, tales como el P. Isla, Feijóo, Jovellanos y Cadalso, y hasta —en mínima proporción y para muy pocos— el de los franceses que empezaban aquí a leerse; en fin, la influencia del periodismo diario, cuya aparición coincidió casi con el principio de la era revolucionaria, habían hecho de la prosa algo que fundamentalmente se diferenciaba de los gustos de antaño.

No quiere esto significar que nuestros prosistas hubieran perdido toda semejanza con sus inmediatos antecesores. Si la ampulosa manera gongorina había desaparecido, o punto menos, caíase a menudo, por obra de las circunstancias, en la solemnidad y grandilocuencia retóricas. Si se usaba, y aun se abusaba, del tono familiar tan orillado al vulgarismo, y era evidente, en los escritores políticos, la tendencia a la argumentación breve, simple y directa; no

faltaban tampoco, en algunos, inevitables resabios del campanudo razonamiento escolástico.

A pesar de todo —y esto es lo que importa retener— la prosa revestía una forma nueva. Hallábase más cerca del habla usual que del antiguo cartabón académico. Diríase que se emancipaba, y que, además, extendía sus dominios. Saliendo de los géneros en que se la confinara —historia, hagiografía, libros de devoción— venía ahora a animar otros flamantes: la arenga cívica, el artículo periodístico, el relato de viajes, la novela.

ESCRITORES POLITICOS

Antes que a la de las letras, pertenecen a la historia política de México los escritores que, al estallar la revolución de 1810, consagraron sus actividades a combatirla o a defenderla. Algunos —como Mier, como Guridi y Alcocer— nos han dejado obra propiamente literaria en sus autobiografías y relaciones de viajes. Pero buena parte de la producción de ellos y de la de sus contemporáneos apenas si ofrece interés para la literatura; no obstante que lo tenga, y muy grande, como reflejo espiritual de la vida de entonces. Fueron, sobre todo, los prosistas del período que reseñamos, escritores políticos; y su pluma, más que cincel, arma de combate.

1. Fue el DR. D. AGUSTÍN POMPOSO FERNÁNDEZ DE SAN SALVADOR (1756-1842) en el grupo de escrito-

res políticos de su época, uno de los adversarios más decididos de la Independencia.

De familia distinguida, descendiente presunto de nobles europeos y de príncipes indígenas; abogado de la Real Audiencia y del Ilustre Colegio, con bufete de los más famosos que hubo en el virreinato; rector de la Universidad por tres veces, y, además, "hombre laborioso y piadosísimo" —al decir de Beristáin—, declaróse, desde el primer momento, sostenedor resuelto del gobierno español y acremente combatió la causa insurgente. Combate estéril, ya que D. Agustín Pomposo contempla la derrota en su propio hogar: mientras su hijo Manuel moría en la guerra, en 1813, peleando al lado de los revolucionarios, su sobrina Leona Vicario era procesada por el gobierno virreinal, acusada de prestar ayuda a la insurrección, y, escapándose de la cárcel, huía a unirse en el campo de batalla con el que había sido pasante del bufete de su tío: D. Andrés Quintana Roo.

Aunque sin ser poeta, antes de la crisis de 1810 había tenido el austero abogado sus tratos con la poesía. De él es un poema intitulado: *La América llorando por la temprana muerte de su amado, su padre, su bien y sus delicias; el Excmo. Sr. D. Bernardo de Gálvez, Conde de Gálvez*. Mas por dicha olvidado de la lira, que ciertamente no le fue propicia, al estallar el movimiento insurgente se refugió en llana y expedita prosa, y dio a luz producciones tales como *Las fazañas de Hidalgo, Quixote de nuevo cuño, facedor de tuertos*, etc. (1810), *Desengaños que a los insurgentes de Nueva España, seducidos por fracmasones agentes de Napoleón, dirige la verdad de la religión católica y la experiencia* (1813), *El modelo de los cristianos presentado a los insurgentes de América...* (1814), etc., etc.

Era un razonador escolástico, un prosista amazacotado y gris.

2. Caso singular en la cruda lucha política de la época lo representa el Dr. D. Francisco Severo Maldonado, nacido en Tepic en el último tercio del siglo XVIII y muerto en 1832. Si los escritores de su especie, en tiempos de la Independencia, se señalaron justamante por haber seguido uno u otro bando: el insurgente o el realista; Maldonado —tal vez única excepción— se distingue por haber militado en los dos y afiliádose por fin al que quedó triunfante. Inaugura él la inconsecuencia política.

Era Maldonado —según Mora— "hombre de vasta lectura, de no vulgar capacidad y de una arrogancia y presunción inauditas". Siendo cura de Mascota (Jalisco) en los comienzos de la revolución de 1810, cuando ocupó Hidalgo a Guadalajara, en noviembre, fundó el primer periódico insurgente: *El Despertador Americano*. Lo cual no obstó para que, abatida la insurrección, e indultado en 1811, D. Francisco Severo fundase otro periódico no ya insurgente, sino realista: *El Telégrafo de Guadalajara*. Así, la misma pluma que llamó a Hidalgo "Nuevo Washington", "alma grande, llena de sabiduría y bondad"; no tuvo empacho en tildarlo después de "infame y descarado sibarita, Sardanápalo sin honor y sin pudor". Y quien en noviembre consideraba a los insurgentes como "nuestros hermanos libertadores", en febrero inmediato los apellidaba "cuadrillas de bandoleros".

Faltaba seguramente a Maldonado la mejor prenda del escritor político: la honrada convicción. De aquí que su figura —tan poco literaria, por lo demás, como las de sus congéneres— resulte harto deslucida; bien que aquel periodista haya escrito la prosa con soltura y vigor, y hasta tenido sus atisbos de pensador y sociólogo. Se cuenta que fue, en la Nueva España, uno de los que primero entendieron y gustaron de la ciencia económica; y asegúrase que en sus últimos años profesó cierta doctrina social que no dejaba de tener parentesco con la de Fourier, a quien, por cierto, nuestro versátil periodista ignoraba completamente.

Su obra —bastante mezquina— redúcese, aparte trabajos periodísticos, a un *Contrato de asociación para la república de los Estados Unidos del Anáhuac* (1823), y a un libro, hoy perdido, y posiblemente estrafalario por las noticias que de él tenemos: *El triunfo de la especie humana.*

3. De asaz distinta contextura moral y parecida literaria es el zacatecano D. JOSÉ MARÍA COS, Doctor en 1805 por la Real Universidad, catedrático de gramática, retórica, filosofía, teología y latinidad en el Seminario Tridentino de Guadalajara, y cura párroco en diversos lugares de Zacatecas y Jalisco.

Desempeñaba el curato de Burgo de San Cosme cuando estalló la insurrección, en la que se vio envuelto desde un principio, aunque sin adherirse a ella. Obligado, al fin, por inconsecuencias del Virrey, a abrazar algún partido, "prefirió el de la revolución como justo" —conforme expresa Bustamante.

"Era hombre de gran talento, de ingenio fecundo en invenciones" —al decir de Alamán—. Y harto lo demostró por su actividad desde que hubo de presentarse ante la Junta de Zitácuaro en noviembre de 1811. Sin elementos, sin recursos, fundó el segundo periódico insurgente: *El Ilustrador Nacional.* Para ello, él mismo construyó la imprenta, labrando los tipos en toscos pedazos de madera, y utilizando después, a guisa de tinta, para imprimir los primeros números, una mezcla de añil y de aceite. A aquella publicación improvisada en el ardor de los combates, hizo seguir, ya con imprenta en forma, otro periódico que realmente fue conductor de opinión en la dramática época en que aparecía: *El Ilustrador Americano*, en el que tuvo por colaborador a Quintana Roo.

La figura de Cos, en cuanto tiene de más relevante, confina casi por entero en la historia política; a la literaria sólo corresponde el periodista, autor de manifiestos y proclamas en que —cosa curiosa— este hombre todo ardimiento, vivacidad, irritabilidad, impulso tumultuoso, durante la última parte de su vida, que se extinguió en 1819, se muestra razonador firme y elocuente, y, apelando al recurso retórico, sabe poner en su prosa, sin embargo, vibración y calor sinceros y humanísimos.

4. Periodista y escritor político como los anteriores, D. JUAN WENCESLAO BARQUERA nació en Querétaro el 22 de abril de 1779, estudió latinidad, filosofía, jurisprudencia, y de la Universidad y Audiencia de México recibió los grados menores y las licencias de abogado en 1809. Participó en el movimiento literario de principios del siglo, que reconocía como centro la Arcadia. Fue entusiasta colaborador del *Diario de México*, que dirigió por algún tiempo y en el que llevó a cabo una diestra campaña en favor de la Independencia, burlando la censura de la Inquisición y del gobierno virreinal. Servidor fervoroso de la causa insurgente, a ella se consagró no sólo con la pluma, sino en el ejercicio de la política activa: formó parte de la famosa sociedad secreta de *Los Guadalupes,* que tanto hizo por la libertad, y debido a ello la Independencia; fue el primer orador que en la tribuna popular (1827) celebró a los héroes insurgentes; desempeñó altos puestos públicos en la judicatura y el Congreso; trabajó por la enseñanza, y murió en la ciudad de México el 25 de febrero de 1840.

Rimador circunstancial y prosaico, mediocre fue su contribución a la poesía. En prosa muéstrase blando y sensitivo en una *Salutación a la primavera*, dedicada a Fr. Manuel de Navarrete, y penetrada, por tanto, del artificio pastoril caro a los neoclásicos; y tiene robustez y numen, sin aditamentos retóricos, en sus oraciones cívicas. Barquera escribió mucho y sobre diversas materias: derecho, política, agricultura. Dejó, al decir de Beristáin, tres comedias manuscritas, que no han llegado a nosotros. Pero, en realidad, su producción más importante, peculiar y copiosa, se halla en los periódicos, principalmente en el *Diario de México,* de 1805 a 1816.

5. De los escritores políticos que en la época florecieron, quizá el único que tiene personalidad literaria es Fr. Servando Teresa de Mier.

La vida de Fr. Servando antójase por su movilidad, por su agilidad, por su ligereza aventurera, una encarnación de la novela picaresca.

De familia de rancio abolengo nació tan original personaje en Monterrey, el 18 de octubre de 1765. Aunque sin vocación para el claustro, a los dieciséis años tomó en México el hábito de Santo Domingo, estudió en el colegio de Portacoeli, recibió las órdenes menores, abrazó el sacerdocio, y, a los veintisiete, doctor ya en Teología, gozaba fama de predicador eminente. Llevóle ésta a pronunciar su célebre sermón sobre la Virgen de Guadalupe el 12 de diciembre de 1794, delante del Virrey, del Arzobispo y de la Audiencia. Y considerando el Arzobispo osadas y hasta impías algunas estrafalarias aseveraciones del orador respecto a la aparición de la Guadalupana, mandó predicar nominalmente contra él, después le hizo encarcelar y procesar, y al fin lo condenó a diez años de destierro en España, con reclusión en el convento de las Caldas, cerca de Santander, perpetua inhabilidad para cátedra, púlpito o confesonario, y pérdida del título de doctor.

Y aquí empieza la existencia apasionante del extraordinario dominico, y lo que fue en ella tanto como la aplicación insistente, el supremo arte del Padre Mier: la fuga. "Usa de la evasión, de la desaparición —anota Alfonso Reyes— con una maestría de fantasma, y algo de magia parece flotar por toda su historia.".

Desembarca en Cádiz en 1795. Enciérrasele en las Caldas. Allí realiza su primera fuga. Es reaprehendido, y se le recluye en el convento de San Pablo, de Burgos, donde permanece hasta fines de 1796. Para que se le oiga en justicia pide pasar a Madrid, ante el Consejo de Indias. Ordénasele que vaya a un convento de Salamanca; toma diverso camino; lo aprehenden y confinan en el convento de franciscanos de Burgos, de donde —segunda fuga— se escapa, gana la frontera y se refugia en Bayona, adonde arriba el viernes de Dolores de 1801. Al día siguiente sostiene una disputa pública con los rabinos en la Sinagoga. Márchase a Burdeos, luego a París. Aquí abre una academia para la enseñanza del español; traduce la *Atala* de Chateaubriand, y publica una disertación combatiendo a Volney, la cual le vale que se le encomiende la parroquia de Santo Tomás. Con ánimo de secularizarse parte para Roma en 1802; consíguelo, aparte algunos honores que le concede el Papa. De retorno en España, es reaprehendido a causa de una sátira que escribe en defensa de México. Conducido preso a los Toribios de Sevilla en 1804, de ahí —tercera fuga— se evade. Le echan el guante nuevamente y vuelve a su prisión. Torna —cuarta vez— a fugarse; reside tres años en ¨Portugal, donde el cónsul español le hace su secretario y nómbrale Pío VII su prelado doméstico en recompensa por la conversión de dos rabinos. Desencadenada la guerra entre España y Francia, en 1809 pasa de nuevo a tierra española como cura castrense y capellán del batallón de voluntarios de Valencia. Encuéntrase en sangrientos combates. En Belchite cae prisionero de los franceses; pero —¡claro está!— se fuga, y preséntase al General Black, quien por sus buenos servicios lo recomienda a la Junta de Sevilla. La Regencia de Cádiz le concede una pensión de tres mil pesos anuales sobre la mitra de México; pensión que Mier no acepta.

Sabedor del levantamiento de Hidalgo, se encamina en seguida a Londres, para trabajar, en la prensa, por la independencia de su patria. En Londres conoce a Mina, de seguro lo instiga para que emprenda la famosa cuanto desdichada expedición de 1817, y en ella le acompaña. Prisionero de los realistas al capitular el fuerte de Soto la Marina, cargado de grillos es conducido a México y aquí encerrado en los calabozos de la Inquisición. Como no concluyera su proceso al disolverse este tribunal en mayo de 1820, y como, además, se le consideraba hombre peligroso ("su fuerte y pasión dominante —aseveraban los inquisidores— es la independencia revolucionaria que desgraciadamente ha inspirado y fomentado en ambas Américas por medio de sus escritos llenos de ponzoña y veneno"), se le envía a España, para donde es embarcado en diciembre. Pero hételo, otra vez, aguzando sus singulares habilidades: en La Habana se fuga —¡era su postrer fuga, la sexta!— y pasa a los Estados Unidos. Consumada la Independencia, emprende el regreso a México en febrero de 1822. Le esperaba nuevamente la prisión: apenas llega a Veracruz, es encerrado en el fuerte de San Juan de Ulúa, todavía en poder de los españoles.

De allí consigue sacarlo el primer Congreso Constituyente, del cual Mier formaba parte como diputado por su región nativa. Al llegar, en julio, a México, encuéntrase con que Iturbide se había coronado emperador; tal acto se lo reprocha Fr. Servando en una audiencia privada en la que hace gala de su credo republicano. Considerado como desafecto al imperio, aun habría de sufrir prisión: la última; el 28 de agosto fue encarcelado con algunos otros diputados sospechosos de conspirar. La sublevación republicana de febrero de 1823 le dio al fin la libertad.

Ya no volvería a perderla, ¡pero le quedaba por vivir tan poco! Reelecto para el Congreso Constituyen-te, el 13 de diciembre pronuncia su célebre discurso "de las profecías", en que aboga por la república centralista y sostiene que, en todo caso, si se adopta el federalismo, sea éste atemperado. Victoria, el primer Presidente, le aloja en el Palacio Nacional, y la nación lo pensiona en 1824.

Era, decididamente, un hombre extraño. Lo fue hasta el último momento. Como viera próximo su fin, el 15 de noviembre de 1827 convidó en persona a sus amigos para que asistieran a su Viático, que se efectuó el día siguiente. La ceremonia fue esplendorosa, con procesión de comunidades religiosas, colegios, pueblo, una compañía de infantería y músicas militares. Ofició el ministro de Justicia y Negocios Eclesiásticos Ramos Arizpe. Y antes de recibir la hostia, el paciente pronunció un copioso y elocuente discurso para explicar y justificar su vida y opiniones. Días después, el 3 de diciembre, falleció. El Vicepresidente de la República, D. Nicolás Bravo, presidió los suntuosos funerales; y se dio a Fr. Servando sepultura en el templo de Santo Domingo, cárcel en la que tampoco halló reposo.

De intento nos hemos detenido en referir con alguna minuciosidad la vida de Mier. Es típica de su época, que lo fue más de acción que de pensamiento. Sin conocerla, sería imposible penetrar en la índole de la principal obra de Fr. Servando, o sean sus *Memorias,* acertado título bajo el cual se publicaron, en edición moderna prologada por Alfonso Reyes, la *Apología y relaciones de su vida* escritas por el P. Mier; relativa la primera a los incidentes y procesos que se siguieron al dominico por su sermón sobre la Virgen de Guadalupe, y destinadas las segundas a narrar lo que le sucedió en Europa desde su arribo a Cádiz en 1795, hasta la escapatoria a Portugal.

Obra de honda inquietud; memorias que tanto tienen de novela vivida como de libro de viajes, trazadas en llano y a las veces nervioso estilo por un ingenio ya grave, ya travieso, siempre ameno, a menudo gracioso, constituye este libro lo mejor del bagaje literario de Mier. El resto de su producción lo forman, además del tantas veces mencionado Sermón y cartas y discursos de controversia religiosa y política, la *Historia de la revolución de Nueva España* que con el seudónimo de *D. José Guerra* escribió y publicó Mier en Londres en 1813, en dos volúmenes, y de la cual, perdida casi totalmente en un naufragio la primera edición, hízose en México una reimpresión por acuerdo de la Cámara de Diputados, en 1922. Acaso el mérito de esta *Historia*, escrita sin plan, desmañada y confusa, no sea otro que el de haber sido la primera que se compuso sobre tal asunto. El espíritu de Mier, por sobrado inquieto, distaba de ceñirse a las disciplinas del historiador; era él, ante todo, un batallador, un combativo. Así, más que tal, su *Historia* parece alegato político; como política, siendo literaria, es la fisonomía de este extraordinario personaje —sutil razonador escolástico en quien latía el espíritu de los enciclopedistas franceses en radiante y fogoso amor por la libertad—, que fue precursor de la Independencia, obrero activo de ella, y, en el último período de su existencia, representante —como observa Alfonso Reyes— de "las primeras vacilaciones de la era constitucional", en la agitada y cruenta lucha entre federalismo y centralismo.

6. Si no del mismo temple, parecido a Fr. Servando por sus actividades de escritor, es D. MIGUEL GURIDI Y ALCOCER, quien nació en San Felipe Ixtacuiztla (Tlaxcala), el 26 de diciembre de 1763, y murió en México el 4 de octubre de 1828.

Alumno y catedrático del Seminario Palafoxiano de Puebla, doctor en teología y cánones, abogado del Ilustre y Real Colegio de México, ejerció de cura en las diócesis de Puebla y de México. Nombrado en 1810, por su provincia natal, diputado a las Cortes de España, marchó a la Península, en la que permaneció durante dos años e hizo lucido papel en las susodichas Cortes, de las que alguna vez fue presidente. Al regresar a México desempeñó, de 1813 a 1821, importantes cargos eclesiásticos. Triunfante la revolución, formó parte de la Junta Provisional Gubernativa, firmó el Acta de Independencia, fue diputado en los dos primeros Congresos y obtuvo por oposición la canonjía magistral de la Metropolitana.

Múltiples fueron las actividades intelectuales de Guridi y Alcocer. Si como orador sagrado fue fecundo (calcúlase que de 1791 a 1820 haya pronunciado mil seiscientas oraciones), como orador parlamentario, así en las Cortes españolas como en los Congresos mexicanos, rayó a considerable altura, mostrándose entusiasta panegirista de las libertades nacidas al amparo del régimen constitucional. Dícese que dejó escrito un *Curso de filosofía moderna*, así como que publicó en 1805, un *Arte de la lengua latina*. Aunque escasa y medianamente, no dejó de rendir tributo a la lírica: una oda y un soneto suyos aparecen en los *Cantos de las musas mexicanas* a propósito de la estatua de Carlos IV. Y, en suma, compuso un *Discurso sobre los daños del juego*, que ha alcanzado el privilegio de reimprimirse aún en nuestros días.

Sin embargo, Guridi y Alcocer sólo tiene un título para la recordación literaria: los *Apuntes de su vida*, formados por él mismo en fines de 1801 y principios de 1802, y publicados hasta 1906 por D. Luis García Pimentel. Menos variadas, menos coloridas que las *Memorias* del P. Mier, son éstas de Guridi, pero tienen un vivo interés para la historia de las costumbres, y atraen, sobre todo, como "documento humano". Bajo la influencia de Rousseau, Guridi y Alcocer toma su propia persona como sujeto de introspección; preséntase con sus vicios, con sus pasiones y las calidades de virtud que al lado de aquéllos cree tener; cuenta —adrede, siguiendo al modelo— lances y aventuras en que picardía y cinismo no se excluyen; y, en torno a su individuo, echa frecuentes ojeadas al medio social en que le tocó alentar. El libro está escrito con sobriedad y sencillez, y a menudo con elegancia; revela la prosa de Guridi que, en 1801, los modelos españoles del neoclasicismo habían logrado ya una completa transformación del gusto.

LA NOVELA

En los comienzos del siglo XIX, y dentro del período de la Independencia, aparece en México este género literario que, ya viejo en el mundo, apenas había tenido aquí cultivadores.

Caso singular y extraño: el cuento, tan genuino, tan característico de la literatura castellana desde sus albores, no se escribió en la Nueva España. Y, en cuanto a la novela propiamente dicha, tan sólo barruntos de ella registra la historia de las letras durante el coloniaje.

Francisco Bramón, bachiller y cancelario de la Universidad de México, publica en 1620 Los sirgueros de la Virgen sin original pecado, fábula pastoril por el estilo de la Galatea de Cervantes. De Antonio Ochoa, licenciado y presbítero oriundo de Puebla, asegúrase que escribió en 1662 una novela; pero de ella únicamente se conoce el nombre: Sucesos de Fernando o La caída de Fernando. Sigüenza y Góngora lanza en 1690 los Infortunios de Alonso Ramírez, relato histórico que por su cariz romancesco podría parecer novela; pero que, de hecho, no lo es. Y no hay más de novela ni de novelistas en el siglo XVII. Con menos fortuna todavía anduvo el XVIII. No lo ilustran, a ese respecto, sino Marcos Reynel Hernández y José González de Sancha. Reynel

Hernández, colegial y catedrático de teología en el Seminario Tridentino de México, compuso una enrevesada obra mística con cierta traza novelesca: El peregrino con guía y medicina universal de la alma (1750). Y, en cuanto a González de Sancha, presbítero, en 1760 escribió en estilo culto, y por cierto sin vistas al misticismo, una novela; novela —según Pimentel— de amoríos "livianos" y "poco decentes", intitulada Fabiano y Aurelia.

En realidad, y por lo antes dicho, no tuvimos propiamente novela colonial. La novela había de surgir coincidiendo con el movimiento insurgente. Y es de notar que, sin antecedentes literarios en el suelo nativo ni marcadas influencias extrañas, apareció de una pieza, y fue, desde el primer momento, profundamente mexicana.

La creó Fernández de Lizardi.

7. Periodista, novelista, costumbrista, poeta y autor dramático, es Don José FERNÁNDEZ DE LIZARDI —más comúnmente conocido por el seudónimo de El Pensador Mexicano— la figura literaria más importante, y, desde luego, la más popular de nuestras letras en el primer tercio del siglo XIX.

Nacido en la ciudad de México el 15 de noviembre de 1776, de familia modesta, apenas si —como se estilaba entonces— hizo estudios que le preparesen para la carrera literaria. Pasó su infancia y cursó primeras letras en Tepozotlán, de cuyo Seminario de Jesuitas era médico su padre. Volvió a México a estudiar latín; entró después en el Colegio de San Ildefonso para cursar filosofía; pero no llegó a obtener siquiera el grado de bachiller en la Real y Pontificia Universidad. La pobreza de sus padres lo obligó quizá a desertar de las aulas. Poco se sabe de su juventud. Créese que residió por algún tiempo en Tepozotlán. En México contrajo matrimonio por 1805 ó 1806. Tal vez por entonces —aunque no está confirmado —escribiera

en el *Diario* que acababa de fundarse. Su aparición en las letras data
de 1808, en que publicó su himno
intitulado *Polaca en honor de Nuestro Católico monarca el señor Don
Fernando Séptimo.*

Nada difícil sería que el autor
de la *Polaca,* al estallar la insurrección de 1810, estuviera ya en espiritual simpatía con ella. Siendo teniente de justicia en Tasco, en 1812,
al entrar Morelos en aquel lugar, le
entregó las armas, municiones y pólvora allí existentes; por lo cual Fernández de Lizardi fue traído preso
a México; bien que a poco se le dejó
en libertad por ser inocente.

Ya por aquel tiempo enardecíalo
la fiebre de la publicidad, que no le
abandonó en toda su vida. Autodidacto, nutrido en la lectura de libros
prohibidos que propagaban las ideas
de los enciclopedistas franceses, con
anterioridad a 1811 había lanzado
sus primeros folletos. Y proclamada
la libertad de imprenta que instituía
la Constitución de Cádiz, Fernández de Lizardi fundó en México su
célebre periódico *El Pensador Mexicano.* Fue en él un hábil y deno-
dado obrero de la libertad. Sus censuras al Virrey Venegas le llevaron
a la cárcel, a tiempo que la libertad
de imprenta —tan fugaz entonces como siempre— se suprimía. Pero
desde la cárcel seguía el periodista
escribiendo; a más de un inquieto,
era un convencido y un tenaz. *El
Pensador Mexicano* dejó de salir en
1814. Pronto le sucedieron otras
publicaciones: *Alacena de frioleras*
(1815), los *Relatos entretenidos*
(1819), *El conductor eléctrico* (1820).
Y, aparte periódicos, el incansable
Lizardi redactaba folletos y libros.
De éstos, ya antes de 1820 había
escrito los que le ganaron fama. Se
le leía; se le discutía. Era él, más y
más, un propagandista literario fervoroso: en 1820 establecía una *Sociedad pública de lectura,* que pro-
porcionaba por subscripción libros y
periódicos; en 1821, visitaba de nuevo la cárcel a causa de cierto diálogo intencionado y zumbón; en 1822,

metíase a defender a los francma-
sones, por lo cual se ganó la exco-
munión; al año siguiente sacaba otro
periódico: *El hermano del Perico;*
en 1824, *Las conversaciones del Payo
y el Sacristán;* en fin, en 1826, ensa-
yaba un postrer esfuerzo periodístico: el *Correo semanario de México.*

Sus últimos años —en que le minó
la tisis— los ha de haber pasado en
honrada pobreza y sin disminuir en
un ápice su laboriosidad: la junta
nombrada para recompensar a los
servidores de la Independencia hábia-
le asignado el sueldo de capitán retirado, y era, además, redactor de
la *Gaceta del Gobierno.* Falleció en
su propia ciudad natal el 21 de junio de 1827.

Fue ante todo, Fernández de Lizardi, un periodista. Social y literariamente así hay que considerarlo. Sin
preocupaciones de estilo, sin bellezas
de forma, sin sentimiento artístico,
él iba en derechura a su objeto. Y
éste era, esencialmente, en el orden
político, reformar; en el social, moralizar. Tales propósitos los persi-
guió en el periódico y en el libro;
y, por ello, en uno y otro, la personalidad del escritor es substancialmente la misma.

A los periódicos y misceláneas que
fundó y sostuvo, hay que añadir, como comprendidos en la obra propiamente periodística del *Pensador,* sus
folletos, de los cuales escribió muy
cerca de doscientos, sobre los más
diversos y variados asuntos. En lenguaje siempre asequible, lleno de
sabor popular, con admirable buen
sentido y no extraordinaria copia de
ideas, pues ni su pensamiento se re-
montó nunca demasiado, ni su cultura pasó de ser sino muy revuelta
y limitada, conseguía llegar al alma
popular. La causa de la libertad le
debió mucho; en tiempos peligrosos
y difíciles, en que la censura estaba
alerta, Fernández de Lizardi, con
sagacidad e ingenio, apelando ya
a la ironía, ya al sarcasmo, pero más
a menudo manteniéndose en un plano de razonamiento sereno, constituyóse en el más esforzado propa-

gandista de la Independencia. Pero, al mismo tiempo que escritor político, y aun más que escritor político, fue un moralista. Junto al patriota destacábase el observador y el analizador de la vida social de su tiempo.

No cabe duda que la tendencia moralizante y docente fue la que preponderó en Fernández de Lizardi como novelista. Cuatro son sus producciones novelescas: *El Periquillo Sarniento, La Quijotita y su prima, Don Catrín de la Fachenda* y *Noches tristes y día alegre.*

El *Periquillo* es una pintura intencionada de la vida mexicana en las postrimerías de la época virreinal. Relata las andanzas de un mocetón vivaz, medio truhán o truhán y medio, a quien azares de la fortuna inclinan a la existencia irregular y libre; pero que —a semejanza de los héroes de la picaresca española, de los cuales en línea recta desciende— muestra ciertos resabios de hombría de bien, de bondad, de generosidad, que al fin le redimen y salvan. El novelista pasea a Periquillo por diversos círculos de la sociedad mexicana: ya nos le presenta en el seno de un hogar honrado; ya en la vida estudiantil y luego en un intento de vida religiosa. La muerte de sus padres déjale solo y desamparado. Malas compañías lo llevan al hampa: es jugador y trapisondista; conoce la prisión; sirve —al modo de Lazarillo— a diversos amos; se casa y enviuda; pásanle diversas aventuras, entre otras la de un viaje a Manila con su correspondiente naufragio y refugio en una isla desierta. Retorna al cabo a México, donde aun le ocurren diversos lances, término de los cuales es su conversión a la vida honrada y pacífica: el empecatado trashumante rinde de nuevo la cerviz a la santa coyunda, tiene hijos, y, en fuerza de ser buen cristiano y amante del bien, y para evitar que aquéllos se abandonen al vicio, y "tomen sólo mal ejemplo de su padre, quizá con la necia esperanza de enmendarse como él a la mitad del camino de la vida", escribe en forma autobiográfica su peregrina historia, y al cabo muere, dejando a todos cuantos le rodean llenos de ternura, unción y consuelo.

Abundan en la novela las digresiones edificantes, y casi no hay episodio sin moraleja; tampoco faltan inocentes arrestos de erudición latina, revelados en la intercalación de proloquios y versos. Fernández de Lizardi combate vicios, ridiculiza malos hábitos, y —revolucionariamente— arremete en ocasiones contra el estado político existente. Su pupila es ágil para ver el fondo y percibir los contornos: reproduce ambientes, crea tipos, desarrolla con gracia episodios; y ya que no conmueve, interesa, convence y hace reír. De esta suerte, el *Periquillo* resulta incomparable como cuadro de una época. Es el mejor museo de nuestras costumbres en el ocaso virreinal.

Sin primores ni galas, llana y fácil, la prosa del *Pensador* va a lo que se propone, o sea a entretener enseñando. Describe con sobriedad; analiza parcamente, sin rehuir al más crudo realismo. Nadie como él alcanzó a penetrar en la médula del vivir nacional; y no ya cronológicamente, sino desde el punto de vista del *mexicanismo*, es nuestro primer novelista.

Mereció el *Periquillo*, desde su aparición, extraordinaria popularidad. Publicado por primera vez —aunque incompleto, por prohibición del gobierno virreinal— en 1816, presto tuvo una segunda edición; y, a partir de la tercera (1830-31) en que apareció íntegro, más de quince reimpresiones ha alcanzado hasta hoy.

Con mejor, aunque no despreciable fortuna, corrió *La Quijotita y su prima* (1818): novela moral, y también pedagógica, influida de seguro por Rousseau, a la que podemos considerar como hermana de *Periquillo*, aunque inferiorísima a él. Si en su primera novela perseguía Fernández de Lizardi "criticar las costumbres de los hombres extraviados y ridiculizar sus vicios más groseros", en la segunda se propone "dar una enjabonadita a las mujeres". Por lo cual presenta a dos: fruto, la una, "de una educación vulgar y maleada"; y producto, la otra "de una crianza moral y purgada de las más comunes preocupaciones". En el contraste —declara el novelista— "se hallará la moralidad de la sátira, y en el paradero de ambas señoritas el fruto de la lectura, que será o deberá ser el temor del mal, el escarmiento y el apetito del buen obrar". La fábula, no obstante, es tan desmayada, y tan frecuentes sus digresiones, que peca de soporífera; sin que por ello dejemos de reconocerla como documento curioso para la historia de las costumbres.

La *Vida y hechos del famoso caballero D. Catrín de la Fachenda* fue la tercera y última novela que escribió Lizardi. Se publicó en edición póstuma, en 1832. Relato picaresco por el mismo estilo y sabor del *Periquillo*, diferénciase de éste —aparte la trama e incidentes naturalmente diversos— en que tiene por héroe a un tipo social distinto: el *catrín*, o sea el gomoso o *fifí* de los tiempos coloniales.

De diversa índole son las *Noches tristes y día alegre* (1818): diálogos novelescos y autobiográficos en que, inspirado en las célebres *Noches lúgubres* de Cadalso, muy en boga a la sazón, el *Pensador* relata las penalidades que sufrió durante la guerra de Independencia. Aunque artificiosa, tiene esta obra singular importancia, y constituye un dato en nuestra historia literaria: es la primera manifestación de influencia del "preromanticismo" europeo en las letras mexicanas.

Fernández de Lizardi cultivó también la poesía. Su inspiración no era ciertamente muy elevada, ni su versificación pura y limpia. Era la suya —expresa pintorescamente Luis G. Urbina— "una musa que no se desdeñaba de recorrer, con la greña suelta, los suburbios de México, y de compartir la vida íntima del *lépero* y del *catrín*, para conocerlos y tra-

tarlos mejor"; y, por este concepto, aparece como precursor de Guillermo Prieto. Sus tendencias irremediablemente moralizantes encontraron, como era natural, dentro de una forma de la poesía didáctica, su más propio acomodo: la fábula; y eso fue, principalmente, aquel poeta venido a la zaga del prosaísmo: un fabulista; un fabulista en quien, a la moda del tiempo, influyeron los españoles Iriarte y Samaniego, sobre todo este último. Las *Fábulas* del *Pensador* imprimiéronse en 1817.

Mas por si algo faltare a su actividad literaria, este escritor no se desentendió tampoco del teatro. Originales suyos son: la segunda parte de un melodrama muy popular en aquellos tiempos: *El negro sensible* (1825); el *Auto Mariano para recordar la milagrosa aparición de Nuestra Madre y Señora de Guadalupe,* y una pastorela: *La noche más venturosa o el premio de la inocencia;* sin contar dos piezas más que se le atribuyen, aunque no han sido publicadas: *La Tragedia del Padre Arenas,* en cuatro actos y en verso, y el monólogo en verso endecasílabo *El unipersonal don Agustín de Iturbide.* Posiblemente no mejorarían estas ignoradas obras la calidad de las primeras: su contribución al teatro dista de recomendar como escritor dramático al novelista mexicanísimo.

De rico contenido "folk-lórico" e histórico, la obra enorme de D. José Joaquín Fernández de Lizardi —periodística, novelesca, lírica, dramática— se ha reducido, en la estimación literaria de la posteridad, a la novela. Y aun de este género podría creerse que sólo un libro del *Pensador* queda en pie: el *Periquillo*.

* De esta obra clásica existe edición económica publicada en 1959 en la colección "Sepan Cuantos...", de la Editorial Porrúa, S. A. Lleva prólogo de Jefferson Rea Spell, quien preparó para la misma Editorial un volumen que recoge D. *Catrín de la Fachenda* y *Noches tristes y día alegre,* y forma parte de la "Colección de escritores mexicanos". (México, 1959.)

CUARTA PARTE

DE LA CONSUMACION DE LA INDEPENDENCIA A 1867

CAPÍTULO I

CLASICOS Y ROMANTICOS

1. *La lucha política.*—Por medio de la revolución de Independencia, México se había emancipado de España. Obtenido esto, le faltaba emanciparse del régimen colonial, y tal fue la causa de la ininterrumpida y trágica lucha que llena uno de los más dramáticos ciclos de nuestra historia: el que va de 1821 a 1867.

Dos tendencias estaban en pugna: la que substancialmente aspiraba a conservar aquel régimen; la que pretendía destruirlo. Cerca de medio siglo dura la disputa. Establecida la Regencia, la contienda de los partidos apunta en el primer Congreso Constituyente Adoptada como sistema de gobierno la monarquía moderada constitucional con un Borbón por soberano, al rechazar España el Tratado de Córdoba, plantéase la primera cuestión: ¿se mantendría el régimen monárquico encabezado por príncipe de otra familia reinante que no fuese la española, o bien se proclamaría la República? No era éste, en realidad, sino un aspecto secundario respecto de la todavía confusa pugna de principios ya dominante. Lo de menos son las formas de gobierno; lo de más, las fuerzas que actúan. Había aparecido el primer caudillo: Iturbide. Lo adora la plebe; lo apoya el Ejército. Y por el prestigio de las armas se impone al Congreso; un sargento, Pío Marcha, lo proclama Emperador. El Ejército interviene por primera vez en la política. Volverá a intervenir a poco: el mismo año de la proclamación del Imperio —1822— en octubre, un general —Santa Anna— proclama la República.

En torno a la república la lucha de partidos se concreta. ¿Será aquélla central? ¿Será federal? La pugna entre federalismo y centralismo no hace sino encubrir en realidad estos dos propósitos: conservación de privilegios; destrucción de privilegios. Quienes en su mayoría los poseen —es decir—, los conservadores, optan por el centralismo. Los *puros*, o sea los que van en contra de las riquezas y privilegios de la Iglesia y contra el viejo partido español, y que ya se encuentran contaminados por un prurito de imitación de las instituciones norteamericanas, se declaran federalistas.

Un general es el primer Presidente. La disputa por la Presidencia se entabla, desde entonces, entre generales. A Victoria sucede Pedraza; a Pedraza, por medio de un pronunciamiento, lo derroca Guerrero. Otro pronunciamiento entroniza a Bustamante. A partir de entonces, sucédense sistemas, hombres, situaciones. México pasa del federalismo al centralismo; del centralismo al federalismo. Una constitución sigue a otra. La guerra civil es incesante. Pronunciamientos, sublevaciones, "planes", sucesión vertiginosa de hombres en el poder. Se hace un paréntesis: el de una guerra extranjera; guerra injusta —característicamente de rapiña—: la invasión norteamericana de 1847, que ocasiona la primera desmembración del territorio. Vuelta a la guerra civil y a la anarquía, cuando aun no nos rehacíamos de los quebrantos de aquella desigual lucha. La dictadura se entroniza; sólo que entonces no parece ser pasajera: se la declara indefinida. La revolución de Ayutla, en 1855, arroja del poder a Santa Anna, quien lo detenta y sustenta rodeado por el partido conservador. La lucha es entonces implacable, cruenta, sin cuartel. El partido reformista, tras de haberse promulgado la Constitución Federal de 1857, y desarrollando la ruda contienda comúnmente conocida con el nombre de Guerra de Tres Años, parece afirmarse en el poder. Surge la amenaza de la Alianza Tripartita. El peligro de una triple intervención europea se desvanece; queda en pie y en marcha la intervención francesa. En ella se apoya, para sobrevivir a su derrota, el partido conservador. Conservadores y liberales, en el último acto de la tragedia, adoptarían otros nombres —los que implícitamente les daba la pugna creada en torno a un sueño de imperio—: imperialistas y republicanos. Efímero fue aquél: lo epilogó el drama de Querétaro.

"Con el imperio, con la guerra que oficialmente fue llamada de la *segunda independencia* —escribe D. Justo Sierra— concluye el gran período de la revolución mexicana, en realidad iniciado en 1810, pero renovado definitivamente en 1857. En la gran fase postrera de esta brega de más de medio siglo, México había perdido en los campos de batalla, y por las consecuencias de la guerra, más seguramente de trescientas mil almas, pero había adquirido un alma, la unidad nacional; en todas partes se había luchado; si se hubiera podido pulverizar la sangre vertida, todo el ámbito del país, palmo a palmo, habría quedado cubierto de un rocío de sangre; había sido fecunda."

Al sobrevenir la restauración republicana en 1867, al menos en el orden político, México se había emancipado del régimen colonial.

2. *El estado de las letras.*—Sin volver los ojos al escenario político, sería imposible explicar el cariz de la literatura mexicana en este período. Ideas y formas, personalidades y es-

cuelas: todo parece ligarse con la política. Si la literatura fue política en la época anterior, en la presente fueron políticos los literatos. Aseguraríase que, en fuerza de influir sobre las letras, la política demarca no sólo las actividades de los escritores, sino, lo que es más: las escuelas literarias.

La lucha política, por lo que a las doctrinas en pugna respecta, desarrollóse preferentemente en la tribuna y en la prensa, y ella generó también una nueva actividad en las letras: el cultivo de la historia contemporánea. La batalla se libraba en el recinto parlamentario, en los periódicos, en las páginas también vibrantes de elocuencia, y nunca exentas de pasión, de los políticos historiadores que reseñaban los propios sucesos de que eran testigos y a las veces actores.

Fuera de la historia y de la literatura política que halló su campo en el periodismo y en el folleto, el estado de los demás géneros propiamente literarios era bastante precario a raíz de la consumación de la Independencia. Tras de Fernández de Lizardi se hace un largo paréntesis de silencio en la producción novelesca. El teatro —aparte manifestaciones aisladas y de valer muy diverso— apenas si es cultivado activamente en las postrimerías de este período. En cuanto a la poesía, la situación que guardaba hacia 1830 distaba de ser floreciente. Un contemporáneo —D. José Bernardo Couto— afirma que el "ruido de las armas y la revolución que desde 1810 en adelante ha trabajado la tierra, para nada dejaba sosiego". La lucha lo señoreaba todo. El propio Couto se queja de la "invasión de los estudios políticos y económicos, que se llevaron poderosamente la atención de muchos, y casi ahogaron la delicada planta de la literatura". La poesía —según él— se hallaba en "miserable punto". "Hay que convenir —agrega— en que habíamos atrasado en vez de adelantar."

De los poetas relevantes del período anterior todavía alentaban y seguían rimando Ortega y Sánchez de Tagle. Quintana Roo había enmudecido; en realidad, muy poco cantó siempre. Y a aquellas líricas voces se asociaba la de un extranjero, el gran poeta cubano D. José María de Heredia, autor de la oda famosa *Al Niágara* y de *El Teocalli de Cholula*.

Heredia había nacido en Santiago de Cuba en 1803. Muy niño anduvo con sus padres por la Florida, Santo Domingo y Venezuela. Había estudiado filosofía en Caracas, jurisprudencia en La Habana, y venido a México a principios de 1819 con el autor de sus días, quien había sido nombrado alcalde del crimen y aquí falleció en 1820. De vuelta en su país natal, por hallarse complicado en una conspiración a favor de la independencia, Heredia fue condenado a destierro perpetuo en 1823. Emigrado en Nueva York, publicó allí en 1825 la primera edición de sus poesías. El mismo año, llamado por el Presidente Victoria, retornó a México. Ocupó algunos puestos oficiales, entre otros el de empleado en la Secretaría de Gobierno, juez en Cuernavaca, diputado a la legislatura del Estado de México; aquí formó su hogar casándose con mexicana, y murió en México en 1839

El torbellino revolucionario había hecho recorrer en poco tiempo a Heredia —como él mismo decía— una vasta carrera, "y con más o menos fortuna había sido abogado, soldado, viajero, profesor de lenguas, diplomático, periodista, magistrado, historiador y poeta, a los veinticinco años". Con este carácter descolló entre nosotros. Una segunda edición aumentada de sus poesías hízose en Toluca en 1832. Ilustró Heredia con sus consejos a los escritores que empezaban: redactó diversos periódicos; seguramente ejerció influjo en la propagación de las nuevas corrientes románticas, ya que era devoto de Chateaubriand y había traducido e imitado a Young, a Lamartine, a Fóscolo. Mas —aunque a ello con-

tribuyese— no fue Heredia el restaurador de nuestra poesía en la época a que nos referimos. Tal título lo comparten Pesado y Carpio. El intento y el impulso de restauración afirmóse, además, en la Academia de Letrán.

3. *La Academia de Letrán.*—Fue ésta en sus orígenes una libre reunión de muchachos de la que pudiéramos apellidar nuestra primitiva bohemia literaria. En un cuarto del antiguo Colegio de San Juan de Letrán vivía, haciendo vida de anacoreta, el joven abogado D. José María Lacunza. El tal cuarto que —según lo describe Guillermo Prieto en las *Memorias de mis tiempos*— "propiamente podría llamarse celda, con sus altas ventanas, sus desnudos ladrillos y su cancel en la puerta, estaba totalmente tapizado de libros, sin más claros que el que ocupaba una angosta mesa que sería calumnioso llamar bufete, en un extremo de la pieza y en el opuesto un catre aislado y como llevado con carácter provisional a aquel lugar. Completaba el ajuar una mesilla de palo blanco, y en ella, o provocando, o atestiguando el apetito del dueño, una portavianda de hojalata y un cántaro poroso con agua pura". Lacunza, que había sustentado un brillante acto de filosofía, se dedicaba a las ciencias naturales, había aprendido por sí diversos idiomas, y, como literato, dádose a conocer por una oda sobre la invasión de Barradas. Daba o suplía las cátedras todas del Colegio, gozaba de memoria prodigiosa, era extraordinario dialéctico, y alimentaba una sola pasión: la de devorar libros.

Entre los poquísimos amigos que tenía, concurrían a su cuarto su hermano Juan Nepomuceno, Manuel Toniat Ferrer y Guillermo Prieto, todos poetas en agraz. Llegaban a hora determinada con sus "rollos de versos en los bolsillos". Leían sus composiciones, por turno, los autores; alguno de los presentes pedía la palabra para hacer notar los defectos de los versos escuchados; armábanse a veces, con este motivo, zambras tremendas; y por estricta mayoría se aprobaba o se corregía la composición. "Tenían ostensiblemente —expresa Prieto— aquellos ejercicios literarios el aspecto de un juego; pero en el fondo, y merced al saber de Lacunza, los nuestros eran verdaderos estudios dirigidos por él las más veces." Salían con este motivo a relucir nombres antiguos: Horacio y Virgilio, Herrera o Fray Luis. Y con ellos se barajaban los de poetas cuya gloria ya de Europa trascendía: Goethe y Schiller, Ossián y Byron.

Más de dos años duraron aquellos literarios ejercicios. Y una tarde de junio de 1836 —cuenta el que más tarde se llamaría *Fidel*— los chicos resolvieron valientemente establecerse en Academia que llevara el nombre del Colegio famoso, instalarse al momento y convidar a los amigos aficionados a las letras, a los cuales no aceptarían sino con aprobación unánime. Cobró de pronto el exiguo auditorio cierta compostura. Corrió el discurso de apertura a cargo de José María Lacunza. Una piña rebanada, espolvoreada con azúcar y hermanablemente repartida entre los presentes formó el menú del banquete inaugural, que fue asimismo amenizado con ruidosas improvisaciones. En aquella corporación sin precedente no había reglamento. A quien aspirase a ser socio bastábale presentar una composición en prosa o verso y que fuese aprobada; con la particularidad de que, leídas tales composiciones, los autores nombraban defensores y las entregaban a debate.

¡Quién diría que de esta "muchachada" derivó uno de los impulsos más serios, más sostenidos y generosos que recibiría la literatura mexicana! En la Academia de Letrán empolló la generación que hubo de llenar medio siglo de la historia de nuestras letras. Un viejecito llamó a la puerta; los jóvenes fundadores, por aclamación, lo eligieron presidente perpetuo: era Quintana Roo.

Carpio y Pesado entraron después "como dignos representantes de la literatura clásica"; otro tanto hicieron D. Francisco Ortega y D. Alejandro Arango y Escandón. Allí estuvieron presentes, además, Calderón y Rodríguez Galván, el futuro y batallador Obispo Munguía y D. Ignacio Aguilar y Marocho; Gorostiza e Ignacio Ramírez, el que después ostentaría el seudónimo de *El Nigromante,* el que a título de furioso jacobino empezó por escandalizar a la docta agrupación negando a Dios, y el que andando el tiempo sería el doctrinario de la revolución reformista.

Desde 1836 hasta 1856, la Academia celebró sus juntas semanarias en el mismo Colegio de su nombre. Allí se abrieron discusiones, se sustentaron tesis, se fijaron principios. La libre crítica ejercía su noble influencia depuradora. Hiciéronse estudios gramaticales y en especial prosódicos para desterrar inveteradas corruptelas a que daba lugar la propia y peculiar habla. Democratizó la Academia los estudios literarios al agrupar, sin distinción de edad y caudales, o de opiniones políticas y aun religiosas, a quienes cultivaban las letras. "Nacida —escribe Guillermo Prieto— de cuatro estudiantes sin fortuna, y entrando indistintamente en ella próceres y sabios que cedían sus puestos a meritorios de oficinas, dependientes de librerías y vagabundos como Ramírez, se verificaba espontánea una evolución en la que el saber, la luz, la inspiración y el genio, alcanzaban noble y generosa supremacía." Pero lo más grande y trascendental en ella fue, sin duda, "su tendencia decidida a mexicanizar la literatura, emancipándola de toda otra y dándole carácter peculiar". En novelas, poemas, leyendas y dramas los escritores se imponían temas nacionales, ya estuviesen éstos relacionados con el pasado precortesiano y colonial, o bien se tratara de cuadros de costumbres o descripción de tipos y paisajes nuestros.

En tanto que el Conde de la Cortina repartía alfilerazos en *El Zurriago,* periódico de ruda y provechosa sátira, más que literaria, gramatical, y que otro poeta español, D. Casimiro del Collado, fundaba con D. José María Lafragua en 1841 *El Apuntador,* publicación literaria y de crítica teatral; los activos miembros de la Academia de Letrán no se desdeñaban tampoco de hacer trabajar a las prensas: Guillermo Prieto redactó un periódico, *El Domingo,* en el que salieron sus primeros ensayos de costumbrista; Rodríguez Galván publicó los tomos que con el título de *Calendario de las señoritas megicanas* y conteniendo trabajos literarios en prosa y verso aparecieron sucesivamente en 1837, 38, 39, 40, 41 y 43 y fueron, en cierto modo, precursores de los elegantes *Presentes amistosos* de Cumplido.

Dentro de la Academia de Letrán, y fuera de ella, en el ambiente literario al igual que en el político, pudieron distinguirse dos bandos: el que sostenía la tradición; el que aspiraba a renovarse. Por ello podía creerse que romanticismo y clasicismo tuvieron entonces, más que una significación literaria, una significación política. Sin excepción, los escritores que militaron en el partido conservador fueron clásicos; y, salvo alguna, románticos los afiliados al liberal. Entre los primeros se contaban personalidades en su mayoría pertenecientes a las altas clases sociales, de firmes disciplinas y depurada educación literaria, escritores pulcros que se inspiraban en los modelos antiguos y en los españoles del siglo áureo. Eran los segundos, en buena parte, ingenios sin preparación artística esmerada, en quien la franqueza del impulso se resolvía en menor sujeción a los preceptos; naturales simpatizadores de las nuevas formas que de fuera venían, aunque todavía incapaces de asimilarlas dándoles carta de naturaleza en la literatura patria.

4. *El romanticismo.*—Los orígenes del romanticismo mexicano se remontan a los alrededores del año 1830. Fueron franceses —salvo Byron— las primeras fuentes de inspiración. Después el romanticismo español influyó directamente, al través de Espronceda y del Duque de Rivas en la lírica, y de García Gutiérrez en el teatro.

De algunas poesías de Fernando Calderón escritas por el año de 26 a 27, trasciende ya un cierto aroma romántico. Son francamente románticas las de Rodríguez Galván, que datan de los treinta y tantos. Un poeta mexicano, Castillo y Lanzas, traduce a Byron. Una de las *Meditaciones* de Lamartine la vierte Calderón al castellano en 1840. En 1838 estrénase el primer drama romántico: *Muñoz, visitador de México,* de Rodríguez Galván. Del año siguiente al 42, aparecen en escena, una a una, las tres piezas románticas de Fernando Calderón.

¿Podría considerarse el romanticismo mexicano como una mera trasplantación artificiosa obligada por la moda, o tuvo aquí el romanticismo —como en otros países, como en todas partes— razón de ser que obedeciese a menos externa causa?

Pocos términos habrá habido tan cambiantes, tan ambiguos de connotación, tan poco definidos y claros como los de "romanticismo" y "romántico". En el siglo XVIII tomábase este último en Francia por sinónimo de "romancesco", térmínó que —según Petit de Julleville—[1] tiene en Rousseau "el sentido de pintoresco con un tinte de melancolía salvaje". Madame de Staël acierta con la primera significación literaria; opone la poesía clásica, nacida de la imitación de los antiguos, a la romántica nacida del cristianismo y la caballería. Y entendido en esta forma fue como el romanticismo —define Eduardo Maynial—[2] "fue una reacción: contra las reglas estrechas de la razón, insurreccionóse la libre fantasía de la

---

[1] *Histoire de la Littérature Française.*
[2] *Littérature Française Moderne et Contemporaine.*

imaginación; contra la severidad del gusto ideal, la tumultuosa complejidad de la naturaleza; contra el culto fanático de la antigüedad, la curiosidad insaciable de las literaturas extranjeras modernas".

Pero el romanticismo no sólo fue destructor; fue creador. Rompió con preceptos literarios adocenados en fuerza de petrificarse; a la evocación incesante de la antigüedad clásica opuso no sólo la de la Edad Media, sino la de la Moderna y aun tomó, para asunto de dramas y poemas, episodios de la contemporánea y actual. Opuso, sobre todo, a la impasibilidad fría, la exaltación del sentimiento. "En la poesía clásica —explica Maynial— el poeta está ausente de su obra. En la romántica, el individualismo triunfa, el 'yo' emancipado se ostenta, se cuenta, se confiesa."

Por otra parte, tanto o más que una moda literaria, el romanticismo fue un "estado sentimental" que, en un momento dado de la civilización, tuvo por escenario al mundo. Más allá de la literatura, trascendió a todas las artes: a la pintura, a la escultura, a la música. Se infiltró en las costumbres. Condicionó en cierto grado los modos de ver, de vestir, de hablar, de sentir. Percibimos un paisaje romántico, como un romántico atavío. Se es romántico en la parla como en el amor. Privan, sobre todo, en el romanticismo, imaginación y sensibilidad.

Y precisamente en esta forma de sentimiento —de "sentimiento romántico"— fue como aquella novedad literaria trascendió a México casi contemporáneamente a su entronización en Europa. Fue el elemento lírico y subjetivo el que se impuso aquí.

Ni podía ser de otra manera. Aunque país de abolengo clásico, en México el romanticismo no tenía razón de ser como elemento destructor, de reacción contra el clasicismo. Ni sobra de éste había quedado con el desbarajuste culterano de más de un siglo. Y ni el neocla-

sicismo, débilmente, primero; ni, a continuación de éste —que fue fugacísimo—, el retorno a las puras formas clásicas del Siglo de Oro español que representaban poetas como Pesado y Arango y Escandón, constituían modalidad literaria que, por general y persistente, fuera capaz de generar una revolución en las letras, que trabajosamente renacían después de la lucha por la emancipación política.

Penetrando en nuestra literatura, en nuestros hábitos, por razones de obvia simpatía, el sentimiento romántico prosperó en México. El espíritu, el ambiente, la época, mostrábanse aquí propicios a aquella fiebre sentimental. La tormentosa era política que va de la consumación de la Independencia a la tragedia de Querétaro en 1867, es, por esencia, romántica: lucha del espíritu de reforma contra la tradición imperante. La naturaleza, la sociedad, el alma —como ha señalado Luis G. Urbina— "eran a propósito para recibir y difundir la nueva manifestación literaria". "Poseíamos los elementos psíquicos; la expresión nos vino de fuera; la emoción la teníamos ya; era nuestra desde hacía muchos años."

Claramente se percibe el fenómeno desde sus primeras manifestaciones en nuestras letras. Inconfundiblemente romántico es Calderón; aunque sus dramas —por ingenuo afán de imitación literaria que desgraciadamente no se sobrepuso al empeño de crear con elementos propios— se forjen con asuntos medievales europeos, hay en ellos un personal, un auténticamente personal sentimiento romántico. Tal sentimiento se va acentuando en la novela. Románticos son Orozco y Berra y Díaz Covarrubias; y también —rabiosa, insufriblemente— lo es Florencio M. del Castillo. A medida que el tiempo pase, el romanticismo se irá acentuando en poesía. Encontrará su plena exaltación, al sobrevenir el período siguiente, en Manuel Acuña. Lo sentiremos vivo, más que nunca presente, en las novelas de Altamirano; en los primeros cuentos y en las primeras odas de Justo Sierra. Y alcanzará atemperada, íntima, elocuente expresión durante la época del modernismo en la obra de algunos de los mejores poetas de fines del siglo.

Si el romanticismo no existió como reacción contra lo clásico, ni tampoco tuvo traza de exhumación arqueológica e histórica con vistas a la leyenda indígena o al pasado colonial; fue, sin embargo, una incontestable realidad literaria como tendencia lírica y subjetiva.

No hubo en México propiamente lucha entre clásicos y románticos. Las dos tendencias —que en política se oponían— convivieron pacíficamente en el campo literario. Ambas llenan el presente período, en el cual parece cosa extraordinaria que, en medio a la intensidad fulgurante del drama político que ocupa medio siglo de la era independiente, altos y nobles espíritus volviesen sus ojos hacia un ideal imperecedero: el de la belleza y el arte, para construir, para crear, como realmente crearon y construyeron preparando el más brillante período de las letras mexicanas.

LA POESIA

Las dos tendencias sociales que luchan en este tormentoso período tienen su reflejo en la poesía: la tradicionalista o conservadora, representada por los clásicos; la renovadora o revolucionaria, por los primeros románticos. Son, por lo común, aquéllos humanistas de refinada cultura, escritores acicalados y pulcros, un tanto fríos; a diferencia de sus inmediatos predecesores, desdeñan el seudoclasicismo blando y artificioso, para remontarse a los más puros modelos antiguos. Sus antagonistas, casi todos improvisados y sin preparación literaria suficiente, se caracterizan por su inquietud, por su espontaneidad, por su encrespada rebeldía; sienten y expresan más libremente: en ellos apunta una nueva sensibilidad.

LOS CLASICOS

1. D. José Joaquín Pesado es, sin duda, la más prominente figura de este grupo. Nació en San Agustín del Palmar, de la provincia de Puebla, el 9 de febrero de 1801. Habiendo perdido a su padre en edad temprana, con su madre se radicó en Orizaba, donde su familia poseía no escasos bienes de fortuna, y donde, bajo la dirección materna, recibió educación esmeradísima. Era hombre de profunda fe religiosa y por naturaleza inclinado a las disciplinas de la cultura. Intelectual y espiritualmente formado ya a los veinte años, se consagró, aparte la propia, al estudio de las lenguas latina, italiana, francesa e inglesa; adquirió rudimentos de griego, penetró en el conocimiento de la teología y de las ciencias políticas, naturales y exactas, formando así el caudal de una seria y sólida erudición que fue acrecentando durante toda su existencia. En 1822 se casó con doña María de la Luz de la Llave y Segura —la *Elisa* de sus versos—. El cultivo de las letras, la administración de su patrimonio, y más tarde la vida pública, absorbieron sus actividades. Afiliado a las ideas liberales, figuró en la política del Estado de Veracruz en 1833 y 34; fue ministro del Interior en 1838 y de Relaciones Exteriores en 1845 y 46. Sus ideas políticas y sociales se fueron transformando, empero, hasta acabar por inclinarle hacia el partido conservador, en el que ingresó al cabo y figuró en primera línea entre sus más distinguidos escritores. Establecido definitivamente en México desde 1851, gozando de posición independiente y holgada y de singular consideración social, al reinstalarse la Universidad en 1854 fue nombrado doctor en filosofía y tuvo a su cargo la cátedra de literatura; la Real Academia Española le hizo miembro correspondiente suyo, y en plena actividad literaria lo sorprendió la muerte el 3 de marzo de 1860.

Poeta fue, ante todo, D. José Joaquín Pesado; y, como tal, lo caracterizan dos particularidades: su hondo sentimiento cristiano, y su filiación clásica, filiación que en él derivaba —al revés de algunos de sus contemporáneos e inmediatos antecesores— no del clasicismo del siglo XVII, sino del ítalo-español del siglo XVI. Si su poesía juvenil se resiente de defectos, principalmente prosódicos, por lo demás comunes a los poetas de su tiempo; la de la madurez es tan pulida y diáfana, que Menéndez y Pelayo ha podido afirmar, respecto de la producción de Pesado, que es "la más igual en conjunto de cuantos poetas americanos haya visto", y que uno de los poemas de Pesado —la elegia *Al ángel de la guarda de Elisa*— es "digna de cualquier poeta español del Siglo de Oro".

La producción poética de Pesado se extiende a todos los géneros, y en casi todos es igualmente valiosa. En sus *Rimas amorosas*, de una suave y honesta ternura —*La primera impresión de amor, Mi amada en la misa de alba, El valle de mi infancia*—, inspírase visiblemente en Petrarca y Herrera. Aunque más personal, menos inspirado y sobrado monótono aparece en sus poesías morales —v. gr., *El hombre, El sepulcro*— en las cuales hay que admirar, sin embargo, la perfección con que maneja el verso suelto. Hay superioridad notable, sobre lo anterior, en sus poesías descriptivas. Adviértese en ellas, a más de originalidad y perfección de forma, un pintoresco y delicioso mexicanismo. Pinta allí el poeta "escenas del campo y de la aldea en México": una procesión y un banquete pueblerinos, una corrida de toros, una pelea de gallos, el mercado, la serenata, los volantines y los fuegos; o bien "sitios y escenas de Orizaba y Córdoba": las cumbres de Acultzingo, la fuente de Ojozarco, los rebaños trashumantes, la sierra, una tempestad de noche, el Pico de Orizaba.

Fue el introductor del género indígena en la poesía mexicana con su colección intitulada *Los Aztecas*: "traducciones o glosas" —según el poeta decía— de viejos cantares indios, entre los que figuran los atribuidos a Nezahualcóyotl; aunque en realidad, y por lo mismo que Pesado ignoraba las lenguas indígenas, poesías originales de las más hermosas —recuérdese el lindo romance *La princesa de Culhuacán*— que escri-

bió. Distínguelas, no obstante, un grato sabor arqueológico; y aludiendo a ellas ha expresado el Obispo Montes de Oca que "tiene el vate mexicano el insigne mérito de haber estudiado la historia y el carácter de los aztecas, de haber penetrado, si así puede decirse, en lo íntimo de su alma, y de haberlos hecho cantar en castellano con la armonía, dulzura, ritmo y fuego semisalvaje con que ellos hubieran versificado en su propio idioma".

En sus poesías sagradas, la musa de Pesado cobra altos y majestuosos vuelos. Ya se ha dicho que él era, por esencia, un poeta cristiano. "Concebir belleza, bondad y verdadero amor sin Religión —escribía—, es crear figuras sin movimiento o más bien cadáveres sin alma. El mundo moral sería un árido desierto, si el soplo divino no lo vivificase de continuo." Su poema *Jerusalem* y sus *Alabanzas a la Santísima Virgen* son, en este capítulo, de lo más noble y sentido.

No fue extraño a la poesía épica, bien que de ella sólo dejó dos poemas inconclusos: *Moisés* y *La Revelación*. Y, en suma, buena parte de su obra la ocupan traducciones, imitaciones y paráfrasis. Puede considerársele —en el sentir de Menéndez y Pelayo— como uno de los poetas que más han imitado y traducido. A semejanza de Horacio y Virgilio, de Garcilaso y Andrés Chénier, abundan en sus versos imitaciones y reminiscencias de los poetas clásicos: "caso de transfusión de la poesía antigua en las venas de la nueva"; pero no fue poco ni dejó de ser variado lo que total y directamente vertió en otras lenguas a la castellana. Débiles son sus versiones de Teócrito y de Sinesio, en virtud de no ser directas; débil también la de la oda famosa de Manzoni *El Cinco de Mayo*, por ser ya de suyo el original intraducible, y poco afortunadas las que hizo de Lamartine. Mas, en cambio, están consideradas como excelentes sus traducciones de Horacio; no tiene par, en lengua castellana, la que logró de algunos fragmentos de *La Jerusalem Libertada,* de Tasso. Y, en fin, aunque no directa, porque Pesado ignoraba el hebreo, su versión de los *Salmos* y de *El Cantar de los Cantares* —hábil fusión esta última, según Menéndez y Pelayo, de la manera de Fr. Luis de León con la de los traductores italianos del mismo poema— pasa por ser de lo más acabado que salió de su pluma.

Las poesías de Pesado se imprimieron por primera vez en 1839. Siguió a ésta una segunda edición en 1849. La tercera, única completa, publicóse en 1886.

2. D. MANUEL CARPIO comparte con Pesado el puesto de sostenedor y renovador de la poesía clásica en México.

Había nacido Carpio en la villa de Cosamaloapan, de la antigua provincia de Veracruz, el 1º de marzo de 1791. Muy niño se trasladó con su familia a Puebla, donde murió su padre y perdieron los bienes de fortuna que tenían. En el Seminario Conciliar de aquella ciudad estudió latinidad, filosofía y teología; y en la biblioteca que le fue franqueada por uno de sus maestros, se engolfó, todavía adolescente, en la lectura de libros de religión e historia antigua, y de clásicos griegos y latinos, echando así las bases de su educación literaria. Aunque por naturaleza profundamente religioso, no abrazó la carrera eclesiástica y hubo de optar por la de medicina, que siguió en la Universidad de México y para cuyo ejercicio obtuvo el título correspondiente en 1832. Sirvióla con nobleza, caridad y entusiasmo durante toda su vida. Muy joven tradujo los *Aforismos y pronósticos de Hipócrates* y trabajó después por el desarrollo de las ciencias médicas, ya como catedrático, ya como publicista o como activo académico. Sus hábitos de estudio, su mansedumbre y su austera rectitud le apartaron sistemáticamente de la política en el agitado período que le tocó vivir;

y apenas intervino en ella, sea como miembro de la Legislatura de Veracruz o bien como representante en las Cámaras federales. En el seno del hogar modesto que formó, consagrado a su profesión y al cultivo de las ciencias y de las letras, respetado y querido de todos, su existencia se deslizó tranquila hasta extinguirse en México el 11 de febrero de 1860. Testimonio del amor y popularidad que lo rodeaban fuéronlo sus funerales, que constituyeron un verdadero duelo público.

Aunque de innegable temperamento poético, muy tarde llamaron a su puerta las musas: hallábase más allá de los cuarenta años, cuando se conocieron sus primeros versos. Coleccionadas por Pesado, salieron a la luz sus poesías en 1849.

Era Carpio —bien que menos depurado y mucho menos poeta que éste— de gusto clásico y de predominante inspiración religiosa. "La Biblia —observa Couto— fue para él el libro de todos los días." A Grecia y Roma las sintió a través de sus poetas, y el panorama de la Historia ejerció siempre sobre él singular atracción. Pero mayor era la que experimentaba por el Oriente. De lejos y sin haberlo nunca conocido, le envolvió en su luz misteriosa; empapado en el amor de los Libros Santos, el poeta constantemente volvía sus ojos hacia las civilizaciones remotas: Nínive, Babilonia, Siria, Egipto. Y de aquí el carácter épico que domina en su poesía inspirada en aquellas fuentes, tanto como la fastuosidad y derroche de color y de luz que la condicionan y distinguen. Su estilo era claro y limpio, aunque a menudo flojo y prosaico; su versificación fácil y variada, y extraordinarias sus facultades descriptivas, que prodigaba sin tasa.

D. José María Roa Bárcena ha formulado un juicio sobre el médico poeta: "La claridad —dice— es una de las buenas cualidades de Carpio; pero del exceso o del abuso de las mejores suelen resultar los defectos:

y el prurito de ser claro, llevóle a ser prosaico no pocas veces. Se le reprocha esto; así como el amaneramiento de frases y giros que produce monotonía y parecido sensibles en sus diversos poemas; la rebusca de rimas o consonancias difíciles y raras; la intemperancia de enumeración en las descripciones; la nimiedad y terquedad con que repulía sus estrofas, y la falta en ellas de ilación y encadenamiento; falta que a menudo las hace aparecer admirables aisladamente y no como partes necesarias de un conjunto hermoso y perfecto. Ante todos esos reparos son de alegarse en defensa del escritor su tendencia a la sencillez helénica; lo codiciable del mérito de un estilo propio que estampe inequívoco sello de fábrica en todas las producciones; la facilidad y el gusto con que el erudito reparte a manos llenas el tesoro de sus conocimientos; por último, la aspiración al dominio del arte; aspiración que no se satisface con la perfección y el efecto del todo, sino resulta de la perfección y el efecto de cada uno de los detalles."

Aun siendo clásico pagó Carpio inconsciente tributo al romanticismo. La sensibilidad romántica, con su característica exaltación y vehemencia en su tenaz melancolía, aparece señaladamente en una oda suya: *El turco*, donde, junto al Bósforo, mal compuesto el turbante, un enamorado galán lamenta la ausencia de su amada.

Sin embargo, la mayor parte de la producción del poeta fórmanla composiciones de carácter sagrado e histórico. Siguen a éstas en número las puramente descriptivas —*México, El Popocatépetl*—. Son escasas las morales y aun más las eróticas. Entre las de inspiración bíblica, abundantes en rasgos épicos y de colorido orientalismo, se destacan *La cena de Baltasar* y *La pitonisa de Endor*. De las de pura inspiración religiosa conviene señalar *La Anunciación* y *La Virgen al pie de la Cruz*. Y gustadísima de los contemporá-

neos fue, entre las históricas, *Napoleón en el Mar Rojo*.

3. D. Alejandro Arango y Escandón es poeta de la misma filiación literaria de Pesado, y hasta, como él, gran señor de las letras.

Nacido en Puebla el 10 de julio de 1821, en el seno de familia rica, pasó a España en 1831 y en Madrid hizo sus estudios de humanidades. De regreso en México en 1836, cursó ambos derechos en el Seminario Conciliar y se graduó de abogado en 1844. Desempeñó, a partir de entonces, diversos cargos públicos de importancia; profesó la cátedra de humanidades en la Universidad; figuró, de manera prominente, en el partido conservador; fue secretario de la Asamblea de Notables que creó el Imperio, y, más tarde, miembro del Consejo de Estado de Maximiliano. A la caída de éste, y tras de breve destierro en Europa, Arango y Escandón, en quien amigos y enemigos reconocían sincera firmeza de convicciones y una gran rectitud y probidad, volvió al país, y alejado por completo de los negocios públicos vivió consagrado a la administración de su patrimonio y a las letras. Siendo Director de la Academia Mexicana, falleció en México el 28 de febrero de 1883.

De acrisolada cultura y depurado gusto, era por esencia clásico. Habíase formado en el estudio de los grandes poetas del Lacio, y, por lo que atañe a los castellanos, procedía en línea recta de los ítalo-españoles del siglo XVI. A los dieciséis años se sabía de memoria todas las obras poéticas de Fr. Luis de León, de Garcilaso, de Argensola. Fue Fray Luis su principal modelo; a él se parece no sólo por el estilo y la dicción poética, sino por la elevación del sentimiento religioso, por la noble mesura y serenidad, por la grave elegancia.

Propendía Arango a la perfección: era un repujador incansable del verso, y desde este punto de vista supera a sus contemporáneos de escuela.

Menéndez y Pelayo considera "modelos intachables de noble reposo, de suave efusión y acrisolado gusto" sus dos odas *En la Inmaculada Concepción de Nuestra Señora* y la intitulada *Invocación a la bondad divina,* y lo mismo podría afirmarse en su admirable soneto *La piedad divina,* muy favorecido por las antologías. Esta misma aspiración a lo perfecto, y su carácter predominante de artista severo, hacen que la obra de Arango y Escandón sea, si no extensa, excelente por su calidad. Toda ella se reduce a un pequeño volumen: *Versos,* que encierra, aparte de sus producciones originales —las odas, algunas poesías eróticas y sonetos de sátira política— dos magníficas traducciones de las leyendas italianas de Luis Carrer *El caballo de Extremadura* y *La venganza;* y a su *Ensayo histórico sobre Fray Luis de León,* publicado primero en la revista *La Cruz* en 1855-56, y más tarde en tomo en 1866, que está reputado como el mejor libro que en castellano se haya escrito sobre el autor de la *Vida retirada.* Tradujo, además, nuestro poeta, *El Cid,* de Corneille, y *La conjuración de los Pazzi,* de Alfieri, aunque de ambas versiones no se conocen sino fragmentos.

4. D. IGNACIO RAMÍREZ, más comúnmente conocido por su seudónimo de *El Nigromante,* representa un caso *sui géneris* en las relaciones que en este período tuvo la política con las letras. Es, en poesía, un clásico puro y rancio, y, en el terreno político, el más firme e implacable destructor de la tradición.

En el espíritu y en la vida de Ramírez están contenidos el espíritu y las vicisitudes de la revolución de Reforma. Nacido en el pueblo de San Miguel el Grande (Estado de Guanajuato) el 23 de junio de 1818, inició sus estudios literarios en Querétaro, y en 1835 hubo de continuarlos en el Colegio de San Gregorio de México —del que fue alumno prominente— hasta recibirse de abogado. Siendo todavía estudiante, en la Academia de San Juan de Letrán sembró el estupor sosteniendo una tesis que versaba sobre el siguiente principio: "No hay Dios; los seres de la naturaleza se sostienen por sí mismos.". Tal fue su primer acto de rebeldía. Venía a destruir, empezando por los altares. Iba contra la religión, contra la tradición española, contra la organización reformista. Es seco, sardónico, demoledor, implacable. Tiene, además, como armas temibles, una voluntad diamantina, un talento claro, una cultura enciclopédica. El primer periódico que redacta —*Don Simplicio*— le conduce a la cárcel. En medio de los azares de la política aplica sus dotes admirables a la administración y a la cátedra: en el Instituto Literario de Toluca enseña derecho y literatura y es maestro de Altamirano. Sus doctas lecciones sobre aquellas y otras materias son oídas con embelesamiento y provecho en Puebla y en México. Trabaja en las administraciones de diversos Estados. Conoce las mazmorras de Santa-Anna. Se sienta en los escaños del Constituyente. Se une con Juárez y Ocampo para combatir a Comonfort. Contribuye, en el huracán de la revolución, al enriquecimiento de las galerías de la Academia de San Carlos. Como ministro de Justicia y Fomento de Juárez, se destaca por su acrisolada honradez. Sufre prisión, persecuciones y destierros; prueba la amargura de la proximidad del patíbulo, y conoce las vicisitudes de la vida errante, en el tormentoso período que va de la Guerra de Tres Años, la Intervención y el Imperio, hasta el restablecimiento de la República; su paso por el país señálase entonces por un reguero de artículos polémicos ardientes, fervorosos, y tal cual estrofa indignada en las columnas de la prensa provinciana que todavía escapaba al yugo; ¡verdadera dispersión de una obra literaria que nunca podrá reconstruirse! Poco antes de la caída de Maximiliano visita los calabozos de San Juan de Ulúa, y, conducido a Yucatán, se debate entre las garras de la fiebre amarilla. Restablecida la República, sobresale como magistrado integérrimo en la Suprema Corte de Justicia, figura —como maestro siempre oído— en los centros científicos y literarios, y todavía sufre persecuciones bajo la presidencia de Lerdo de Tejada. Triunfante Porfirio Díaz es, fugaz y nuevamente, ministro de Justicia; y torna al fin a su sitial de magistrado, para ocuparlo hasta el día de su muerte, acaecida en México el 15 de junio de 1879.

No es muy extensa la obra poética de *El Nigromante:* apenas se acerca al medio centenar de composiciones. A fuer de profundo humanista, lo depurado de su gusto le llevó a ser clásico. Era un clásico limpio y pulido; un tanto frío. En ocasiones sus versos tienen inspiración filosófica. A veces también su estro se inflama en la pasión política, y entonces por cima de los mármoles albeantes fulgura la llamarada del odio o asoma, con mueca despiadada, la ironía. Pero más a menudo —¡y por cierto tardíamente!— cantó a la mujer y al amor. Una pasión senil —su pasión por Rosario, la propia Rosario que fue musa de Flores y de Acuña— iluminó... o ensombreció los años postreros de su existencia; en un soneto célebre —*Al amor*— su ancianidad desarmada hubo de lanzar dolida queja.

Éste y otros sonetos —*A Sol, A mi musa*—; su breve poema *A Josefina Pérez,* un fragmento del cual, a juicio de Menéndez y Pelayo, parece traducido de alguno de los más lindos epigramas de la Antología griega; sus magníficos tercetos, en fin, *Por los muertos* y *Por los desgraciados,* bastarían por sí solos para darle un lugar prominente en nuestro parnaso.

Las obras de Ignacio Ramírez publicáronse en dos volúmenes en 1889. Aparte las poesías contienen lo hasta hoy coleccionado de su producción en prosa: discursos, artícu-

los históricos y literarios, cuestiones económicas, políticas y sociales, diálogos polémicos. Así como en verso es en prosa Ramírez seco, aunque a veces no frío, sino antes bien hiriente, inflamado, pasional. Expone con claridad, razona con vigor, está nutrido de ideas. Ocasional y premiosa en su mayor parte, de tal obra en prosa quedarán, sin embargo, algunas páginas excelentes.

5. Habiendo florecido en el grupo de poetas que sostuvieron la tradición clásica frente al romanticismo naciente, D. JOSÉ MARÍA ROA BÁRCENA les sobrevive y continúa hasta los albores de la centuria siguiente.

Oriundo de Jalapa, donde nació el 3 de septiembre de 1827, optó por un género de actividad que no parece hermanar con la frecuentación de las musas: el comercio. Su vocación artística le atraía, sin embargo, a otro camino; y así fue cómo, desde muy joven, se dio a estudios y tareas literarias publicando en la prensa local ensayos líricos y novelescos. En 1853 vino a México. Todo lo señoreaba entonces la pugna entre liberales y conservadores. Roa Bárcena se afilió en el partido de éstos. Era hombre de recias convicciones políticas y religiosas y jamás las desmintió. Libró la batalla, ardorosamente, en la prensa conservadora. Apoyó la Intervención y el Imperio; fue miembro de la Junta de Notables; pero, más conservador que Maximiliano, quien en realidad nunca lo fue, se volvió contra éste al ver que no respondía a las aspiraciones del partido que le había traído, censuró los actos de su gobierno, anunció su caída, negóse a participar en su administración, se malquistó con el cuartel general francés y con el gabinete. Y, concluida trágicamente la aventura imperial, Roa Bárcena, tras de prisión de algunos meses que sufrió, no obstante que la prensa liberal abogaba en favor suyo atendiendo a la honradez y firmeza de convicciones políticas que el escritor había mostrado, volvió a la vida privada para nunca más salir de ella. Consagrado al comercio y sin desentenderse de su afición a las letras, hubo de alcanzar extrema vejez. Murió en México el 21 de septiembre de 1908.

Su labor poética fue vasta y sostenida. Comprende las siguientes obras: *Diana*, poema (1857), *Poesías líricas* (1859), *Leyendas mexicanas, cuentos y baladas del Norte de Europa y algunos otros ensayos poéticos* (1862), *Ultimas poesías* (1888-95), en fin, la bella colección antológica *Acopio de sonetos castellanos* (1887), que publicó acompañada de interesantes notas.

Siendo, como es, distinguido, no se considera a Roa Bárcena como un gran poeta. Sus dotes son apreciables. Otros cantan con brío; él más bien suele, discreta y pulcramente, hacerlo en sordina. Por conocer bien su lengua, es limpio y castizo; versifica con corrección; expresa sus sentimientos con decoro. En las *Leyendas* dio a sus versos el colorido local americano, siguiendo en esto y aun superando muchas veces a Pesado. Son de lo más acabado en nuestra poesía de inspiración indígena *Xóchitl* y *La princesa Papantzin*. Como traductor, fue excelente Roa Bárcena. En verso castellano nos dejó versiones de Horacio, Virgilio, Schiller, Byron y Tennyson. Refiriéndose a la de *Mazzepa*, asegura Menéndez y Pelayo que "pocas veces se ha visto Byron en castellano tan bien interpretado, y quizá ninguna mejor".

No menos abundante es su obra en prosa. Sus narraciones novelescas se publicaron en 1870 con el título de *Novelas*. Contiene este tomo: *Noche al raso, Una flor en su sepulcro, Aminta Rovero, Buondelmonti* y *La quinta modelo*. Posteriores son: *Lanchitas, El rey y el bufón* y *Combates en el aire*. Y todas estas narraciones originales, juntamente con otras traducidas, de Hoffman y Dickens, forman la producción novelesca de Roa Bárcena, reunida en dos volúmenes de la Colección Agüeros. En el cuentista —como observó don Juan Valera— "el ingenio, el talento y la habilidad para narrar están realzados por la naturalidad del estilo y por la gracia y el primor de un lenguaje castizo y puro, sin la menor afectación de arcaísmo". Por lo que respecta al mexicanismo de Roa Bárcena en sus novelas cortas, don Manuel G. Revilla escribe con justeza que son "una serie de animados cuadros, de escenas familiares, de interiores, de perspectivas, de paisajes, en los que palpita un sincero y noble realismo"; y que los personajes pertenecen al número de aquellos que "hemos tenido al alcance de nuestra propia observación", ya que todos aparecen "moviéndose en nuestro propio ambiente, y reflejando las tradicionales costumbres, aun no del todo desaparecidas, del México de otros días".

Como crítico acredítase Roa Bárcena por sus magníficas biografías de Gorostiza y de Pesado, valiosísima aportación a nuestra historia literaria. Y, en suma, el historiador hállase representado por un *Catecismo de historia de México* (1863), por el *Ensayo de una historia anecdótica de México,* y por la magistral obra intitulada *Recuerdos de la invasión norteamericana* (1883), admirable crónica de aquel infausto suceso en que a la profunda seriedad y a la solidez del razonamiento y del método supo unir Roa Bárcena, en nítida prosa, austero patriotismo. Fueron reimpresos en la "Colección de escritores mexicanos", de la Editorial Porrúa, S. A., en 1947.

6. En el grupo de poetas clásicos, señalados no sólo por sus disciplinas y educación literaria, sino por su inspiración religiosa, debemos incluir algunas figuras de segundo orden, a saber:

JOSÉ SEBASTIÁN SEGURA (1822-1889), yerno y discípulo de Pesado; y si, como poeta original, bastante mediocre por vulgar y prosaico, estimable traductor. Se le deben algunas versiones de los *Salmos*, así como de Horacio y Virgilio; tradujo, asimismo, los tres primeros cantos de *La Divina Comedia*, y composiciones de poetas franceses, italianos y alemanes, entre otras, el *Canto de la Campana*, de Schiller.

MIGUEL JERÓNIMO MARTÍNEZ (1817-1870), prebendado de la Catedral de Puebla, versificador abundante y místicamente inspirado, cuyas poesías —restos de las muchas que compuso y destruyó— se publicaron en 1877.

RAMÓN ISAAC ALCARAZ (1823-1886), poeta de afinado gusto clásico, de escasos vuelos líricos, aunque pulcro y pulido. Sus poesías se publicaron en dos volúmenes en México, el año de 1860. Entre ellas considéranse *Las estaciones* como lo más característico suyo.

FRANCISCO DE PAULA GUZMÁN (1807-1884), consumado humanista, traductor de Virgilio y de Tirón, y, en el declinar de su vida, poeta de ardiente efusión mística.

Fuera de la clasificación de clásicos y románticos habrá que consignar a D. WENCESLAO ALPUCHE (1804-1841), poeta yucateco, de popularidad e influencia puramente regionales. Aunque compañero de éstos Pesado y Carpio, se diferencia de éstos fundamentalmente, y en realidad puede considerársele un rezagado de la generación literaria anterior. Seguía como modelo a Quintana; era de entonación briosa y robusta. Lo mejor que produjo son su poema *Hidalgo* y sus odas patrióticas. Publicáronse las poesías de Alpuche en Mérida, el año de 1842.

Y ya que no como poeta original, a título de insigne humanista, habrá que incluir aquí al duranguense don FRANCISCO GÓMEZ DEL PALACIO (1824-1886), autor de la mejor versión castellana de *La Jerusalem Libertada* de Torcuato Tasso, versión que se publicó en México el mismo año de la muerte del traductor.

LOS PRIMEROS ROMANTICOS

7. El romanticismo asoma en nuestras letras con D. FERNANDO CALDERÓN. De padres zacatecanos había nacido éste en Guadalajara, el 20 de julio de 1809. Su infancia y primera juventud las pasó en aquella ciudad, donde hizo sus estudios primarios y superiores y obtuvo el título de licenciado en leyes hacia 1829.

Aunque de abolengo noble, pues fue heredero del título de Conde de Santa Rosa, que no usó jamás, Calderón profesó desde su mocedad ideas políticas avanzadas. Abrazó el liberalismo, dentro del cual se mantuvo toda su vida, participó con las armas en la mano en una de las innúmeras revoluciones que entonces asolaban al país, y fue herido gravemente en la batalla de Guadalupe, librada y ganada por Santa Anna en las inmediaciones de Zacatecas, el año de 1835. Por sus opiniones políticas se le desterró después de Zacatecas, donde residía, y hubo de trasladarse a México.

Gozaba ya por aquel entonces de naciente prestigio literario; sus primeros versos los había escrito a los quince años, y contaba dieciocho cuando estrenó su primer drama. Su permanencia en la Capital sirvióle para depurar y afirmar sus conocimientos literarios. Sus bellas prendas personales le ganaron amigos entre lo más selecto de la intelectualidad de aquella época. Cultivó estrechas relaciones y recibió consejos y enseñanzas del célebre don José María de Heredia; concurrió asiduamente a la Academia literaria de San Juan de Letrán y se dio por entero a las letras escribiendo en aquel fecundo período de su vida sus composiciones líricas, así como componiendo y estrenando las obras que le dieron justa nombradía de poeta dramático.

Harto mermada su fortuna volvió a Zacatecas, donde desempeñó diversos puestos públicos. Y en plena juventud, cuando de su lozano ingenio aun se esperaban mejores frutos, falleció en la villa de Ojocaliente, el 18 de enero de 1845.

Bien que nació poeta, pues ya a los quince revelaba haber tenido tratos con las musas, la producción lírica de Fernando Calderón dista de ser abundante: apenas pasa de dos docenas de poesías, entre las cuales considéranse como las más características *A una rosa marchita, Los recuerdos, La vuelta del desterrado, El soldado de la libertad* y *El sueño del tirano;* las tres primeras de inspiración amorosa o elegíaca, y de ardimiento cívico y patrióticas las últimas.

Con Rodríguez Galván es Fernando Calderón nuestro primer romántico. Influye en él poderosamente el romanticismo español con Cienfuegos y Espronceda; pero no menor influencia —e influencia directa— tiene en Calderón el romanticismo francés, representado por Lamartine, a quien estudió, de quien tradujo dos de las *Meditaciones,* y cuya doliente y armoniosa queja diríase que se transmite a algunos versos del mexicano. Versifica con facilidad y elegancia, bien que en ocasiones caiga en la incorrección y en el prosaísmo. El caudal de su inspiración impetuosa, que cautiva y hechiza y que particularmente se hace sentir en su producción dramática, arrebató a sus contemporáneos. Fue Calderón un representativo de la sensibilidad de su época.

Sus poesías, acompañadas de su teatro, se publicaron por primera vez, en México, en 1844; edición a la cual siguió la de 1849, con prólogo de Pesado. La Editorial Porrúa, S. A., publicó en 1959 en un tomo de su "Colección de escritores mexicanos", los *Dramas y Poesías,* cuya edición estuvo a cargo de D. Francisco Monterde.

8. Más genuino romántico lo es todavía D. IGNACIO RODRÍGUEZ GALVÁN, quien vio la luz en el pueblo de Tizayuca, del hoy Estado de México, el 12 de marzo de 1816.

Tipo ejemplar del autodidacto, todo, en el orden literario, se lo debió a sí mismo. Era hijo de modestos agricultores; y, habiendo quedado arruinado su padre a resultas de la guerra de Independencia, contaba apenas once años cuando pasó a México para ganarse la vida como dependiente en la librería de un tío suyo. Entre libros, y comerciando con ellos, se despertó su vocación. Sin preparación intelectual previa, es de presumir que la cultura que por sí solo se hizo, fuera harto inconsistente y revuelta. Sin embargo, eran tales sus dotes, que sin maestro aprendió latín, francés e italiano; que en sus ratos de ocio hubo de consagrarse al cultivo de las letras, y que en 1840, dispuesto a vivir por ellas y para ellas, abandonó el mostrador de su tío el librero.

No corrió, por eso, con mejor fortuna. Mísera y desdichada fue su vida. A juzgar por sus versos, la pobreza, el dolor y la desesperación fueron sus compañeros constantes. Parece que hubo en ella una pasión misteriosa que contribuyó a entenebrecerla. Y no escasa parte tuvieron también, para herir la sensibilidad del poeta, sumándose a sus propias desventuras, las del país, desgarrado por las facciones, en la tormentosa época que le tocó vivir. Refiriéndose a Rodríguez Galván, Zorrilla, el poeta español, habla de "la desesperación del genio que se siente con alas para volar, y que amarrado a los escollos de una mala fortuna, en una época que no le comprenderá jamás ni le hará justicia hasta después de muerto, y de una sociedad sin atmósfera para su alma, no puede desplegar el vuelo que se siente capaz de intentar". Corto fue éste, por lo demás. Cuando, en los albores de su renombre literario, y conjuradas miserias y estrecheces, gracias a un modesto puesto diplomático que el gobierno le había concedido, el poeta se embarcó en Veracruz con destino a Sudamérica, al pasar por La Habana enfermó de fiebre amarilla y pronta muerte segó su vida todavía juvenil y temprana, el 25 de julio de 1842.

Un hombre así, estaba en condiciones de ser el primer romántico. La levadura de la nueva escuela literaria fermentó espontáneamente en aquel espíritu lacerado. En su poesía, las cuerdas de la lira mitológica pulsada por clásicos y neoclásicos, iban a trocarse en fibras del propio corazón. Aunque de seguro lo conoció en sus lecturas —pues que tradujo a Delavigne, a Lamartine, a Manzoni y a Monti—, no teorizó Rodríguez Galván el romanticismo. Era, de por sí, un romántico; y, cuando se puso a cantar, natural, apasionadamente, la nueva poesía encarnó en él.

Su vida sombría se reflejó en sus versos, que se publicaron juntamente con su teatro en 1851. Son aquéllos vehementes, desesperados; más que la dulce queja encuentra en ellos cabida la imprecación; el manso llanto conviértese allí en sollozo amargo, y todo lo envuelve y señorea torvo y cruento pesimismo.

Los temas de la poesía de Rodríguez Galván son el amor, la gloria, la patria, la fe. Su musa amorosa es desmelenada erina se vuelve airada contra la inconstancia, la traición y el desengaño. Su amor al suelo que le vio nacer, patente en las frecuentes evocaciones históricas o legendarias, y en las descripciones de tipos y paisajes mexicanos que se encuentran en sus poesías, se exalta en tremendas imprecaciones, en admoniciones proféticas ante las desdichas que amenazan a la patria, y prorrumpe en dolidas lamentaciones de añoranza desde el barco que, al alejarlo de las playas nativas, le conduce a la muerte. La fe religiosa, finalmente, en él arraigada y sincera, surge a veces como fúlgida chispa en medio de tanta negrura y desesperanza; y en poemas tales como *El*

ángel caído, El tenebrario y *Eva ante el cadáver de Abel,* eleva al poeta a las más puras y luminosas fuentes de inspiración.

Aunque incorrecto y prosaico a veces, reconócese a Rodríguez Galván como figura de poderoso relieve en nuestra lírica. Su *Profecía de Guatimoc,* el más hermoso de sus cantos patrióticos, es —a juicio de Menéndez y Pelayo— "la obra maestra del romanticismo mexicano"; la que lo muestra "de cuerpo entero y en el momento más feliz de su inspiración". Y, junto a ésta y las anteriores habrá que citar el bello romance titulado *Mora,* y las leyendas *El insurgente en Ulúa* y *La visión de Moctezuma.*

9. La vida de GUILLERMO PRIETO abarca buena parte del siglo, y, su actividad literaria, dos largas épocas de nuestra literatura.

Nacido en México el 10 de febrero de 1818, y muerto en Tacubaya el 2 de marzo de 1897, las actividades de su dilatada existencia se ejercieron en la política y la administración pública, la literatura y la cátedra. Tanto como su infancia, fue humilde su preparación literaria; desde muy temprano tuvo que ganarse el pan en modestos empleos. Lanzado al torbellino revolucionario, abrazó el plan de Ayutla. Figuró como diputado en el Congreso Constituyente. Fue íntegro Ministro de Hacienda de Juárez en una época aciaga. Luchó briosamente en la prensa, supo de persecuciones y destierros. Y el triunfo de la República en 1867, le encontró firme y entero para prodigar todavía por luengos años su actividad característica en las lides de la tribuna parlamentaria, en las faenas múltiples de la prensa, y en la cátedra que sirvió como profesor de Economía Política y de Historia Patria. Anciano y achacoso; con alifafes y dolamas reales y efectivos unos, fingidos otros—; medio cegato e improvisando de lazarillo al primer interlocutor, a quien siempre tuteaba; descuidado en la vestimenta y con su chambergo de anchas alas, aun pudieron saludarlo por las calles de México —como fantasma de un lejano pasado— los muchachos de la generación literaria que se empollaba en las postrimerías del siglo.

Fue Prieto, por excelencia, el poeta popular, y, desde este punto de vista desciende en línea recta de un escritor que singularmente se le parece: Fernández de Lizardi. Como éste, o más que él, carecía de preparación literaria, y aun se le asemeja por la falta de gusto y de sensibilidad artística, y por la vena popular y festiva. Difícilmente se encontrará poeta más desaliñado y pedestre. "Yo había salido de la escuela —escribe en las *Memorias de mis tiempos*— sin saber nada a derechas; mis padres querían dedicarme a los estudios; pero al presente se trataba de comer..." Tagle y Carpio fueron sus favoritos, y tal vez los que despertaron su vocación poética. Sus primeras lecturas pecaron de desordenadas y revueltas. No conocía lenguas ni literaturas extranjeras, y en el cultivo de la propia no ahondó por cierto.

Fundó, con Lacunza, la Academia de Letrán, y desde luego sus simpatías literarias le inclinaron al romanticismo; bien que de romántico no tenga sino lo teatral y exterior y diste de serlo por el sentimiento. La más antigua de sus poesías de que él mismo hace mención, y que se ha perdido, pertenece al género religioso: llámase *A Cristo crucificado* y data de 1833. Pero esto fue en él excepcional y cultivó de preferencia otros géneros: el sentimental y amoroso y el heroico. Es, en su primera época, grandilocuente y sonoro, con sonoridad y grandilocuencia que tienen no poco de artificial y retórico; pero que está a tono con el tormentoso y eminentemente dramático período histórico con que coincidieron la juventud y madurez de este poeta tan íntimamente ligado a la acción política. En los años de ruda lucha de la revolución de la Reforma, y luego

en la tenaz defensa del territorio contra la invasión francesa y el Imperio, Guillermo Prieto fue, por esencia, el poeta nacional. El ardor de la contienda comunicaba inflamados acentos a su musa; su sátira despiadada flagelaba al enemigo; hablaba al pueblo en su lengua, por lo que el pueblo le entendía; y coplas suyas hubo famosas —aludimos a *Los cangrejos*—, que se trocaron en verdaderos cantos de guerra en el fragor de las batallas.

Fue, ciertamente, Guillermo Prieto, "el poeta nacional", por cuanto vivió por su tiempo y para su tiempo. Y la originalidad suprema de su figura estriba en que, no ya por la emoción y el sentimiento, ni mucho menos por la forma, sino más bien por las calidades pintorescas, folklóricas, de su poesía, resulta ser, en la lírica —como el *Pensador* lo fue en la novela— el más mexicano de nuestros poetas.

Su bizarro, su colorido mexicanismo, hay que buscarlo en aquella parte de su producción poética en que se aplicó a evocar la gesta de los héroes de la Independencia y de la Reforma, o a pintar tipos, costumbres, paisajes y escenas populares de la tierra mexicana: modalidades ambas que se revelan en *El romancero nacional* y en la *Musa callejera*.

Evocando a los poetas anónimos de los antiguos romanceros castellanos, Guillermo Prieto, en el *Romancero* (1885), encierra el ciclo de la Independencia a partir de los movimientos iniciales de 1808 —*Romance de Iturrigaray*— hasta la entrada del Ejército Trigarante en 1821, con su cortejo de caudillos, capitanes y guerrilleros, y sus andanzas en conspiraciones y batallas. El libro es de largo aliento, brioso y entusiasta. Y Altamirano ha llegado a afirmar de él —sin duda hiperbólicamente— que "es la epopeya nacional con todos sus caracteres, con su sabor dramático, su aspecto personal y pintoresco y su verdad histórica, que no tiene necesidad de revestir el brillante atavío de la leyenda para ser admirable".

Con todo, lo mejor y más característico de Guillermo Prieto es la *Musa callejera*, colección de versos suyos que hicieron célebre su seudónimo de "Fidel", y que publicada en México en 1883 abarca dilatado período de su actividad literaria. En la *Musa callejera* —como ha expresado Urbina— "desaparece el satírico y permanece el soñador, mezclado de cuando en cuando con el humorista. El poeta se vuelve pintor de género. Su paleta está llena de colores. Y pinta, al aire libre, paisajes de la tierra, verbenas de barrio, gentes y costumbres populares: la "China" de castor lentejueleado; el "Charro" de sombrero entoquillado de plata; la "gata" voluptuosa, el indio ladino, el audaz guerrillero. Cada uno dice su palabra, habla su jerga, se mueve en su fondo: la calle estrecha y pringosa, el puesto de fruta, la barbería de guitarra y gallo, la casa de vecindario alborotador, todo típico y regional, todo vivido y matizado con admirable riqueza, a grumos y manchas de seguro efecto. Es la expresión, la manifestación de un pueblo idealizado por la ternura y la fantasía de un gran poeta".

Aparte las colecciones ya indicadas, la obra poética de Prieto hállase contenida en los volúmenes intitulados *Poesías escogidas* (1877), y *Versos inéditos* (1879).

El prosista no fue menos fecundo, y caracterízase por las mismas cualidades y defectos del poeta. Sus *Memorias de mis tiempos*, que abarcan de 1828 a 1853, y que en dos volúmenes se publicaron en 1906, son la más sabrosa y pintoresca crónica que conocemos de la vida social, política y literaria de México en aquella época. Viajero, unas veces por gusto, otras por fuerza, consignó sus impresiones de vida errante, a menudo llenas de insuperable gracejo, en dos obras: *Viajes de orden suprema* (1857), que quedó incompleta, y *Viaje a los Estados Unidos* (3 vols., 1877-78). De la producción del periodista, tan laborioso como desmañado, que derrochaba humorismo y tenía indudables aciertos en el cuadro de costumbres, apenas si se ha seleccionado y coleccionado algo: *Los San Lunes de Fidel* (1923). En fin, y por si algo faltare, de la caudalosa actividad de Prieto como escritor dan fe algunos libros más de muy distinto carácter: sus *Lecciones de historia patria* y un tratado de Economía Política.

10. JUAN VALLE fue el poeta cívico de la revolución reformista. Habiendo visto la luz en la ciudad de Guanajuato, el 4 de julio de 1838, presto quedó en tinieblas: entre los cuatro y cinco años de edad perdió la vista. Misteriosa sensibilidad encendió para él la antorcha que había de guiarle en las sombras. De labios de su hermano escuchó el niño ciego las lecturas que habrían de modelar su espíritu: la Biblia, los clásicos antiguos, los poetas españoles del siglo XVI y los mexicanos contemporáneos. A los catorce años queda huérfano, y el consuelo en su dolor se resuelve en canto. "El ciego era poeta" —comenta Zarco.

Sus primeras composiciones aparecieron en los diarios de México en 1854, y llamaron poderosamente la atención. "Por un extraordinario fenómeno, por una intuición verdaderamente prodigiosa —afirma don José María Vigil—, existía en el poeta ciego el sentimiento de la belleza plástica, expresado con tal viveza y con tal originalidad, que las imágenes se destacaban naturales y sencillas sobre el cuadro de sombras de una incurable melancolía." Contando apenas dieciséis años, Valle se consagra a la vida literaria. Inhabilitado para coger la pluma, compone mentalmente sin descanso, y, concluidos y pulidos sus poemas, los dicta. En 1855 estrena en su ciudad natal un drama en el que se señalan ciertos rasgos autobiográficos: *Misterios sociales,* el cual se publicó juntamente con sus poesías en 1862. En el país ardía a la sazón la guerra civil, y ya que no el fulgor, el calor de las llamas lo percibe el ciego desde las tinieblas. Valle abraza entonces la causa democrática, y la sirve, si no con la espada, con la lira. Conviértese en "el Tirteo de la libertad".

Ni a ciegos ni a poetas suele respetar la furia oprobiosa de los partidos. Apoderado de Guanajuato el bando conservador, al sobrevenir el golpe de Estado de 1857, desencadénase sobre Juan Valle inhumana persecución. Todo lo sufre: en junio de 1859, el paseo ultrajante por las calles, entre esbirros que incitan al populacho para que lo lapide por hereje; después la cárcel, entre los criminales más abyectos; al fin, el destierro. Dramático es su peregrinar a través del país incendiado por la guerra. Se refugia en Morelia. Más tarde, al triunfar los suyos, vuelve a Guanajuato. De ahí le echa nuevamente la invasión francesa. Huye a Colima y de Colima a Guadalajara. Nada ni nadie había vencido su entereza. Fiel a su partido —el de la defensa nacional— sufre con energía y resignación. Pero sus fuerzas amenguan: Con familia —se había casado con su amiga de infancia doña Josefa Aguiar y tenido en ella una hija—, sin recursos ni la posibilidad siquiera de tomar las armas por la patria, el poeta ciego se esconde para siempre en la región de las sombras en que había vivido. Su muerte, acaecida en Guadalajara, no se sabe si ocurrió el 31 de diciembre de 1864 o en enero de 1865.

Por su sensibilidad, Juan Valle pertenece al grupo de los románticos; y, por ciertos rasgos de su educación literaria, no deja de tener parentesco con el grupo clásico. En sus primeros versos, principalmente los de inspiración religiosa y los destinados a cantar escenas y personajes de la Biblia o de la historia antigua, es indudable la influencia de Carpio. También sigue la huella de Pesado en los pocos poemas que escribió de asunto indio. Pero donde cobra plena originalidad justamente por lo que constituía su mejor prenda: su modo de ser sincero, es en algunas de sus poesías de carácter subjetivo o autobiográfico en que exalta su idealismo amoroso, en que pinta estados de alma o accidentes de su singular vida —*Mi historia, Tu ausencia, El infortunio, la Muerte de mi madre*—; y, sobre todo, en sus cantos cívicos, género en el que ocupa el primer lugar entre los poetas de su tiempo, y cuyo mejor ejemplar son los briosos tercetos de *La guerra civil*. Versifica Juan Valle con fluidez; no escasean, empero, en su obra, defectos de forma, caídas prosaicas y hasta cierta hojarasca declamatoria. ¿Quién no reconocerá, sin embargo, que para la época y las condiciones en que se produjo, la obra del poeta sin luz es casi un milagro?

11. Cierra el ciclo de los románticos DOÑA ISABEL PRIETO DE LANDÁZURI, la dulce poetisa a quien sus contemporáneos, exaltadamente, consideraron gemela del genio peregrino de Sor Juana.

Aunque nacida en España, donde vio la luz en Alcázar de San Juan, provincia de Ciudad Real, el 1º de marzo de 1833, en edad temprana, hacia los cinco años fue traída a nuestro suelo; pudiendo decirse —como ha expresado D. José María Vigil— "que nos pertenece por completo, pues mexicanas fueron las influencias bajo las cuales maduraron su corazón y su inteligencia". En Guadalajara pasó su niñez y su mocedad; en la ciudad tapatía, a la que amó entrañablemente, formó su hogar y resonaron sus primeros cantos; y sólo salió de allí (en virtud de haber sido designado su esposo cónsul de México en Hamburgo) para trasladarse al puerto alemán, donde encontró la muerte el 28 de septiembre de 1876.

Había recibido Isabel Prieto una educación literaria exquisita. Y aunque su gusto se formó al amor de los clásicos castellanos de la edad de oro, por influjo acaso de las literaturas extranjeras modernas que cultivó, y por inspiración nacida al calor de la nueva escuela literaria que irrumpía en el ambiente mexicano, fue nuestra primera poetisa romántica. Cultivó la lírica, y —como veremos adelante— el teatro. No habrá que buscar en ella, ciertamente, arranques de odio y desesperación por desengaños reales o supuestos, exagerados por una sensibilidad enfermiza. Pinta los dolores de la miseria, las torturas del amor desgraciado, las luchas entre pasiones violentas y deberes ineludibles; pero todo ello —observa Vigil— se endulza y poetiza al pasar por el tamiz de un espíritu "que tiene sus miradas fijas en esas regiones de luz inextinguible, adonde no puede penetrar quien circunscribe todas sus aspiraciones y esperanzas al círculo mezquino de la vida presente".

Su musa se dejó oír, por primera vez, en 1851, y siguió cantando, femenina y luminosa, en medio de la tempestad revolucionaria. Ya era doliente, ya festiva, y había en ella a la vez melancolía y donaire. Aunque multiforme y variadísima en su producción lírica, doña Isabel Prieto de Landázuri se singulariza, y ocupa en nuestro parnaso lugar que nadie podría disputarle, por haber expresado con inconfudibles acentos el amor maternal. Sabía —ha dicho Vigil— "pintar con mano maestra esos risueños cuadros de la vida íntima, que hacen sentir el calor del hogar doméstico, las tranquilas escenas de la familia, los múltiples y variados episodios que se desenvuelven sobre un fondo de risueña verdura, en que se destacan las tiernas y delicadas figuras de una madre y de un hijo". Y, desde este punto de vista, son características sus poesías *La Plegaria*, *La madre y el niño*, *A mi hijo dando limosna*.

La fervorosa romántica que había en ella, resurge al pisar Isabel Prieto la tierra de Wieland y de Heine; la leyenda *Bertha de Sonnenberg*, última producción suya, es una de las más bellas creaciones de la musa romántica mexicana.

Fueron coleccionadas las poesías originales de doña Isabel Prieto de Landázuri, juntamente con sus versiones líricas de Hugo, Lamartine y Chénier, y el poema antes mencionado, por D. José María Vigil, y publicáronse en México en 1883.

12. La escuela romántica, en este período de iniciación, tuvo por cultivadores entusiastas, a más de los poetas señalados, a algunos de talla inferior. Son los siguientes:

MARCOS ARRÓNIZ (oriundo de Orizaba, muerto en diciembre de 1858) al que Pimentel considera "como representante entre nosotros del ultra-romanticismo: poeta de la duda, del delirio y de la desesperación" Sus versos, que no llegaron a coleccionarse, figuran en las publicaciones literarias de la época.

JUAN DÍAZ COVARRUBIAS, de quien en otro lugar hablamos estudiándolo como novelista, cuyas poesías —meros ensayos, líricos, muy defectuosos los más de ellos— se imprimieron en 1859 bajo el título de *Páginas del corazón*. Era poeta "de exageraciones y desvarío", según él mismo —aunque desacertadamente, como más tarde veremos por su vida— se define en su dedicatoria a Zorrilla; poeta que se limitaba "a llorar sus propios y ficticios dolores", lanzando gemidos de lastimera desesperación, renegando de la sociedad y maldiciendo hasta de la naturaleza, "en esa época de juventud en que sentimientos tan encontrados luchan en el corazón sin que el buen sentido y la prudencia los presidan".

PANTALEÓN TOVAR (1828-1876), soldado de la patria al sobrevenir las invasiones norteamericana y francesa, acendrado liberal, perseguido durante la revolución reformista, y también proscrito, ejercitó su vocación literaria en el teatro y en la poesía. D. Justo Sierra señala en él la influencia de la escuela romántica y socialista francesa. No se han coleccionado sus versos. Como ejemplo típico de romanticismo mexicano, presenta Luis G. Urbina un soneto de Tovar: *A una niña llorando por unas flores*.

José María Esteva (1818-1904), veracruzano, cuya mayor originalidad estriba en haber cultivado la poesía regional aplicándola a las costumbres de su tierra (véase como ejemplo típico de esto su poema intitulado *El jarocho*). Dejó tres volúmenes de versos: *Poesías* (Veracruz, 1850), *La mujer blanca,* leyenda mexicana (La Habana, 1868) y *Tipos veracruzanos y composiciones varias* (Xalapa, 1894).

EL TEATRO Y LA NOVELA

1. *La comedia clásica. Gorostiza.*—
Si por haberse mecido aquí su cuna,
y por los hechos de su vida posterior a 1824, es indudable que D. Manuel Eduardo de Gorostiza nos pertenece; seguramente asiste razón a Menéndez y Pelayo cuando afirma que apenas pertenece a México "por su literatura, puesto que con una sola excepción todas sus comedias originales fueron estrenadas en Madrid y escritas para un auditorio español, sin que en parte alguna se trasluzca la oriundez americana del poeta". Sin embargo, y por títulos en algún respecto semejantes a los de Ruiz de Alarcón y de Balbuena, debe figurar en nuestra galería literaria.

Nació D. Manuel Eduardo de Gorostiza en el puerto de Veracruz el 13 de octubre de 1789. Españoles de buena cepa eran sus progenitores. Su padre, el Mariscal de Campo D. Pedro Fernández de Gorostiza, gobernaba la plaza. Su madre, doña María del Rosario Cepeda, señora de muy claro entendimiento, contaba en su ascendencia nada menos que a Santa Teresa de Jesús.

Muerto D. Pedro, la viuda se marchó con sus hijos a España en 1794. En Madrid, D. Manuel Eduardo empezó la carrera eclesiástica; mas, como sintiera inclinación por las armas, abrazó la profesión militar, sentando plaza de cadete. Capitán de granaderos en 1808, al sobrevenir la invasión napoleónica se bate fieramente y es herido varias veces, una de ellas de un bayonetazo en el pecho, a resultas del cual queda un tanto corcovado. Siendo ya coronel, en 1814 retírase del Ejército y se consagra a la política y a las letras. Afiliado al partido liberal, es uno de los oradores más exaltados de la "Fontana de Oro". Frecuenta clubes y reuniones populares, y al prestigio revolucionario que allí gana, súmase el artístico que le dan sus primeras comedias, estrenadas con aplauso en los teatros madrileños.

Fernando VII, al recobrar el poder absoluto, lo destierra al extranjero y le confisca sus bienes. Formando parte del glorioso grupo de proscritos en que figuran el Duque de Rivas, Martínez de la Rosa, Toreno y Quintana, sale de España en 1821. Casado y con familia, se radica en Londres y lleva una existencia precaria, valiéndose de su pluma para subsistir.

Al llegar allí, en 1824, el representante de México D. José Mariano Michelena, Gorostiza se le presenta "como un mexicano descarriado que deseaba regresar al regazo de la patria", y le entrega una representación para el Supremo Poder Ejecutivo. En ella manifiesta Gorostiza que "por haber servido a la causa de la Libertad Europea, ya como ciudadano, ya como escritor", se encuentra proscrito; a título de mexicano, y rotos los "vínculos que lo ligaban a la que había sido cuna de sus padres", ofrece sus servicios a la naciente República. "Nada pido —concluye— porque no habiendo podido hasta ahora emplearme en nada en servicio de mi patria, a nada tengo derecho. Pero si ella cree que mis débiles talentos puedan serle de alguna utilidad, disponga de ello y de mi vida como guste."

Aunque parece evidente que los afanes nacionalistas de Gorostiza no existían, sino todo lo contrario, antes de aquella fecha; aunque cabe presumir que, en el paso que daba, más que otra cosa, le impulsaron el despecho político y acaso su pobreza, es lo cierto que lo que a primer ver parecía maniobra interesada de su parte para salir de apuros, fue en realidad un fervoroso y leal deseo de consagración al país que le vio nacer, como harto lo demuestran los hechos posteriores de su vida, en un todo consagrada a México.

Aceptados desde luego sus servicios por el gobierno mexicano, se le encomiendan, sucesivamente, diversas misiones diplomáticas en Europa. Desempéñalas con eficacia, tacto, desinterés y patriotismo relevantes. Para aquilatar su valimiento a ese respecto, baste decir que fue él quien negoció casi todos nuestros primeros tratados con potencias extranjeras, razón por la cual se le considera como uno de los fundadores de la diplomacia mexicana.

En 1833, precisamente en los momentos en que más enconada es la lucha entre conservadores y liberales, y cuando éstos se hallan en el poder, regresa Gorostiza a México, después de haber lanzado a la publicidad en Londres una *Cartilla política* que fue famosa. Sus antecedentes, tanto como sus efectivos méritos, lo hacen grato al régimen, y presta entonces sus servicios en diferentes puestos: bibliotecario nacional, síndico del Ayuntamiento; miembro, en fin, de la Dirección General de Instrucción Pública. Retorna a la diplomacia como Enviado Extraordinario y Ministro Plenipotenciario en los Estados Unidos en 1836. Cómo y de qué manera brillante y honrosísima haya cumplido aquella difícil misión, en los momentos en que ardía la cuestión de Texas, consta en los documentos que con el título de "Contestaciones habidas entre la Legación extraordinaria de México y el Departamento de Estado de Estados Unidos" publicó nuestro Gobierno, precedidos de una introducción del propio Gorostiza, en 1837. "Nada puede hacer formar idea más exacta de la capacidad, cultura, cortesanía y energía de Gorostiza —escribe Roa Bárcena— que esas notas, que honran a México y que transmiten a la historia y a la posteridad la razón y la justicia de los vencidos y la deslealtad y mal disfrazado abuso de fuerza de la nación vencedora." Gorostiza defendió con dignidad y brío los derechos de México; mas, consumada a pesar de sus protestas la violación del territorio nacional por las fuerzas norteamericanas, pidió sus pasaportes.

Su actividad en los negocios públicos no decae en los años siguientes. Vémosle figurar ya como Ministro de Hacienda y de Relaciones Exteriores, ya como plenipotenciario para el arreglo de las cuestiones que en 1838 provocaron la guerra con Francia. Sus sentimientos filantrópicos llévanle a fundar hacia 1841, de su propio peculio, la "Casa de corrección para jóvenes delincuentes". Y pocos años después, al sobrevenir en 1847 la invasión norteamericana, "el diplomático ilustre —volvemos a citar a Roa Bárcena— que había sostenido en Washington la causa de la justicia, la causa nacional, quiso pelear por ella como soldado, aspirando a sellar con su propia sangre sus palabras y sus escritos. Levantó y organizó un batallón de artesanos, denominado de "Bravos", y cuando los restos del brillante cuerpo del ejército rebeldo en Padierna retirábanse en confusión ante las bayonetas del vencedor, el anciano de cerca de sesenta años, fuerte y valeroso y resuelto como en los días de su juventud, se apostaba a la cabeza de sus guardias nacionales en el convento de Churubusco, deteniendo el paso al enemigo hasta quemar el último cartucho y recibirle impávido con los brazos descansando sobre las armas".

Fue aquel acto caballeresco y glorioso el último de su vida pública. Para que ella fuese ejemplar, después de dar tan preciosos frutos, sólo faltaba que el claro varón sufriese en su ancianidad pobreza, ingratitud y olvido. Extinguióse oscura y silenciosamente en Tacubaya en 1851, el 23 de octubre.

Veamos ahora cuál fue la producción literaria de Gorostiza:

Poeta dramático por excelencia —pues de él apenas si se conocen algunos versos líricos—, su obra fue de juventud, y apenas si a la madurez corresponde parte mínima de ella. Forman el teatro de Gorostiza seis comedias originales: *Indulgencia para todos, Las costumbres de antaño, Tal para cual o las mujeres y los hombres, Don Dieguito, Contigo pan y cebolla* y *Don Bonifacio;* dos imitaciones: *El jugador* (de Regnard) y *El amigo íntimo* (de un *vaudeville* francés); dos refundiciones: la de la comedia de Calderón *Bien vengas mal si vienes solo,* a la que dio el título de *También hay secreto en mujer,* y la de la comedia de Rojas intitulada *Lo que son mujeres.* A las anteriores obras hay que agregar la refundición de la *Emilia Galotti* de Lessing, que escribió y estrenó en México, bien que hasta hoy permanezca inédita; así como otras refundiciones que aquí ocuparon su actividad de empresario y entusiasta sostenedor del teatro, más que de poeta dramático, tales como *La madrina, Paulina o ¿se sabe quién mueve los alambres?, La hija del payaso, Estela o el padre y la hija;* amén de *Vale un apuro* y *Un enlace aristocrático* —traducción esta última de Scribe— que se publicaron con seudónimo y que se le atribuyen.

Tales obras figuran en las colecciones intituladas: *Teatro original* (París, 1822), *Teatro escogido* (Bruselas, 1825), *Apéndice al teatro escogido* (París, 1826), y *Obras de D. Manuel Eduardo de Gorostiza* (México, 1899-1902), a cual más incorrecta; y aun de otras muchas, piezas de circunstancias o arreglos no coleccionados, se hace mención como salidas de la pluma de Gorostiza. En *Teatro selecto,* volumen dedicado a Gorostiza en la "Colección de escritores mexicanos" de la Editorial Porrúa, S. A., figuran sus comedias *Indulgencia para todos, Don Dieguito* y *Contigo pan y cebolla.* Al prólogo ha agregado Armando de Maria y Campos notas biográficas y bibliográficas que contienen algunos datos nuevos.

En el teatro español, colócasele entre Moratín y Bretón de los Herreros; es —con personalidad propia— continuador de aquel y precursor de éste, y, sin duda, la figura más importante en el breve período en que ocupó la escena madrileña.

Versificador ágil, para quien la técnica no tenía secretos, renovó la comedia del tipo moratiniano introduciendo en ella variedad de combinaciones métricas. No es abundante ni diversa la acción en sus comedias, ni hay en ellas la elevación y grandeza del supremo moralista; pero, en cambio, sobresalen por la fluidez del diálogo, por la gracia y diversidad de los tipos, y por la justeza que el autor puso en la reproducción de las costumbres de la época. Señálase *Indulgencia para todos* como su mejor comedia. Al lado de ésta, sin embargo, resaltan *Las costumbres de antaño,* por original y bien movida; *Don Dieguito,* por su ingenio chispeante, y, como estudio de carácter, *El Jugador.* A juicio de Menéndez y Pelayo, "el principal mérito de Gorostiza, el que hace que sus comedias, en medio de la sencillez casi infantil de su estructura, agraden tanto leídas, y haría seguramente que agradasen bien representadas, está en la viveza y movimiento del diálogo, en la abundancia de sales cómicas, en una continua alegría inocente, bondadosa y comunicativa, que por todas las venas de la composición circula, ahuyentando el mal humor y el tedio".

Tal vez, si las condiciones de su vida fueran otras, D. Manuel Eduardo de Gorostiza hubiera sido un todavía superior comediógrafo. Prácticamente, abandonó el teatro en 1820. Consagrado al servicio de su patria, en la diplomacia, sólo escribió una comedia original más: *Contigo pan y cebolla,* publicada en Londres en 1833; y, residiendo ya en México, aparte la pieza en un acto antes citada, *Don Bonifacio* —en prosa como la anterior, y, como ella, literariamente menos valiosa que las en verso— el poeta se dedicó, por lo que atañe al teatro, más que a revalidar sus personales glorias, a estimular la escena mexicana, constituyéndose empresario, y a título de tal, suministrando a sus compañías traducciones y arreglos.

*   *
*

El drama romántico.—Mucho más inmediata que en la poesía —aunque por extremo fugaz— fue la influencia del romanticismo en el teatro. Dos poetas ensayan en México el drama romántico: el uno bebiendo en las propias fuentes europeas y tomando de ellas así modelos como temas de inspiración; el otro, intentando, bien que con escasa fortuna, aclimatar el nuevo género entre nosotros, mediante la dramatización de asuntos de nuestra remota historia colonial.

2. El primero de dichos poetas es D. FERNANDO CALDERÓN. Más que como lírico sobresalió como dramático. A juicio de Menéndez y Pelayo, en sus obras de este género "no sólo hay hermosos versos, sino interés, buen gusto, arranques de pasión, sentimientos nobles y caballerosos que realmente poseía, y que sin esfuerzo traslada a sus personajes".

La vocación por el teatro empezó a sentirla Calderón muy temprano. Su primer comedia, intitulada *Reinaldo y Elvira,* se representó en Guadalajara en 1827. A ésta siguieron *Zadig; Zeila o la esclava indiana; Armandina; Los políticos del día; Ramiro, conde de Lúcena; Ifigenia; Hersila y Virginia;* todas ellas estrenadas en los teatros de Guadalajara y Zacatecas, de 1827 a 1836. Tales

obras, sin embargo, no han llegado a nosotros, y las únicas que conocemos y en las que se cimienta el prestigio dramático de Calderón, son dos dramas caballerescos: *El torneo* (1839) y *Herman o la vuelta del Cruzado* (1842; un drama histórico: *Ana Bolena* (1842), y una comedia: *A ninguna de las tres;* obras que datan de la estancia del poeta en México, en pleno y feliz ostracismo político; que aquí fueron llevadas a la escena con grande éxito, y que luego se difundieron por todo el país, y aun rebasaron las fronteras hacia Sudamérica.

Bastan los títulos para comprender el carácter de ellas. Fuera de *A ninguna de las tres,* que es una linda comedia de asunto y de ambiente mexicanos, dentro del estilo, a la sazón en boga, de Bretón de los Herreros, las demás obras dramáticas de Fernando Calderón son de asunto extranjero.

Objétase ahora al dramaturgo que no haya creado un teatro romántico con elementos nacionales. Tal vez en su tiempo nadie pensó en oponerle semejante reparo. Para fines de poesía, y como trasunto de apasionadas lecturas, Calderón soñó con castillos, juglares, férreos caballeros, torneos y justas, trovadores y celadas damas al amor propicias; y como nada de esto había aquí, el poeta, ayudado por su musa, hubo de limitarse a trasladar el romanticismo europeo con toda su pompa medieval. Quizá por ello no debamos censurarlo. Sobre de los grandes románticos —Schiller, Hugo, Vigny— no se puede afirmar que hayan invariablemente creado, por los asuntos, un teatro nacional; todavía queda, a favor del mexicano, la circunstancia de que aquel traslado lo realizó atenido a normas de cultura y buen gusto. No se limitó, como consigna Menéndez y Pelayo, a imitar el romanticismo español, y en especial a García Gutiérrez. Se inspiró también en el teatro francés. Y así sus dramas caballerescos como su drama histórico, además de estar admirablemente concebidos y escritos, revelan estudio y conocimiento de la Edad Media, tanto como de la historia inglesa en el dramático período que trató.

Las dotes de Fernando Calderón para el teatro eran evidentes. En *A ninguna de las tres* resalta un cautivador espíritu de poeta cómico. Es aquélla una comedia bien forjada, vivaz, graciosa, abundante en situaciones y tipos chispeantes, y llena de curiosas referencias al ambiente y a la vida de la época; razón por la cual podemos considerarla como la inmediata y acaso única resonancia que tuvo en México la comedia moratiniana transformada por Gorostiza y Bretón.

Pero aun más que poeta cómico, lo era Calderón dramático. Sus dramas caballerescos tienen asunto típicamente romántico. En *El torneo*, cuya acción pasa en Inglaterra, en el siglo XI, el barón de Bohun está a punto de contraer nupcias con Isabel, hija del barón Fitz, la cual está a su vez prendada de Alberto, el huérfano que ha vivido a su lado desde la infancia. En vano trata Isabel de esquivar aquel enlace, y se produce al fin el temido choque entre el linajudo pretendiente y el oscuro mancebo dueño del corazón de la muchacha. Mas, a su debido tiempo, sale a relucir un nuevo personaje, Lady Arabela, toda de negro vestida. Esta Lady Arabela ha escapado de la prisión en la que la tenía el barón Bohun, a quien señala como asesino de su esposo y de su hijo, y como usurpador de la fortuna y títulos que a éstos correspondían. Demanda, para aclarar la verdad, al barón Fitz, que la cuestión se decida por "el juicio de Dios", o sea el duelo entre el acusado y el caballero que sale a la defensa de la dama, el cual no es otro que Alberto. Da éste muerte a su rival. Y para colmo de peripecias resulta que, por revelación de un escudero, viénese en conocimiento de que el tierno niño, fruto único del matrimonio de Lady Arabela, a quien el infame y terrible

Bohun había mandado matar, es nada menos que el vengador, el propio Alberto. Abraza, pues, entonces, el hijo a la madre, la madre al hijo, y adivínase, en perspectiva, el apetecido matrimonio de Isabel con el que ha sido el amor de toda su vida.

Lances por el estilo ocurren en *Herman o la vuelta del Cruzado*, cuya acción se desarrolla en Alemania, en el siglo XII. Herman se marcha de cruzado a Palestina, previo juramento de que Sofía, su prometida, le esperará para unirse con él. Pasan los años, y el padre de la muchacha, temeroso de que el caballero haya muerto y quede su hija en desamparo, la obliga, desde su lecho de moribundo, a que se despose con el duque Othón. Excusado es decir que Herman vuelve y se suceden las correspondientes escenas recriminatorias, en las cuales, no obstante seguir amándolo mucho, Sofía, a fuer de esposa castísima, decide no quebrantar en un ápice su virtud y le manda despedirse de ella para siempre. Tan buenos propósitos no impiden que el duque Othón, que ha sorprendido a los amantes durante la consabida cita en el jardín, los mande prender y los condene a muerte. En esto aparece Ida, la madre de Herman. Sabedora de la suerte que le aguarda, se apersona con el duque, le recuerda los amores que él con ella en la juventud distante tuvo, échale en cara cómo la sedujo para abandonarla al fin con el hijo que de tales amores había nacido... ¡Y, ya se entiende: el susodicho hijo no es otro que Herman! Con lo que el duque se apresura a arrancarlo del patíbulo y le reconoce; a la par que el joven caballero, tras de arrojarse a los pies de su progenitor, decide retornar a Tierra Santa en pos de una tumba ignorada donde dormir.

Por lo que respecta a *Ana Bolena*, el poeta no hizo sino reproducir escénicamente el trágico episodio, apegándose en lo posible a la verdad histórica, así en el desarrollo de los sucesos como en los caracteres de los personajes, y dejando, en este género, la obra más acabada con que cuenta nuestra dramaturgia.

Calderón, a fuer de romántico, buscaba, para su teatro, y donde los hubiera, asuntos extraordinarios a los que rodease el prestigio de la leyenda o de la historia. No eran ellos sino un pretexto para dar rienda suelta a su vena poética. Pero si por la opulenta vestidura verbal que les dio, revelóse en sus obras dramáticas poeta esplendoroso y lleno de brío, no es menos de admirar en ellas el dramaturgo, por la habilidad con que presenta y mueve a sus personajes, por la maestría técnica que a menudo revela en el encadenamiento de las escenas, por la delicada gradación de matices que, realzada por la magia del verso, en muchas advertimos, y, en suma por la pasión, por el brío y el desbordamiento patético, propios y característicos de la exaltación romántica, que en el teatro de Fernando Calderón descuellan, y que le ofrecen como típico, curiosísimo y único caso que nuestra literatura dramática presenta de influjo directo, inmediato, de las corrientes literarias del romanticismo extendiéndose a América contemporáneamente a la época de su mayor auge en Europa.

3. A la inversa de Calderón, IGNACIO RODRÍGUEZ GALVÁN, excelente poeta lírico, apenas si acertó en el teatro.

Su producción escénica se reduce a un boceto dramático: *La capilla* (1837), y dos dramas: *Muñoz, visitador de México* (1838) y *El privado del Virrey* (1842). Las susodichas piezas son del género truculento y feroz. Sirven de asunto al boceto las postreras horas de Alonso de Ávila, el célebre conjurado que, al descubrirse la conspiración del marqués del Valle en 1566, fue condenado al suplicio. En *Muñoz* llena el cuadro de la tremebunda pasión del despótico visitador por la mujer de Baltasar de Sotelo. El *Privado* no es sino la dramatización de la conocida leyenda de don Juan Manuel. Los rasgos que singularizan y hasta

embellecen las poesías líricas de Rodríguez Galván —humor desesperado y sombrío, fogoso arrebato, tendencia frecuente a la imprecación—, amenguan y afean sus composiciones dramáticas. Todo en ellas es delirante y desbocado. Los personajes, antes que seres humanos, parecen energúmenos en perpetuo frenesí. En fuerza de acumular tintas negras, el dramaturgo consigue efecto contrario al de conmover. Si vocación tenía para el teatro, faltó a Rodríguez Galván el dominio técnico indispensable para señorearlo. No tiene la finura, ni la delicadeza, ni el instinto sutil de las gradaciones que advertimos en Calderón. En pos de lo patético, cae siempre en lo extremado y burdo. Y si no puede negarse que, en ocasiones, y al través de furibundas escenas su estro brille y nos regale con elocuentes tiradas, también es verdad que la mediocridad del dramaturgo ahoga al poeta.

Hay que consignar, sin embargo, en su haber, dos meritorias circunstancias: la de haber sido el primero que en su época abordó la escena (*Muñoz, visitador de México,* estrenóse en 1838), y la de haber dramatizado siempre, con loable empeño nacionalista, asuntos mexicanos, al contrario de lo que hizo su rival y sin duda superior émulo.

4. El movimiento dramático iniciado en México por Calderón y Rodríguez Galván, con sus obras, y por Gorostiza como activo y entusiasta empresario y arreglador de comedias extranjeras, no fue, seguramente, de trascendencia.

Entre los escasos escritores dramáticos que les sucedieron, señálanse los nombres de CARLOS HIPÓLITO SERÁN, autor fecundidísimo, al que sobrevivió una comedia satírica de costumbres: *Ceros sociales* (1852); de IGNACIO AMIEVA, que dio a la escena dos piezas: *Valentina* y *La Hija del Senador,* y de PANTALEÓN TOVAR, excepcionalmente fecundo también, pues que escribió dramas: *Misterios del corazón, Una deshonra sublime,*

La gloria del dolor; comedias de costumbres: *¿Y para qué?;* de capa y espada: *Justicia del cielo,* o históricas: *La conjuración de México.*

Pero si cierto es que todas estas obras se representaron, muy pocas han llegado impresas a nosotros, y, en general, apenas si dejaron huella en la historia de nuestro teatro.

Algo semejante ocurre por lo que se refiere a la producción de la poetisa doña ISABEL PRIETO DE LANDÁZURI. D. José María Vigil hace ascender a quince el número de piezas originales, cómicas y dramáticas, que ella escribió —la mayor parte en verso—, sin contar una traducción de la *Marion Delorme,* de Víctor Hugo. Pero de tales obras únicamente cinco se pusieron en escena: *Los dos son peores, Oro y oropel, La escuela de las cuñadas* y *¿Duende o serafín?,* en Guadalajara, y *Un lirio entre zarzas,* en México; y hasta nosotros sólo han llegado *Las dos flores* y *Las dos son peores,* impresas ambas en Guadalajara, en 1861 y 62, respectivamente. De estas dos obras se expresa con encomio Hartzenbusch: la primera es un drama romántico; la segunda una comedia del tipo bretoniano.

LA NOVELA

Apenas cultivada hasta Fernández de Lizardi, en la primera mitad del siglo, la novela se desarrolla y populariza, por más que todavía no alcance una forma artística. Escríbese la de carácter histórico y la de aventuras; suelen ser los relatos de este género largos y copiosos. Menos interés se concede a la pintura de costumbres. Los novelistas, con raras excepciones, son románticos: todo lo idealizan, y casi no hay figura que en sus manos conserve traza de barro terrenal. El romanticismo ha irrumpido en la prosa novelesca. Se filosofa con vistas al pesimismo. Raro será el que no naufrague *dans le fleuve du tendre.* Está de moda la sensibilidad lacrimosa.

5. Con FERNANDO OROZCO Y BERRA aparece la novela romántica. Nacido en San Felipe del Obraje (Estado de México) el 3 de junio de 1822, Orozco vino desde muy pequeño a la capital de la República. Hizo estudios de filosofía y latinidad en el Seminario Conciliar, y siguió los de medicina, que hubo de concluir en Puebla en 1845. Allí obtuvo el título de médico y ejerció su profesión, aunque bien pronto se sintió atraído por el periodismo y las letras, que en la misma ciudad empezó a cultivar, y a los que, de regreso en la metrópoli, se dedicó por entero. Fue liberal de ideas avanzadas; figuró en las redacciones de *El Siglo XIX* y *El Monitor Republicano,* y al morir, en plena juventud, el 15 de abril de 1851, dejó varias comedias y abundante bagaje de versos inéditos. De los poquísimos publicados, conviene señalar un lindo soneto romántico, muy ensalzado por Roa Bárcena: *Al sepulcro de una niña.*

Parece que la existencia de Orozco y Berra fue harto desdichada, lo cual hubo de engendrar en él amargo y a ratos desesperado pesimismo que se refleja en la única obra suya que se conoce y que gozó en su tiempo de cierta popularidad: *La guerra de treinta años,* novela publicada en 1850.

Contra lo que pudiera pensarse por el título, ese voluminoso libro no es sino el relato pormenorizado de los amorosos lances del protagonista —que se presume era el autor mismo— durante los primeros treinta años de su existencia. Trátase de una novela que, según el propio Orozco afirma, "de todo tiene y principalmente de amor, amor mezclado con el desaliento y la tristeza; amor a la moda del siglo, escéptico, *ideal,* y todo lo demás que nos traen los vientos de allende los mares". Anúnciase el susodicho protagonista como un D. Juan asaz prematuro: apenas cuenta siete años cuando ya está bebiendo los vientos por una chicuela de su edad. Luego, no bien entra en la pubertad, préndase de él cierta jamona de apetecible buen ver, a cuyas artimañas el sensible adolescente escapa gracias a su inocencia. Pero a partir de entonces es presa de sucesivos amoríos, sensuales unos, puros e idealizados los otros: Luisa, María, Angela, Serafina, Lola... Y todo ello, adobado con la muerte de una de las amantes platónicas, que le ama sin esperanza, y el despótico entronizamiento de la que más le burla y desprecia, viene a parar en que, traspuestos los umbrales de la madurez, Gabriel hace así un día el balance de sus amatorias andanzas: "¡Treinta años! ¿Y qué he gozado? ¡Treinta años de guerra con las mujeres! ¿Y qué triunfo he alcanzado? Para gozar en el mundo se necesita·endurecer el corazón en el crimen y cerrar los ojos a la justicia y el pudor. El placer más inocente y más puro ha de comprarse con dinero o con lágrimas; para encontrar el dinero es preciso arrastrarse por el suelo como las víboras". Filosofía barata que no abona al autor.

Fuera de haber sido la primer novela amorosa que aparece en la literatura mexicana, *La guerra de treinta años,* que alcanzó tan extraordinaria boga, carece, en efecto, de sobresalientes méritos literarios. Está escrita en prosa llana y desaliñada; y, sobre no tener originalidad relevante el asunto, al desarrollarlo peca el novelista de nimio, insulso y tedioso. La obra asume carácter autobiográfico. Los lances que contiene acaecieron de verdad, en lo esencial; las enamoradas que allí aparecen, fuéronlo del autor. Y aunque caprichosa y atrabiliariamente sitúase la acción de la novela nada menos que en Burgos y en Madrid, en realidad pasa en Puebla y México. Quizá esta variación geográfica se debió a que teniendo "clave" el novelesco relato, quiso así Orozco encubrir la realidad de los hechos. Tanto es ello cierto, que·algunas de las damas a quienes se aludía en el libro, diéronse a la difícil y costosa tarea de re-

coger ejemplares impresos; razón por la cual *La guerra de treinta años* ha llegado a ser una verdadera rareza bibliográfica.

6.   Aunque superiorísimos al de Orozco y Berra, desde un riguroso punto de vista literario, no pasan tampoco de ser meros ensayos novelescos los de JUAN DÍAZ COVARRUBIAS.

Se meció la cuna de éste en Jalapa el 27 de diciembre de 1837. Su padre, D. José de Jesús Díaz, era poeta estimable, autor de romances de la guerra de Independencia, y, por tal concepto, precursor de Guillermo Prieto. Estudió primeras letras en su ciudad natal; y cuando, huérfano y pobre, vino con su madre a establecerse en México hacia 1848, se inscribió en el Colegio de San Juan de Letrán, donde cursó filosofía y humanidades, y más tarde hubo de optar por la carrera de medicina. Siendo estudiante (no le alcanzó la vida para dejar de serlo) comenzó a lograr notoriedad como novelista y poeta. Dos sucesos lamentables: la prematura muerte de la autora de sus días, y una pasión desdichada, contribuyeron a ensombrecer su musa juvenil. Diríase que a ello se sumaba también, comunicando honda inquietud al alma del poeta adolescente, el presentimiento de su trágico fin. Fue éste un capítulo vergonzoso, todavía no olvidado, de nuestras luchas civiles. Amante de la causa liberal, pero convencido también de que un deber humanitario y piadoso le señalaba su lugar al lado de los heridos y los enfermos, encontrábase prestando sus servicios como practicante de medicina en el campamento de Tacubaya, último baluarte de las fuerzas liberales, cuando, derrotadas éstas por Márquez el 11 de abril de 1859, y habiendo sido hechos prisioneros Díaz Covarrubias y otros jóvenes médicos, el feroz cabecilla, violando las leyes de la guerra, los mandó bárbaramente fusilar *ipso facto,* cubriéndose así de oprobio y segando en flor, al desplomarse muerto por las balas fratricidas aquel poeta de veintiún años, una de las más lisonjeras esperanzas de nuestras letras.

Romántico como Orozco y Berra, y hasta muy semejante a él por su sensibilidad enfermiza y las causas que la determinaron, advertimos en Díaz Covarrubias evidentes facultades y hasta amplia visión de novelista; faltan la madurez de estilo y de pensamiento, que sólo pueden dar el tiempo y el ejercicio de artísticas disciplinas. Hay, además, tendencias de recio nacionalismo; Díaz Covarrubias pinta escenas y tipos mexicanos, y es, en muchas de sus páginas, intencionado costumbrista.

Aparte *Impresiones y sentimientos* (1857), colección de artículos, cuentos y fantasías literarias, las obras en prosa de Juan Díaz Covarrubias pertenecen todas al género novelesco; a saber: *La sensitiva* (1859), boceto de novela; *Gil Gómez el Insurgente o la hija del médico* (1859), novela histórica; *La clase media* (1859) y *El diablo en México* (1860), novelas de costumbres.

El tema dominante en las de Díaz Covarrubias es el amoroso, y por la manera de presentarlo y de tratarlo llevan impreso el inconfundible sello romántico. En *La sensitiva,* Luisa muere de amor por Fernando, y tiene la fortuna —no rara en el género— de que el amante llegue a tiempo de presenciar su agonía y recibir el último beso. *La clase media* no es sino la rehabilitación de la mujer caída; con la singular particularidad de que Amparo, no considerándose digna del generoso Román, que le ofrece su mano, se encierra en un convento. En *El diablo en México* preténdese demostrar cómo por interés prosaico férvidas ilusiones se desvanecen. Enrique y Elena, que se creían destinados el uno para el otro, y que ardían en la llama sagrada, se separan al cabo por vil cálculo y contraen, cada cual por su lado, enlaces de mera conveniencia. Finalmente, aun en el género histó-

rico, el novelista se mostró fiel a su tema favorito desarrollando en *Gil Gómez el Insurgente,* sobre el cuadro épico de la guerra de Independencia, una historia de amor que en su exaltación, desbordamiento y patético desenlace en nada difiere de las anteriores.

La prosa de Díaz Covarrubias es fluida y amable; sus impurezas compénsanse con espontaneidad y simplicidad. Dialoga ágilmente. Sus narraciones son, por lo común, amenas, y sus descripciones vívidas. Tiene interés y emoción. Influido por Lamartine y muy particularmente por Jorge Sand en su manera socialista, aparece ser dentro de la incipiente novela mexicana de entonces el más genuino romántico. Advertimos, además, en su obra, una cordialidad, una efusión, que robustece el concepto que acerca del autor de *La clase media* estampó Altamirano: "Tenía una bondad inmensa, un corazón de niño y una imaginación volcánica".

Que su obra distó, en fondo y forma, de ser perfecta; que, por las condiciones en que se produjo, más que completa realización se antoja ensayo tanto como feliz augurio de cosas mejores, nadie osaría negarlo. Pero hay que pensar que se trata de un novelista de veintiún años.

Y es preciso tener en cuenta también la tormentosa época de violencia en que se produjo y de la que fue víctima y mártir: "Tal vez —escribía melancólicamente en 1858, meses antes de su muerte, Juan Díaz Covarrubias, en la dedicatoria de una de sus novelas al poeta Luis G. Ortiz—, tal vez habrá muchos que digan que sólo un niño o un loco piensa en escribir en México en esta época aciaga de desmoronamiento social, y pretende ser leído a la luz rojiza del incendio y al estruendo de los cañones."

7. FLORENCIO M. DEL CASTILLO aseméjase a Díaz Covarrubias por su dedicación literaria y hasta por su infortunio.

Nacido en México, el 27 de noviembre de 1828, pisó las aulas del colegio de San Ildefonso y se dispuso a seguir la carrera de medicina; bien que sus aficiones literarias, que fueron decididas y tempranas, le apartaron pronto de los estudios y le inclinaron al periodismo y a las letras. Liberal ardiente, luchó con la pluma por los principios reformistas, y, triunfante la revolución de Ayutla, fue diputado al Congreso de la Unión. Empuñó las armas en defensa de la patria al sobrevenir la intervención francesa; mas, habiendo sido aprehendido en México y trasladado a Veracruz, los invasores lo confinaron en el castillo de San Juan de Ulúa con el cruel propósito de que el clima mortífero hiciera lo que no era menester intentasen las armas. El joven patriota allí contrajo, en efecto, a las pocas semanas, la fiebre amarilla. Conducido en estado agónico al hospital del puerto, falleció el 27 de octubre de 1863.

Cultivó Florencio M. del Castillo la novela corta y el cuento; géneros que constituían para aquella época, en México, una novedad literaria, pero que mayormente lo eran por la naturaleza de los asuntos elegidos. Aunque romántico por los cuatro costados, y hasta más sensiblero y meloso que sus contemporáneos, no se limitó el novelista a tratar de amoríos más o menos sentimentales; procuró, antes bien, presentar las pasiones humanas en diversidad de conflictos, y hasta tuvo sus puntas y ribetes de psicólogo y de teorizante. Así, en *Amor y desgracia*, hace intervenir al dinero en favor del deseo senil, como elemento determinante del drama; en *Corona de azucenas*, pinta la lucha de dos almas —la monja y su confesor—, entre el amor humano que las aproxima y el amor divino tanto como el deber religioso que las aparta; en *¡Hasta el cielo!*, la impotencia sexual del marido, originando en la mujer incestuosa pasión contenida a tiempo, es el tema dominante; en *Culpa*, exhibe a una muchacha que ávida de lujo y placeres

y por esencia coqueta, desdeña a cierto honrado pretendiente y se lanza al libertinaje; en *Dos horas en el Hospital de San Andrés*, sitúase la acción novelesca en la mansión sombría de la enfermedad y de la muerte. *Hermana de los Ángeles*, en suma —la narración más larga entre las de Castillo—, aspira a ser algo así como un estudio de la abnegación simbolizada en un tipo de mujer.

Podría creerse por lo antes dicho que el ingenio de Florencio M. del Castillo sobrepuja al de los escasos novelistas de su época en dramaticidad e intención trascendente y hasta creerse —como lo creyeron los contemporáneos— que fue por aquel entonces nuestro mejor novelista.

Nada más erróneo. Su instinto dramático ahógase en lamentaciones sensibleras. Todo lo idealiza sin medida. Es insufriblemente pedantesco en sus digresiones y metafisiqueos de mal gusto. Tan amante se muestra de las citas —reveladoras, por lo demás, de su semicultura revuelta e indigesta— que las menudea aún en los diálogos, poniéndolos en boca de los personajes sin que éstos se enteren. Al contrario de Díaz Covarrubias, carece de vena novelesca; y su lenguaje, sembrado de barbarismos imperdonables e incorrecciones de toda especie, no tiene siquiera, como el del autor de *La clase media*, la virtud de la sencillez y de la espontaneidad que lo hagan tolerable a falta de otros literarios méritos.

Las novelas ya mencionadas de Florencio M. del Castillo se han publicado en volumen, juntamente con algunos artículos y el cuento *Botón de rosa*, en diversas ediciones; las primeras datan de 1850 y 1872.

8. Al margen del romanticismo, y emparentado en cierto modo con Fernández de Lizardi, en cuanto al propósito de reproducir fiel y nimiamente las costumbres, encontramos a LUIS G. INCLÁN.

Podría afirmarse que no fue Inclán un literato profesional, en el más amplio sentido de la palabra, y en cuanto se podía serlo en su medio y en su tiempo. Campesino de nacimiento, pues vino al mundo en el rancho de Carrasco, de la jurisdicción de Tlalpan (hoy Distrito Federal), el 21 de junio de 1816, pasó por la escuela de primera enseñanza y luego hizo un curso de filosofía en el Seminario Conciliar de México; mas, sintiendo que la vocación campirana predominaba en él sobre cualquiera otra, pronto volvió al campo, y en el rancho de su nacimiento, del que llegó a ser dueño, vivió hasta 1847, entregado a las faenas agrícolas. La invasión norteamericana determinóle a trasladarse a la Capital, ¡y hete aquí al ranchero, que con el producto de la venta de su finca había adquirido un taller de litografía e imprenta, convertido en tipógrafo, lanzando a porrillo estampas de santos u obras de literatura popular, religiosa o profana, como jaculatorias y oraciones, novenas, loas, canciones, corridos, etc., etc. Consagrado a estas tareas, y cogiendo la pluma cuando el negocio lo consentía o lo reclamaba, murió el 23 de octubre de 1875.

Quien así vivió, no podía ser, no fue, en la literatura, sino un instintivo, sin disciplinas artísticas que enfrenaran sus ímpetus y le moviesen a depuración y pulimento. Nos imaginamos a Luis G. Inclán en el campo de las letras, de igual suerte que lo habrá sido en los potreros de Carrasco; como una fuerza de la naturaleza en acción. Y en eso precisamente, en su primitivismo, en su rudeza expresiva, en su exteriorización llanota y elocuente, sin afeites ni componendas, estriba lo interesante de su personalidad. Sólo una novela escribió —¡quién sabe si inspirado por nostalgia campesina, o quizá para dar quehacer a sus propias prensas!—: *Astucia, el Jefe de los Hermanos de la Hoja o los charros contrabandistas de la Rama* (1865).

El kilométrico título basta para juzgar de la calidad literaria de este libro en que el escritor se propone,

como tema fundamental, relatar las romancescas andanzas de un grupo de valientes y hasta caballerescos sujetos que, si bien es cierto que hacían fortuna con el contrabando del tabaco, distaban de ser ladrones y bandidos, sino todo lo contrario, pues que "perseguían de muerte y colgaban sin mucha ceremonia a cuanto bandolero encontraban en su camino" y "eran muy queridos, respetados y aun celebrados de cuantos los conocían". Mas, partiendo de este motivo central, ¡cómo el cuadro se ensancha y la acción novelesca se multiplica y complica en mil pormenores y derivaciones; cómo el escenario se puebla de tipos y descubrimos aquí y allá, siguiendo el relato difuso, paisajes, escenas y costumbres que reconocemos como genuinos y típicos de nuestra vida rural; qué abundancia de color local hay en todo, y cómo la ficción tiene aspecto y traza de ser cosa vista, sentida y vivida por un ingenio todo simplicidad, que dice lo que quiere decir en la forma a menudo tosca y hasta incongruente, pero sincera y humanística, en que el pueblo suele manifestarse en sus canciones, cuando el dolor o alegría le impulsan a cantar, o en sus cuentos y consejas, si aspira a entretener!

Por este concepto, el del mexicanismo, Inclán va aún más allá que Fernández de Lizardi; lo que en éste todavía es literatura, en aquél es simple y natural expresión. Como muy bien ha observado D. Federico Gamboa, en *Astucia* se copia y reproduce lo nuestro sin tomar en cuenta modelos ni ejemplos, influjos ni pautas. Y por ello la novela de Inclán, si discutible desde un punto de vista estrictamente literario, por lo que respecta a la pintura de nuestra vida rural puede considerársela documento único, así como inagotable y no suficientemente explorado tesoro folklórico, ya que conserva, en toda su integridad, el habla popular.

9. Fuera de la corriente literaria en el género novelesco engendrada en México por el romanticismo, encuén-

trase también D. JUSTO SIERRA, padre (1814-1861), eminente jurisconsulto y hombre de letras a quien tanto deben el periodismo y la historia particular de Yucatán, su tierra natal. Escribió dos novelas: *La hija del judío* y *Un año en el Hospital de San Lázaro;* ambas tienen carácter regional y están inspiradas en nada artísticos modelos como Dumas y Sué. La primera de dichas novelas se reimprimió en 1959 en la "Colección de escritores mexicanos", de la Editorial Porrúa, S. A. Edición y prólogo de D. Antonio Castro Leal.

Al lado del Dr. Sierra debemos mencionar a otro yucateco: D. ELIGIO ANCONA (1836-1893), autor de novelas históricas, tales como *La cruz y la espada* y *El conde de Pe-*

ñalva. Y, en fin, ya que tampoco por merecimientos literarios, por la relativa nombradía de que gozaron en este período, citaremos, para concluir, a D. PANTALEON TOVAR (1828-1876), forjador de novelas de retórico pesimismo, tales como *Ironías de la Vida* y *La hora de Dios,* en que vuelve a asomar la inspiración de Sué; al lacrimosamente sensible don AURELIO LUIS GALLARDO (1831-1869), que escribió *Adah o el amor de un ángel;* a D. JOSÉ MARÍA RAMÍREZ (1834-1892), por igual extremadamente sensitivo y declamatorio en *Una rosa y un harapo,* y, en suma, a D. JOSÉ RIVERA Y RÍO, que de 1851 a 1861 dio a la publicidad *Los misterios de San Cosme, Fatalidad y Providencia, Mártires y verdugos.*

CAPÍTULO IV

LA HISTORIA Y OTROS GENEROS EN PROSA

Más que otra alguna, la época es apasionante, tumultuosa. Los historiadores, antes que por el pasado, vense solicitados, en el ardor de la contienda, por el presente. Son todos políticos; actores que participan en el drama nacional. Cronistas y comentadores de sucesos contemporáneos, hay en ellos pasión de partido a la que difícilmente se sustraen. Debémosles, sin embargo, páginas admirables que nadie mejor podría haber escrito; páginas en las que, por lo demás, entre los arrebatos de la pasión, resplandece a menudo, con claro fulgor, la verdad.

1. D. CARLOS MARÍA DE BUSTA-MANTE es el primer historiador que surge en la época independiente. Su actividad incansable llena la mitad del siglo.

Ya le vimos aparecer, como periodista, en el período anterior. Había nacido en Oaxaca, el 4 de noviembre de 1774. Cursó gramática latina, filosofía y teología en su ciudad natal; en México se graduó de bachiller en artes y estudió jurisprudencia, y habiendo más tarde pasado a Guanajuato y Guadalajara, en la Audiencia de esta última ciudad se recibió de abogado en 1801 y hubo de ocupar en seguida el puesto de relator de la misma. En la capital de la entonces Nueva España, adonde volvió a poco, consagróse a asuntos de su profesión y luego al periodismo, según queda consignado en anteriores páginas. Al estallar el movimiento insurgente, aun cuando en sus principios se negó a participar en él, como temiera ser encarcelado al suspen-

derse la libertad de imprenta en 1812, marchó a reunirse con Morelos. Figuró en el Congreso de Chilpancingo. Disuelto éste, anduvo a salto de mata para salvar su vida de tenaz persecución. Pidió indulto en 1817. Como pretendiera escapar, embarcándose en Veracruz en un bergantín inglés, fue preso en el castillo de San Juan de Ulúa, y, más tarde, comprendido en el decreto de amnistía. Consumada la Independencia, intervino activamente en la política. Desde 1824 hasta su muerte, figuró, con leves intervalos, en el Congreso, como diputado por Oaxaca, y se dedicó, con ahinco, a escribir así como a publicar muchas de sus obras propias y algunas ajenas. La invasión norteamericana le abatió hondamente, y falleció en México el 21 de septiembre de 1848.

En la producción de Bustamante hay que distinguir dos especies de obras: las originales suyas, y las de que fue mero editor y comentarista. Entre las primeras descuella el *Cuadro histórico de la Revolución Mexicana,* cuya segunda edición, que puede considerarse como la definitiva, data de 1843-46, y del cual son continuación la *Historia del emperador D. Agustín de Iturbide* (1846), *El Gabinete mexicano durante el segundo período de la administración del Presidente Bustamante* (1842) y los *Apuntes para la historia del gobierno del general Santa Anna* (1845). Aparte del *Cuadro histórico* escribió la *Galería de príncipes antiguos mexicanos* (1821), las *Campañas del general D. Félix María Calleja* (1828), las *Mañanas de la Ala-*

meda de México (1835-36), relato de nuestra historia antigua hasta la llegada de los españoles a Veracruz, y, en fin, *El nuevo Bernal Díaz del Castillo o sea historia de la invasión de los anglo-americanos en México* (1847), su libro postrero, que quedó incompleto.

De las obras ajenas editadas por Bustamante, las principales son las de Gómara, Sahagún, Alegre y Cavo, de que se ha hecho mención en el lugar correspondiente. Y a todo esto hay que añadir la multitud de periódicos, folletos y escritos sueltos sobre los más variados asuntos que salieron de aquella incansable pluma. El hombre era extraño a la fatiga —tenía la manía de escribir— y se calcula que haya dado a la imprenta algo así como 19,142 páginas en cuarto, todo ello sin contar lo mucho que dejó inédito.

Es Bustamante, por lo demás, escritor revuelto e incorrectísimo; a ratos ingenioso, pintoresco e imaginativo hasta el desbordamiento; pero más a menudo familiar hasta la trivialidad. Reconócesele como patriota desinteresado y puro, aunque sin principios fijos en política; circunstancia esta última que, sumada a su credulidad —que era proverbial— le inclinaba a frecuente contradicción y ligereza. Adviértese por lo común en sus escritos falta de plan y encadenamiento lógico, parcialidad e inexactitud al referir los sucesos.

Como editor de obras ajenas tíldasele de poco escrupuloso en virtud de que no tenía empacho en efectuar alteraciones en el texto, suprimir pasajes, intercalar sus propias opiniones confundiéndolas con las del autor, y agregar notas a cada paso y sin objeto.

Innegables como son tales defectos, a Bustamante no se le deben escatimar sus méritos: nuestra historia le es deudora de haber reunido abundantes noticias relativas a períodos de la vida nacional en los que fue testigo, cuando no actor; así como de haber dado a la estampa libros que, por muchos que sean los lunares que las respectivas ediciones presenten, yacerían quizá en el olvido, de no haber mediado su entusiasmo para darlos a conocer.

2. D. LUCAS ALAMÁN perfílase como figura diametralmente opuesta a Bustamante. Opuesta por la pasión, pero también por el carácter literario. No improvisa la historia; la construye con método. Pocos espíritus tan congruentes y lógicos, tan bien preparados e imbuidos en recias disciplinas de cultura.

Originario de Guanajuato, donde nació el 18 de octubre de 1792, e hijo de padres españoles cuya fortuna fincaba en la minería, recibió desde su infancia educación esmeradísima. Estudió humanidades y ciencias exactas en su ciudad natal, y adquirió, asimismo, conocimientos prácticos en minas. Presenció la entrada de Hidalgo en Guanajuato al iniciarse la revolución; y como, huyendo de ésta, su familia se trasladara a México el mismo año de 1810, aquí amplió Alamán sus conocimientos científicos y literarios. Cursó química y mineralogía en el Colegio de Minería al lado del sabio D. Andrés del Río; se aficionó a las ciencias naturales, particularmente a la botánica y aprendió lenguas modernas. De 1814 a 1820 hace un fructuoso viaje de estudio por Europa; visita Alemania, Inglaterra, Francia, España, Suiza, Italia y los Países Bajos. En París sigue cursos científicos en el Colegio de Francia; se especializa en mineralogía; estudia el griego, conoce y trata a personalidades eminentes. Sabiendo a fondo las lenguas clásicas: poseedor también —aparte la española— de las lenguas y literaturas inglesas, francesa, italiana y alemana; con vastos conocimientos en ciencias, y el natural pulimento que dan al espíritu los viajes provechosos, era el joven Alamán, antes de llegar a los treinta años, y por lo que mira a la cultura, un caso de excepción en su país y en su época.

Esto contribuyó poderosamente a

la participación que en los negocios públicos de su patria hubo de tomar. De regreso en México en 1820, a tiempo que se restablecía la Constitución de 1812, al año siguiente se embarcó para España, nombrado diputado a Cortes por la provincia de Guanajuato. Consumada la Independencia, tras de nuevo viaje por Francia e Inglaterra, en pos de formar una gran compañía minera que al fin logró constituir en Londres, volvió de nuevo a su país en 1823, a raíz del destronamiento de Iturbide. El gobierno provisional le nombró entonces Secretario de Estado y del despacho de Relaciones Exteriores. A partir de aquel año, y dentro del partido conservador, participó en las tareas gubernativas y en la política, salvo los intervalos en que se consagraba a sus tareas literarias o a grandes empresas industriales en los ramos textil y minero. Siendo ministro de Relaciones en la última administración de Santa Anna, le sorprendió la muerte en México, el 2 de junio de 1853.

La vocación de D. Lucas Alamán fue la historia; pero, como todos los historiadores de su tiempo, fue hombre de partido, y, al igual que en todos ellos, la pasión política influyó poderosamente en sus escritos. Dos obras salieron de su pluma: las *Disertaciones sobre la historia de México* (1844-52), y la *Historia de México* (1849-52). En las *Disertaciones* trata de la conquista, del establecimiento del gobierno español hasta la creación del virreinato, de las empresas de Cortés, del establecimiento y propagación de la religión cristiana en la Nueva España y de la fundación de la ciudad de México, amén de una síntesis de la historia de España desde los Reyes Católicos hasta Fernando VII, y numerosos apéndices. La *Historia de México* comprende desde los primeros movimientos que prepararon la independencia en el año de 1808, hasta el de 1852.

Si por la forma, vigorosa y sobria, que hace de Alamán el mejor prosista de su época; si por la concepción y realización armoniosa del plan seguido, la penetración e intensidad del análisis, la fuerza expresiva de los episodios y el interés elocuente y la exactitud del relato, la obra del historiador mexicano unánimemente se reconoce como de lo más notable que han producido nuestras letras; en cambio, y por lo que respecta al criterio que como historiador Alamán sustenta, ninguna ha habido más discutida, más combatida, más exaltada o vilipendiada, no ya tan sólo entre los contemporáneos, sino ante la posteridad. Si para unos —los de su partido— Alamán es, según Bassoco, el hombre "que se elevó por una austera sabiduría sobre los respetos humanos, y que siempre pronto a dar a la virtud las alabanzas que le son debidas, hizo temer a la iniquidad el juicio y la censura"; para otros —los del contrario— simboliza el odio a la causa insurgente, y es, conforme a la expresión del P. Rivera, "el borbonista hasta la muerte, el reverente depositario de la sagrada majestad de los reyes, de la fidelidad de las colonias a la madre España, de la bondad del gobierno virreinal y de todas las ideas y tradiciones de la monarquía española".

3. Así como Alamán representa el espíritu conservador, en D. Lorenzo de Zavala hállase representado el jacobino.

Alma toda inquietud y rebeldía, desde su edad moza se estremece en férvidas ansias de libertad. En el Seminario de San Ildefonso de Mérida —su ciudad natal, donde vio la luz el 3 de octubre de 1788— estudió teología, aunque sin ánimos de llegar a ser clérigo. Tuvo allí por maestro a un escéptico, enemigo jurado del escolasticismo. Cultivó en secreto los libros prohibidos, particularmente los de los enciclopedistas franceses. Y en un acto público de filosofía, en medio del espanto de los circunstantes, hubo de impugnar una proposición de Santo Tomás.

En 1807 encuéntrase ya fuera de

las aulas, tal vez desconcertado, sin rumbo que tomar. La invasión napoleónica en España y el movimiento constitucional de 1812, señálanselo de modo definitivo; es, ante todo, hombre de pasión y de lucha, y se lanza a combatir. Interviene en las juntas de los "sanjuanistas" de Mérida; pronuncia exaltados discursos; funda y redacta periódicos en que su furia acometedora no ceja ante nada ni ante nadie; sirve una cátedra —quizá la primera que se estableció en el país— de Derecho Constitucional; y con la gente de su grupo realiza entre los indios una insistente propaganda revolucionaria, la cual se considera como el origen de la guerra de castas que más tarde asolaría a la península yucateca.

Triunfante el absolutismo en 1814, es preso y se le deporta al castillo de San Juan de Ulúa, donde permanece encarcelado hasta 1817. Los forzados ocios de la prisión empléalos en estudiar la lengua inglesa —que llega a poseer a fondo— y la medicina. Libre al fin, sus actividades tienen algo de vertiginoso y alucinante. Electo diputado a las Cortes españolas en 1820, allá intriga y agita. Intriga y agita en el primer Congreso Nacional y en la tribuna revélase gran orador. Amigo primeramente de Iturbide, tórnase su más enconado adversario. Caído el Imperio, lucha por el federalismo, trabaja por el establecimiento de las logias yorkinas, organiza el partido demagógico, coopera a la expulsión de los españoles, gobierna el Estado de México, interviene en el motín de la Acordada, es ministro de Hacienda del Presidente Guerrero, y, al ser derrocado éste, márchase, perseguido, a los Estados Unidos. Viaja luego por Inglaterra, Holanda, Alemania, Bélgica, Suiza e Italia, y fija su residencia en París, donde escribe el Ensayo histórico en 1831. Al año siguiente ya está de vuelta en el país; reasume el gobierno del Estado de México; es allí el iniciador de las leyes de nacionalización de los bienes del clero, y su actitud, durante la epidemia del cólera, es bella, por

humanitaria y heroica. A poco, ya está de nuevo en París, representando a México ante la corte de Luis Felipe en 1834, para renunciar presto ese cargo, en términos levantados y viriles, por no estar de acuerdo con la política de Santa Anna.

Tiene esta vida, en su intensidad radiosa, algo de meteoro y de llama. ¡Lástima que quien la vivió, acabase por enfangarla en la ignominia! Hombre de pasiones desmedidas, político turbulento y sin escrúpulos, Zavala olvidó su más estrecho deber: el de fidelidad a la patria. Concesionario de inmensas extensiones de terrenos colonizables en Texas, y no ya tan sólo por odio a sus enemigos que estaban en el poder, sino acaso por algo menos confesable, la ambición de riqueza, el que fuera caudillo de la libertad empieza por violar las leyes nacionales y acaba por traicionar a su país, uniéndose a los sublevados texanos y firmando la declaración de independencia de Texas como diputado por Harrisburg. Electo vicepresidente de la efímera república, acepta y desempeña dicho cargo, del que se retira para morir en su residencia de San Jacinto, cerca de Linchburg, el 15 de noviembre de 1836.

La vida de Zavala explica su personalidad de escritor. Hombre de superior talento y cultura, todo en él la pasión lo avasalla. Escribe luchando; lucha escribiendo. Es, antes que un historiador, un memorialista vivaz y apasionado de su época. Su estilo es claro, preciso, hiriente, rotundo; a ratos diríase que flamea.

Aparte lo que dejó inédito —háblase de unas Memorias, de un Viaje a Suiza y de otro Viaje a Bélgica y Holanda, que se han perdido— sólo dos obras suyas se conocen: el Ensayo histórico de las revoluciones de México y el Viaje a los Estados Unidos. Ambas las escribió en el extranjero. El Ensayo se publicó en dos volúmenes, impreso el primero en París, en 1831, y el segundo en Nueva York, al año siguiente; la edición hecha en México en 1845 es la segunda. Asimismo, el *Viaje a los Estados Unidos* publicóse por primera vez en París en 1834, y en Mérida, Yuc., el año de 1846, con una noticia sobre su vida y escritos por Justo Sierra O'Reilly.

En este libro —donde tal vez pueda encontrarse la génesis moral de su traición— Zavala se nos revela, tanto o más que narrador pintoresco de viajes, espíritu dotado de una sutil capacidad de observación acerca de gentes y pueblos. El *Ensayo histórico de las revoluciones de México* abarca desde los preliminares de la independencia en 1808 hasta la administración de Bustamante, y es, sin duda, la obra mejor y más característica de Zavala. Objétasele, es cierto, falta de serenidad y de método. El autor no repara en pormenores de fechas y nombres. Le falta —como ha observado D. Alfonso Toro en su excelente estudio— "perspectiva histórica" por lo que atañe a la época de la independencia, y son apasionadísimos, y en ocasiones caricaturescos, los juicios o relatos que hace Zavala de sus enemigos en relación con los sucesos posteriores en que él mismo tomó parte. Pero, en cambio, ¡qué dotes de observador fino y perspicaz muestra en muchas páginas; cómo y de qué manera penetra a veces en las causas profundas del drama de nuestra historia, de tal suerte que algunas de las cuestiones que él planteó, todavía son palpitantes y actuales!

Si como historiador no puede codearse con los mejores nuestros, es sin duda D. Lorenzo de Zavala uno de los más grandes escritores políticos que ha tenido México.

4. Hombre de ideas avanzadas, y habiendo intervenido activamente en la política, D. José María Luis Mora es, entre nuestros historiadores, un singular caso de ponderación, de equilibrio y de inteligencia comprensiva.

Nacido en Chamacuero (Estado de Guanajuato) en octubre de 1794, estudió primeras letras en Querétaro, y luego, en México, fue brillante alumno del Colegio de San Ildefonso, se ordenó sacerdote y recibió el grado de doctor en teología. Liberal por convicción desde sus principios, redactó en 1821 el *Seminario Político y Literario;* fue nombrado, al año siguiente, vocal de la Diputación provincial de México; arrostró la prisión oponiéndose a Iturbide; caído el Imperio, figuró como diputado a la Legislatura constituyente del Estado de México, hizo en ella un lucido papel, y en 1827 se recibió de abogado; participó en la contienda entre los bandos escocés y yorkino, como perteneciente al primero; en las alternativas de triunfo y derrota de su partido luchó, ya en la prensa, en defensa de sus ideas (hízose notable, por su vehemencia, *El Indicador,* periódico fundado por él), o bien escribiendo su *Catecismo político de la Federación Mexicana* y su *Disertación sobre la naturaleza y aplicación de las rentas y bienes eclesiásticos,* e intervino, durante la administración de Gómez Farías, en cuestiones de educación. Era —según él lo ha expresado al definir lo que entendía por "marcha política del progreso"— partidario de "la ocupación de los bienes del clero, la abolición de los privilegios de esta clase y de la milicia, la difusión de la educación pública en las clases populares, absolutamente independiente del clero; la supresión de las monacales; la absoluta libertad de las opiniones; la igualdad de los extranjeros con los naturales en los derechos civiles, y el establecimiento del jurado en las causas criminales". Al caer los suyos, con Gómez Farías, Mora huyó a Europa y fijó su residencia en París, donde, en medio de una existencia precaria, casi miserable, tuvo ánimos para consagrarse a sus tareas literarias. Pasó a Inglaterra en 1847, nombrado —al cambiar los rumbos de la política— ministro plenipotenciario de México ante aquella corte; y, habiéndose trasladado a París, por agravamiento de la tisis que padecía, y que tal vez contrajo en sus años de miseria, en esta ciudad falleció el 14 de julio de 1850.

Dos libros publicó en París el Dr. Mora: *México y sus revoluciones,* en 1836, y las *Obras sueltas,* en dos volúmenes, en 1837. Del primero existe una edición en la "Colección de escritores mexicanos" de la Editorial Porrúa, S. A., con prólogo de Agustín Yáñez.

Desde 1828 había estado haciendo acopio de materiales para el primero de ellos, que empezó a escribir en 1830, y que, conforme al plan trazado, debería comprender una primera parte estadística relativa al estado general de la República y particular de cada uno de los Estados y territorios; y una segunda —histórica— que abarcaría desde la conquista española hasta la administración de Santa Anna. El autor no llegó a realizar sus propósitos. De *México y sus revoluciones* sólo aparecieron tres tomos: el primero, en que se trata de la situación y extensión, estructura física y producciones naturales del territorio, minería, industria y comercio, administración de México bajo el régimen español, organización política y social, relaciones exteriores y rentas de la República hacia la época en que el autor escribía; el tercero —pues no llegó a publicarse el segundo— se refiere a la conquista y a las diversas tentativas para establecer la independencia, y el cuarto, en que se estudia ésta desde su iniciación hasta la muerte de Morelos. Como historiador, se destaca Mora por la rectitud de sus juicios, por la armoniosa justeza de sus generalizaciones, por el afán notorio de rehuir, en la apreciación de los hechos que estudia, al influjo pasional de la política, y mantenerse siempre en un plano de serenidad y sinceridad. Sin ser impetuoso como Zavala, ni tener la vigorosa abundancia de Alamán, narra con sobriedad y precisión y observa sagazmente. Con estar incompleta y haber quedado trunca su mejor obra, puede considerársela evidentemente

como clásica para el estudio de nuestra historia.

Las *Obras sueltas* son documento inestimable para conocer la interesante personalidad política del Dr. Mora. "Son —dice éste— la historia de mis pensamientos, de mis deseos, de mis principios de conducta." En ellas reunió el autor: su pintoresca y admirable revista política de las diversas administraciones que tuvo la República hasta 1837; los escritos del obispo Abad y Queipo; su ya aludida disertación sobre la naturaleza y aplicación de las rentas y bienes eclesiásticos; sus diversos proyectos y trabajos sobre el crédito y la deuda pública del país, y, en suma, en el tomo segundo, sus escritos publicados en el *Semanario político y literario* y en las épocas del *Observador de la República Mexicana,* a través de los cuales revélase como extraordinario escritor político.

En Mora encontramos, a la par que un historiador eminente, un profundo pensador y sociólogo.

5. Al lado de los grandes historiadores de este período, debemos consignar los nombres de otros de menor talla.

En primer término figura D. Luis Gonzaga Cuevas (1800 - 1867), miembro prominente del partido conservador, cuyo penetrante ensayo intitulado *Porvenir de México* (1851-57)* es un examen de la situación de la República a través de los sucesos registrados desde la consumación de la Independencia hasta el motín de la Acordada en 1828; y, al mismo tiempo, aspira a ser, dentro del criterio político del autor, una profecía sobre los destinos que aguardarían al país en vista de la política que se adoptase.

Reseñadores de los acontecimientos de la época son D. José María Tornel y Mendívil (1797-1853), general y político cuyo nombre es familiar en las innúmeras revolucio-

* (Reimpreso el año de 1954, en un vol.)

nes de aquel entonces, y el político conservador D. FRANCISCO DE PAULA ARRANGOIZ (muerto en 1889). El primero con su *Breve reseña*, que se publicó incompleta en 1852, y el segundo con su libro intitulado *México desde 1808 hasta 1867*, impreso en 1872.

Como historiadores de sucesos particulares señalaremos a D. FRANCISCO ZARCO (1829-1869) con su *Historia del Congreso Extraordinario Constituyente* (1857),* y a D. MANUEL RAMÍREZ APARICIO (1831-1867), autor de una reseña de *Los conventos suprimidos en México* (1861). En fin, D. MARCOS ARRÓNIZ, cuyas actividades poéticas hermanaron con las históricas, publicó un interesante *Manual de biografía mexicana* (1857), y su pintoresco *Manual del viajero en México*, editado en 1858.

El remoto pasado sólo preocupa en esta época a D. JOSÉ FERNANDO RAMÍREZ (nacido en la villa del Parral, Estado de Chihuahua, el 5 de mayo de 1804; muerto en Bonn, Alemania, el 4 de marzo de 1871), el ilustre arqueólogo y erudito a quien tanto debe la cultura mexicana. Si Ramírez no escribió la historia, salvó de la destrucción preciosos materiales e hizo acopio de ellos para que otros la escribiesen, y estableció, asimismo, los fundamentos de la interpretación jeroglífica de nuestros códices. De su gran obra, fragmentaria y dispersa, señalemos sus *Adiciones a la Biblioteca de Beristáin* (1898), que vinieron a completar el libro fundamental de este bibliógrafo; sus noticias sobre Motolinia, Nuño de Guzmán y Pedro de Alvarado, y sus *Notas y esclarecimientos a la historia de la Conquista de México de Prescott*.

En el volumen que le ha dedicado la "Colección de escritores mexicanos" de la Editorial Porrúa, S. A., ha reunido Antonio Castro Leal la

excelente *Vida de Motolinia* y algunos importantes artículos escritos para el *Diccionario universal de historia y de geografía* (México, 1853-1856), que habían sido recogidos antes en libro.

ERUDITOS Y ESCRITORES POLITICOS

6. También, entre los eruditos, hay que considerar a D. JOSÉ JUSTO GÓMEZ DE LA CORTINA, Conde de la Cortina (nacido en México en 1799 y muerto en la misma ciudad el 9 de enero de 1860), gramático, filólogo, y, en sus ratos de ocio, crítico literario y poeta humorístico. Aunque era de nacionalidad española y al servicio de España estuvo en sus mocedades como diplomático, habiendo desempeñado, entre otros cargos, el de introductor de embajadores en la corte de Fernando VII, la mayor parte de su vida residió en México. Esta circunstancia, así como la de haber aquí ocupado algunos puestos públicos, empleando parte de su cuantiosa fortuna en el fomento de nuestras letras y artes, y ejercido su actividad literaria, nos mueve a incluirle en este libro. La suntuosa casa del Conde de la Cortina fue centro literario de los más brillantes en la primera mitad del siglo. Era él hombre de discreta cortesanía y abundantes luces, conversador excelente y escritor variado. Una contemporánea —la señora de Calderón de la Barca— refiriéndose a haber visto tres composiciones suyas; una sobre los terremotos, otra acerca del diablo y la tercera relativa a los padres de la Iglesia, explica en su *Life in Mexico* que en la primera, en forma de folleto dirigido a una señora, el Conde da una explicación científica de las causas de aquellos fenómenos, intercalando elogios para los bellos ojos de la dama; que la segunda es un poema burlesco, y la última una disertación grave y profunda. Lo cual arguye en pro de cierto diletantismo literario de buen

---

* Reimpreso en México en 1956. Con un "Estudio Preliminar" de Antonio Martínez Báez.

tono por parte del prócer. Acaso fue eso, más que otra cosa, Gómez de la Cortina: un diletante. En su juventud había ensayado la pluma traduciendo la *Literatura Española* de Buterweck, que comenzó a publicar en 1829 y que dejó trunca. En México ejerció la crítica menuda "con más desenfado que elevación y aticismo" —a juicio de Menéndez y Pelayo— en su célebre periódico literario *El Zurriago* (1893), contribuyendo "a mantener la parte exterior de las tradiciones clásicas en pleno desbordamiento romántico". Escribió unas *Nociones elementales de numismática* (1843), el *Diccionario de sinónimos castellanos* (1845), el *Diccionario manual de voces técnicas castellanas en Bellas Artes* (1848), y una *Biografía de Pedro Mártir de Anglería* (1858). Pero mucho más que lo publicado es lo que dejó inédito sobre cuestiones diplomáticas, gramaticales, lingüísticas, históricas, geográficas, cosmográficas y de cronología mexicana, y hasta se habla de dos novelas suyas: *Leonor* y *Euclea o la griega de Trieste,* que publicadas en algún periódico de la época han quedado irremisiblemente perdidas.

D. JOSÉ BERNARDO COUTO (1803-1862), jurisconsulto y humanista, discípulo de Mora, restaurador de la Academia de San Carlos y hombre público de singular prestigio en su tiempo, ejercitóse asimismo en trabajos de varia cultura. Fue autor de un famoso *Discurso sobre la constitución de la Iglesia* y del erudito *Diálogo sobre la historia de la pintura en México;* tradujo el *Arte poético* de Horacio, y colaboró asiduamente en el *Diccionario universal de historia y geografía* (10 vols. México, 1853-1856).

7. Como en el período anterior, y por idénticos motivos, tuvo en esta época extraordinario auge la literatura política. Ejercíasela en el folleto, en la tribuna y en la prensa. Dos periódicos fueron los principales baluartes en que los mejores escritores de los partidos en pugna exponían y defendían sus ideas: *El Siglo XIX,* liberal; *La Cruz,* conservador. Aparte de Ignacio Ramírez, Prieto y Altamirano, distinguiéronse entre los liberales, como oradores o periodistas, o por ambos títulos: D. FRANCISCO ZARCO (1829-1869), polemista de fuste, sobresaliente tribuno en el Constituyente e historiador del mismo, y creador del famoso periódico satírico *Las cosquillas;* D. VICENTE RIVA PALACIO, el poeta y novelista de quien ya hablaremos, cuyo espíritu epigramático dio no poco quehacer a sus adversarios; D. PONCIANO ARRIAGA (1811-1865), quien fue uno de los paladines del propio Congreso Constituyente; en fin, D. IGNACIO L. VALLARTA (1830-1893), eminente constitucionalista que con su *Discurso sobre la abolición de la Compañía de Jesús* se consagró como uno de los más conspicuos tribunos en aquella asamblea.

Del lado de los conservadores, además de Pesado, Roa Bárcena, Couto y Arango y Escandón, ya citados, figuraron D. CLEMENTE DE JESÚS MUNGUÍA (1810-1868), Arzobispo de Michoacán, vigoroso orador y polemista, en cierto modo corifeo del partido conservador y D. IGNACIO AGUILAR Y MOROCHO (1813-1884), miembro de la comisión que ofreció en Miramar a Maximiliano la corona de México, autor de innumerables folletos políticos, disertaciones sobre jurisprudencia civil y criminal, escritor cuyo ingenio zumbón y agudo descolló en la famosa sátira intitulada *La batalla del Jueves Santo.*

En cierto modo vinculado con los anteriores, aunque por otros diversos conceptos digno de recordación, encontramos a D. ANSELMO DE LA PORTILLA (1816-1879), el esforzado periodista español que tanto trabajó por el acercamiento entre México y España, y a quien tanto deben las letras mexicanas. Fundador del periódico *La Iberia* en 1867, en el folletín de éste publicó su celebradísima *Biblioteca histórica* en la que aparecieron obras antiguas, inéditas o muy raras, de capital importancia para la historia nacional. De la Portilla cultivó la poesía, la novela, la historia y la crítica literaria, y redactó no pocos periódicos. Varios libros salieron de su pluma: *La Re-volución de Ayutla, México en 1856-57, De Miramar a México,* y la novela *Virginia Steward.* Al morir él, se presentó una proposición al Congreso por la que se declaraba que "había merecido bien de México".

QUINTA PARTE

DE 1867 A 1910

Capítulo I

LA EVOLUCION LITERARIA

Juárez

1. *El término de la lucha.* Con la restauración de la República en 1867 se inicia una nueva época en nuestra historia política. Nuevo es también el aspecto que, a partir de entonces, ofrece la de las letras.

La victoria republicana no fue cruenta. Caídos en el cerro de las Campanas Maximiliano, Miramón y Mejía, y ocupada la capital el 21 de junio, hizo su entrada en ésta el gobierno nacional presidido por Juárez. No se derramó más sangre después de Querétaro. Los personajes políticos que participaron en la aventura imperial —entre los cuales se contaban algunos escritores— sufrieron penas de prisión o destierro. Poco después se decretó la amnistía. El país alcanzaba al fin su unidad política mediante el reconocimiento de una ley fundamental; con lo que desaparecía lo que hasta entonces había sido causa generadora de anarquía incesante, de guerra civil sin tregua en el curso de medio siglo.

Lerdo de Tejada había dicho a los defensores de Maximiliano: "La guerra civil puede y debe acabar con la reconciliación de los partidos." En realidad no hubo tal reconciliación, sino eliminación de uno de ellos y, en el poder, actuación exclusiva del otro. Así se ponía punto final a la vieja pugna y podía ser un hecho la paz.

No fueron, con todo, ajenos a la inquietud política dentro del propio partido victorioso los primeros años de la era republicana. Juárez tuvo que luchar con una fuerte oposición y vio a su gobierno constantemente amenazado por caudillos y caciques. Muerto en 1872, le sucedió en la Presidencia D. Sebastián Lerdo de Tejada, quien engreído con la reelección fue derrocado y se desterró voluntariamente. El vicepresidente de la República, Don José María Iglesias, pretendió, con tal carácter, asumir el poder; pero cayó a su vez al quedar triunfante la facción que encabezaba el General Porfirio Díaz. Ocupa éste la Presidencia en 1876, y salvo un período de cuatro años en que es Presidente el General Manuel González (1880-1884), gobierna, por reelecciones sucesivas, hasta mayo de 1911.

Durante el largo espacio de tiempo que media entre 1867 y 1910, México sufrió hondas transformaciones en los órdenes político, económico y social. Por lo que hace a las letras, la situación creada las afectó en varios respectos. Señalemos uno tan sólo, el principal: habiendo dejado de absorber la vida pública al escritor, la labor intelectual se desarrolla aparte de la acción política, que, por lo demás, casi no existe. Al amparo de una paz prolongada, la literatura mexicana alcanza un intenso florecimiento.

2. *La verdadera amnistía.*—Como antes, como siempre, en los períodos de culminación de la guerra, las letras habían venido a menos en la década que concluía en 1867. "Era natural —expresa un contemporáneo, D. Ignacio Manuel Altamirano—: todos los espíritus estaban bajo la influencia de las preocupaciones políticas, apenas había familia o in-

dividuo que no participase de la conmoción que agitaba a la nación entera, y en semejantes circunstancias ¿cómo consagrarse a las profundas tareas de la investigación histórica o a los blandos recreos de la poesía, que exigen un ánimo tranquilo y una conciencia desahogada y libre? Verdad que en esa época es justamente cuando deben vibrar poderosos y arrebatadores los cantos de Tirteo, y cuando en el fuego de la discusión deben brotar los rayos de la verdad; pero es indudable también que esta poesía apasionada, que esta discusión política, no son los únicos ramos de la literatura, y que generalmente hablando, se necesita la sombra de la paz para que los hombres puedan entregarse a los grandiosos trabajos del espíritu."

Quien así tan generosamente hablaba en 1869, en el capítulo de introducción a la célebre revista literaria que fundó, sería el maestro de dos generaciones, el alma buena en la obra de concordia que habían menester los espíritus para trabajar por la cultura y por el arte. "La verdadera amnistía —observa con justeza D. Carlos Pereyra— se dio en las columnas de *El Renacimiento*, donde escribieron los que la víspera se habían hostilizado hasta en los campos de batalla." El propio Altamirano —agrega— "el espíritu comprensivo de su generación, declaraba que mientras hacía vida de guerrillero en las selvas del Sur, peleando contra el Imperio, gustaba de recitar la bellísima oda con que Roa Bárcena saludó la llegada de Maximiliano".

Había en las conciencias ánimo decidido de construir para la cultura. Los que para "empuñar el sable habían arrojado la lira", requieren de nuevo ésta y vuelven a tañerla. Al "hondo silencio que reinaba en la república de las letras", sucede musical vibración de vida activa y libre. La prensa renace; sobre los rescoldos de la hoguera extinta, no es raro que se levante una que otra llama, pero no habrá ya peligro de incendio. Las pasiones políticas se amortiguan. Despiertan, de su angustiado sueño, las letras; "al cesar la lucha —anotaba, siempre generoso, Altamirano— vuelven a encontrarse en el hogar los antiguos amigos, los hermanos". Unos y otros se dan cita en reuniones literarias. Son éstas cordiales, entusiastas; domina en ellas un contagioso sentimiento de fraternidad.

El Renacimiento —nombre simbólico y justo— aparece en 1869. Es no sólo un vehículo de la actividad literaria que resurge, sino también un índice espiritual de la época. En torno a Altamirano que lo dirige, agrúpanse escritores viejos y jóvenes, liberales y conservadores: al lado de los jacobinos Ramírez y Prieto, los imperialistas Montes de Oca y Roa Bárcena; junto a Payno y Riva Palacio, Justo Sierra y Manuel Acuña. El llamamiento se había hecho "a todos los amantes de las bellas letras", a los escritores de "todas las comuniones políticas". Y en aquel período literario, único en su género y novísimo para México, como al conjuro de esperada, de largamente esperada primavera, el jardín antes mustio se llena pronto de rosas. En las páginas de *El Renacimiento* tienen cabida todos los géneros, se abren paso todas las ideas. Poesía, crítica, novela, cuento, historia; crónicas literarias y revistas teatrales; versiones de grandes poetas extranjeros antiguos y modernos: de todo hay en ese semanario. Y al dar por concluida su publicación, bien pudo Altamirano afirmar que cuantos con él habían colaborado en la empresa "se llevaban la satisfacción, que no quería negarles la justicia pública, de haber contribuido empeñosamente a favorecer el movimiento literario que *se notaba en todas partes*" y que no en vano calificaba él de "inaudito".

3. *La Academia Mexicana de la Lengua.*—Propicio era el ambiente

a la formación de grupos o cenáculos y aun al advenimiento de sociedades literarias.

A la Academia de San Juan de Letrán, que se había extinguido en 1856, en vísperas de la Reforma, sucedió el Liceo Hidalgo, del que fue principal impulsor el periodista D. Francisco Zarco, y que restablecería Altamirano años más tarde. Asimismo hay que hacer mención del Liceo Mexicano, centro en que se congregaron los escritores jóvenes.

En 1875 fúndase la Academia Mexicana de la Lengua. Venía a ser ella un órgano más vigoroso, más sólidamente arraigado con caracteres de perdurabilidad en el ambiente literario de México. La Academia Mexicana, como las demás de su misma índole creadas por entonces en América, establecíase como correspondiente de la Real Española. Considerando ésta que fuera de España hablaban el castellano más individuos que dentro de España misma; que existía, para las realidades del idioma, un vasto mundo español, con el océano de por medio, y que en las entonces dieciséis repúblicas de origen y civilización hispanos erigidas en el Nuevo Continente, la conservación del idioma, que venía a ser símbolo y síntesis de patria, ofrecía tanto interés para los hispanoamericanos como para los españoles, unidos por el vínculo común del habla: decidió fomentar la creación de Academias Americanas, autónomas por lo que respecta su régimen interior, pero unidas en íntima relación con ella. Dichas Academias correspondientes, relacionadas entre sí y con la matriz, trabajarían por la preservación y defensa del idioma común, aportando los vocablos que conviniese admitir dentro del caudal del idioma, procurando arraigar las buenas doctrinas que impidiesen su corrupción y decadencia, y, en fin, promoviendo el desenvolvimiento de las letras. Venían a ser esas corporaciones nacientes el indicio de que,

más allá de las fronteras, existen intereses ideales que ponen en relación a más de cien millones de hombres. Representaban y representan estos doctos cuerpos la unión espiritual de toda la raza.

La Academia Mexicana de la Lengua, desde su fundación, ha colaborado aportando material al *Diccionario de la lengua,* para lo cual se dedicó a reunir y calificar los provincialismos del país. Promovió importantes estudios de crítica e historia literaria que forman los volúmenes hasta hoy publicados de sus *Memorias.* Pero hizo algo mejor: con amplio espíritu de cooperación, lejos de las marejadas de la política, ha venido reuniendo en su seno a las más esclarecidas figuras de las letras mexicanas. Satisfacía así el ideal predominante en los años de su iniciación: asociar libérrimamente todos los valores representativos en la noble tarea de construir para la cultura.

4. *Florecimiento literario.*—Bajo tales auspicios, y conforme al entusiasmo con que así los escritores del período anterior, que tenían ya personalidad y renombre, como los nuevos que surgían con ánimo de alcanzarlo, acometieron las labores intelectuales, el florecimiento iniciado en 1867, se fue acentuando más y más en el curso de este período.

Todos los géneros prosperan. La historia alcanza desarrollo y esplendor sólo comparables con los que alcanzara en pasados siglos: realízanse importantes trabajos de investigación y síntesis. Son los novelistas de este período los que por primera vez aciertan a dar a la novela, en forma artística, una íntima fisonomía nacional. Aparece la crítica. Regístrase, en el período de 1870 a 1880, un activo movimiento teatral nunca antes conocido en nuestra historia literaria; movimiento que, si bien en general no acusa elevada significación artística, es cuando menos sintomático del generoso desbordamiento intelectual que se hacía sentir. Cobra, en fin, la lírica, por evoluciones sucesivas, su más bella y acabada expresión.

Es, sin duda, la poesía, la nota más importante de la literatura mexicana en el último tercio del siglo XIX. Altamirano aspiraba —ya veremos adelante en qué forma— a la creación de una lírica nacional. El romanticismo predominante se depuraba. "Se limpió de sensiblería y falsedad la lírica —como expresa Luis G. Urbina refiriéndose a este período—, los ojos se fijaron de nuevo en el mundo real, y dio principio la noble tendencia de sentir con sinceridad y de expresar con verdad." Continuaba manifestándose la influencia de España; pero ya la curiosidad por las literaturas extranjeras y el conocimiento de otros modelos señalaban nuevos rumbos. La lengua y literatura francesas, a efecto del contacto con el invasor, habíanse difundido bastante. Empezaban a cultivarse la inglesa y la italiana. Altamirano primero, y Justo Sierra después con mayor ahínco, aceleraron ese movimiento.

Entretanto, y por informarse casi exclusivamente la lírica en las literaturas modernas, la poesía clásica decae; son de excepción —aunque excelentes y por cierto no formados en él— los humanistas que se destacan en este brillante período. Decaerá mucho más. La mano de D. Gabino Barreda (1824-1881) divorció del culto de los modelos eternos a las generaciones que llegaban. Había cimentado aquel filósofo de la era republicana la educación superior sobre la base de la ideología positivista, desterrando —como ha dicho Antonio Caso— "el ejercicio de las humanidades, de la cultura clásica, de aquellos elementos literarios de la antigüedad que, transmitidos de generación en generación, han engendrado las flores más exquisitas del pensamiento y los galardones más altos del espíritu". Hasta qué punto dañaría a las letras ese imprevisor impulso, es lo que todavía no sabemos.

Los poetas del llamado "post-romanticismo" de 1870, prolongan en línea recta su descendencia hasta las postrimerías del siglo: época en que la inquietud, que por entonces se hacía sentir en el mundo, produciendo en las letras una reacción anárquica en ciertos respectos semejante a la del propio romanticismo, así como la expansión de la cultura cada vez más universalizada en México en los espíritus selectos, dieron origen en nuestra lírica al complejo movimiento común aunque arbitrariamente designado con el nombre de "el modernismo".

5. *El modernismo.*—Entre las diversas influencias literarias extrañas que lo informaron, y que, lejos de resolverse en imitación servil, fueron absorbidas e incorporadas por los poetas mexicanos a su peculiar manera de ser, predominaron la tardía del romanticismo, así como la del parnasismo y el simbolismo franceses. No fue, por lo demás, el modernismo, una escuela. La variedad de tendencias que comprendió, y la diversa manera como éstas hubieron de manifestarse en los escritores, no permiten clasificarlos en un grupo preciso y determinado. Todos ellos muestran cierto aire de familia, pero todos, a la vez, son diferentes.

Como precursor del modernismo en México señálase a Gutiérrez Nájera. A este nombre hay que asociar el de Salvador Díaz Mirón. Y antes debe colocarse el de Justo Sierra. "Conociendo nuestra idiosincrasia literaria —dice Luis G. Urbina hablando del pensador que había sucedido a Altamirano en la dirección espiritual de las generaciones jóvenes—, su consejo tendía siempre a evitar los excesos verbales, y a cultivar la exactitud y la sobriedad. Sabía muy bien que la literatura nacional se estaba formando, que paso a paso tomábamos, diseñábamos un contorno peculiar, que nuestra orientación francesa nos servía para desprendernos definitivamente del aspecto y de las imitaciones españolas, y que limpiábamos con un baño de arte nuevo, con el arte espléndido de la poesía y de la prosa galas, nuestras empolvadas imágenes, nuestros rancios prejuicios, nuestros viejos moldes castellanos. Purificar el estilo, hacerlo cada vez más castizo y límpido, conservar fundamentalmente nuestro carácter novohispánico, para abrir a los cuatro vientos del espíritu nuestra curiosidad, y renovar ideas y formas, de acuerdo con nuestro desarrollo cultural y social: ése era el horizonte señalado por el maestro."

El impulso venía, pues, de muy atrás. Se afirmó, en su primera fase, en la *Revista Azul* (1894-1896). Llegó a su apogeo en la *Revista Moderna* (1898-1911).

En el modernismo conviene señalar dos aspectos: el exterior y puramente formal, y el interno —ideología y sensibilidad— que lo condicionan.

Ni uno ni otro son en rigor absolutamente nuevos. Los rasgos que se señalan como distintivos de la personalidad de los modernistas, coincidían con otros semejantes de filiación romántica: individualismo exaltado que los mueve a encerrarse en doradas capillas, con perfecto desdén de la turba; obsesión de la muerte y escepticismo de la fe; hosco pesimismo y rebeldía del espíritu que, en su odio a lo rutinario, les instila el ansia enfermiza de lo nuevo. En cuanto a la forma, tampoco es privativo en ellos el propósito de equiparar el lenguaje a la música; bien que sí hayan acertado con raros, originales matices de sonido y de color. Sin constituirse propiamente en innovadores, procurarán apartarse de la imperante métrica castellana, ya sea resucitando combinaciones métricas antiguas —españolas o francesas—, ya cultivando los versos de nueve, diez o doce o catorce sílabas, cuya composición no era co-

mún, aunque sí tuviese precedentes. Mas en lo que sí aportaron una novedad incuestionable fue en el ritmo, gracias a las reformas que introdujeron en la distribución de los acentos.

Con todo, el modernismo hubo de producir una honda renovación en nuestra lírica. Tocante a las influencias francesas que lo informaron, la romántica —aunque tardía— fue decisiva en algunos poetas, relativamente limitada la parnasiana, y mucho más efectiva la simbolista. En cuanto al fondo, esta última hizo que algunos poetas tendieran —según Puga y Acal— "más bien que a expresar, a sugerir ideas y sentimientos que, por ende, adquirían misteriosa exquisitez, y a multiplicar los aspectos *poetizables* de la naturaleza y de la vida; y en cuanto a la forma, tenía que imponer el ensanchamiento del léxico, la reaparición de vocablos y giros caídos en desuso, la formación de otros nuevos y el empleo de combinaciones métricas, baladas, rondeles, que habían estado en boga en Francia antes del siglo XVII".

El movimiento modernista encontró en su camino serias resistencias; muchos poetas contemporáneos no simpatizaron con la nueva estética. Tuvo, ciertamente, el modernismo, sus excesos: fue artificioso, su afán de exotismo y novedad tocó no pocas veces los límites de lo pueril, prohijó en América un "parisianismo" excesivo, rindió parias al "neurosismo" y a otros "ismos" en boga. Pero depurado, adaptado, incorporado, por decirlo así, al genio nuestro, evidente es que renovó, que enriqueció, que dio una fisonomía bella y original a la poesía mexicana. A tal punto, que bien ha podido afirmar un crítico extranjero —Isaac Goldberg— aludiendo al movimiento modernista, que éste "señaló el ingreso definitivo de la América española en las corrientes literarias de Europa".

Conviene observar, por otra parte, que el modernismo no sólo influyó en la lírica sino en la prosa. Dio a ésta finura de matiz, elegancia, delicadeza, aunque quebrantando a menudo la corrección gramatical: defecto que, si puede reputarse característico en los precursores y primeros cultivadores de la "nueva manera", fue corrigiéndose poco a poco a medida que la turbia corriente se clarificaba, y que en los corifeos, así como en la generación que siguió, notábase un retorno hacia el casticismo, si bien en forma amplia y generosa dentro de lo moderno.

En la primera década del siglo xx la literatura mexicana había llegado a su apogeo. Si la literatura política había decaído, en cambio todos los demás géneros tenían cultivadores, muchos de ellos afortunados. Existía una difusión de cultura más amplia que en cualquiera otra de las anteriores épocas. Y al través de las varias y diversas influencias extrañas sufridas, al través del contacto literario que podríamos llamar cosmopolita, las letras nacionales, lejos de desnaturalizarse, tendían a mostrar más y más, en conjunto, una íntima, peculiar y definitiva fisonomía.

De igual suerte que en nuestra historia política señala el término de una época, el año de 1910 marca la conclusión de un ciclo en la historia de las letras mexicanas.

Capítulo II

LA POESIA

En cuatro grupos conviene clasificar a los poetas líricos de este período: el formado por Altamirano; el romántico, con Acuña a la cabeza; el de los clásicos fieles a la tradición grecolatina y al cultivo de las humanidades; el de los "modernistas", en fin, con los cuales alcanza nuestra lírica su más esplendoroso florecimiento.

ALTAMIRANO Y SUS DISCIPULOS

Elemento de armonización de la cultura clásica con las modernas corrientes literarias europeas —principalmente francesas—, así como aspiración a crear una lírica genuinamente mexicana, es el que representa Altamirano. Su acción sobre el grupo que adoctrinó y formó fue decisiva, aunque hubo de resolverse en derivaciones literarias diversas.

1. Era D. Ignacio Manuel Altamirano indio de pura raza. Nació en Tixtla (hoy perteneciente al Estado de Guerrero) el 13 de noviembre de 1834. Sus padres, gente humildísima, no eran dueños ni del apellido: le conservaban postizo y tomado de un español que llevó a la pila bautismal a uno de sus ascendientes. ¿Qué podían dar a su hijo? El niño, a los catorce años, todavía ignoraba el castellano, y vivía una vida libre y medio salvaje en los bosques tropicales de su región, escuchando el cantar de los "cenzontli" entre las ceibas o bañando sus pies desnudos en tal cual remanso, junto a los platanares.

Acaso debió sus destinos al hecho de haber sido elegido su padre alcalde del pueblo, pues que, habiendo entrado Ignacio en la escuela, el maestro, deseoso de congraciarse con el nuevo funcionario, puso al chico entre la "gente de razón". Era tan viva y robusta la inteligencia de Altamirano que presto sobresalió de sus condiscípulos, y en virtud de una ley expedida por el gobierno del Estado llamando a los jóvenes indios más distinguidos de los municipios para que, mediante examen, fuesen a educarse en el Instituto Literario de Toluca, hubo de resultar por ella favorecido. Despidióse el niño de sus padres y en 1849 se trasladó a esta ciudad. En el Instituto estudió español, latín, francés y filosofía, alcanzando siempre el primer lugar. Agraciado con el empleo de bibliotecario del plantel, leyó ansioso los muchos libros que tenía a mano, robando para ello horas al sueño; fue discípulo de don Ignacio Ramírez en la clase de literatura, y escribió allí, en fin, sus primeros versos y artículos.

La formación literaria de Altamirano casi parece un milagro; milagro de genio, de voluntad, de fe. Fuera ya del Instituto, refúgiase en un colegio particular de Toluca, donde, a trueque de que enseñe francés, le dan techo y sustento. Luego se lanza a una vida errante: tan presto ejerce de maestro de primeras letras en los pueblos, como de dramaturgo y apuntador de su propio drama en una compañía de la legua

Al cabo viene a México a inscribirse
en el Colegio de Letrán. De allí le
arroja la revolución de 1854. Márchase entonces al Sur a combatir por
ella. De retorno a México, reingresa
en Letrán para concluir sus estudios
de Derecho. En el tempestuoso año
de 1857 divide su atención —según
expresa él mismo— "entre las contradicciones del Digesto, que no producían sino un diluvio de sutilezas
en la cátedra, y las disputas irritan-
tes de la política, que traían agitados a liberales y conservadores y
provocaban la más sangrienta de
nuestras guerras civiles". Comienza
a escribir en la prensa, y, al mismo
tiempo que estudia, desempeña la
clase de latinidad. Su modesto cuarto de estudiante transfórmase a ratos "en redacción de periódico, en
club reformista o en centro literario". Allí afluye la juventud letrada de entonces: Marcos Arróniz,
Florencio M. del Castillo, Juan Díaz
Covarrubias, José Rivera y Río. Con
ellos se dirige Altamirano muchas
veces "a las galerías del Congreso
para asistir a las sesiones en que se
discutía la Constitución y para aplau-
dir los elocuentes discursos de Ocampo, de Ramírez, de Zarco y de Arriaga". A fines del 57 estalla la guerra
civil, y en enero del 58 los conservadores son dueños de la Capital. El
club tiene entonces que substraerse
a la suspicacia de la policía. Altamirano, indignado, escribe "aquellos
alejandrinos *Los bandidos de la Cruz,*
que eran muy malos, pero que en
alas de la pasión de partido, volaron
por toda la República, agitada entonces por los dos bandos". Con
Manuel Mateos, escribe también cierta tarde en los bordes de la fuente
de Letrán, unos "atroces dísticos contra el Gobierno reaccionario". Los
compañeros se entregan a labores
semejantes. Los cuartos de la Escuela de Medicina o del Colegio de Minería son focos de conspiración que
mantienen el fuego revolucionario.
Al fin, la bandada de escritores mozos y de militares y políticos en cier-

ne, se dispersa y va a los campos
de batalla, hacia la gloria o hacia la
muerte. Se ha iniciado ya la Guerra
de Reforma.

Altamirano combate en el Sur.
Victoriosa la bandera reformista, es
elegido diputado al Congreso de la
Unión en 1861, y allí obtiene, oponiéndose al dictamen de la ley de
amnistía, y reclamando el castigo de
enemigos "cuyos cráneos debían estar ya blancos en la picota", su primer sonoro e imponente triunfo tri-
bunicio, y el pueblo le lleva en hom-
bros hasta su domicilio. Pero no había concluido todo. Sobrevienen las
rudas jornadas de la Intervención
francesa y el Imperio, y todavía el luchador y el patriota tiene que consagrarse nuevamente a la acción, con
las armas en la mano, en defensa de
la patria.

Al restablecimiento de la República en 1867, el terrible jacobino, el
revolucionario de la Reforma, el soldado que peleó contra imperialistas
y franceses, considera llegado un
momento, momento solemne, el más
bello de su vida: el de construir para la cultura. Con sus haberes atra-
sados de militar, que se le pagan ín-
tegros, lanza un periódico; funda,
en 1869, la magnífica revista *El Renacimiento,* para promover el de
las letras, harto descaecidas tras de
tanta lucha, destrucción y sangre;
realiza una de las más extraordinarias carreras literarias que la historia de nuestras letras registra; es el
maestro de dos generaciones; trabaja
activamente en la prensa; da el tono
en la crítica literaria; estimula y
alienta a los que comienzan; resta-
blece el Liceo Hidalgo y preside y
funda otras sociedades cultas; se consagra a la cátedra; pasa, fugitivamente, por algunos puestos públicos.
Apartado de la política en sus últimos años, su ocupación constante
fue escribir, leer, enseñar, conversar.

En 1889 nómbrasele cónsul general en España, con residencia en Barcelona, y abandona la patria que
tanto amaba y que tanto le debía. De

Barcelona pasa a hacerse cargo del Consulado en París. Visita a Italia, lleno de fervor y de nostalgia. Una grave enfermedad le mueve a ir en busca de alivio a San Remo, y allí fallece el 13 de febrero de 1893. Incinerado su cadáver por disposición testamentaria del poeta, sus cenizas son traídas a México. Actualmente reposan en la Rotonda de los Hombres Ilustres, adonde fueron trasladadas al festejarse el centenario del nacimiento de aquel ilustre literato.

Altamirano es el más grande escritor de su tiempo. Creyérase que traía el ardimiento, la exuberancia de sus bosques tropicales nativos, y nos sorprendemos al encontrar en él a un artista todo ponderación y equilibrio, y, a la vez, muy original, muy personal. Romántico por temperamento, aparece clásico por la expresión. Representa la sobriedad, la mesura, la simplicidad; su pensamiento es claro, su estilo nítido, su sensibilidad fina y delicada: diríase que comunica al mármol de puras líneas el estremecimiento perenne de su emoción. Y era que este romántico había bebido a tiempo en las fuentes límpidas de los antiguos; penetrado del espíritu y de la cultura modernos volvía incesantemente sus ojos hacia los modelos imperecederos. De allí que, tanto por su propia obra como por su personal simpatía —pues que era, ante todo y sobre todo, un animador, un maestro— haya ejercido tan benéfica influencia en nuestras letras, aspirando a fundir en una sola, robusta y nueva, y por demás nacionalista, dos corrientes literarias —la clásica y la romántica— que antes andaban separadas y hasta solían mostrarse antagónicas.

Su producción es rica y variada, como que cultivó diversos géneros. Del prosista trataremos en otro lugar. El poeta, aunque menos abundante, no deja de tener singular importancia.

Redúcese la obra poética de Alta-mirano a las *Rimas,* cuya edición en volumen, la más antigua de que se tiene noticia, data de 1880. Las treinta y dos composiciones allí reunidas son anteriores a 1867. Bien que no sean extrañas al tema amatorio, domina en ellas la nota descriptiva. Quería Altamirano dar a la poesía un sello nacional y propio; comunicarle, dentro de la más pura y castiza forma, el espíritu de la raza. Y consideraba que el medio más expedito de realizar esto era la descripción del paisaje. "En la reproducción de la naturaleza —como observa Luis G. Urbina— radica para él, principalmente, la caracterización de nuestra poesía. Si el paisaje es un estado de alma, es en él, en su diseño y matiz, donde hemos de revelarnos mental y sentimentalmente. El curso de nuestros ríos, el rumor de nuestros bosques, la gris placidez de nuestras aldeas, los nombres autóctonos de nuestras flores y de nuestros pájaros, todo eso era preciso que entrase en nuestra poesía, en nuestra literatura, que tomaría un aspecto distinto regional, *sui géneris,* que nos daría pronto una definida personalidad americana." Y su poesía realiza este ideal, si bien, en apariencia, puramente exterior y pictórico, eminentemente nacionalista. Es él el primero en darnos la sensación, la vibración, el color del paisaje mexicano de la región de donde era oriundo, en versos de una extraordinaria robustez y pureza. Y, desde este punto de vista, son característicos, a la par que representan una modalidad nueva en la lírica, los poemas intitulados *Flor del alba, Los naranjos, Las abejas, Las amapolas* y *Al Atoyac.*

2. JUSTO SIERRA fue discípulo de Altamirano, y a su vez —desaparecido éste— maestro de dos generaciones. Poeta, tribuno, viajero, cuentista, historiador, considérasele con razón como uno de los grandes escritores representativos de la literatura mexicana en su época de ma-

yor brillo. Tenía —conforme expresó Urueta en ocasión memorable— "un invencible sortilegio, un poder de atracción y de fascinación que hacía que las almas fueran naturalmente a él como a un abrigo, como a un reposo, como a una defensa". Pero jamás le abandonó —según penetrantemente ha observado Antonio Caso— "el correctivo mental de la ironía ni el arte ponderador de la crítica".

Nació Justo Sierra en Campeche, el 26 de enero de 1848. En la sangre traía el amor a las letras; de su padre, el novelista y jurisconsulto que en otro lugar hemos mencionado, heredó, con el nombre, las aficiones literarias.

Tras de haber hecho sus primeros estudios en Mérida, pasó a México en 1861 para continuarlos en el Colegio de San Ildefonso, y diez años después se titulaba de abogado. En el viejo San Ildefonso se reveló poeta. Había traído de su costa nativa un poemita que le inspiró el rumor del mar, y que aquí hizo época: *Playeras*. Se le franquearon las puertas de los cenáculos literarios. Artículos, cuentos, novelas, versos, salieron infatigablemente de su pluma con destino a los periódicos. Radical y jacobino como Altamirano, y como él enamorado de la belleza, colaboró asiduamente en *El Renacimiento* en aquellos días de entusiasmo y de renovación literaria. Fueron famosas sus *Conversaciones del Domingo* en *El Monitor Republicano*. Al borde de la tumba de Acuña, su musa entonó doliente elegía. Lanzado en el periodismo político, una desdicha, la muerte de su hermano Santiago —escritor como él y al que por manera entrañable quería— súbitamente le retrajo. Se abrió entonces para el político, para el periodista, un paréntesis de meditación y estudio. Meditando y estudiando, a solas, lejos de la marejada, se transformó, y el poeta de lirismo impetuoso, el cuentista romántico, el conversador

ameno y fácil de la crónica literaria, convirtióse en el magno historiador, en el profundo sociólogo, en el educador admirable.

La política le llevó a figurar algunas veces en la Cámara de Diputados, donde dejó huella de su paso. También fue magistrado de la Suprema Corte de Justicia y representó brillantemente a México en el Congreso Hispanoamericano de Madrid. Pero sus actividades públicas se ejercieron, sobre todo, en la educación. Con su nombre ha quedado consagrada el aula de la Escuela Nacional Preparatoria, donde magistralmente enseñó Historia General. Sus aptitudes le llevaron a desempeñar la Subsecretaría de Instrucción Pública; y como Ministro de este ramo y de Bellas Artes realizó, de 1905 a 1911, una vasta y nobilísima obra de cultura; obra que hubo de coronar fundando en 1910 la Universidad Nacional. Habiendo renunciado aquella cartera poco antes del triunfo de la revolución, el gobierno del Presidente Madero le envió a España en 1912 como ministro plenipotenciario; puesto que apenas empezaba a desempeñar cuando le sorprendió la muerte en Madrid el 13 de septiembre del mismo año. México honró al gran desaparecido restituyendo su cadáver al suelo de la patria y haciéndole solemnes funerales que revistieron las proporciones de un duelo nacional.

Más que poeta, fue Justo Sierra un gran prosista. Sus inspiraciones poéticas pertenecen a la edad juvenil; y aunque nunca perdió la afición a rimar, traspuestos los umbrales de la edad madura su musa se recató bastante. Él mismo, con indudable coquetería, confesaba no sentirse poeta por "cierta impotencia fundamental para unir la idea al sentimiento y ambos a una expresión lírica indefectible". Sus versos fueron coleccionados, primero por Margaret Dorothy Kress, en una edición publicada por la Universidad Nacional de México (1937) y después en la edición monumental de las obras de Justo Sierra que publicó la misma institución (1948). No puede negársele un sitio de honor en nuestra lírica. Según Luis G. Urbina, el poeta adolescente de *Playeras*, al transformarse en plena juventud ansioso de fijar su personalidad, "había seguido a los líricos de Francia, y, arrastrado por Víctor Hugo, aportaba a la poesía mexicana las visiones apocalípticas de sus tremendas metáforas, de sus bruscos símiles, de sus odas grandilocuentes, de su vasta y fogosa expresión, que deshacía de un soplo los moldes discretos y proporcionados que estaban en boga". Y no es que el victorhuguismo —seguimos glosando a Urbina— no se hubiese introducido antes en nuestro Parnaso; existía en cierto modo informe, "pero la antítesis centelleante y la imaginación deslumbradora y el tropo titánico, entraron con las odas de Justo Sierra, con esas silvas que chispean como hierro batido en yunque, con esos endecasílabos y heptasílabos de bronce, con ese filosofar trascendentalista, un poco misterioso, un poco sibilino, que hace de la poesía un canto profético". Aunque amamantado por Víctor Hugo, el poeta de la oda *A Dios* llega a crearse una personalidad inconfundible, y acaso con él se inicia la influencia insistente y directa de la lírica francesa en la mexicana, que a la larga había de producir una completa transformación: la del modernismo.

Entre la obra poética del ilustre pensador, señalemos en primer término su poema *El Beato Calasanz*, tan hermoso como discutido, que se publicó en la *Revista Azul*; sus cantos *A Cristóbal Colón* y *En la apoteosis de los héroes de la Independencia*; los tercetos *Al autor de los "Murmurios de la Selva" El funeral bucólico, Otoñal*; sonetos tan acicalados como *Spirita, Florencia, Aníbal*, y, en suma, las magníficas versiones que dio de algunos sonetos de *Los trofeos*, de José María de Heredia.

Señalemos, además, en este capítulo, por ser genuina de poeta, la obra en prosa de los años juveniles de Justo Sierra: aquellos relatos novelescos que, publicados en revistas y periódicos de la época, no hubieron de coleccionarse sino hasta 1896 bajo el título de *Cuentos románticos*. "Poemillas en prosa impregnados de lirismo sentimental y delirante" llamaba su autor a estos trabajos, que son de la más variada índole: ya narraciones inspiradas en la evocación de la tierra natal —*Marina, Playera, La sirena*—; escapadas imaginativas, aunque reveladoras de nutridas lecturas, a otros países y edades, que por cierto anuncian al futuro historiador: *César Nero, En Jerusalem, María Antonieta*; o bien novelas breves, de corte romántico, como *La novela de un colegial* o *Confesiones de un pianista*. Son, sin embargo, los *Cuentos románticos* un dato importante en la evolución de nuestras letras: representan, con las novelas de Altamirano, el momento justo en que el romanticismo mexicano en el género novelesco cristaliza en una forma propiamente literaria y artística.

3. JUAN DE DIOS PEZA señálase entre los poetas de su tiempo por un rasgo característico: el de mantenerse estrictamente dentro de la tradición española. No tiene sutilezas, ni complejidades, ni preocupaciones de cincelador obstinado de la forma. Lírico caudaloso, canta como el ruiseñor: porque ésa es su natural manera de expresarse. Sigue de cerca las huellas de Campoamor, de Núñez de Arce, de Bécquer, y desde muy joven llega a manejar con incomparable facilidad, gallardía y elegancia la versificación netamente castellana.

Había nacido Juan de Dios Peza en México, el 29 de junio de 1852. Su padre, miembro prominente del partido conservador y alto funcionario en el Segundo Imperio, quiso darle una educación esmerada. A la Escuela Preparatoria ingresó en 1867, y allí fue discípulo de D. Ignacio Ramírez, *El Nigromante*. Como Manuel Acuña, el doliente poeta del *Nocturno,* equivocó el camino creyéndose destinado a la medicina; pero la pobreza, la soledad y abandono en que se encontraba, con su padre necesitado y en el destierro, hiciéronle rectificarlo. "Destripó", ya a punto de ser médico, para consagrarse a la literatura y al periodismo. Ensayó el teatro, y fue redactor de la *Revista Universal* y de *El Eco de Ambos Mundos,* donde publicó sus primeros versos. Tanto se hallaban éstos dentro del espíritu de la época y gustaron tanto, que a poco, por los años de 76 y 77, ya era Peza el poeta popular y aplaudido, el bardo del día, el cantor de las festividades públicas. En 1878 marchó a España, como segundo secretario de la Legación mexicana. Su estancia en Madrid le fue provechosísima, dada su personalidad poética. Allí afirmó y depuró su estilo; nutrió su espíritu; fue requerido y festejado; conoció y trató a la flor y nata de la intelectualidad de la Villa y Corte; colaboró en *La Ilustración Española y Americana;* por medio de artículos y con la publicación de su antología *La Lira Mexicana* dio a conocer a los poetas de su país, y en suma, cobró aquel su grande y sincero amor a España que no habría de abandonarle nunca.

A su regreso a México, un drama familiar le hirió en lo más íntimo del alma. Y entonces el poeta sonoro, cordial, grandilocuente y un poco retórico que había cantado al amor y a la Patria, se encontró a sí mismo en el dolor: fue el cantor del hogar y de los niños; su musa, llena de tristeza resignada, de ternura y de bondad, diole un señorío que hoy nadie le disputa allí donde le desgarró la vida: el del rincón doméstico. Sus *Cantos del hogar,* libro en verdad único en nuestra lírica, acrecieron la popularidad de Peza, haciéndola rebasar las fronteras. Ningún poeta mexicano ha sido tan conocido en el extranjero; para comprenderlo, baste

saber que una de las poesías más bellas y típicas de aquella colección: *Fusiles y muñecas,* corre traducida al alemán, al portugués, al italiano, al ruso, al húngaro y al japonés.

Pero como bien dicen que no hay renombre sin amargura, cuando le había adquirido Peza la crítica comenzó a ensañarse con él. Era que ya soplaban para la lírica otros vientos, y que llevaba ella camino de transformarse. El poeta jamás quiso conceder nada a las nuevas escuelas. Permanecía a gusto y fiel dentro de la tradición española; no obstante que, a medida que ganaba en años y experiencia, hacíase más y más personal, mostraba un sentimiento más suyo y llegaba a alcanzar inspiraciones tan genuinas, tan llenas de originalidad y colorido, como la que campea en uno de sus poemas más celebrados: *En mi barrio.* Para la poesía eran ya otros los tiempos, pero él no cesó de cantar a su manera. Seguía siendo poeta en la cátedra, en la tribuna, en el periodismo, en los escaños del Congreso: un poeta rotundo, retórico, cuando pretendía sonar la trompeta épica; un poeta de intimidad, todo efusión y ternura, cuando, bajando el tono, nos daba la autobiografía de su corazón. Y así le sorprendió la muerte en su ciudad nativa el 16 de marzo de 1910.

Muy vasta es la producción poética de Juan de Dios Peza. Sea suficiente, para comprobarlo, la enumeración de los títulos de sus obras: *Poesías* (1873), *Canto a la Patria* (1876), *Horas de pasión* (1876), *Cantos del hogar* (1884), *Algunos versos inéditos* (1885), *Poesías completas* (1886), *La musa vieja* (1889), *La lira de la Patria* (1890), *Hogar y Patria* (1891), *El arpa del amor* (1891), *Recuerdos y esperanzas* (1892), *Flores del alma* (1893), *Poesías escogidas* (1897), *Leyendas históricas, tradicionales y fantásticas de las calles de México* (1898), *Monólogos y cantos a la Patria y a sus héroes* (1900), *Tradiciones y leyen-*

das mexicanas (1900), *Hojas de Margarita* (1910).

La obra en prosa comprende: *Poetas y escritores mexicanos* (1877), *La beneficencia en México* (1880), *M e m o r i a s , reliquias y retratos* (1900), amenísimo libro anecdótico que encierra curiosos datos para nuestra historia literaria; por último, *Benito Juárez* (1904).

Cabe mencionar, en fin, el teatro, en el cual se ensayó Juan de Dios Peza en sus años juveniles: escribió la comedia intitulada *La ciencia del hogar* (1873), y dos dramas: *Últimos instantes de Colón* (1874) y *Un epílogo de amor* (1875).

4. La ponderación, la mesura, preconizadas por Altamirano, tienen un representante en AGUSTÍN F. CUENCA (1850-1884), nacido y muerto en la ciudad de México. Alumno del Colegio de San Ildefonso y más tarde del Seminario Conciliar, en 1870 ingresó en la Escuela de Jurisprudencia para seguir los estudios de Derecho, que bien pronto hubo de interrumpir para dedicarse al periodismo y a las letras.

Corta, aunque exquisita, fue su producción lírica. Revélase Cuenca en ella como un poeta de matices que en ocasiones llegan a la sutileza; razón por la cual se ha creído vislumbrar en él algo de reminiscencias gongorianas cuando no conceptistas. En la poesía de Cuenca dominan y muy a menudo se funden dos elementos: el erótico y el descriptivo. Sus composiciones amorosas —*Rosa de fuego, Carmen, Sol de agosto*— son de gran suavidad y elegancia a las que realza discreta melancolía. En cuanto a sus paisajes —*A orillas del Atoyac, La calleja, La montaña*—, sin apelar a recursos de externo y meramente artificioso nacionalismo, encontramos en ellos tal lozanía de visión, tan enérgico y armonioso colorido, y, sobre todo, una emoción tan sincera, que no vacilamos en considerarlos como verdadero trasunto de la naturaleza.

Por su eficacia técnica, por su refinamiento, por su musicalidad, por su elegancia, Cuenca preludia en cierto modo el modernismo. Manuel Toussaint, que en 1920 editó una colección de sus *Poemas selectos,* sospecha que hay en él algo de influencia francesa. Habiendo muerto a los treinta y cuatro años, claro que no pudo desarrollar del todo una personalidad que, no obstante, resulta vigorosa y original. Poco se le conoce, pues poco se le ha publicado. En 1881 publicó un drama en prosa en tres actos, *La cadena de hierro*. Su obra de prosista y de poeta la ha estudiado con inteligencia y detenimiento Francisco Monterde en su libro *Agustín F. Cuenca: el prosista, el poeta de transición.* (México, 1942.)

5. Poeta límpido, discreto, aunque poco abundante, es D. VICENTE RIVA PALACIO. Por aquellas cualidades, así como por no haber sido ajeno a la tendencia de imprimir cierto sello nacional a su poesía, considerámoslo dentro del grupo de Altamirano; tres sonetos suyos han merecido los honores de la antología: *El Escorial, Al viento, La vejez*. Dentro de tal grupo encuéntrase, asimismo, JOSÉ MARÍA BUSTILLOS (1866-1899), discípulo de Altamirano, a quien se asemeja por la vena descriptiva, bien que tiene menos colorido y más íntima delicadeza y melancolía. Véanse, en comprobación, versos suyos tales como *Colibríes, Junto al río, En la noche, Nocturno de estío,* y el poema de inspiración indígena *La gruta de Cicalco*.

LOS ROMANTICOS

El romanticismo, con todo lo que él tiene de exaltación, de pasión, de rebeldía; el romanticismo todavía de cepa española —Zorrilla, Espronceda, Bécquer—, culmina con un poeta que en fuerza de ser romántico fuelo no ya en poesía, sino aun en la vida: Manuel Acuña.

6. Apenas si MANUEL ACUÑA tiene biografía. Dos fechas, casi exclusivamente, la componen: la de su nacimiento, en Saltillo (Estado de Coahuila) el 26 de agosto de 1849, y la de su trágica muerte acaecida en México el 6 de diciembre de 1873. Entre una y otra, sus efusiones infantiles, los primeros estudios en su ciudad nativa, su decisión de venir a la capital, en 1865, para seguir la carrera de medicina; un amor desesperado, sus juveniles cantos...

Éstos lo inmortalizaron.

No fue Acuña un poeta acabado; pero sí un poeta genial. Antes de él había habido en México poetas; con él asoma —fugitivamente— el gran poeta.

Tiempo le faltó para llegar adonde estaba llamado. No lo tuvo para depurar su gusto, ahondar en las ideas, llegar al pleno dominio de la forma. Aquí y acullá en su producción lírica de colegial, se encontrará vulgaridad y desaliño, incorrección en el lenguaje, traza, todavía visible, de sus poetas favoritos, que sin duda lo fueron Hugo, Espronceda y Campoamor. ¡Pero cómo, a pesar de todo, es él personal y fascinante; cómo renueva imágenes; cómo, en todos sus versos, hay una potencialidad poética nunca antes igualada, que en ocasiones le hace levantar el vuelo hasta las cimas!

Era, por temperamento, un sentimental enfermizo; por contagio, un materialista y un escéptico. Había venido del fondo patriarcal de su provincia, lleno de añoranza y de fe; y la rosa de su juventud se abrió en un mundo nuevo en que se pretendía elevar a la ciencia a la categoría de dogma. Naufragó en la duda. Sin embargo, materialismo y escepticismo no alcanzaron a ahogar en él la efusión pura, ingenua, humanística, de su sentimiento. Al contrario: su musa, penetrando en el ambiente denso de la sala de disección y deteniéndose ante la triste carne macerada y yerta, llega a poetizar la materia. Y de aquí lo original de su personalidad poética. Junto al estudiante incrédulo y desesperado de *El hombre* y *La ramera*, que declama y grita, el alma toda unción y ternura del que evoca en *Lágrimas* y *Entonces y hoy,* el recuerdo del hogar creyente, apacible, y lejano. Junto al materialista dogmático de *Ante un cadáver,* el enamorado romántico, esencialmente espiritual y casto, del *Nocturno,* y el soñador todo melancolía de *Hojas secas.* Y al lado del enfático negador del más allá, el campechano humorista de la *Letrilla* y de *La vida del campo.*

Dos poesías de las antes mencionadas señalan la culminación del genio poético de Manuel Acuña, y muestran, asimismo, la antítesis que constituyó acaso el problema moral en el que hubo de debatirse su alma dolorida: el *Nocturno* y los tercetos *Ante un cadáver.* La primera cuenta en la lírica mexicana como uno de los más efusivos cantos de amor. La segunda es, a juicio de Menéndez y Pelayo, "una de las más vigorosas inspiraciones con que puede honrarse la poesía castellana de nuestros tiempos", ya que en ella Acuña se mostró tan poeta, que "hasta la doctrina más áspera y desolada pudo convertirla en raudal de inmortales armonías".

Su breve vida dolorosa fue como fugaz exhalación que ilumina y desaparece. Y cuando, en una fecha funesta para nuestras letras, el joven escritor de veinticuatro años se arrancó la vida, México lloró no ya al poeta que había sido, sino al que pudo ser.

Los versos de Acuña se coleccionaron en edición póstuma. Publicóse ésta al año siguiente de su muerte. El teatro le debe un drama de desatada furia romántica: *El pasado,* que se estrenó en 1872. Sus obras completas figuran en la "Colección de escritores mexicanos", de la Editorial Porrúa, S. A., con un estudio crítico de José Luis Martínez.

7. El grito de pasión espiritual desesperada de Manuel Acuña, con-

viértese en MANUEL M. FLORES en grito de pasión sensual. Poeta menos variado, menos profundo que el del *Nocturno* es el de las *Pasionarias;* por más que éste supere a aquél en corrección y gusto, lo cual se explica en razón de que Flores alcanzó su pleno y normal desenvolvimiento.

Poco conocemos de su vida; tal vez ardió ella como una hoguera hasta consumirse. Flores era poblano, de San Andrés Chalchicomula, donde nació en 1840. En 1857 se hallaba en México, cursando filosofía en el colegio de San Juan de Letrán; "era —nos dice Altamirano— un joven de diez y seis años, moreno, pálido, de grandes ojos negros, de abundante cabellera ensortijada y de aspecto triste y enfermizo". Estudiaba poco, encerrábase en su cuarto y allí, sentado indolentemente, seguía con mirada distraída las espirales de humo de su enorme pipa alemana. Era un misántropo, y, envuelto en el misterio, hacía versos, versos de amor melancólicos y apasionados. A poco, figuró en el pequeño cenáculo que se reunía en el cuarto de Altamirano, quien sorprendía en el zahareño mozo extrañas semejanzas con Tibulo. En 1859, Flores dejó el colegio, que le parecía una cárcel, y se entregó a la libre y desenfadada vida de bohemia en compañía de "dos negros ojos andaluces que fascinaban y embriagaban". Libre al cabo de su Circe, y deshecho el cenáculo por la borrasca política, se afilió en el partido liberal, combatiendo por sus ideas con la pluma y con la espada; peleó después como soldado contra el invasor francés y fue hecho prisionero y confinado en el castillo de Perote. Al restablecimiento de la República figuró varias veces como diputado al Congreso de la Unión, y con esto se cerró el ciclo de sus actividades de hombre público. Después, su existencia, que a lo que parece ha de haber sido íntimamente tormentosa, se deslizó entre el amor y la poesía, hasta extinguirse en la oscuridad. Murió pobre, ciego

y olvidado en México el año de 1885. Tres años antes habían aparecido sus poemas con el título de *Pasionarias.*

La popularidad ha consagrado a Flores como poeta erótico, y en esta actitud exclusiva suele confinarle la crítica. No era tan sólo, el poeta, cantor de Eros, aunque lo fuese principalmente. Hay en su poesía algo además de deleite sensual y ardorosa lascivia: sano y rudo dolor, ternura casta, dolidos arrepentimientos, místicas remembranzas, efusiones patrióticas, pinceladas humorísticas; y hay, también, delicadas traducciones e imitaciones de Byron, Hugo, Lamartine, Shakespeare, Dante, Schiller, Lessing, Heine, que, aunque de presumir es que no todas fuesen directas, revelan en el poeta, tanto como varia sensibilidad, una cultura literaria nada común.

Tiénesele, sin embargo, por antonomasia, como bardo erótico. Y no deja de haber razón en ello. Piensa Flores insistentemente en la mujer, vive para la mujer: "Ellas" están siempre presentes en sus poemas, ya destacándose en las dedicatorias —"A Rosario", "A Ramona", "A Clementina", "A Carmen"—; ya siendo de los poemas que inspiran heroínas predominantes. "Bajo los atavíos de púrpura de su poesía —ha expresado Luis G. Urbina—, tiembla su musa como una bacante en celo." Y es su erotismo no retórico, no artificioso como el de los neoclásicos inocentes amadores de las Filis y Amarilis, ni simulado y fingido como el de algunos de los románticos, sino real, efectivo, vivido. El propio Urbina, que conoció a Flores, dice que "una llama sensual lamía su inspiración hasta incendiarlo", y que el poeta "sucumbió devorado por el mismo fuego que resplandecía en sus cantos ardorosos".

Dentro del romanticismo mexicano, Flores representa el deseo hecho vibración y ritmo. Esa sensualidad, ese calor de sus versos —*Eva, Tu imagen, Bajo las palmas, Ven*— nos dan la sensación, no ya de abrasar tan sólo al poeta en ardimiento febricitante, sino de comunicarse al ambiente y a las cosas. Bajo el influjo de la pasión insaciable, Flores es un admirable paisajista tropical, y Eva desnuda da a su paleta colores mágicos para pintar la noche y el amanecer.

Cierto que este género de poesía blanda y lasciva acaba por hostigarnos, y que el predominio de semejante nota insistente resta variedad de sentimiento y de emoción a la obra del autor de las *Pasionarias*. Mas justamente por eso, por ser único en la poesía erótica, Manuel M. Flores tiene en nuestra lírica originalísimo relieve.

8. JOSÉ ROSAS MORENO representa, a diferencia de los anteriores, un romanticismo atemperado, tan atemperado que casi le coloca entre los poetas de la anterior generación clásica y los del apogeo romántico.

La vida de Rosas Moreno fue humilde y honesta, como su musa. Nacido en Lagos (Estado de Jalisco) el 14 de agosto de 1838, y muerto en la misma ciudad el 13 de julio de 1883, desde muy joven se consagró al cultivo de las letras, y no fue ajeno —como nadie podría serlo en su tiempo— a la política. Abrazó el liberalismo y supo de prisiones y persecuciones. Después de la restauración republicana en 1867 figuró en varios períodos como diputado al Congreso general; disfrutó de notoriedad en el teatro; desempeñó tal cual modestísimo puesto público. Pero lo más de su existencia hubo de pasarla en condiciones oscuras y difíciles, apelando a la composición de textos escolares para subsistir.

Por su espíritu bondadoso y todo sencillez, estaba destinado a ser el poeta de los niños. Conceptúasele, en efecto, como nuestro mejor fabulista, y son sus lindos apólogos lo más conocido y trascendental de su obra poética.

En su producción lírica, más que pasión, hay apacibilidad y dulzura. Versifica con fluidez, se expresa con nítida claridad. No busquemos, ciertamente en él, ni un elevado pensar, ni una extrema originalidad e inspiración. Es un poeta de tono menor. En la *Tristeza del crepúsculo*, en *El zentzontle*, en *La vida del campo*, y, muy particularmente, en las estrofas de *El valle de mi infancia*, se hallarán los acentos más personales de este poeta todo ternura y delicada efusión.

La mejor colección de las poesías de Rosas Moreno es la que con el título de *Ramo de violetas* se publicó en 1891.

9. En la corriente del romanticismo figuran también, dentro de este período, otros poetas menores: LUIS G. ORTIZ (1835-1894), en quien no faltan reminiscencias clásicas y que fue autor de muy bellas versiones de poetas italianos; JOSEFA MURILLO (1860-1898), sensitiva veracruzana que hizo resonar su lira a orillas del Papaloapan; LAURA MÉNDEZ DE CUENCA (1853-1928), fogosa musa inspiradora de Agustín F. Cuenca, su marido, y poetisa ella misma de amable estro; ESTHER TAPIA DE CASTELLANOS (1824-1897) cuya producción copiosa no responde siempre al atildamiento de la forma; ISABEL PESADO DE MIER Y CELIS (1828-1913) tan inclinada a la queja doliente; en fin, y posteriormente, MANUEL CABALLERO (1851-1925) si periodista laborioso, poeta romántico cuando cantaba; JOSÉ I. NOVELO, cuya producción lírica se extiende hasta el presente: *Abril* (1936), *El hombre y otros poemas* (1938), *Último abril* (1939), *Últimas rosas* (1944); ADALBERTO ESTEVA (1863-1914), ANTONIO ZARAGOZA (1855-1910), JOSÉ PEÓN DEL VALLE (1866-1924), IGNACIO M. LUCHICHÍ, JAVIER SANTA MARÍA (1843-1910) y CELEDONIO JUNCO DE LA VEGA (1863-1948).

LOS CLASICOS

Harto mermado este grupo, lo encabezan dos poetas y excelentes humanistas: Montes de Oca y Pagaza.

10. D. IGNACIO MONTES DE OCA Y OBREGÓN nació en la ciudad de Guanajuato el 26 de junio de 1840. Los claros talentos que desde temprana edad reveló, inclinaron a su padre —que era un abogado distinguido— a darle educación esmeradísima. Estudió primero en Inglaterra y después en Roma, donde fue alumno sobresaliente del Colegio Pío Latino Americano y de la Academia de Nobles. A los diecisiete años, el joven mexicano hablaba siete idiomas, y escribía en prosa y verso, a la perfección, en cuatro de ellos: inglés, francés, italiano y latín. Con lo que excusado es decir que, en el propio, había adquirido ya, y ensanchaba más y más, una sólida educación literaria. Familiarizado con los grandes modelos greco-latinos y castellanos, fue desde su principio un clásico: "se atenía —según alguna vez dijo— a la experiencia de los siglos".

Ordenado sacerdote en la Ciudad Eterna el 28 de febrero de 1863 y siendo, además, doctor en teología y ambos derechos, estaba naturalmente destinado a ocupar elevados puestos eclesiásticos. Al volver a México en 65, fue, por el breve tiempo que aun duró el Imperio, capellán de honor de Maximiliano. En 1871 —apenas traspuesto el umbral de la treintena— consagrábasele obispo. Lo fue primero de Tamaulipas; luego de Linares; por último, de San Luis Potosí, diócesis al frente de la cual permaneció hasta su muerte, la que hubo de sorprenderle en Nueva York el 18 de agosto de 1921, justamente cuando volvía a la patria después de prolongada ausencia.

Tenía Monseñor Montes de Oca la grandeza y el señorío de un prelado del Renacimiento. Hombre de inteligencia diáfana, de vastísima cultura y de auténtica valía literaria, gozaba de firme prestigio en su país y en Europa, adonde hizo innumerables viajes y donde residió tantas veces. Desde su mocedad, los árcades romanos le recibieron como suyo bajo el nombre pastoril de Ipandro Acaico. La Real Academia Española le llamó a su seno, y, entre otros honores, le dispensó el de designarlo para hacer el elogio fúnebre de Miguel de Cervantes en las solemnes exequias efectuadas en 1905 para celebrar el tercer centenario del Quijote.

Fue, a la vez, consumado humanista, esclarecido orador y poeta. El humanista, por venir hermanado con el poeta, se codea con los mejores nuestros del siglo XVIII. Ha sido el primer traductor integral, en lengua castellana, de Píndaro, el príncipe de la lírica, así como de los bucólicos Teócrito, Bión y Mosco. Poseía a fondo el griego y buscaba con predilección —según Menéndez y Pelayo— las formas más estrechas y difíciles de la métrica castellana: octavas, tercetos, sonetos. En sus versiones podrá encontrarse, a veces, alguno que otro verso prosaico o duro; mas, a fuer de verdadero poeta, siempre, al reproducir en su propia lengua los cantares helénicos, sabrá hacerlo, en lo general, con elegancia y gallardía. "Sus traducciones —afirma D. Miguel Antonio Caro— conservan aquel perfume original que se pierde en versiones de segunda mano; y sus comentarios revelan la competencia del traductor como humanista griego." Como poeta original, es acabada e inconfundiblemente clásico; pero con un primor, con una elegancia, con una vibración de sensibilidad que no fueron, por cierto, antes de él, comunes. En particular hay una forma, el soneto, que domina con soltura y maestría, y de la que ha dejado cosecha abundantísima.

Su producción en prosa —y en Ipandro Acaico el prosista no está abajo del poeta— forma los ocho gruesos volúmenes de sus *Obras pastorales y oratorias* (1883-1913). Allí aparecen, al lado de notables piezas de oratoria sagrada, hermosos discursos literarios y las oraciones fúnebres de las cuales el autor hizo edición aparte en la "Colección de escritores castellanos" (M a d r i d , 1901).

La labor del humanista y del poeta comprende: *Poetas bucólicos griegos* (1877), *Odas* de Píndaro (1881), y *Ocios poéticos* (1878), libro este último que encierra su producción original desde la juventud hasta la madurez: odas, himnos, canciones, elegías, sátiras, sonetos; el poema *Fiesco*, los *Recuerdos y meditaciones de un peregrino en el Castillo de Miramar,* y, en suma, algunas versiones de Anacreonte y de epigramas griegos. A los anteriores libros hay todavía que añadir los de los últimos años de la vida del prelado, que fueron de un florecimiento prodigioso, increíble casi en un octogenario. Desde 1914 en que regresó a Europa, hasta en vísperas de su muerte, publicó: *A orillas de los ríos, Cien sonetos* (1916), *El rapto de Elena,* poema griego de Coluto de Licópolis, traducido en verso castellano (1917), *Otros cien sonetos de Ipandro Acaico* (1918), *La Argonáutica* (2 volúmenes, 1919-20), poema épico de Apolonio Rodio, traducido del original griego en verso castellano por encargo de la Real Academia Española; en fin: *Nuevo centenar de sonetos* (1921), y, del mismo año, *Sonetos jubilares,* su última obra.

11. Émulo del anterior es MONSEÑOR JOAQUÍN ARCADIO PAGAZA: poeta de magnífico estro, el de mayor y más honda sensibilidad entre nuestros clásicos genuinos.

Nacido en el Valle de Bravo (Estado de México) el 6 de enero de 1839, estudió primeras letras en su pueblo natal, y, allí mismo, el cura, que no lo era de misa y olla, sino floreciente humanista, le inició en el conocimiento del latín y la filosofía. Siendo su vocación el sacerdocio, el aprendiz de latinista vino a México e ingresó en el Seminario. Ordenado sacerdote en 1862, durante veinte años sirvió modestos curatos. Sus relevantes prendas fuéronle sacando, poco a poco, de la oscuridad humildemente buscada, hasta ser consagrado Obispo de Veracruz el 1º de mayo de 1895. En Jalapa, de ahí en adelante, pasó su vida consagrado a trabajos pastorales y literarios, hasta rendir el alma el 11 de septiembre de 1918.

"Abeja incansable —como expresó en bella frase el Ilmo. señor Montes de Oca— en el fondo del claustro de San Camilo, bajo las selvas del Valle de Bravo, durante largos años, había estado elaborando silenciosamente los panales de rica miel." Cuando, al salir, medroso, de su penumbra, se dio a conocer, fue saludado como un gran poeta.

Entre los árcades romanos figuró con el nombre de Clearco Meonio. Humanista insigne, consagróse a traducir a Horacio y Virgilio. Traducíalos ya parafrásica, ya literalmente, pero siempre con insuperable soltura y elegancia: a tal grado que Menéndez y Pelayo dice de Pagaza "que es, sin contradicción, uno de los más acrisolados versificadores clásicos que hoy honran las letras castellanas". Mas no sólo es traductor, sino poeta original. Metrifica con absoluta maestría. Y en sus versos, puros y cristalinos, además del hechizo de la forma, hay una dulzura inefable que hace de Clearco Meonio, sin duda, el primero de nuestros bucólicos.

La inicial, festejadísima obra del señor Pagaza, fueron los *Murmurios de la selva* (1887). A ésta siguieron *María: fragmentos de un poema descriptivo de la tierra caliente* (1890) y *Algunas trovas íntimas* (1893). *Horacio y Virgilio,* sus grandes versiones del latín, publicáronse, respectivamente, en Jalapa, en 1905 y 1907. Y del segundo de dichos poetas se ocupaba en publicar las *Obras Completas* traducidas en verso castellano, pocos años antes de morir; no habiendo logrado dar a luz sino el primer volumen, en 1913. Por último, no hay que olvidar que en la *Corona Literaria* publicada con motivo del jubileo sacerdotal del Arzobispo Labastida, figura una de las más hermosas composiciones originales de Pagaza: *Reto*.

12. Ya que no entre nuestros mejores poetas clásicos, sí entre nuestros más insignes humanistas, hay que comprender al eminente polígrafo D. JOSÉ MARÍA VIGIL.

Nacido en Guadalajara (Estado de Jalisco) el 11 de octubre de 1829, y muerto en México el 18 de febrero de 1909, hizo buenos estudios de latinidad y filosofía en el Seminario, así como de jurisprudencia en la Universidad de su Estado natal. Presto, sin embargo, hubo de interrumpir estos últimos para lanzarse a la lucha por la causa liberal, de la que fue ardiente y honrado sostenedor. A la caída del régimen de Santa Anna y triunfante la revolución de Ayutla, funda en Guadalajara el periódico *La Revolución*, en que defiende los principios de la Reforma. Sus juveniles actividades compártenlas por igual la política y las letras. Funda revistas y sociedades literarias y ejerce la cátedra de latinidad y filosofía en el Liceo de Varones del Estado, contribuyendo así a la difusión de la cultura en el Occidente. Al sobrevenir las guerras de Reforma y la Intervención francesa, sostiene con denuedo, así en el país como en el extranjero, la causa de la independencia nacional. Restaurada la República y habiendo sido electo diputado al Congreso de la Unión, se traslada a México, y en el resto de su larga, ejemplar y fecunda vida es, sucesivamente, magistrado de la Suprema Corte de Justicia, periodista y defensor, en arduas polémicas, de

los nuevos principios constitucionales; publicista docto a quien se deben las impresiones de la *Historia de las Indias* de Las Casas y de la *Crónica* de Tezozomoc; y, por último, director de la Biblioteca Nacional, al frente de la cual permanece hasta su muerte y emprende la obra de organización necesaria —y todavía inconclusa— de aquel rico tesoro blibliográfico.

P o e t a, historiador, dramaturgo, crítico, la obra de Vigil es copiosa.

Fue la poesía, para él, flor de juventud. Sus composiciones poéticas aparecieron coleccionadas en grueso tomo bajo el título de *Realidades y quimeras* (1857), al que siguieron *Flores de Anáhuac* (1886): dos volúmenes, de los cuales el segundo es de obras dramáticas. No era extraordinario su estro, y sus versos, todos ellos de corte clásico, adolecen a menudo de flojedad y prosaísmo. Mucho más que el poeta original vale el humanista en sus magistrales versiones. Las que hizo en verso castellano de las *Sátiras* de Persio (1879) y de *XXX Epigramas* de Marcial (1899), pasan por ser un modelo en su género, especialmente la primera, cuyo texto original es, a juicio de Menéndez y Pelayo, el "más oscuro y enigmático que hay en toda la latinidad clásica", y cuyas notas y comentarios al margen de la traducción de Vigil, valen tanto como la propia versión. Asimismo tradujo en verso castellano a Petrarca y Schiller, y la *Carlota Corday*, de Ponsard.

13. Como fundamentalmente clásico habrá que considerar a MANUEL JOSÉ OTHÓN, pese a la complejidad de su fisonomía literaria.

Nació Othón en la ciudad de San Luis Potosí el 14 de junio de 1858, y allí también murió el 28 de noviembre de 1906. Aunque por vocación poeta, fue de profesión abogado, y ejerciéndola a regañadientes, con más traza de Quijote que de juez al uso, se pasó la vida en pequeños

poblados del norte del país, cuando
no en completo apartamiento en los
campos de Coahuila, en los que escribió sus mejores versos. Salvo una
que otra fugaz escapada a la capital
de la República, adonde su fama llegó presto y era muy querido y ad-
mirado, su existencia se deslizó ca-
llada en la quietud soñolienta de la
provincia. Gustaba de la gozosa tranquilidad pueblerina; sólo se sentía
a sus anchas en el abandono del
campo. Y por eso su labor poética
—como ha expresado Alfonso Reyes— "es casta y benigna, salubre
como campesina madrugadora, firme como labrador envejecido sobre
la reja, santa y profunda como un
himno a Dios en el más escondido
rincón de alguna selva..."

Según propia confesión, desde su
adolescencia compuso versos. Ellos
están comprendidos en sus primeras
Poesías (1880), las cuales, con austera severidad, andando los años, daría por no escritas. Si ajeno influjo
recibió, pronto hubo de sacudirlo.
"La Musa —decía— no ha de ser
un espíritu extraño que venga del
exterior a impresionarnos, sino que
ha de brotar de nosotros mismos para que, al sentirla en nuestra presencia, en contacto con la Naturaleza,
deslumbradora, enamorada y acari-
ciante, podamos exclamar en el de-
liquio sagrado de la admiración y del
éxtasis, lo que el padre del género
humano ante su divina y eterna des-
posada: 'Os ex ossibus meis et caro
de carne mea'. Proclamaba que
el artista ha de ser sincero hasta la
ingenuidad. "No debemos expresar
nada que no hayamos visto; nada
sentido o pensado a través de ajenos
temperamentos, pues si tal hacemos,
ya no será nuestro espíritu quien ha-
ble y mentimos a los demás, enga-
ñándonos a nosotros mismos."

Producto de tal estética fueron los
Poemas rústicos (1902), libro en
que la maestría irreprochable de la
forma hermana con la efusión maravillosa del sentimiento.

Era Othón, por educación y gusto literarios, un clásico; por temperamento, algo más que un romántico, un moderno. De ahí que él haya
realizado el milagro de satisfacer por
igual a los devotos de la tradición
y a los extremistas de la lírica. En
realidad, y a semejanza de Díaz
Mirón, viene a ser una figura aislada —y grandiosa— en la poesía mexicana, sin nexos con el pasado ni
engarces con el presente. "Llegó a
encontrar —según observa sagazmente D. Francisco A. de Icaza—
lo que pudiera decirse un procedimiento propio, dentro de la rígida
ortodoxia del idioma: de ahí sus
relaciones con los puristas americanos, más exigentes quizá en la limpieza del lenguaje que los mismos
puristas españoles. Pero *hombre para quien el mundo exterior existe*,
copió la naturaleza según la veía,
sin recurrir a modelos convenciona-
les, y los revolucionarios en materia
de arte, los refractarios de la rutina
lo declararon innovador." Fue, por
antonomasia, el poeta del campo,
aunque en nada se parezca a los bucólicos artificiosos ni a los acartona-
dos cantores de la naturaleza sujetos al cartabón clásico. "No pinta de
memoria y en su gabinete —insiste
Icaza—, sino al aire libre y del natural; paisajista de amplia y verdadera paleta, todo puede copiarlo,
pero siente más las rocas abruptas
y los árboles añosos y retorcidos que
los paisajes esfumados en medias
tintas crepusculares: describe admirablemente, pero su verdadero mérito no consiste en describir, sino en
comprender la naturaleza y hacerla
amar y sentir."

Cultivó, además, Othón, el género
novelesco y el dramático. Para la
escena escribió dos dramas: *Después
de la muerte* (1883), *Lo que hay detrás de la dicha* (1886) y la pieza
intitulada *El último capítulo* (1905),
amén de dos monólogos. Sus *Obras
completas*, en compacto volumen que
comprende: poesías, cuentos y novelas cortas, teatro, publicáronse en
México en 1945.

14. Por su calidad de humanista, entre los clásicos de este período consignaremos el nombre de don JOAQUÍN D. CASASÚS (1858-1916), traductor de Horacio y Virgilio, de Catulo y Tibulo. Hay que señalar, asimismo, a un poeta de contextura clásica cuya actuación se inicia en este período y se prolonga y amplía en el siguiente: el P. FEDERICO ESCOBEDO (nacido en Salvatierra, Estado de Guanajuato, el 8 de febrero de 1874; muerto en Puebla, el 13 de noviembre de 1949). Su obra literaria es extensa y comprende versos originales en castellano y en latín, así como versiones de esta última lengua. Su primer libro: *Poesías* (1903) contiene lo mejor de sus producciones juveniles en el propio idioma. "Son —como ha dicho Francisco González Guerrero— versos fluidos, transparentes, musicales. Van por el camino de Horacio, pero siguiendo las huellas de Fray Luis de León." A aquel volumen sucedieron: *Cauces hondos* (1918), *Rapsodias bíblicas* (1923), *Siempre antiguo y siempre nuevo* (1927), *Aromas de leyenda* (1940). "La poesía original y en castellano del P. Escobedo —concluye el antes mencionado crítico— se ostenta con virtudes y limitaciones de origen académico: inspiración pobre y formas gastadas, parece obedecer a la consigna de un pulcro tono gris." Lo más eminente de su labor es la del traductor; y en este aspecto destácase en lugar preponderante la versión que hizo del poema latino del P. Rafael Landívar, única integral en verso, y a la que puso el nombre de *Geórgicas mexicanas*. Figuró Escobedo entre los Arcades de Roma con el de Tamiro Miceneo.

Servidor fiel y continuador de una tradición que en su tiempo venía a menos, fue D. ENRIQUE FERNÁNDEZ GRANADOS (1867-1920), el dulcísimo poeta anacreóntico. Sus elegantes y cincelados versos son —según expresión de Gutiérrez Nájera— "néctar bebido en flores jonias". La producción de Fernández Granados distó de ser copiosa: lo más característico de ella está coleccionado en dos lindos tomitos: *Mirtos* (1889) y *Margaritas* (1891). También se le deben algunas pulcras versiones de poetas italianos.

En suma: cabe hacer mención del bucólico D. JUAN B. DELGADO (originario de Querétaro, nacido en 1868 y muerto en México el 12 de junio de 1923), árcade asimismo, como alguno de los anteriores, y quien —según ha expresado González Martínez— "pule a conciencia sus obras, labora por una lengua pura, sonora y limpia, y es casi un tradicional en materia de forma". Su producción comprende algunos volúmenes: *Canciones surianas* (1900), *Poemas de los árboles* (1907), *París y otros poemas* (1919), *Bajo el haya de Títiro* (1920), *El cancionero nómada* (1927), *El país de Rubén Darío* (1932).

EL MODERNISMO

Comprende el modernismo dos períodos: el inicial, de influencia directa —aunque tardía— del romanticismo francés, así como del parnasismo de igual procedencia, al que pertenecen característicamente Gutiérrez Nájera y algunos de los poetas de *Revista Azul;* y el del apogeo —de influencia simbolista también francesa— representado típicamente por Nervo en su primera época y por los poetas de la *Revista Moderna*.

15. Con MANUEL GUTIÉRREZ NÁJERA, se inicia una nueva era en las letras mexicanas. Él introduce —como atinadamente observa Isaac Goldberg— la melodía en la estructura del lenguaje; "después de él fluye más suave y musical el verso de los poetas; la prosa hácese más ágil y luminosa y refulge con miles de henchidas sugestiones, nuevas imágenes e indicio de varia cultura".

Representa, en la literatura nacional, un doble papel: el de precursor y el de reformador.

Nacido en México el 22 de diciembre de 1859, en el seno de modesta familia de la clase media, de su madre —mujer en extremo piadosa— heredó la sensibilidad y la ternura; de su padre, la inclinación literaria. Fue la autora de sus días su maestra de primeras letras; y, como es de presumir soñara destinarle a la carrera eclesiástica, el espíritu del niño se formó en la lectura de los místicos: Santa Teresa, San Juan de la Cruz, Juan de Ávila, Malón de Chaide, Fray Luis de León y Fray Luis de Granada. Más tarde estudió latín y después francés. Precocísimo como era, a los trece años envía su primer artículo a *La Iberia* y allí continúa publicando prosas y versos. Ésa sería su misión: escribir y escribir, en el vértigo de la prensa diaria. La biografía externa de Gutiérrez Nájera no tiene nada de interesante: fue un forzado del periodismo. Una a una, pasa por las redacciones de los principales periódicos: *El Federalista, La Revista Nacional, El Partido Liberal*... Ya con su nombre, ya con distintos seudónimos —de los cuales hizo célebre el de *El Duque Job*— inunda las páginas de diarios y revistas con la producción más variada, más abundante, más original y —lo que es más extraordinario y por cierto no lograría cualquier otro jornalero de las letras— más exquisita. Se casa, tiene hijos, es el escritor de moda. Vive de las letras y para las letras. Funda con D. Carlos Díaz Dufoo la *Revista Azul*, que viene a desempeñar en la literatura de la época influencia semejante a la que ejerció *El Renacimiento* de Altamirano. Y abrumado por la tremenda labor literaria, rinde la jornada todavía joven, a los treinta y cinco años en su propia ciudad nativa, de la que apenas salió nunca, el 3 de febrero de 1895.

Pero si la biografía externa de Gutiérrez Nájera poco nos dice, ¡cuán rica y fecunda es, en cambio, su biografía interior!

Sus primeros cantos —*La Cruz, María, Dios, La fe de mi infancia*— fueron de inspiración ingenuamente religiosa: reflejo prístino de la infundida piedad materna. Adviértese en el poeta —como ha expresado don Justo Sierra, su mejor crítico, a quien seguiremos paso a paso— "el afán de conformarse a los modelos venerados de la poesía sagrada con visos de erótica y romántica, que fue el encanto de la generación del segundo tercio de este siglo"; puede creerse, por un momento, que aquel niño sublime será el sucesor de Carpio y de Pesado. Pero apuntan en su poesía dos elementos inquietantes: el erotismo y el francesismo. El erotismo balbuciente de Gutiérrez Nájera no viste ya el ropaje clásico; no es una imitación sin sustancia de los antiguos: es un reflejo de pasión penetrante y dulce, real y voluptuosa como ninguna. Por otra parte, si bien es cierto que el poeta recibe influencias españolas, no se conforma con ellas, sino que va directamente a beber en las fuentes francesas, y, por medio del francés, a ponerse en contacto con las literaturas exóticas. Así se renueva y prepara la general renovación. Tales influencias extrañas, que lo hacen más refinado, más sutil en sus concepciones, a la par que en la expresión le comunican nuevos matices, las asimila de tal suerte, que llega a convertirlas en algo personal y exclusivamente suyo. Tras del de Bécquer y Campoamor, siente el influjo de todos los poetas franceses, a partir de la generación romántica hasta los contemporáneos: desde Hugo, Lamartine y Musset, hasta Richepin, Rollinat y Verlaine, pasando por Gautier, Baudelaire y Coppée. "En los últimos seis u ocho años de su vida, dueño ya por completo de sí mismo, no con el estilo de sus maestros, pero sí con uno que sus maestros no habrían repudiado y que era único en nuestra literatura, el poeta, *el Duque Job,* había logrado realizar en sus escritos lo que había soñado: amalgamar el espíritu francés y la forma española. En plena marcha hacia el ideal, por el imperio adquirido ya de su genio y de su expresión, vino el impío y súbito truncamiento de la muerte."

Cualidad predominante en Gutiérrez Nájera es la gracia; "especie de sonrisa del alma —explica Sierra— que comunica a toda producción no sé qué ritmo ligero y alado, que penetrando en ondulación implacable, como la luz, por todas las ramificaciones nerviosas del estilo, les presta cierta suerte de magia singular que produce en el espíritu una impresión parecida a la de la dificultad vencida sin esfuerzo, lo que se torna delectación y encanto". Manifestaciones de ese don, el cual le preparó a la educación del gusto, son en él la distinción, el primor, la elegancia del estilo, a los que se asociaban una imaginación "ponderada como la de un ateniense", una íntima delicadeza y ternura de sentimiento, y la nota de humorismo elegante y escéptico que a menudo atempera, con leves paréntesis luminosos, la exaltación de su sensibilidad. Fue siempre, en el fondo, un poeta romántico y elegíaco, pero lleno de la inquietud de su época. Para poder interpretar a ésta, nuestra lírica requería nuevas y más sutiles modalidades y él acertó a encontrarlas. El vuelo, en constante ascenso, de la musa de Gutiérrez Nájera; la integración, por decirlo así, de su vigorosa personalidad poética en camino hacia la expresión perfecta, se percibe a través de aquellas de sus composiciones más celebradas, que datan de los años de 1880 hasta su muerte; a saber: *¿Para qué?, Hamlet a Ofelia, Tristissima nox, La Duquesa Job, Monólogo del incrédulo, Mariposas, De blanco, La serenata de Schubert, Pax animae, Mis enlutadas, Non omnis moriar,* las *Odas breves.*

Esparcida quedaba, al desaparecer su autor, aquella obra admirable. El compromiso de salvarla de la dispersión "fue contraído en la tumba del poeta". Sus poesías se coleccionaron en volumen, prologadas por don Justo Sierra, el año de 1896; su producción en prosa publicóse en dos tomos en 1898-1903. Una edición, notablemente ordenada, enriquecida y depurada, de las *Poesías completas* de Gutiérrez Nájera, debida a Francisco González Guerrero, se publicó en dos volúmenes en la "Colección de Escritores Mexicanos" de la Editorial Porrúa, S. A., en 1953.

Su producción en prosa comprende impresiones de teatro, crítica literaria y social, notas de viaje, humoradas, crónicas y fantasías, y los breves relatos novelescos reunidos bajo los títulos de *Cuentos frágiles* y *Cuentos color de humo.* La prosa de Gutiérrez Nájera —como ha dicho Goldberg— "es, en realidad, una suerte de poesía, una extraña amalgama de substancia y ligereza". Fue el *Duque Job,* en el periodismo literario, el creador de un género al que impuso su sello personalísimo y con el que ha ejercido poderoso influjo en dos generaciones de escritores: la crónica. Y aportó, asimismo, al cuento, una forma nueva, especie de capricho lírico, de inspiración indudablemente francesa, en que el humorista, ya frívolo, ya amargo, y el poeta íntimamente elegíaco, discurren por los campos de la realidad y de la fantasía, elevándose en ocasiones a planos de meditación trascendental, como en *Rip-Rip* y la *Historia de un peso falso,* los mayores aciertos de Gutiérrez Nájera en este género.

16. SALVADOR DÍAZ MIRÓN, aunque voluntaria y altivamente confinado en hosco aislamiento, lejos de las batallas y de los grupos literarios, figura entre los precursores del modernismo. Este solitario, este aristócrata, que parecía vivir su vida libre en arisco torreón, lejos de las turbas y en contemplación de vastos horizontes, en la primera etapa de su producción poética hizo sentir su in-

fluencia sobre dos grandes poetas de Hispanoamérica: Rubén Darío y José Santos Chocano, y, en la segunda, llevó sus afanes de renovación a extremos que le muestran como una personalidad *sui géneris* no ya en la lírica de México, sino en la del mundo de habla castellana.

Oriundo del puerto de Veracruz, donde vio la luz el 14 de diciembre de 1853, y fallecido el 12 de junio de 1928, la personalidad del hombre fue no menos extraordinaria que la del poeta. "Un ser excepcional —lo definía Urbina—, de leyenda caballeresca, dotado de un temperamento ágil siempre para la acción, como su inteligencia para la percepción. Es de los admirables y de los temibles. Parece un artista del Renacimiento. Sufriría el parangón con los quinientistas italianos, por la variedad de los conocimientos, como Leonardo; por el impulsivismo del valor, como Benvenuto." Pasó por la tribuna parlamentaria y por la prensa; conoció la cárcel y el destierro. Pero de dudar es que su existencia haya estado nunca consagrada a algo que se apartara de la intensa, de la incesante preocupación literaria.

En sus comienzos fue romántico, un romántico en cuya sensibilidad ponderada había ya ímpetus de fuerza. Luego, haciendo a un lado ternezas y lloros, amoríos y tristuras, surgió el poeta heroico, todo él arrogancia, brío, deslumbramiento, que evocaba al cantor de *Manfredo* y al fulminador de *Los castigos*. De esta época son *A Gloria, Sursum, A Byron* y la *Oda a Víctor Hugo*. Lava ardiente es su inspiración y sus versos tienen entonces la reciedumbre y la sonoridad del bronce. Pero el poeta quiere ir más allá. Reverente a la pureza del lenguaje y aspirando a crear una nueva técnica, se impone los rigores de una disciplina ciclópea. Y, ansiosa de perfección, su mente —según con pintoresco símil ha expresado Isaac Goldberg— deja de ser entonces el cráter de un volcán, para convertirse en el taller de un escultor olímpico que saca estatuas de montañas de mármol. "Cada vez —vuelvo a citar a Urbina— se exigía más a sí mismo; perseguía una pureza y nitidez de expresión más absolutas. Y concebía una técnica en la cual no cada sílaba, sino cada letra, tuviera una colocación armónica para que, combinadas en la unidad acentual de cada verso, realizasen un ideal rítmico, una música sin opacidades ni disonancias, sin hiatos ni cacofonías. Y como este ideal prosódico, es el verbal que impide aconsonantar dos adjetivos, el sintáctico que huye cuanto puede de los artículos para acercarse a la frase latina, y dar pulimento lapidario y concisión epigramática al idioma." De tal esfuerzo nace *Lascas* (1901), en el prólogo del cual —desdeñando orgullosamente su lírica anterior, que nadie ha de olvidar— Díaz Mirón declaraba que era su "único libro"; y obra de la misma o quizás aun más depurada elaboración, son *Astillas* y *Triunfos*, que el poeta no llegó a publicar, bien que se conozcan y ya estén publicadas las composiciones que componían dichas colecciones. En la que, hasta el fin de su existencia, pudo considerarse como su definitiva manera, estímase que Díaz Mirón había perdido en espontaneidad, en emoción comunicativa y directa, lo que, por artes de sabiduría, ganó en prodigiosa riqueza plástica y rítmica. Por su ansia de perfección, que en ocasiones le llevaba a ser enigmático y amanerado, recuerda a Góngora, con quien tiene evidente parentesco. Así, mientras más y más fue ascendiendo hacia la soñada cumbre, más y más se fue apartando de la multitud embriagada con la música de sus primeras estrofas. Y el que empezó siendo poeta popular, hubo de convertirse en poeta de rancia aristocracia.

México rindió postrer homenaje al bardo, haciendo trasladar sus despojos mortales a la capital de la República, para darles solemne sepultura en la Rotonda de los Hombres

Ilustres. Las *Poesías completas* (1876-1928) de Díaz Mirón, las publicó Antonio Castro Leal en 1941, en un volumen, con la biografía más completa que se conoce del poeta, notas y bibliografía. Hay edición posterior en la "Colección de Escritores Mexicanos" de la Editorial Porrúa, S. A.

17. LUIS G. URBINA puede considerarse, por muchos conceptos, como el sucesor directo de Gutiérrez Nájera.

Nacido en la ciudad de México el 8 de febrero de 1869, representa, en nuestra literatura, un caso singular de formación intelectual. De él puede decirse que fue maestro de sí mismo, y que, desde sus albores, mostró una personalidad bien delineada: la misma que, sin alteración sustancial, habría de desarrollarse al través de fecunda, rica y multiforme vida literaria.

Fue muy precoz. No contaba veinte años cuando ya su nombre se hacía notar en el periodismo literario que más tarde habría de señorear completamente, ya con la crónica ligera, fina, actual, rebosante de gracia, humorismo y poesía, en que continuaba al *Duque Job,* bien que llevando el género a su extrema perfección e imprimiéndole un sello personal inconfundible; ya con la crítica teatral, cuyo magisterio ejerció, brillantemente, por más de dos décadas, sentando cátedra de buen gusto en improvisaciones de verdadero primor literario; o bien con sus poemas, que alternando con la obstinada, infatigable labor en prosa, recordaban al público que en el comentarista del suceso diario y en el revistero teatral había un bardo excelso. Poeta, cronista, periodista, crítico e historiador de la literatura, su ejemplar actividad ha podido desarrollarse sin que el ánimo se rindiera al cansancio ni aminorase en un ápice la calidad artística de un trabajo las más de las veces obligado y de suyo copioso. Al lado de D. Justo Sierra trabajó en la Secretaría de Instrucción Pública y Bellas Artes. Fue catedrático de literatura durante muchos años en la Escuela Nacional Preparatoria. En colaboración con Pedro Henríquez Ureña y Nicolás Rangel realizó las importantísimas investigaciones de historia literaria que formaron la *Antología del Centenario* (1910), cuyo magistral estudio preliminar débese a su pluma. Dirigió la Biblioteca Nacional. Desempeñó una misión cultural en la Argentina, pronunciando allá la serie de conferencias sobre nuestras letras patrias que reuniría en tomo bajo el título de *La vida literaria de México* (1917); hay edición de la Editorial Porrúa, S. A., en la "Colección de escritores mexicanos". Y ya fuera de su país, en Cuba primero y después en España, continuó su obra literaria escribiendo diversos libros y colaborando activamente en la prensa.

Las canciones de adolescencia de Luis G. Urbina aparecieron en un volumen: *Versos* (1890); las de juventud integrarían, doce años más tarde, la colección de *Ingenuas* (1902). Ya en estos libros se muestra Urbina tal como es, tal como habría de ser siempre. La característica fundamental de su obra es la homogeneidad: ideas y sentimientos que inspiran sus poemas podrán variar —y de hecho varían— según las épocas, de suerte que nos es dable situar, dentro de éstas, al poeta; mas la estética que los informa será la misma. Urbina —conforme ha expresado González Martínez— se presentó en toda su bella integridad desde el primer momento, y su esfuerzo posterior hubo de limitarse a intensificar su sensibilidad poética y depurar su forma expresiva. Sin temas de novedad artificiosa, sin esoterismos recónditos, sin sutilizaciones alambicadas, y con la sola, vieja y fecunda tradición emocional del amor, del dolor, de la vida y de la muerte, construye "una obra de unidad estética que puede servir de ejemplo y edificación a los que divagan por caminos infecundos sin encontrar la ruta apetecida". A fuer de artista sincero y que supo encontrarse desde el primer momento, pasaba imperturbable ante el vaivén de las modas literarias.

Urbina tiene de común con Gutiérrez Nájera, aparte ciertos rasgos de espíritu perceptibles pero no definibles, la musicalidad, el humorismo, la tristeza de su poesía. De él se diferencia en el casticismo de su inspiración, ajena a influjos extranjeros; en que su melancolía es mucho más honda y penetrante, y en que si su lírica es musical —"predominantemente melódica", según Icaza— a la inversa de la del *Duque Job* es también esencialmente plástica.

Todas estas particularidades se acentúan en *Puestas de sol* (1910), libro, en lo espiritual, idéntico a los anteriores, aunque más acabado, más profundo y de todavía superior maestría técnica. El paisajista que ya apuntaba en *Ingenuas,* cobra aquí su pleno esplendor; culmina en el *Poema del Lago,* y sobre todo en una forma que le es propia: las *Vespertinas,* esos "pequeños cuadros crepusculares —define Manuel Toussaint— en que el paisaje, grave colaborador silencioso, se agolpa en torno de una emoción e infunde poesía por su propia presencia".

En *Lámparas en agonía* (1914) el poeta muéstrasenos más otoñal, más sabio: "ha logrado departir con la vida —escribe González Martínez— de esas cosas que sólo se saben a los cuarenta años". La divagación es extrema; la vieja ironía se dulcifica. Con este libro se cierra un ciclo en la vida del poeta. Después, la ausencia de la patria ahonda la actitud meditativa, la nota dolorosa. Y sus postreros libros: *El glosario de la vida vulgar* (1916), *El corazón juglar* (1920), *Los últimos pájaros* (1924), *El cancionero de la noche serena,* publicado en edición póstuma por la Universidad Nacional de México en 1941, añaden a su melancolía peculiar, la amargura de la nostalgia.

Mucho más abundante que la poética ha sido la obra en prosa de Urbina. Puede afirmarse que —salvo los volúmenes de historia crítica de la literatura mexicana de que antes se ha hecho mención— llena ella toda una época del periodismo mexicano por lo que se refiere a la crónica literaria y teatral; y, de esta parte de la misma, bien poco es lo que se ha coleccionado: *Cuentos vividos y crónicas soñadas* (1915), *Psiquis enferma* (1922), *Hombres y libros* (1923). A dichos volúmenes hay que agregar los que contienen las impresiones del poeta en tierra extranjera y muy particularmente en España: *Bajo el sol y frente al mar* (1916), *Estampas de viaje* (1919) y *Luces de España* (1924). De sus poesías completas hay edición, con un estudio de Antonio Castro Leal, en la "Colección de escritores mexicanos" de la Editorial Porrúa, S. A., en 2 volúmenes.

Como prosista tiene Urbina, aparte la maestría de la forma, una cualidad que lo distingue: el arte de cautivar. Su prosa es atildada, flexible, rica en matices, pródiga en imágenes. El crítico de arte aparece siempre henchido de profundas sugestiones; y en cuanto al comentador de la vida cotidiana, no cabe duda que asocia a su sagaz espíritu observador una capacidad de emoción atrayente y comunicativa que se resuelve en simpatía.

Murió Urbina en Madrid, el 18 de noviembre de 1934, y fueron desde luego sus restos traídos a México. Descansan en la Rotonda de los Hombres Ilustres.

18. AMADO NERVO nació en Tepic (capital del que es ahora Estado de Nayarit) el 27 de agosto de 1870. "Mi apellido —declara el poeta en una breve autobiografía— es Ruiz de Nervo; mi padre lo modificó, encogiéndolo. Se llamaba Amado y me dio su nombre. Resulté, pues, Amado Nervo, y esto que parecía seudónimo —así lo creyeron muchos en

América—, y que en todo caso era raro, me valió quizá no poco para mi fortuna literaria." Deslizóse su niñez en la quieta ciudad nativa. Era el primogénito entre siete hermanos, y presto asomó su vocación por las letras. "Empecé a escribir cuando todavía era lo que se dice un niño, y en cierta ocasión mi madre encontró los versos que yo a hurtadillas escribiera y se los leyó a toda la familia reunida en torno a la mesa. Yo me refugié en un rincón. Mi padre frunció el ceño..." No lo fruncíría, acaso, y con igual motivo, nuevamente. Pronto queda huérfano el precoz artista. Su madre, doña Juana de Ordaz, decide entonces enviarlo al pueblecillo michoacano de Jacona, próximo a Zamora, para que en el Colegio allí establecido y a la sazón famoso haga sus estudios. Ingresa Nervo en 1884, a los trece cumplidos, en aquel plantel, donde pasó —según explica su amigo don Perfecto Méndez Padilla— "los primeros años de su adolescencia estudiando la lengua de Cervantes, traduciendo a Horacio y a Virgilio, a la vez que estudiando los idiomas de Shakespeare y de Corneille..." Al año siguiente toda la familia Nervo se traslada a Zamora. Del Colegio de Jacona, en el que hizo dos cursos, pasa el futuro poeta al Seminario de Zamora, donde sigue de 1886 a 1888 los de Ciencias y Filosofía, y se consagra a estudiar, en 1889, el primero de Leyes; mas, habiéndose suprimido esta Facultad que el Seminario tenía anexa, permanece fuera del mismo todo el año de 1890. Ha florecido, entretanto, su primera pasión. Ensaya sus primeras prosas y cantos. Súbitamente, fascinado por el anhelo del Altar —según expresión de D. Alfonso Méndez Plancarte— reingresa en el Seminario de Zamora en 1891, y comienza los estudios de teología. Allí le penetró el hechizo de la vida religiosa y se engolfó en místicas lecturas y prácticas, lo cual tanto habría de influir en la índole de su espíritu y de su

personalidad literaria. Encamínábase hacia el sacerdocio. Quiso su destino, sin embargo, que echase a andar por profanos senderos. Impelido a ello por angustias económicas de su familia, abandona el Seminario a fines del indicado año, y se lanza a la lucha por la vida.

Para afrontarla no tenía más que un arma: su pluma. Tras de breve estancia en Tepic, adonde retorna, parte para Mazatlán. En Mazatlán se inició en el periodismo; luego vino a México, donde por los años de 94 a 98 se hizo notar no tanto por artículos, traducciones y crónicas publicadas a porrillo en los periódicos, cuanto por sus primeros trabajos literarios. En 1895, la publicación de una atrevida novela —El Bachiller— que hubo de suscitar agudas polémicas, fijó su nombre. Al año siguiente, una poesía recitada en el primer aniversario de la muerte de Gutiérrez Nájera le granjeó la popularidad. Dos más tarde, la aparición de las Místicas le consagró como poeta. Con Jesús E. Valenzuela fundó la Revista Moderna, que fue el pendón y el cenáculo de los adictos a la nueva poesía. En 1900 viajó por Europa; viaje bohemio, libre, de éxtasis, tribulaciones y luchas, que le sirvió para completar y refinar su educación artística. De vuelta en México, y sin apartarse de sus tareas literarias, cultivó, fugitivamente, la cátedra, continuó ejerciendo el periodismo, y en 1905 abrazó la carrera diplomática, yendo a radicarse a Madrid. Allá permaneció hasta que en 1918, llamado por el gobierno, regresó a su patria en pleno apogeo de celebridad y gloria literaria. Designado ministro plenipotenciario en la Argentina y el Uruguay, partióse a las Repúblicas del Plata, y le sorprendió la muerte en Montevideo, el 24 de mayo de 1919. Traídos oficialmente sus restos mortales a México, mereció los funerales más solemnes que poeta alguno haya tenido en América.

Aunque su anhelo hubiera sido

que su producción se redujese a "un tomito", "al libro libre y único", Nervo escribió mucho. Veintinueve volúmenes forman sus *Obras completas*, publicadas en Madrid —al cuidado de Alfonso Reyes— con posterioridad a su muerte, de 1920 a 1928. Aparte esos veintinueve tomos habrá que contar el intitulado *Mañana del poeta*, que publicó D. Alfonso Méndez Plancarte en 1938, y que comprende verdaderos balbuceos del escritor: unas páginas autobiográficas, un manojo de cuentos y poesías, que seguramente su autor jamás habría dado a las prensas; todo ello acompañado de un estudio preliminar y apéndices del propio colector, que juzgamos muy valiosos para el conocimiento de la vida y de la obra de Nervo.

Tres etapas comprende el desarrollo de la producción lírica de Amado Nervo. Pertenecen a la primera *Perlas negras* (1898), *Poemas* (1901), *El éxodo y las flores del camino*, *Lira heroica* (1902), *Los jardines interiores* (1905). En ella muéstrase el poeta influido por el simbolismo francés; sin que esto obste para que ya desde entonces revele, constituida, una personalidad original y muy suya. "Sólo admito una escuela —habrá de afirmar después—: la de mi profunda y eterna sinceridad." Es atrevido, preciosista; alardea de desenfado para quebrantar las reglas prosódicas; gusta de sutilezas, de emociones, y palabras, y ritmos raros. Hay en él, dentro de señoril elegancia, ternura y efusión. Ama la vida y se asoma al misterio. Su juventud inquieta, flor que se abrió en el incienso de los altares, empieza a debatirse, flagelada por la duda, entre "la carne maldita que le aparta del cielo" y los místicos afanes nacidos en el rincón hogareño y trocados ahora en añoranza de sus días de seminarista. Por un momento diríase que el misticismo triunfa. Pero este misticismo parece más literario y externo que interior y profundo: cífrase, más que todo, en la brillan-

tez áurea de la liturgia; nos habla del reflejo de los cirios en las casullas, de misales y breviarios en que se destacan las iniciales rojas, de custodias rutilantes, de vitrales policromos, de historiados altares, de cálices rebosantes, de domos excelsos.

La segunda etapa de Nervo consistía en apartarse de lo exterior deslumbrante para interrogar a su yo interior profundo. Un amor encontrado de pronto, en la vida, lo tranquiliza y serena, y entonces su personalidad primera se acendra y depura: tiende a la sencillez, a la simplicidad. Es la hora de la aparición de *En voz baja* (1909) y *Serenidad* (1914): los dorados frutos de su madurez que ilumina un sol de otoño. Predomina en estos libros la preocupación del más allá; se clarifica la aspiración panteísta que ya había apuntado en el anterior período en *La Hermana Agua*. Ha llegado el poeta —como expresa Rubén Darío— "a uno de los puntos más difíciles del alpinismo poético: a la planicie de la sencillez, que se encuentra entre picos muy altos y abismos muy profundos". Le espanta —según él mismo expresa, aunque exagerando al aludir a su pasado lírico— "el estilo gerundiano"; le asusta "el rastacuerismo de los adjetivos"; busca "el tono discreto, el matiz medio, el colorido que no detona"; sabe, en fin, al cabo, decir lo que quiere, y como lo quiere decir; no le empujan ya las palabras: "se ha enseñoreado de ellas".

Aun más allá ha de ir, por este camino, en su tercer manera. El truncamiento súbito del amor que llenó su vida, la contemplación de la muerte, el dolor ante la pérdida irreparable, le conducen al total renunciamiento en una efusión, si no del más puro, del más elocuente ascetismo. Aspira a elevar su espíritu y el de los demás con libros —como coquetamente dice, aunque no haya que tomarlo al pie de la letra— "sin retórica, sin *procedimiento*, sin técnica, sin literatura". Y tales libros serán *Elevación* (1917), *Plenitud*

(1918) —ya en prosa este último, como si el poeta, por mayor simplicidad, rehuyese el artificio de la rima—; *El estanque de los lotos,* en fin, postrera colección de poemas que en vida nos dio Nervo. *La amada inmóvil* y *El arquero divino,* fueron de publicación póstuma: ambos datan de 1922.

La producción en prosa de Amado Nervo es variadísima. Aparte ensayos, crónicas y artículos, comprende el hermoso estudio sobre *Juana de Asbaje* (1910) y algunas novelas y cuentos. Ya hemos dicho que el renombre literario de Nervo se inició con *El Bachiller,* novela corta de audaz naturalismo. A ésta siguieron *Pascual Aguilera,* de pronunciado sabor regional; la fantasía novelesca *El donador de almas,* y, por último, los cuentos coleccionados con el título de *Almas que pasan,* en 1906. Muchos años habrían de transcurrir para que Nervo volviera al cultivo del género: en 1916 aparece *El diablo desinteresado* y vienen a continuación otras novelas cortas: *El diamante de la inquietud, Una mentira, Un sueño, El sexto sentido, Amnesia,* y, para concluir, los *Cuentos misteriosos.* En el que fue ante todo poeta, había un novelista original: en las primeras novelas y cuentos que escribió, unas y otros, los más, de asunto mexicano, revélase Nervo observador y paisajista delicadísimo; la producción novelesca de la segunda época, desaparecido el fuerte nacionalismo inicial, pertenece por entero al escritor cosmopolita. La prosa de Nervo es nerviosa, plena de vivacidad; en ella se operó, mucho más rápidamente que en sus versos, la evolución hacia el casticismo y la simplicidad.

19. JOSÉ JUAN TABLADA, nacido en México el 3 de abril de 1871, y muerto en Nueva York, el 2 de agosto de 1945, fue en la *Revista Moderna* uno de los más firmes sostenedores y propagandistas de la nueva estética. Poeta, crítico de arte y literatura, cronista, novelador y periodista, el rasgo sobresaliente de su personalidad es la inquietud.

Apareció en el momento justo, ocupando un puesto avanzado entre los reformadores de la lírica. "Su métrica —afirma Valenzuela— disonaba a las empedernidas orejas de los rimadores preceptistas." "Salía de sus lecturas y de su propio espíritu, íntegro, pulido y abrillantado a la Teophile Gautier y amargado con la estética amarga del ajenjo de Baudelaire y otros poetas franceses posteriores a Víctor Hugo." Daba la nota refinada y exótica. Su libro de aquella época batalladora —su más famoso y mejor libro de poesía— *El florilegio,* publicóse en 1899, y después, notablemente aumentado, en 1904. A éste siguió, en 1918, *Al sol y bajo la luna,* en el que no variaría, sustancialmente, la estética del poeta. La ya señalada inquietud de su espíritu hubo de impulsarle con posterioridad —bien que con menor fortuna— a afiliarse en las escuelas extremistas de la decadencia o del que mejor pudiéramos llamar actual desconcierto poético. De esta nueva manera son producto: *Un día,* "poemas sintéticos"; *Li-Pó,* "versos ideográficos"; *El jarro de flores,* "disociaciones líricas", y *La feria,* "poemas mexicanos".

No menos abundante que la poética ha sido la obra en prosa de Tablada: *Los días y las noches de París,* crónicas; *Hisroshigué,* monografía consagrada al célebre pintor japonés; *La resurrección de los ídolos,* novela; *La feria de la vida* (memorias); en fin, las *Artes plásticas mexicanas* y la *Historia del arte mexicano.* Prosa toda nervio y colorido, de inconfundible elegancia, es la suya.

20. ENRIQUE GONZÁLEZ MARTÍNEZ es el último gran poeta del movimiento modernista. Originario de Guadalajara, donde nació el 13 de abril de 1871, estudió y obtuvo el título de médico en su ciudad natal: en Sinaloa alternó durante largos años el ejercicio de su profesión con

el de las letras; vino a México en
1911, trabajó en la prensa y en la
cátedra, ejerció algunos cargos públicos, y, por último, entró en la diplomacia. De regreso en su país, tras
de larga permanencia en el extranjero, se consagró por manera exclusiva a su labor literaria. Falleció en
México el 19 de febrero de 1952.
Reposa en la Rotonda de los Hombres Ilustres.

Colocado entre el grupo típicamente "modernista" y la generación
que siguió, es una figura de altísimo
relieve. Su autobiografía lírica —ha
dicho Pedro Henríquez Ureña— "es
la historia de una ascensión perpetua. Hacia mayor serenidad, pero,
a la vez, hacia mayor sinceridad;
hacia más severo y hondo concepto
de la vida". "El poeta —expresa Alfonso Reyes— sale al mundo, se asoma a la naturaleza, hojea los libros,
saluda a los hombres, cultiva un poco
su vida diariamente, y luego huye,
por los senderos que sólo él conoce,
hacia el sagrario del silencio. Allí
tienen que acabar todas las poesías,
porque el alma misma enmudece.
Allí llega con el tesoro de sus visiones recién robadas, corrige los valores, los pesa; y el alma asimila
calladamente las nuevas emociones,
y así va creciendo en perfección."

En el alejamiento de su provincia
publicó sus primeros volúmenes de
versos: Preludios (1903), Lirismos
(1907), Silénter (1909), Los senderos ocultos (1911). Cuando vino a
México, reconocíasele ya como un
maestro. Entonces aparecieron La
muerte del cisne, Jardines de Francia (1915), El libro de la fuerza,
de la bondad y del ensueño (1917),
Parábolas y otros poemas (1918),
La palabra del viento (1921). Posteriormente, y durante su larga estancia en el extranjero, cumpliendo diversas misiones diplomáticas como
representante de México, González
Martínez publicó dos colecciones más
de poemas: El romero alucinado y
Las señales furtivas (1925). De retorno en su patria, estudia en su
discurso de recepción como acadé-

mico Algunos aspectos de la lírica
mexicana (1932), y da a la publicidad nuevos volúmenes de versos:
Poemas truncos (1935), Ausencia y
canto (1937), El diluvio de fuego
—esbozo de un poema— (1938),
Poemas (1940), Bajo el signo mortal
(1943), Segundo despertar (1945),
Vilano al viento (1948), Babel
(1949). Con el título de Poesía, y
en tres volúmenes, se publicó su
obra poética completa hasta 1940.

"Ductilizó —ha dicho, en síntesis,
D. Francisco A. de Icaza en un
breve juicio sobre la personalidad
del poeta— su propio verso en la
perfecta interpretación castellana de
los poetas extranjeros más contradictorios: Lamartine, Poe, Verlaine,
Heredia, Francis Jammes, Samain;
y llegó a lograr esa técnica que distingue hoy su poesía, original del
todo, sabia en el mecanismo de la
expresión. La poesía de González
Martínez es panteísta. Hay un pan-
teísmo que al divinizar al mundo le
adora, adorándose en él. Hay otro
que al divinizar la naturaleza la ama
devotamente hasta en lo más humilde: ése es el de González Martínez.
Optimista melancólico, siente lo pasajero del dolor, que en la vida normal es tan fugitivo como el placer, y
canta ambos, pasados ya, con vaga
ternura melancólica, pues para el
poeta no es el dolor tremendo hués-
ped, sino caminante que posa en su
hogar, y que mañana al rayar el día,
sacudiendo su sandalia, partirá de
nuevo."

Como explicación de sí mismo, a
su obra poética ha añadido Enrique
González Martínez un volumen en
prosa: El hombre del buho. Misterio
de una vocación (1944): libro admirable de memorias que abarca
desde sus años de infancia hasta los
de su madurez lírica, al que siguió
un segundo volumen intitulado La
apacible locura (1951).

21. Entre los poetas de la Revista Moderna que fueron factores
del movimiento modernista en México, anotaremos a los siguientes:

JESÚS E. VALENZUELA (nacido en Guanaceví, Estado de Durango, el 24 de diciembre de 1856; muerto en la ciudad de México el 20 de mayo de 1911), fundador y director de aquella publicación, y mecenas de la pléyade; hombre de ilimitada generosidad y de espíritu abierto y jovial. Era poeta, mas quizá —según Urbina— no llegó al absoluto dominio de la forma: "a sus ideas generalmente bellas suele faltarles gallardo atavío. Las telas de que van vestidas son ricas; las gemas son luminosas; pero los brocados no caen siempre con majestad estatuaria y los diamantes pierden, a veces, no poco de su esplendor por los malos engarces". Su obra poética comprende tres volúmenes: *Almas y cármenes* (1904), *Lira libre* (1906), *Manojo de rimas* (1907).

BALBINO DÁVALOS (nacido en la ciudad de Colima, el 31 de marzo de 1866 y muerto en la ciudad de México el 2 de octubre de 1951), abogado, diplomático, catedrático; poeta de firme y variada cultura. "Posee —a juicio de Rubén Darío— un vocabulario rico y una airosa elegancia de composición. Es múltiple y, sin embargo, personal. Es clásico, es romántico, es parnasiano, es simbolista a veces. Ha tenido el don de comprenderlo todo y de verter su alma según la iniciación del instante". Elegantísimo traductor al castellano de la *Afrodita* de Pierre Louys, y de la *Monna Vanna* de Maeterlinck, y autor de limpias versiones de poetas franceses, ingleses, italianos y portugueses, sus poesías originales hállanse contenidas en el volumen *Las ofrendas*.

FRANCISCO M. DE OLAGUÍBEL (nacido en la ciudad de México el 6 de noviembre de 1874, y muerto en Coyoacán, Distrito Federal, el 14 de diciembre de 1924), orador y periodista; preocupado, como poeta, por las sutilezas y reconditeces de la técnica, pero genuinamente romántico por su sensibilidad y por la exube-

rancia de la inspiración. Coleccionó sus versos en dos volúmenes: *Canciones de bohemia* (1905) y *Rosas de amor y de dolor* (1922).

EFRÉN REBOLLEDO, nacido en Actopan, Estado de Hidalgo, el 9 de julio de 1877, y muerto en Madrid el 11 de diciembre de 1929), el autor de *Joyeles* (1907), de *Rimas japonesas* y del *Libro de loco amor* (1916), "más bien alto artífice que alto poeta", al decir de Nervo: "Fríamente cincela, pule, labra. Disloca, ductiliza, engarza. Conoce muchos hondos secretos del ritmo y de la rima. El verso es su esclavo." Llevó la vida errante del diplomático y escribió algunas obras en prosa: *El desencanto de Dulcinea*, ensayos (1916); *Hojas de bambú* (1910), la *Saga de Sigrida la Blonda* (1922), novelas.

RUBÉN M. CAMPOS (nacido en la ciudad de Guanajuato, el 25 de abril de 1876; muerto en México, el 7 de junio de 1945), quien ha sido más abundante prosista que poeta: sus composiciones poéticas, contenidas en su mayor parte en la *Revista Moderna*, se caracterizan quizá por lo mórbido de la inspiración; no faltan en ellas las evocaciones musicales e indianistas. Hasta hoy sólo ha coleccionado un volumen de poemas: *La flauta de Pan*. Su obra novelesca, en la que predomina el estudio psicológico, comprende: *Claudio Oronoz* (1906), *Aztlán, tierra de las garzas* (1935), un tomo de *Cuentos mexicanos* y las *Tradiciones y leyendas mexicanas*. Débesele, en materia de crítica e historia literaria: *La producción literaria de los aztecas* (1936), *El folklore literario de México* (1929), *El Bar (la vida literaria de México en 1900)*. De viajes, ha escrito *Las alas nómadas*. Consagró una hermosa monografía a *Chapultepec; su leyenda y su historia*. Finalmente, su dedicación y amor a la música nuestra, le inspiraron dos obras de singular importancia: *El folklore y la música mexicana* (1928).

El folklore musical de las ciudades (1930).

LUIS ROSADO VEGA (nacido en Valladolid, Yucatán, el 21 de junio de 1876) afíliase también al movimiento modernista y se revela poeta de briosa inspiración que se atempera y afina en sencillez elegante, al través de varios volúmenes: *Sensaciones* (1902), *Alma y sangre* (1906), *Libro de ensueño y de dolor* (1907).

22. Dentro del movimiento modernista, bien que ostensiblemente no hayan pertenecido a él con carácter militante, todavía habría que hacer referencia a otros poetas líricos:

MANUEL PUGA Y ACAL (1860-1930), poeta, historiador, crítico, periodista. Educado en Francia, al volver a su país hallábase imbuido en la moderna poesía francesa. Tardíamente, y bajo el título de *Lirismos de antaño* (1923), coleccionó sus versos. De ellos, tal vez lo más característico son las *Baladas lúgubres* y el poema *Otelo ante Dios*. Débensele, asimismo, excelentes paráfrasis y versiones de Musset, Baudelaire, Sylvestre y Rollinat.

FRANCISCO A. DE ICAZA (1863-1925), no por haber pasado lo más de su vida fuera del país, perdió su fisonomía mexicana. Su obra poética comprende cuatro libros: *Efímeras* (1892), *Lejanías* (1899), *La canción del camino* (1906), *Cancionero de la vida honda y de la emoción fugitiva* (1925); sin contar las versiones que de poetas alemanes tales como Liliencron, Dehmel y Nietzsche hizo al castellano (1919). "El equilibrio estético, la expresión elegante y sobria, que son distintivo de los verdaderos artistas, dan —según Urbina— una impresión de nobleza espiritual, de aristocracia del sentimiento, a la obra poética de Icaza. Pero en el fondo de este orfebre sutil y cuidadoso, de este filigranista de la rima, está vibrando, contenida dentro de la "cobertura" de que habla Santillana, una alma criolla, una alma de América, con su dulce languidez ancestral y su vieja melancolía de raza, suavemente matizadas de escepticismo."

MARÍA ENRIQUETA CAMARILLO DE PEREYRA (nacida en Coatepec, Estado de Veracruz, el 19 de enero de 1875), más conocida por María Enriqueta, gallarda poetisa acaso al margen de toda escuela; espíritu robusto, todo sencillez y ternura, que cautiva por su feminidad melodiosa. Para ella, emoción y contemplación se resuelven espontáneamente en canto. Poesía siempre triste y dulce es la suya; auténtica poesía. Tras del inicial volumen que le ganó un sitio sobresaliente en nuestra lírica: *Rumores de mi huerto* (1908), hubo de publicar en España, donde vivió largo tiempo, *Rincones románticos* (1922) y *Álbum sentimental* (1926).

LA NOVELA Y EL TEATRO

Alcanza la novela, en la segunda mitad del siglo XIX, esplendor y auge que nunca antes conociera. Deja de tener, como en el período anterior, el invariable carácter de mero ensayo o tanteo. Inspírase en la observación y estudio del ambiente nacional, bien que no dejen de influir constantemente en ellas las corrientes literarias extranjeras. Llega a asumir, por primera vez, una forma artística, y ofrece, dentro de romanticismo y realismo, los más variados aspectos: el histórico, el costumbrista, el psicológico, el de tesis política o social.

1. Entroncando con los novelistas contemporáneos suyos, del anterior período, y extendiendo sus actividades de escritor hasta las postrimerías del siglo, encontramos a D. MANUEL PAYNO.

Cuna de Payno fue la ciudad de México, donde nació el 21 de junio de 1810. De simple meritorio en la Aduana, fue poco a poco ascendiendo y ocupando diversos empleos en el ramo hacendario. En 1842 se le nombra secretario de la Legación Mexicana en la América del Sur; viajó por Europa, y luego pasó a los Estados Unidos, comisionado para estudiar el sistema penitenciario. Al sobrevenir la guerra con aquella nación, luchó por la patria, estableciendo el servicio secreto de correos entre México y Veracruz y combatiendo al invasor en Puebla. En varias ocasiones —la primera en 1850— fue ministro de Hacienda, puesto en el que sobresalió por su honradez y eficacia: procuró poner orden en el tradicional desorden del tesoro públi-co e hizo un ventajoso arreglo de la deuda extranjera. Perseguido por Santa Anna, emigró a los Estados Unidos. Triunfante la revolución de Ayutla, y como miembro del gabinete de Comonfort, fue uno de los que contribuyeron al golpe de Estado del 57. Altamirano, en aquella época de furiosas pasiones, llegó a pedir la cabeza de Payno desde la tribuna del Congreso. Eliminado de la política, hubo de sufrir, no obstante, persecuciones, durante la Intervención francesa: con Florencio M. del Castillo fue encerrado en Ulúa, acusado de conspiración. Reconoció después al Imperio. Caído éste y restaurada la República, fue diputado, senador, catedrático; retornó a Europa en 1886 como cónsul en Santander y a continuación en Barcelona. Ya octogenario, de regreso en su país ocupó nuevamente un asiento en el Senado, y murió en San Ángel (Distrito Federal) el 4 de noviembre de 1894.

Payno fue activo periodista; escribió abundantemente y de todo: sobre cuestiones políticas, hacendarias, filológicas, históricas. Sus títulos literarios se contraen, sin embargo, a la novela. De 1839 a 1845 datan sus primeros relatos romancescos: novelas cortas y cuentos. Su novela inicial, *El fistol del diablo*, publicada en la *Revista Científica y Literaria* en 1845 y 46, es la primera extensa que apareció en México después de las de Fernández de Lizardi.

Como *El Pensador*, pinta Payno en este libro tipos y costumbres de la época; es *El fistol del diablo* "verdadero archivo que guarda el recuerdo de los usos de la antigua sociedad mexicana, su lenguaje, sus refranes, trajes, preocupaciones, tendencias", y, por tal concepto, novela genuinamente nacional. Aseméjase también Payno a Fernández de Lizardi, por la falta de sentido artístico y la negligencia del estilo. Mas se diferencia de él en que ya no le preocupa "moralizar", sino "interesar". Introduce el elemento fantástico; apela a copiosas, inacabables series de lances. Inaugura en México, con *El fistol*, la novela comúnmente llamada "de folletín"; la que, más tarde, consumida por entregas, alcanzaría tanta boga. De cuál haya sido el concepto que él tenía de la obra de arte, baste, para comprenderlo, consignar el hecho de que su famosa novela susodicha salió notablemente "aumentada" en la segunda edición de 1859, y que en la tercera (1887), no sólo hubo aumentos, sino completo cambio del desenlace.

El narrador folletinesco cede el puesto al costumbrista en *El hombre de la situación*, su segunda novela, publicada en 1861. También al costumbrista le hallamos en *Tardes nubladas* (1871), volumen en que reunió sus cuentos y novelas cortas; y le hallamos, no por cierto en tales relatos, sino en la pintoresca descripción de un viaje de México a Veracruz que los acompaña.

Volvería, empero, Payno, a su primer manera, publicando en las postrimerías de su vida la obra suya que puede considerarse como representativa: *Los bandidos de Río Frío* (1889-91); dos gruesos tomos con dos mil y pico de páginas. En esta "novela naturalista, humorística, de costumbres, de crímenes y de horrores", según la llama su mismo autor, quien la publicó con el seudónimo de "Un ingenio de la Corte", D. Manuel, conforme a su habitual procedimiento, torna a acumular, al margen de un proceso mexicano célebre, porción de episodios. Falta en esta larga historia proporción y mesura; adviértese en ella la completa despreocupación del estilo que caracterizaba al novelista. Pero hay riqueza de tipos, mu-

chos de ellos auténticos, copiados del natural; observación directa del medio; fidelidad, a menudo, en el traslado del habla popular; intenso color local en algunas descripciones. Existe de esta famosa novela una edición, en cinco volúmenes, en la "Colección de escritores mexicanos" de la Editorial Porrúa, S. A., y otra reciente, publicada en la Colección *Sepan Cuantos...*, de la misma Editorial.

Más que literario, las novelas de Payno tienen interés como documentos históricos para el estudio de las costumbres y del "folklore".

2. Aunque por manera distinta, D. VICENTE RIVA PALACIO cultiva, como Payno, la novela folletinesca.

Nació Riva Palacio en México el 16 de octubre de 1832. Murió en Madrid el 22 de noviembre de 1896, y cuarenta años después, o sea en 1936, sus restos fueron trasladados a su ciudad nativa, donde reposan en la Rotonda de los Hombres Ilustres. Hijo de familia acomodada, hizo en la capital buenos estudios hasta recibirse de abogado. Luego empuñó las armas para combatir a la intervención francesa y al Imperio. Concluida aquélla y derrumbado éste, el General Riva Palacio, no obstante que había alcanzado alta jerarquía militar, dejó la espada y requirió la pluma. Periodista y político, participó en las revoluciones que siguieron a la restauración republicana, y, victoriosa la de Tuxtepec, ocupó elevados puestos, sin que ello fuera obstáculo para que alguna vez probase la prisión, acusado de conspirar. Ministro de Fomento, gobernador de los Estados de México y Michoacán en diversas épocas, y magistrado de la Suprema Corte de Justicia, acabó sus días como Ministro Plenipotenciario en España.

A pesar de que la vida militar y política, así como el periodismo de combate, agudo y satírico (recuérdese que fue el fundador de *El Ahuizote*) consumieron no poco de las actividades de Riva Palacio, todavía le quedó buena y no escasa parte que consagrar a las letras. Cultivó la historia, la crítica, el teatro, la poesía; pero su señorío y feudo, en que la popularidad le sonrió por muchos años, fue la novela.

Gustaba de la novela histórica, y puede considerársele, entre nosotros, como el creador de este género. Revolvió viejos papeles en los archivos del gobierno colonial y de la Inquisición, echó mano también de sus propios recuerdos en las andanzas de la guerra contra el Imperio y los franceses, y de todo ello hubieron de salir sus novelescos relatos. Más que Walter Scott, han de haber influido en él Alejandro Dumas y hasta noveladores de muchos menos quilates en el género como Eugenio Sué y Manuel Fernández y González. Lo que menos preocupaba a Riva Palacio al escribir novelas era la "literatura"; quería, ante todo, entretener, divertir, interesar con lances y aventuras extraordinarios, dramáticos y a las veces espeluznantes. Al dibujar sus personajes, no le preocupan psicología ni observación. Sus fábulas son —bien que no tanto como las de Payno— prolijas; los asuntos dilúyense en episodios numerosos; las escenas se suceden en larguísimos diálogos: todo ello en un estilo fácil, expresivo a veces, aunque a menudo incoloro. Persigue, antes que nada, despertar curiosidad, suspender el ánimo del lector ante la eterna interrogación del "qué sucederá". Procura, eso sí, mantenerse dentro de la verdad histórica; y, al margen de ella, va tejiendo la ficción, incansablemente.

Fue, en realidad, fecundísimo. Casi toda su obra novelesca —que es vasta— realizóla Riva Palacio en tres años; de 1868 a 1870. En este breve período de tiempo produjo su primer novela: *Calvario y Tabor* (1868), memorias de las luchas de la Intervención, y las —en su mayor parte de inspiración colonial— intituladas *Martín Garatuza* (1868), *Monja y casada, virgen y mártir* (1868), *Las dos emparedadas* (1869), *Los piratas del Golfo* (1869) y *La vuelta de los muertos* (1870). Posteriores son las *Memorias de un impostor, D. Guillén de Lampart, Rey de México*, que data de 1872, y su libro póstumo, y por literarios conceptos harto distinto de los precedentes, intitulado *Cuentos del General* —tan gracioso y lleno de sales áticas—, que salió a la luz en Madrid el año mismo de la muerte de su autor. De todas las novelas citadas hay edición en la "Colección de escritores mexicanos", de la Editorial Porrúa, S. A. El espíritu de Riva Palacio, zumbón y mordaz, hay que buscarlo, sin embargo, no ya en sus novelas, sino en sus escritos periodísticos, y, muy singularmente, en aquella "galería de contemporáneos" que publicó en un volumen con el título de *Los Ceros* (1882).

En su género, y no obstante los antes apuntados reparos, es preciso reconocer a Riva Palacio como el primero entre cuantos en su tiempo lo cultivaron en México —que fueron muchos—. Dio no poco quehacer a las prensas, solazó a tres generaciones y, sinceramente, hay que señalar en abono del escritor su espontaneidad y fecundidad de inventiva.

3. Desde un punto de vista estrictamente literario, el primer novelista que aparece en la historia de nuestras letras es D. IGNACIO MANUEL ALTAMIRANO.

Las cualidades que como escritor lo distinguían (véase p. 291) son en especial perceptibles en sus obras de este género. Altamirano es el primero que se preocupa por el arte de la composición novelesca. Sus novelas, a diferencia de las de sus antecesores, tienen estructura artística. Concibe la trama de ellas con un gran sentido de proporción, de unidad, de sobriedad; con lo que dicho se está que sus relatos son ponderados y concisos, al contrario de los copiosos y desordenados que en su época se estilaban. Distribuye y armoniza episodios de suerte que la fábula, en gradación admirable, va ganando en emoción y en interés. Tanto como el asunto concede importancia al ambiente y a los personajes. Sus escenarios no son imaginados, sino vistos y sentidos: abundan en vivo, acentuado colorido. Sus héroes y hasta las figuras de carácter secundario, aunque vaciados en el molde idealista, y, los más, de inconfundible traza romántica, no son siempre invariable producto de la fantasía, sino creaciones humanísimas, y hasta, a veces, trasunto de seres que el autor conoció o de cuya existencia supo. Este equilibrio de facultades compléntase con la gracia y hermosura del estilo. La prosa de Altamirano es castiza, fluida, robusta, límpida. Narra con soltura; describe con sobriedad y elegancia, a largas pinceladas; dialoga con vivacidad; es sumario, pero elocuente, en el retrato.

Redúcese la producción de Altamirano en el género del que puede considerársele artísticamente como el creador, a dos novelas propiamente dichas: *Clemencia,* publicada por primera vez en *El Renacimiento* en 1869, y *El Zarco,* su obra póstuma, terminada en 1888 y no impresa sino hasta 1901; a la cuasi novela, o más bien delicioso cuento largo intitulado *La navidad en las montañas* (1870), que dio a la publicidad en el folletín de *La Iberia;* y a tres relatos novelescos: *Las tres flores,* cuentecillo de ambiente extranjero, aunque de pronunciado sabor a romanticismo mexicano, que Altamirano afirma haber traducido cuando estudiante, pero que hay motivos para conjeturar que sea original y propio, el cual, publicado en el *Correo de México* en 1867 con el título de *La novia,* fue reproducido con el que ahora tiene en *El Renacimiento;* y dos novelas cortas, mexicanísimas por escenario y personajes: *Julia* —que apareció por primera vez en *El Siglo XIX* bajo el nombre de *Una noche de julio*— y *Antonia,* incluidas ambas, como todas las antes señaladas, menos la póstuma, en los dos volúmenes intitulados *Cuentos de invierno* que editó en México en 1880 D. Filomeno Mata. Mucho más hubiera

hecho el novelista, a no haberle faltado quizás tiempo y calma, ya que le sobraban facultades; como lo revela la circunstancia de que dejase truncas, bien que bastante avanzadas en su composición, dos novelas: *Antonio y Beatriz,* y *Atenea,* impresa esta última en el volumen con que en 1935 honró a Altamirano la Universidad Nacional de México.

De todas estas obras, las que han dado justa nombradía a Altamirano son las tres primeras, de las cuales se han hecho y continúan haciéndose ediciones en México y en el extranjero. Así en *Clemencia* como en *El Zarco,* el drama está constituido por romancescos amoríos que tienen por cuadro: en la primera, la guerra de intervención francesa en el occidente de la República; en la segunda, la pintoresca región del Estado de Morelos, donde camparon por sus respetos aquellos famosos bandoleros a quienes la voz popular designó con el nombre de los plateados. Altamirano apeló, para escribirlas, a sus recuerdos de la vida militar y política, y a sus correrías por tierras del Sur, que tanto y tan bien sentía y conocía. Se destacan en ambos libros el pintor de costumbres y el paisajista; y si la acción novelesca no es tan briosa, tan vibrante, en *El Zarco* como en *Clemencia,* siempre Altamirano en una y otra novelas acierta a dar la nota artística en relatos de inconfundible mexicanismo. Su hechizo como narrador novelesco acaso tenga, por virtud de íntima, inefable ternura, aun mayor alcance en el cuadrito de *La navidad en las montañas,* aquel idilio rústico, de discreta sensibilidad romántica, que el autor sitúa en un pueblecillo de la región suriana durante la guerra civil, a modo de claro, dulce remanso, en medio de los horrores y arrebatados odios que la contienda suscitaba.

Destacóse también Altamirano como costumbrista. Numerosos artículos y estudios de este género dio a los periódicos: trabajos todos ellos que, pulidos y a propósito nuevamente aderezados, se proponía re-

unir en tres volúmenes, de los cuales
—con el título de *Paisajes y leyendas.
Tradiciones y costumbres de México*— salió el primero en 1884, y se
ha publicado el segundo en 1949.

4. La novela de costumbres propiamente dicha aparece en este período representada por D. JOSÉ TO-
MÁS DE CUÉLLAR, que llegó a ser
popularísimo con el seudónimo de
Facundo.

Había nacido Cuéllar en la ciudad
de México el 18 de septiembre de
1830. En los colegios de San Gregorio y San Ildefonso estudió humanidades y filosofía; fue más tarde
alumno del Colegio Militar de Chapultepec, en cuya defensa participó,
con los héroes niños, en la gloriosa
y cruenta jornada contra el invasor
norteamericano el 8 de septiembre
de 1847; y, en fin, sintiéndose con
vocación de pintor, pasó por las aulas
de la Academia Nacional de San Carlos, por cierto no sin frutos, pues
que su pincel llegó a producir obras
estimables. En 1848 se inició en las
tareas literarias, colaborando en la
prensa y ensayándose en el teatro.
Consagrado a la diplomacia, figuró
en diversos cargos, entre otros el de
primer Secretario de la Legación Mexicana en Wáshington y el de Subse-
cretario de Relaciones. Murió ciego,
en la propia ciudad de México, el
11 de febrero de 1894.

Aunque cultivó la literatura dramática y la poesía, la celebridad de
Cuéllar finca en la novela y en el
artículo de costumbres. Como novelista y siguiendo el gusto entonces
predominante, empezó por inclinarse
al género histórico; su primer novela, *El pecado del siglo,* de ambiente
colonial del siglo XVIII, se publicó en
1869. Conocedor, mejor que nadie,
de sus propias facultades y considerando que éstas no le llamaban por
semejante camino, hubo de circuns-
cribirse por completo al desarrollo
de sus talentos como costumbrista.
En sus obras completas, que en veinticuatro volúmenes se publicaron bajo
el título general de *La Linterna Má-*

gica (1889-92), sobresalen novelas y
bocetos de este género tales como
*Ensalada de pollos, Historia de Chu-
cho el Ninfo, Baile y cochino, Los
mariditos, Las jamonas, Las gentes
que son así, Los fuereños, La Noche-
buena, Gabriel el cerrajero o las hijas
de mi papá.*

El observador y el humorista satírico se asocian en Cuéllar al moralista, bien que éste nunca llegue a tener predominio sobre aquéllos ni
ahogue en propósito docente la vena
pintoresca. Continúa en cierto modo
a Fernández de Lizardi, pero está a
mil leguas del obstinado sermoneo
del autor de *La Quijotita*. Las novelas de Cuéllar son breves, dinámico
el trazo, la pincelada jugosa y rápida, y la intención doctrinaria, la
moraleja, embózase en los incidentes
mismos del relato (recuérdese que
antes de ser escritor fue pintor). Su
campo de observación limítase a la
clase media. Más que por sus vicios
—con ánimo de corregirlos—, gusta
de poner de resalto sus manías y ri-
dículeces para suscitar franca risa, y
por esto llega, con frecuencia, a la
caricatura. Diseña, sobriamente, las
costumbres; antes que desentrañar
caracteres complejos, pinta tipos característicos y distintivos de la sociedad que estudia: el niño consentido,
el individuo brutal y zafio que al
amparo de las revoluciones escala
altos puestos, el arbitrista pícaro, la
elegante cursi... El diálogo es animado, la narración viva y amena,
fiel la reproducción de ambientes y
personajes; tanto que, refiriéndose
a estos últimos, un contemporáneo,
Guillermo Prieto, pudo decir que se
sospecharía que Cuéllar simplemente
disfrazaba originales que tenía frente a su caballete.

5. Bajo el seudónimo de *Sancho
Polo* es D. EMILIO RABASA el introductor del realismo en la novela
mexicana. En Cuéllar, el costumbrismo sobresalía como elemento primordial: fue el autor de la *Linterna
Mágica*, según antes se ha dicho, un
costumbrista con sentido humorístico

y discreto propósito moralizante. Rabasa iría más allá: sin desentenderse
de la pintura de ambiente, sin dejar de presentar, por artística manera,
el cuadro de las costumbres, tendería
más bien al estudio de caracteres y
daría a la novela una trascendencia
política y social.

Sobre el artista de fina sensibilidad
predominaba en Rabasa el hombre
de ciencia. Acaso esto explique que
su aparición en el campo novelesco
haya sido fugaz, y que al cabo se
confinase en otro género de trabajos.
Nacido en el pueblo de Ocozautla
(Estado de Chiapas), el 22 de mayo
de 1856, hizo sus estudios en Oaxaca y allí obtuvo el título de abogado en 1878. No bien abandonó las
aulas, dedicóse al ejercicio profesional, a la política y a la cátedra. Muy
joven figuró como diputado en las
legislaturas locales de Chiapas y Oaxaca; dirigió, en su Estado natal, el
Instituto de San Cristóbal las Casas;
en 1886 vino a México y se consagró al periodismo; en 1891 fue electo
Gobernador de Chiapas y, más tarde, Senador de la República. Jurisconsulto y sociólogo, ha sido maestro
de dos generaciones de abogados, y
dado, como fruto de sus meditaciones, obras tales como *El juicio constitucional, La organización política
de México* y *La evolución histórica
de México.**

Brevísimo paréntesis en la vida
de Rabasa representa la literatura;
diríase que fue ésta, para él, pecado
juvenil en que, por desgracia, nunca
más reincidió. Redúcese su obra a
una serie de cuatro novelas: *La bola,
La gran ciencia, El cuarto poder* y
Moneda falsa, publicadas las dos primeras en 1887 y al año siguiente las
dos segundas, bajo la común deno-
minación de *Novelas mexicanas.* En
La bola, colocando la acción en un
pueblecillo, y entreverándola con inocente idilio, Rabasa nos muestra cómo se genera, desarrolla, estalla, arra-

sa, cunde y triunfa, manejada por
rústicos y politiquillos de campana-
rio, una pequeña revolución local del
género de las que nuestro pueblo
bautiza con el nombre genérico de
"bolas". La segunda novela de la serie, *La gran ciencia* —"la gran ciencia de ganar siempre, que en mi
tierra se llama política"—, es una
crónica zumbona y pintoresca de la
vida oficial y burocrática en la capital del propio Estado adonde el autor
traslada a sus protagonistas, principales actores de la minúscula revolución susodicha. *El cuarto poder* y
Moneda falsa constituyen un relato
de las andanzas de los primitivos
"bolistas" —victorioso el uno y de-
rrotado el otro— en los campos de
la política y de la prensa en la Capital de la República, y el desenlace
del conflicto por virtud del manso
idilio iniciado en el lugarejo distante,
adonde al fin retornan aquellos "mo-
nedas falsas" que en realidad nada
valen ni significan y que sólo al vendaval revolucionario debieron el haber salido de su aldea para ilusoria-
mente encumbrarse y luego envile-
cerse y arruinarse. Hay nueva edición
de estas cuatro novelas en la "Colección de escritores mexicanos" de
la Editorial Porrúa, S. A.

Si hubiéramos de buscar ascendencia a Emilio Rabasa, la encontraría-
mos en los grandes novelistas españoles de su época, y en particular
en Galdós, a quien sigue en composición y estilo. Posee el escritor
mexicano vena satírica, y, a fuer de
intencionado retratista, nos ha dejado en sus novelas excelente copia de
tipos humanísimos y característicos
de los ambientes que reflejó. Narra
con vivacidad, dialoga con soltura,
es sumario en las descripciones, y, a
rápidas pinceladas, tiene, aquí y
allá, lindos paisajes. Su prosa, llana,
seca y en ocasiones con cierto dejo
clásico, no escapa siempre al desaliño. Quizá diluyó demasiado al hacer
materia de cuatro novelas lo que
bien pudo encerrarse en una o dos.
No obstante, son ellas de lo más sabroso que en nuestra literatura se ha

* Estas dos últimas obras fueron reimpresas en 1956 por la Editorial Porrúa, S. A.

producido; y, sin duda, *La bola,* una de las mejores entre las mexicanas.

Falleció D. Emilio Rabasa en México, el 25 de abril de 1930. Se imprimió en 1931, y por primera vez en volumen, una novela suya —*La guerra de Tres Años*—, que habiéndose publicado en las columnas de *El Universal,* en 1891, merece ciertamente colocarse entre las más bellas de su especie.

6. Otro representativo del realismo en el género novelesco, y el primer cultivador que de la novela de ambiente rural aparece en nuestras letras, es D. José López Portillo y Rojas.

Hijo de prominente familia de Jalisco, nació en Guadalajara el 26 de mayo de 1850. En su ciudad natal y en México hizo sus estudios. Obtuvo el título de abogado. Su natural inclinación a las letras, y la asiduidad con que hubo de frecuentarlas, le permitió, desde estudiante, formarse una cultura literaria nada común; cultura que, no bien terminados sus cursos de derecho, afinó y pulió mediante largo viaje por Inglaterra, Francia, Italia y el Oriente, y que acrecentó más y más con el estudio —aparte la propia— de las literaturas francesa e inglesa, que conocía a fondo. Sin olvidarse del ejercicio de su profesión, desde muy joven no se desdeñó de actividades periodísticas y políticas; fue catedrático distinguido, y sus andanzas en la vida pública le llevaron al desempeño de diversos puestos, ya en la magistratura, ya en el Congreso, bien como Gobernador de Jalisco, y, al cabo, como Secretario de Relaciones Exteriores. Falleció en México el 22 de mayo de 1923.

Sobre diversas materias escribió López Portillo; fue, sin embargo, la literatura, su principal dedicación. Cultivó la poesía, el teatro, el relato de viajes, la crítica y la historia. Pero ni sus *Impresiones de viaje,* primer libro que dio a la publicidad en 1873; ni sus poesías reunidas en volumen con el título de *Armonías fugitivas* (1892); ni sus estudios de carácter crítico o histórico, como *Rosario la de Acuña* (1920); o *Elevación y caída de Porfirio Díaz* (1921), hubieron de darle notoriedad y renombre como sus trabajos novelescos. Era, por vocación y dotes, ante todo, un novelista.

La obra novelesca de D. José López Portillo y Rojas comprende dos partes: los relatos breves y las novelas propiamente dichas. A la primera pertenecen: *Seis leyendas* (1883), *Novelas cortas* (1900), *Sucesos y novelas cortas* (1903), *Historias, historietas y cuentecillos* (1918). A la segunda: *La parcela* (1898), *Los precursores* (1909), *Fuertes y débiles* (1919). Habiéndose ensayado primeramente en la narración corta, no fue sino hasta muy tarde cuando abordó la composición novelesca de largo aliento. Tal vez se sentía más a sus anchas, más dueño de sí, en la primera de las indicadas formas. Por su variedad, por lo bien acabado de su trazo, por la originalidad de los asuntos y la frescura del estilo, son quizá algunas de sus novelas breves lo mejor que salió de la pluma de López Portillo. Inspiraciones románticas o de mera fantasía —*Adalinda, El espejo, El arpa, Un pacto con el diablo*—; transcripción de sucedidos —*La fuga*—; cuadros de atemperado realismo en que a veces el pincel del costumbrista hermana con la emoción del poeta —*Nieves, El primer amor, La horma de su zapato*—, el escritor parece encontrarse allí como en sus propios dominios.

Seguiría estando en ellos cuando, al ampliar la perspectiva, dio el mejor tipo de novela rural con que cuenta nuestra literatura: *La parcela;* obra que el propio autor no logró sobrepasar, pero ni siquiera igualar de lejos en sus otras dos novelas grandes, que le son con mucho inferiores. Tema simplísimo: la disputa de un terrenillo áspero y boscoso por dos rancheros colindantes, da motivo al novelista para trazar un cuadro vivo, luminoso, animado, de la vida del campo jalisciense. El relato es fluido; bien traídas las descripciones; de fuerte relieve los caracteres de los personajes principales y fidelísima la reproducción de los secundarios y episódicos, verdadero trasunto de la realidad. El novelista traslada el habla regional y revélase minucioso y fiel observador de las costumbres. Respira amor *La parcela* —como lo ha hecho notar Salado Álvarez—, amor que se revela en "calor de humanidad, en cariño por las personas y las cosas, en fe en la vida; en el progreso, en el cumplimiento de todo lo grande y todo lo bueno que animan y compenetran al autor".

Aunque devoto de los novelistas ingleses, López Portillo resultó influido sobre todo por los españoles contemporáneos, y, muy señaladamente, en *La parcela,* por Pereda. Oponiéndose a las corrientes literarias francesas que a la sazón se habían introducido en la literatura mexicana, él proclamaba la necesidad de acentuar nuestro nacionalismo procurando no apartarnos del genio de la lengua materna. "Lo único que necesitamos —decía— para explotar los ricos elementos que nos rodean, es recogernos dentro de nosotros mismos y difundirnos menos en cosas extrañas."

7. Con Rabasa y López Portillo y Rojas forma RAFAEL DELGADO la trilogía de novelistas mexicanos que, dentro del realismo, procedían de cepa española. Como los anteriores, mexicanísimo, de ellos se distingue por una más delicada sensibilidad que infunde en sus páginas grato soplo de poesía; por su regionalismo y por su sentido de lo pintoresco, todavía más acentuados; y, muy particularmente, por sus extraordinarias facultades descriptivas que, en cuanto a sentir a la naturaleza y reproducir, animado, palpitante, el paisaje, le colocan en primer lugar entre los novelistas mexicanos.

Era Delgado oriundo de Córdoba (Estado de Veracruz), donde nació el 20 de agosto de 1853. En su ciudad natal y en Orizaba hizo sus estudios y recibió educación profundamente religiosa, la cual, por cierto, se refleja en su obra literaria. Sin salir casi del terruño, su vida quieta y humilde se consagró a la enseñanza y a las letras, hasta que le sorprendió la muerte, en Orizaba, el 20 de mayo de 1914.

Trabajó para el teatro, cultivó la poesía, la crítica y la literatura preceptiva; pero su reputación literaria circunscríbese, en puridad, al género novelesco. Cuatro novelas escribió Delgado: *La Calandria* (1891), *Angelina* (1895), *Los parientes ricos* (1903) e *Historia vulgar* (1904). Y a éstas hay que añadir sus relatos breves, coleccionados bajo el título de *Cuentos y notas* (1902).

Si en la narración sumaria Rafael Delgado pocas veces acierta, pues se diría que sólo se halla a sus anchas en dilatados escenarios y que su espíritu, por esencia analítico, se complace en el detalle; en cambio, y por lo que atañe a su obra de novelista, pocos la presentarán tan armoniosa y lozana, tan sin altibajos ni caídas. En *La Calandria,* su primer novela, se reveló tal como era: apenas si las restantes la superan en técnica y estilo. En la elección de asuntos gusta de la simplicidad: la tragedia de la muchacha pobre que oscilando entre el amor de un hombre de su clase y el de un lechuguino depravado, al optar por este último labra su desgracia; el idilio del estudiante que retorna al ambiente pueblerino, idilio que se trueca, por eróticas remembranzas, en el conflicto entre dos amores, de los cuales ninguno a la postre florece; los lances y desventuras de una familia que abandona el rincón provinciano, confiada en la protección que le brindan adinerados parientes: tales son los respectivos temas de *La Calandria,* de *Angelina,* de *Los parientes ricos.* Más que en la significación intrínseca de estas "historias sencillas, vulgares, más vividas que imaginadas", el interés y la belleza de las novelas del veracruzano se cifran en los incidentes y menudos pormenores con que las reviste. Aquel desfilar incesante de tipos "vistos"; aquella nimia, y, sin embargo, sobria y pujante manera de reproducir ambientes en forma de que las ciudades provincianas que él disfrazó con n o m b r e s supuestos —*Pluviosilla:* Orizaba: *Villaverde:* Córdoba— de tan bien pintadas como están, no falta quien las designe supliendo los imaginados a los reales y efectivos; aquel pincel maestro que reprodujo en *La Calandria,* en maravillosos lienzos, la sierra veracruzana; el hechizo y el arte que tenía para contar, y, sobre todo, su inagotable y comunicativa facultad de emoción, hacen que las novelas de Delgado, escritas todas ellas con noble pulcritud y a la vez con rica abundancia, a la par que genuinas obras de arte, sean documentos del más acendrado nacionalismo.

8. En primer término, entre nuestros costumbristas de esta época hay que colocar a ÁNGEL DE CAMPO.

Su vida, como, en general, la de los escritores contemporáneos, es una vida sin historia. Nació en la ciudad de México el 9 de julio de 1868, y aquí mismo murió el 8 de febrero de 1908. Tras de sus primeros estudios y los preparatorios, pretendió seguir la carrera de medicina; y carente de vocación, hubo de renunciar a ella para abrazar, en cambio, la del periodismo y las letras. Empleado en el ramo de hacienda, repartía sus actividades entre las tareas burocráticas, la literatura novelesca y el artículo humorístico que sobre temas de actualidad destinaba semana por semana al periódico. El humorista, bajo el seudónimo de *Tick-Tack,* dejó una obra copiosa, premiosa, y por muchos títulos admirable, aunque desigual, hoy esparcida en la prensa. El cuentista, popular

y conocido con otro seudónimo, el de *Micrós,* sólo coleccionó tres volúmenes: *Ocios y apuntes* (1890), *Cosas vistas* (1894), *Cartones* (1897). Una novela también se debe a este escritor: *La rumba,* que se publicó en el folletín de *El Nacional,* obras que publicó la Editorial Porrúa, S. A., en su "Colección de escritores mexicanos", en 1958. La edición estuvo a cargo de María del Carmen Milián.

Ángel de Campo, por la naturaleza de su obra literaria, procede en línea recta del *Pensador Mexicano,* de *Fidel,* de *Facundo;* mas por el sentimiento de honda ternura y humana piedad que la anima, D. Federico Gamboa le encuentra, no sin razón, grandes semejanzas con Dickens y Daudet. Sin embargo, así como hay que descartar en *Micrós,* como directa, toda influencia literaria extraña, pues fue él, antes que todo, un producto espontáneo del medio; así también su ascendencia o parentesco con nuestros anteriores costumbristas no le veda tener una personalidad aparte, genuina, distinta, y aun, en algunos aspectos, opuesta a la de aquéllos. A diferencia de Fernández de Lizardi, es artista; contrariamente a Prieto, tiene gusto ponderado y fino; al revés de Cuéllar, el humorismo jamás le hace tocar los límites de la caricaturesco.

Juntamente con el humorista había en Ángel de Campo un poeta; su ternura se manifiesta en favor de los humildes y de los que sufren, y hasta se extiende llena de misericordia hacia los animales, a los que graciosa e intencionadamente suele hacer protagonistas de sus cuentos: el canario ansioso de abandonar la dulce prisión de su jaula, el perro callejero, el caballo del picador. Por eso despierta a menudo, con la sonrisa, la emoción dolorosa. En sus pequeños cuadros de la vida nacional revélase *Micrós* tanto como psicólogo que, burla burlando, escudriña almas, pintor acucioso que sabe "ver" y transmitir su visión del espectáculo circunstante. Es, en efecto —como advierte Urbina— un admirable pintor de género. "No ve en grande, pero ve en detalle y límpidamente. Su dibujo es asombroso; su color brillante y enérgico."

Conocía a fondo al pueblo bajo; aunque sus preferencias de costumbrista estaban por la clase media mexicana. De uno y otra nos dejó tipos y escenas de maravilloso verismo. Y si su estilo dista de ser correcto y puro, en cambio, aparece vivo y pintoresco, preciso y sobrio en la descripción, fidelísimo en la reproducción del habla común, intencionado en la ironía.

Entre nuestros costumbristas, y elevándose por encima de todos ellos, no cabe duda que Angel de Campo llevó el género a su mayor perfección artística.

9. La influencia francesa, que al final de este período hacíase sentir en la lírica y también en la producción novelesca de algunos de nuestros poetas —Gutiérrez Nájera, Nervo— y hasta en cuentistas tan mexicanos como *Micrós,* culmina en la obra de D. FEDERICO GAMBOA.

Nació éste en la ciudad de México el 22 de diciembre de 1864, su infancia y su adolescencia sufrieron los embates de adversa fortuna. Lucha tan temprana como ruda templó su espíritu y afinó su sensibilidad. Supo hacerse a sí mismo; a firme vocación hermanaba fuerte voluntad. Muy joven, en 1888, ingresó en la diplomacia. A ella consagró la mayor parte de su vida, elevándose lentamente y por sus pasos contados desde el modesto puesto de segundo secretario hasta los encumbrados de ministro plenipotenciario, embajador y Secretario de Relaciones Exteriores. Sirviendo así honrosamente a su país en tierra extranjera, festejado a menudo, condecorado no pocas veces, D. Federico Gamboa no se olvidó nunca de que era, ante todo, literato, y a compás de las tareas del diplomático, desarrollóse la obra del escritor.

En tres géneros se distribuye ésta: novela, autobiografía y memorias, teatro.

Es en el primero, sobre todo, en el que descuella Gamboa; y, como novelista, puede considerársele como el más fecundo y como el que ofrece una producción más armónica, más vigorosa, entre los de su época. Su primer libro, *Del natural* (1888), es una serie de novelas cortas en las que ya apunta el minucioso observador de la vida contemporánea. Presto con *Apariencias* (1892), ensaya la novela larga, género en el que persistiría. Si ensayo puede llamarse a esta novela, porque en ella no resulta todavía el apetecido equilibrio entre composición y estilo; el novelista aparece ya cuajado y muestra su definitiva fisonomía cuatro años después en *Suprema ley* (1896). En esta novela —cuyo asunto es la pasión insana del escribientillo de juzgado por una reo de homicidio; pasión que tras destruir el humilde hogar le conduce a la desesperación y a la muerte— adviértese tanto por la índole de la inspiración, como por la técnica, la influencia del naturalismo francés, y señaladamente de dos de sus corifeos: Zola y los Goncourt. El descarnado del análisis, la complacencia nimia en el detalle, la abundancia y el vigor descriptivos; la precisa reproducción de ambiente, ya siniestro, en sus cuadros de la prisión y del anfiteatro, ya penetrado de dulzura dolorosa en las escenas familiares en casa de Ortegal, lo revelan así. Audaz por el tema —la monja que se transforma en mujer en brazos del hombre que la arrebata de su retiro— y a *Suprema ley* superior en estilo es *Metamorfosis* (1899), novela en la que se destacan, como viva reproducción del ambiente rural mexicano, las coloridas páginas en que el autor describe un "coleadero". Viene a continuación el libro más popular de Gamboa, *Santa* (1903): la novela de la cortesana, cuyos capítulos de exposición, por la maestría con que están compuestos, por la fuerte entonación y la plasticidad del estilo, son de lo mejor y mas bello que ha salido de la pluma del novelista. Malsana curiosidad atrájole numerosos lectores; ninguna novela mexicana ha igualado en publicidad a *Santa,* reproducida a porfía en el cine y en el teatro, e impresa y reimpresa por miles y miles de ejemplares. No obstante, y pese a sus crudezas, tal libro es casto; persigue edificar insistiendo en el horror de la culpa. El propósito moralizador o de prédica, implícito en el relato mismo, el afán de tratar problemas morales y sociales, sobresale en las dos últimas novelas del escritor mexicano: *Reconquista* (1908), de inspiración religiosa —el retorno del indiferente a la creencia—, y *La llaga* (1910), donde el héroe, presidiario que conserva en el alma una luz de bondad y de bien, lucha por rehacer su vida en el amor.

Los libros autobiográficos o de memorias ocupan no escasa parte en la obra de Gamboa, y, al igual que las novelas, señalan su íntimo parentesco literario con los naturalistas franceses. *Impresiones y recuerdos,* el primero de esa especie, publicado en 1893, y el más hermoso entre los libros mexicanos de dicho carácter, evoca a Daudet por la índole de la inspiración, que, sin embargo, es personalísima: recuerdos de niñez y adolescencia, episodios de los comienzos de la vida literaria, el periodismo, los primeros amigos, impresiones de viaje, dan materia al prosista para aderezar sendos capítulos de intimidad. Tal nota íntima se acentúa en *Mi diario,* apuntes trazados al calor de la impresión del momento, conforme lo hicieron en obra semejante Edmundo y Julio de Goncourt, y que, iniciado en 1892, y fielmente continuado al través de su noble y laboriosa vida, representa en la producción de D. Federico Gamboa algo más que una síntesis de la existencia cotidiana: el reflejo de los más varios ambientes, comentario de sucesos, pintura, a rápidas pinceladas, de hombres y cosas y,

por tanto, y en muchos respectos, documento valioso para nuestra historia literaria. De *Mi diario* sólo se han impreso hasta hoy cinco volúmenes (1907-1938), los cuales abarcan desde el año de 1892 hasta el de 1911.

El teatro, en fin, no dejó de atraer al novelista, pues novelista es Gamboa, aun en sus obras dramáticas, por las particularidades del procedimiento que tiende siempre a la minuciosidad del análisis antes que a la sumaria síntesis. Una comedia social señaló con singular éxito su entrada en la escena: *La última campaña* (1894); mucho después siguieron dos dramas: *La venganza de la gleba* (1905) y *A buena cuenta* (1907). De significación literaria todas esas obras, la segunda puede considerarse, sin duda, la más importante: es el primer intento serio de drama rural que registra nuestra escena. En suma, con su postrer pieza, *Entre hermanos,* tragedia mexicana contemporánea, estrenada en 1928, don Federico Gamboa realiza, sobre todo, por lo que a técnica teatral se refiere, su mayor acierto en el género.

Murió tan insigne escritor en su ciudad nativa el martes 15 de agosto de 1939.

10. Oriundo de Teocaltiche (Estado de Jalisco), donde nació el 30 de septiembre de 1867, en D. VICTORIANO SALADO ÁLVAREZ predominó sobre toda otra actividad, la literaria, por obra de una vocación que se complacía en las severas disciplinas del arte. Más que la abogacía, profesión en la que se tituló muy joven, ejerció la cátedra, el periodismo y la literatura. La política, y más tarde la carrera diplomática en la que hubo de ocupar elevados puestos, si hicieron de él un peregrino errante por diversas tierras, lejos de apartarle, vinieron al cabo a confirmarle en las letras.

Por su vasta cultura literaria, y también por ser él ferviente devoto de aquel arquetipo de belleza que se cifra en claridad, proporción y armonía, si alguna designación convendría a Salado Álvarez ella sería la de humanista en el sentido moderno que se da a este término. No se encerró en un género, y ni siquiera en una exclusiva índole de estudios. Por igual cultivó la crítica literaria, la novela, la historia y la filosofía; ensayista bien probado, ejerciendo el periodismo solía asomarse a todas las cuestiones de interés palpitante.

Su obra es numerosa y multiforme, aunque hasta hoy, en su mayor parte, anda esparcida en periódicos y revistas. De los volúmenes publicados, el inicial fue *De mi cosecha* (1899), colección de estudios críticos consagrados a escritores mexicanos contemporáneos en la que sobresalen los artículos polémicos que definieron la posición adversa del escritor frente al movimiento "modernista" en nuestra lírica. A éste siguen un tomo de cuentos: *De autos* (1901), y los dos grandes relatos históricos-novelescos *De Santa Anna a la Reforma* (3 volúmenes, 1902) y *La Intervención y el Imperio* (4 volúmenes, 1903). A larga distancia y consagrado a tema harto diverso —el filológico— aparece en 1924 otro libro más de Salado Álvarez: su estudio sobre los "mexicanismos supervivientes en el inglés de Norteamérica", el cual, bajo el título de *México peregrino*, constituye su discurso de ingreso en la Academia Mexicana.

Sería el último que publicara en vida. Por manera casi súbita, y cuando sin rendirse a la abrumadora tarea periodística, todo hacía esperar que alentase aún por largos años, haciendo resplandecer su luminoso espíritu, Salado Álvarez expiró en México el 13 de octubre de 1931. Como libro póstumo suyo —bien que no preparado, pulido, ni aderezado por él, pues que no se lo consintió la muerte— apareció en 1933, en Madrid, *La vida azarosa y romántica de don Carlos María de Bustamante.* Su gracia, ingenio y sutileza de espectador de los hechos de su tiempo y aun

de sus propias andanzas, revélase en sus *Memorias,* también de publicación póstuma (1946).

A la crítica literaria, y a la filología y principalmente a la historia se consagró de preferencia y con singular éxito Salado Álvarez; la novela, el cuento, fueron, podríamos decir, las primeras manifestaciones de su maduro ingenio.

Ya en *De autos* revélase el estilista. Más que inventiva, más que emoción, en estos relatos, sobresale y hechiza la forma. Aparece en ellos el prosista de sobria limpidez, con leve dejo arcaico, pero por su finura, por su riqueza de matices, por la elegancia y la flexibilidad de la frase, eminentemente moderno. Reproduce con chiste y gracejo tipos y costumbres. Sus relatos están salpimentados de suave humorismo, y a través de algunos de ellos se descubre al curioso de la historia, al erudito que no atrofia sino, por el contrario, realza y exalta las cualidades innatas del artista. Sus relatos cortos han sido reunidos por su hija en un volumen: *Cuentos y narraciones,* publicado en la "Colección de escritores mexicanos", de la Editorial Porrúa, S. A.

Justamente esta fusión de artista e historiador se hace patente en las dos series de episodios que forman los gruesos volúmenes intitulados *De Santa Anna a la Reforma* y *La Intervención y el Imperio.* Es ésta una crónica animada, pintoresca, de la vida mexicana en el dramático período que va de la dictadura de Su Alteza Serenísima a la tragedia del Cerro de las Campanas, o sea de 1851 a 1867. Distan tales novelas históricas de parecerse a las similares publicadas en este y en el anterior período; y si algún parentesco literario hubiera de asignárseles, constituiríanlo los *Episodios* de Galdós. A diferencia de los novelistas que le precedieron, el autor no se propone entretener apelando a la acumulación folletinesca de episodios truculentos y dramáticos en que por lo común se falsea o se desfigura la historia; antes bien, fiel a ella y a las normas del arte, revive en sabroso estilo las escenas culminantes del pasado, exhuma ambientes y costumbres y crea caracteres y tipos con tanta riqueza de pormenores y tan bien acusada traza de realidad, que se diría la obra de un contemporáneo de los sucesos narrados.

Ciérrase con estas novelas el ciclo de las mexicanas de carácter histórico; y precisamente porque en ellas acertó el novelista a llevar el género a su mayor grado de perfección, señálanse tales libros en nuestra historia literaria.

11. Al lado de las figuras antes señaladas, que son las que mayormente descuellan en la literatura novelesca de este período, hemos de enumerar algunas más, de menor importancia.

La novela histórica, que gozó de especial boga, tuvo numerosos cultivadores. Entre ellos resalta D. JUAN A. MATEOS (1831-1913), escritor prolijo y sin estilo, bien que sus principales novelas —El sol de Mayo, Sacerdote y caudillo, Los insurgentes, Sor Angélica, Los dramas de México— escritas entre 1868 y 1887, tengan cierto valor histórico por su documentación. D. IRENEO PAZ (1836-1924), periodista y autor de las muy interesantes memorias intituladas Algunas campañas, produjo, asimismo, abundantemente, novelas del mismo género; aparte de Amor y suplicio y Doña Marina, las más celebradas, escribió seis leyendas históricas de la época de la Independencia, y trece más, consagradas a personajes del período de la Reforma hasta nuestros días. De carácter histórico, y por demás pintoresca, es la novela de PABLO ROBLES Los Plateados de Tierra Caliente (1891). D. ENRIQUE DE OLAVARRÍA Y FERRARI (1844-1918), español de origen, pero naturalizado mexicano, siguió el procedimiento de Pérez Galdós en una serie de Episodios Históricos Mexicanos, que comprenden treinta y seis novelas en las

que se pinta la vida nacional de 1808 a 1838. En fin, muy posteriormente. D. HERIBERTO FRÍAS (1870-1928), entre otras novelas también de carácter histórico, compuso una sobre episodios de la sublevación del Yaqui: Tomóchic (1894), y D. RAFAEL DE ZAYAS ENRÍQUEZ dio a la estampa su novela histórica El Teniente de los Gavilanes (1902).

En la novela sentimental hay que anotar a D. PABLO ZAYAS GUARNEROS (1831-1902), con Amor sublime (1899); a D. PEDRO CASTERA (1838-1906), quien, pisando las huellas del colombiano Jorge Isaacs, compuso la romántica Carmen (1882), y a D. JOSÉ RAFAEL GUADALAJARA (nacido en 1863), autor de Amalia, páginas del primer amor (1899).

Figuran en la novela de costumbres D. MANUEL SÁNCHEZ MÁRMOL (1839-1912), prosista llano y castizo, en el cual descubrimos, muy directa, la influencia de D. Juan Valera, y a quien se deben tres relatos novelescos: Juanita Sousa (1901), Antón Pérez (1903), y Previvida (1906); D. RAFAEL CENICEROS Y VILLARREAL (1855-1933), autor de una novela regional: La siega (1905); el DR. PORFIRIO PARRA (1856-1912), discípulo de Barreda y entusiasta propagador del positivismo en México, autor de la novela Pacotillas (1900); D. SALVADOR CORDERO (nacido en 1876; muerto en México el 18 de febrero de 1951), autor de Memorias de un juez de paz (1910) y de Semblanzas lugareñas (1917) y, por último, D. CAYETANO RODRÍGUEZ BELTRÁN (nacido en 1866, muerto en 1939), quien, consagrado a la novela regional veracruzana, ha producido, entre otros libros, Cuentos costeños (1905) y Pájarito (1908).

No faltan, entre las de este período, las novelas de tendencia política o social; mencionemos a D. MANUEL H. SAN JUAN (1864-1917), que se diría discípulo de Rabasa en El Señor Gobernador (1901), y al cáustico D. SALVADOR QUEVEDO Y

ZUBIETA (nacido en 1859 y muerto en 1935), autor, entre otras novelas, de *La camada* (1912).

La novela psicológica cuenta entre sus cultivadores a D. CIRO B. CEBALLOS (nacido en 1873 y muerto en 1938), crítico literario y acre panfletista, con *Un adulterio* (1903). Dentro de esta misma clasificación señalaremos a MARÍA ENRIQUETA (nacida en 1875), la poetisa de quien antes se ha hablado. Su obra novelesca es bella y copiosa: *Mirlitón* (1918), *Jirón de mundo, El secreto,* novelas; *Sorpresas de la vida, Entre el polvo de un castillo, El misterio de su muerte* (1926), *Lo irremediable, El arca de colores* (1929), cuentos; pero casi toda ha sido escrita en el extranjero, y, salvo el sentimiento personalísimo que la inspira, no tiene sabor ni color mexicanos. Y en la designación por demás vaga e imprecisa de novelas cosmopolitas habría que comprender las de D. JOSÉ MANUEL HIDALGO (muerto en 1896), político imperialista que figuró en la comisión de los que ofrecieron la corona a Maximiliano de Habsburgo en Miramar, y que, emigrado hasta el fin de sus días en Europa, compuso *La sed de oro* (1891), *Víctimas del chic* (1892), *Lelia y Mariana* (1894), *La confesión de una mundana* (1896).*

Como cuentistas señalemos a D. CARLOS DÍAZ DUFOO, autor del volumen intitulado *Cuentos nerviosos* (1901); a D. ALBERTO LEDUC (1867-1908), que escribió los breves relatos *María del Consuelo* (1894), *Fragatita* (1896) y *Un Calvario* (1900); y al malogrado JOSÉ BERNARDO COUTO CASTILLO (1880-1901), inspirado por los franceses modernísimos en *Asfodelos* (1897).

Y, todavía, aunque no haya sido novelista, por el interés pintoresco que como costumbrista tiene en *El*

libro de mis recuerdos, cabe consignar aquí el nombre de D. ANTONIO GARCÍA CUBAS (1832-1912), que reunió en aquella obra una deliciosa serie de narraciones históricas, anecdóticas y de costumbres mexicanas, única en su género.

EL TEATRO

Al contrario de lo que aconteció con otros géneros literarios, que en el presente período llegaron a su completo florecimiento, el teatro no corrió con fortuna. Y ello no porque dejara de cultivársele. Acaso nunca como en esta época se escribió más abundantemente en México para la escena. A raíz de la restauración republicana de 1867 comenzaron a estrenarse, con rara frecuencia, dramas y comedias, ya en prosa, ya en verso; de asunto históricos unos, otros tendenciosos o de circunstancias; los más, en fin, inspirados en vana teatralidad y sin arraigo en el medio. El género dramático permanecía estacionario, cuando no balbuciente; y, salvo un intento tardío de restauración romántica, y tal cual obra aisladamente estimable, todo él se redujo, hasta las postrimerías del siglo, a meras tentativas y ensayos que es de presumir tenían harto escasa significación literaria, dado que, en su mayor parte, jamás llegaron a imprimirse.

Señalemos tres figuras sobresalientes:

12. JOSÉ ROSAS MORENO, de quien ya hemos hablado considerándolo como poeta lírico, fue, entre sus contemporáneos, uno de los que cultivaron la dramática con plausible preocupación artística. Su drama en verso *Sor Juana Inés de la Cruz* (1876), es, por la vibración apasionante que en él tiene la heroína, y, sobre todo, por la fluida versificación, algo de lo mejor que en su tiempo se haya producido. Escribió, además, Rosas Moreno, dos comedias: una satírica, en prosa, *Los pa-*

---

* La Editorial Porrúa, S. A., publicó el año de 1960 un epistolario de José Manuel Hidalgo, recopilación, prólogo y notas de Sofía Verea de Bernal. (*Biblioteca Porrúa,* Nº 16.)

rientes, y otra de costumbres, en verso, *El pan de cada día;* el sainete, también en verso, *Un proyecto de divorcio,* y el drama intitulado *Netza-hualcóyotl, el bardo de Acolhuacán.* Salvo el sainete, que se publicó, ninguna de estas obras ha llegado hasta nosotros; las dos primeras, aunque se estrenaron, no fueron publicadas, y la última, sobre no haber subido nunca al tablado, también quedó inédita. En cambio poseemos, aparte *Sor Juana,* como muestra de las aptitudes escénicas del poeta, un ensayo —el primero que se haya realizado en México— de teatro infantil. Rosas Moreno, que gustó siempre de cantar para los niños, compuso, con destino a ellos, una alegoría dramática en verso: *El año nuevo;* una comedia y un juguete cómico, ambos en prosa: *Una lección de geografía* y *Amor filial.* Publicáronse estas piezas en 1874.

13. ALFREDO CHAVERO (1841-1906), abogado y político que gozó de prominentes puestos oficiales, y que como escritor hubo de consagrarse particularmente a la arqueología y a la historia, sintióse llevado por su diletantismo literario a espigar con todos los géneros: poesía, novela, teatro. Este último fue, no obstante, el de sus preferencias. Distaba de ser elevado su estro, y como versificador y prosista pecaba a menudo de prosaico. Conocía, sin embargo, la técnica de la escena; el efectismo suplía, por lo común, en sus dramas, a la emoción, y tiénesele por uno de los autores teatrales más fecundos de su época. Llevó al tablado los asuntos indígenas con su drama en verso *Xóchitl* (1877) y su ensayo trágico, también en verso, intitulado *Quetzalcóatl* (1878). Le tentó, asimismo, la reconstrucción de historia colonial en *La hermana de los Ávilas* y *Los Amores de Alarcón* (1879), obra esta última que puede considerarse la mejor entre las suyas. Y, de 1877 a 1881, escribió porción de comedias y dramas: *Bienaventurados los que esperan, La*

ermita de Santa Fe (en colaboración con Peón y Contreras), *El valle de lágrimas, Sin esperanza, El Sombrero, El amor de su desdicha, El huracán de un beso, El mundo de ahora,* y hasta óperas cómicas y una zarzuela, pues era infatigable. Excepto las obras de carácter histórico, de lo que puedan significar las demás de Chavero desde el punto de vista nacional, se colegirá tan sólo con indicar que ambiente y personajes era lo que menos preocupaba a su autor, pues la acción de sus dramas y comedias, por lo común, se desarrolla en París, Madrid o Roma, cuando no en Guanabacoa; en todas partes, menos en México.

14. JOSÉ PEÓN Y CONTRERAS, personalidad que está muy por encima de las anteriores, es, sin duda, en el conjunto de su producción, la más importante en esta época del teatro.

Nació Peón y Contreras en Mérida (Estado de Yucatán), el 12 de enero de 1843 y murió en México el 18 de febrero de 1907. Educado en el seno de distinguida familia, resultó ser tan precoz para los estudios científicos como para la poesía. A los diecinueve años habíase ya titulado doctor en medicina; adolescente todavía, escribió, inspirado en Zorrilla, una leyenda fantástica: *La Cruz del Paredón,* y compuso tres obras dramáticas: *María la Loca, El castigo de Dios* y *El Conde Santiesteban.* En 1863 se traslada a México: aquí rehace sus estudios de medicina, se dedica a su profesión, y varias veces representa a su Estado natal en el Congreso, ya como diputado, ya como senador.

En 1868 publica sus *Poesías.* Hay en ellas facilidad, delicadeza, tierna efusión. Sobresale por galanura descriptiva en sus poemas *El Grijalva* y *El río de Tilapa;* llena de profunda melancolía aparece su *Meditación dedicada a la memoria de mi madre* y rebosan suavidad y dulzura sus cantos amorosos, tanto como intención filosófica su elegía *A don Leo-*

poldo Río de la Loza, y elevado pensar, robustez de concepción y vigoroso aliento su *Oda a Hernán Cortés.* En 1871 aparecen sus *Romances históricos mexicanos,* que comprenden: *La ruina de Atzcapotzalco, Texcotzinco, El Señor de Ecatepec, Tlahuicole, Moctezuma, Xocoyotzin* y *El último azteca;* y en los cuales, imitando al Duque de Rivas, continúa Peón y Contreras el género de poesía indígena que iniciaron Pesado y Roa Bárcena, con primor y fluidez de versificación, aunque, como aquéllos, sin poder evitar lo que el género tiene en sí de artificial y retórico. A dicha producción poética hay que agregar los *Romances dramáticos,* por la forma semejante a los anteriores y de asunto no ya indígena, sino español; los *Pequeños dramas,* colección de veinte romances más por el mismo estilo de los precedentes; las *Trovas colombinas,* poema cuyo sujeto es la vida y andanzas de Cristóbal Colón; y, en fin, la serie de breves meditaciones poéticas intitulada *Ecos,* en que creemos percibir el soplo becqueriano. Cultivó, además, Peón y Contreras, la novela; débensele en este género dos obras: *Taide* (1885) y *Veleidosa* (1891).

Su campo literario fue, sin embargo, el teatro; en el poeta lírico —¡y harto lo revela así su desmedida afición a los romances!— había un caudaloso poeta dramático. Se dio a conocer por este concepto en 1876 con la representación de *¡Hasta el cielo!,* tremendo dramón en prosa, de asunto colonial, que le valió, no obstante, un éxito; pero el mismo año tomó artístico desquite con *La hija del Rey,* drama en tres actos y en verso, sin duda alguna su obra maestra, flor acaso la más bella y lozana de nuestro teatro romántico, por la que bien hubo de merecer el poeta la glorificación de que le hicieron objeto la noche del 7 de mayo del propio 1876 los escritores de México, entregándole en el escenario de su triunfo una pluma de oro y un diploma en que lo declaraban "res-

taurador del teatro en la patria de Alarcón y Gorostiza".

Poderoso estímulo para el dramaturgo fue este noble homenaje. Peón y Contreras, súbitamente poseído de inspiración radiosa, dio al teatro, en el brevísimo período de 1876 a 1879, aparte las antes citadas, las siguientes obras dramáticas: *El sacrificio de la vida, Gil González de Ávila, Un amor de Hernán Cortés, Juan de Villalpando, Antón de Alaminos, Luchas de honra y amor, Esperanza, Impulsos del corazón, El conde de Peñalva, Por el joyel del sombrero, El capitán Pedreñales, Entre mi tío y mi tía, Doña Leonor de Sarabia, Vivo o muerto;* a las que debemos añadir *La cabeza de Uconor, Por la patria, El Padre José* y *La eternidad de un minuto,* seguramente posteriores.

Al cabo de esta producción, por la que hay que considerar a Peón y Contreras como nuestro escritor dramático más fecundo, se hace un largo silencio. Hasta 1890 vuelve el poeta a la escena con *Gabriela;* y a esta obra siguen: *Soledad* (1892), *Una tormenta en el mar* (1893), *Laureana* (1893) y *En el umbral de la dicha* (1895). Y todavía a teatro tan abundante, sin ejemplo en la historia de nuestras letras, habría que sumar los dramas y comedias que dejó inéditos: *Margarita, Pablo y Virginia, Gertrudis,* y quizá algunos más de que no se tiene noticia.

El teatro de Peón y Contreras es desigual. Con toda evidencia, al yucateco le corresponde la palma entre nuestros dramaturgos románticos por sus obras de inspiración colonial, de las cuales descuellan, aparte *La hija del Rey,* superiorísima a todas, *Gil González de Ávila, Antón de Alaminos,* y *Por el joyel del sombrero.* Pero no sucede lo mismo con las de ambiente contemporáneo, donde Peón y Contreras, así por los asuntos como por la técnica, peca de languidez y flojedad. Era él mejor dramaturgo en verso que en prosa, y mucho mejor cuando versificaba colocándose en la época virreinal, que constituyó su verdadero señorío y que nadie ha explotado con más acierto en el teatro.

Llegó tarde, empero, el poeta; cuando ya el drama romántico, que pretendió revivir, tocaba a su ocaso o había pasado del todo. A esto, aparte otras circunstancias materiales del teatro, habrá que atribuir que la obra numerosa y fecundísima del autor de *La hija del Rey* no haya ejercido la influencia que fuera de presumirse. ¡Hubiese nacido Peón y Contreras cuarenta años antes, fuera su producción contemporánea de la de Fernando Calderón y otros destinos hubiesen posiblemente cabido a nuestra literatura dramática!

No ha sido, por desgracia, debidamente coleccionado el teatro de Peón y Contreras: sólo once dramas suyos figuran en dos volúmenes de la Colección Agüeros, y un tomo más de la misma comprende sus *Romances,* los *Pequeños dramas,* las *Trovas colombinas* y *Ecos.*

15. Junto a los escritores antes mencionados, habría que colocar —más que todo a título de curiosidad histórica— a otros mínimos, sea por el cuestionable valor literario de su producción, o bien por lo escaso de ella:

El copiosísimo y truculento don JUAN A. MATEOS, quien desde 1864 se había ensayado, en colaboración con Riva Palacio, en el teatro, ocupa largos años la escena con dramas y comedias de toda guisa. Anteriores a 1867 son *Odio hereditario, La Politicomanía, La hija del cantero, La catarata del Niágara, Martín el demente* y *Borrascas de un sobretodo* —cuyos títulos son ya de por sí elocuente indicio—. En 1867 se hace notar por un drama de circunstancias: *La muerte de Lincoln;* y a esta pieza siguen, hasta 1881: *El novio oficial, El plagio, El otro, Los grandes tahures* (1877), *La Monja Alférez* (1877), *La rubia y la morena, El ave negra;* piezas todas que corrieron con varia fortuna en la escena, que gozaron algunas —como *El*

otro— de singular notoriedad, y de las cuales sólo las enumeradas en primer término se han publicado.

Por no estar, asimismo, impresa, sino haber quedado inédita, según antes se expresó, la casi totalidad de la producción teatral de esta época, apenas nos es dable conocer más que títulos de obras y nombres de autores. Señalemos, entre los de notoriedad literaria, a MANUEL PEREDO, celebrado crítico teatral, con su drama *El que todo lo quiere* (1868); a ENRIQUE DE OLAVARRÍA Y FERRARI, autor de la comedia en verso *Los misioneros del amor* (1868); a JUSTO SIERRA, que accidentalmente se asomó al teatro con una pieza intitulada *Piedad* (1870); a ROBERTO A. ESTEVA, quien hace pasar en Francia la acción de su drama *Los Maurel* (1875); a GUSTAVO BAZ, que aborda el tema colonial en *Celos de mujer* (1876) y *La Conjuración de México;* en fin, a MANUEL JOSÉ OTHÓN, que apenas si había salido fuera de su provincia nativa, y que, ciñéndose a la moda imperante, sitúa su magnífico drama en verso, de asunto contemporáneo, *Después de la muerte* (1885), en Madrid, donde jamás estuvo.

Vienen a continuación nombres que han quedado en la penumbra, cuando no sumidos en plena oscuridad: JESÚS ECHAIZ (muerto en 1885) adereza un melodrama, *Sahara de Córdoba o La Inquisición en México* (1867). No faltan las tragedias o dramas históricos de asuntos extranjeros: JOAQUÍN VILLALOBOS (muerto en 1879) estrena *Safo* en 1872, y MANUEL MARÍA ROMERO (muerto en 1889), el mismo año, *Catalina de Suecia.* Tampoco faltan autores que pretendan hacer del teatro una tribuna: a ALBERTO BIANCHI le valió persecuciones cierto furibundo dramón llamado *Martirios del pueblo* (1876), al que años después hizo seguir otro, probablemente del mismo jaez: *Vampiros sociales* (1887). Autores relativamente fecundos pueden reputarse el propio Bianchi y RAMÓN MANTEROLA, el cual estrenó, solamente el año de 1875, cuatro piezas, entre las que cuenta una, a lo que se colige por el título, de asunto ruso (aunque todavía Sardou no los hubiera puesto de moda): *Isabel Lupouloff*. De creer es que predomina, y que casi por manera exclusiva hacen el gasto, obras de mera teatralidad; y así escriben: RAFAEL DE ZAYAS ENRÍQUEZ (1848-1932), *El expósito* (1874), y *El esclavo* (1876); FRANCISCO LERDO, *Vanidad y pobreza, Luisa* (1874); VICENTE MORALES, *Sofía* (1879); JAVIER SANTA MARÍA (1843-1910), *Como hay muchos* (1881); MIGUEL ULLOA, *Abismos de la pasión* (1884) y *El último drama* (1887); JESÚS CUEVAS, *Magdalena* (1884); JULIO ESPINOSA, *Margarita, C a l u m n i a* (1885), *El ramo de azahar* (1886); EDUARDO NORIEGA, *La mejor venganza* y *Un viaje al otro mundo;* MANUEL PÉREZ BIBBINS, *Cristóbal de Olid,* drama en verso (1887) y hasta, según noticias, una traducción de *Hamlet:* la única que aquí se haya hecho, en verso castellano.

Basta la simple enumeración anterior para comprender que, en cuanto a cantidad, la producción nacional en el teatro no dejó nada que desear; recuérdese que tan sólo en el año de 1876 —el más fecundo a este respecto— llegó a dar el actor español Enrique Guasp cuarenta funciones con obras de autores mexicanos, ¡caso nunca visto hasta entonces!; y que tal vez no hubo comediante mexicano o extranjero de los que vinieron a México por aquel tiempo —Merced Morales, Manuel Estrada, Gerardo López del Castillo, Concha Méndez, Concha Padilla, José Valero, Salvadora Cairón y la propia Jacinta Pezzana— que no estrenara obras mexicanas.

Lo eran éstas apenas por la nacionalidad de sus autores; pues tanto de ordinario tenían ellas que ver con el ambiente nacional, con nuestras costumbres y carácter, como, en general, con el arte. Teatro de imitación, teatro sin alma ni fisonomía, ni siquiera, en compensación, y por lo común, revestido por las galas de la forma, era el nuestro en esta época de febril actividad. ¡Qué de extraño tiene, por tanto, que pereciera y se le olvidase! Con posterioridad a 1890, apenas si aparece una que otra comedia de autor mexicano. Como siempre, señorea el escenario la producción extranjera. Sólo ALBERTO MICHAEL (nacido en 1865) entre traducciones y arreglos del francés, del inglés y del italiano por él hechos cuenta con un repertorio de más de doscientas obras; bien que en tal cifra haya que incluir las originales de este escritor, entre las cuales señalaremos las comedias *Ad majorem Dei gloriam, El novio número 13* y *Monerías*. Se pergeñan, sobre todo, para el teatro por horas, sainetes con música, zarzuelas a imitación del llamado *género chico* español; bien que en ocasiones no falte, pese a la irremediable pobreza literaria del género, uno que otro peregrino atisbo de costumbres y tipos populares en las zarzuelas de un delicioso escritor festivo: RAFAEL MEDINA; del excelente humorista y poeta JOSÉ F. ELIZONDO; y, en suma, de AURELIO GONZÁLEZ CARRASCO.

Es sólo ya entrado el siglo XX cuando, bajo el impulso de Virginia Fábregas —la mejor actriz mexicana de su tiempo— se registra una nueva tentativa, sólo que ésta inspirada en el afán de dar, al cabo, genuina fisonomía nacional al teatro. Tal tentativa la realizan Marcelino Dávalos y José Joaquín Gamboa.

16. MARCELINO DÁVALOS nació en Guadalajara (Estado de Jalisco) el 26 de abril de 1871 y murió en México el 19 de septiembre de 1923. Aunque abogado de profesión y político ocasional, puede afirmarse que se consagró por entero a la literatura escénica. Su primera producción, *El último cuadro,* drama pasional no ajeno a la influencia de Echegaray, estrenóse en 1900. A ella siguen: *Guadalupe* (1903), drama regional y popular, con sus ribetes naturalistas por el asunto en él tratado: la transmisión hereditaria del alcoholis-

mo; *Así pasan...* (1908), la tragedia de la comedianta que envejece;
Jardines trágicos (1909); *El crimen
de Marciano* (1909), cuento dramático inspirado en una tradición popular; *¡Viva el amo!* (1910), pequeña comedia rústica en que el autor
ensaya reproducir el habla campesina; *Lo viejo* (1911) e *Indisoluble*
(1915), dramas de asunto social; en
fin, *Águilas y estrellas* (1916).

Teatro todo él en prosa y de asunto invariablemente mexicano es éste,
por lo que representa una nota nueva
y original, en su homogeneidad, respecto de todo lo antes hecho. Faltaba a Marcelino Dávalos finura artística, gusto literario; pero tenía, en
cambio, dominio de la técnica teatral, como no llegaron a tenerle los
dramaturgos que le precedieron: circunstancia esta última que unida al
hecho de haberse inspirado siempre
en cosas y gentes de su país, le señala en la producción dramática de
este período.

17.   Con más refinado gusto artístico y superior capacidad literaria,
JOSÉ JOAQUÍN GAMBOA —nacido en
México el 20 de enero de 1878, y
muerto en la misma ciudad el 29 de
enero de 1931— trabajó también
por el teatro nacional.

Bien informado en literaturas extranjeras, y después de un viaje que
realizó, siendo aún muy joven, por
Europa, estudiaba para abogado;
mas al fin truncó su carrera dedicándose al periodismo y a las letras.
Se inició en el tablado con una zarzuela: *Soledad* (1899). En su primer
drama, *La carne* —o *Teresa,* como
se la llamó en el estreno (1903)—
la heroína se debate en lucha entre la
aspiración mística y el deseo sensual.
En *La Muerte* (1904), cuyo sujeto
—a la sazón de moda en el teatro—
es el adulterio en la clase elegante,
un pensamiento llena todo el drama:
el horror de la humanidad ante el
último tránsito, horror simbolizado
en el médico que, pretendiendo derrotar a la muerte, es a la postre y
con sus propias armas vencido por

ella. *El hogar* (1905), nos presenta
al joven provinciano que, cansado
de la vida de la capital, que de optimista le hizo escéptico, y ansioso
de recobrar su salud moral en el
rincón donde alentó su niñez, a él
retorna y lo encuentra ensombrecido
por la culpa. El tono de elevada
dramaticidad, mantenido en las anteriores obras, abandónalo el autor en
la inmediata siguiente: *El día del
Juicio* (1908), comedia de muy delicado análisis psicológico.

Con esta pieza cesan las actividades del dramaturgo. Ábrese para
éste un largo paréntesis de vida diplomática y de andanzas por el extranjero. Creeríasele definitivamente
alejado de la escena. A ella vuelve,
sin embargo, en 1923 con *El diablo
tiene frío,* comedia dramática a la
que siguen *Los Revillagigedos* (1925),
Via Crucis (1925), y *¡Si la juventud
supiera!* (1927). Si desde sus primeras producciones caracterizábase
Gamboa por su habilidad para reproducir sobriamente el ambiente
mexicano, por su conocimiento de
las cosas y gentes que pinta y por la
flexibilidad de su diálogo, apto para
caracterizar, con unos cuantos rasgos, un tipo o un carácter; estas cualidades se acrisolan en sus últimas
obras. Matiza finamente. Construye
con vigor. Junto a los personajes
principales, dando una nota de colorido costumbrismo, resaltan los tipos
episódicos. Hay en el dramaturgo un
poeta de atemperada ternura, cuyas
efusiones está presto a equilibrar el
humorista levemente irónico. En fin
—y esto es lo más importante para
el efecto de crear un teatro nuestro—, en tales comedias Gamboa
acendra y depura la inspiración nacionalista, observando e interpretando sinceramente la vida mexicana. Y
así como en *El diablo tiene frío*
acierta a dar un cuadro lleno de expresión pintoresca del vivir de nuestra clase media humilde; en las obras
restantes vuelve sus ojos al drama
social, y ya extrae de éste elementos
de dramaticidad pujante, como en

Via Crucis, o bien —en las demás obras citadas— estudia las transformaciones del medio en una clase de la sociedad mexicana; de tal suerte —caso antes no registrado en nuestro desmedradísimo teatro— que dicha producción dramática no sólo naturalmente se sitúa en el propio ambiente en que se creó, sino que por manera íntima se enlaza con un momento determinado de la vida nacional.

No ya a la segunda —en que figuran las anteriores—, sino a una tercer manera puede decirse que pertenecen las obras que vienen a continuación. No satisfecho de su propia maestría, insaciado de originalidad, busca sin cesar José Joaquín Gamboa nuevos caminos, una constante renovación de la técnica. En *El mismo caso* (1929) muéstranos verdadero alarde de dominio escénico. Psicólogo atormentado, escudriña un alma en el enigmático drama *Ella* (1930). Dos juguetillos, entretanto, se habían deslizado de su pluma: *Cuento viejo* y *Espíritus;* eran como pausa de buen humor que el poeta se imponía. Ya por entonces, en un mediodía radioso que distaba mucho de las tintas del crepúsculo, creeríase que se asomaba al arcano. El teatro le venía corto. Parecíale estrecho el marco del teatro. Su pensamiento y su inspiración iban más allá. Y he aquí que, dando prodigioso salto, concibe, planea y ejecuta su gran fresco postrero; sin par dentro de nuestra escena: *El caballero, la muerte y el diablo* (1931), de intención simbólica genial, en que el pensamiento, poético y profundo, señorea la fantasía y canta el más misterioso y fascinador de los cantos.

Era su más grande obra. Y también la última —algo así como presentimiento o llamado del más allá—. Veinte días después del estreno, efectuado el 9 de enero de 1931, rendía el dramaturgo la jornada.

El *Teatro* de José Joaquín Gamboa se publicó en tres volúmenes (México, 1938).

CAPÍTULO IV

LA HISTORIA Y OTROS GENEROS EN PROSA

El cultivo de la historia sigue nuevos rumbos. No son ya, propiamente, los historiadores de esta época, espíritus atormentados por la pasión política. Surgen los grandes investigadores. No falta pensador artista que ensaye coordinada, armoniosa obra de síntesis. Aparece la breve crónica pintoresca. Críticos de la historia llevan a cabo trabajos de restitución o rectificación.

1. A D. MANUEL OROZCO Y BERRA debe colocársele entre los grandes investigadores de la historia y la arqueología mexicanas.

Vino éste al mundo en la ciudad de México el 8 de junio de 1816. Y su existencia puede decirse que fue un constante acomodamiento entre los puestos aficiales que le daban el sustento y las disciplinas en que su vocación se complacía. "De continuo —hubo de escribir él cierta vez— estaba reducido a una triste alternativa: si tenía pan, no tenía tiempo; si sobraba el tiempo, carecía de pan." ¡A cuántos hombres de letras mexicanas no podría aplicarse la dolorosa fórmula!

Habiendo pasado Orozco y Berra por el Colegio de Minería, obtuvo el título de ingeniero topógrafo, y, más tarde, en 1847, el de abogado, tras de haber estudiado en el Seminario de Puebla. Precisamente en esta ciudad, y por aquellos años, se inició en las letras, y, con su hermano D. Fernando —el novelista— ensayó el periodismo. Radicado en México desde 1851, desempeña sucesivamente diversos empleos, entre otros, ya por inclinación erudita, y protegi-

do por D. José Fernando Ramírez, el de director del Archivo General de la Nación. Toma, asimismo, a su cargo, arduas comisiones científicas. Forma la carta geográfica del Valle de México; paleografía los primitivos libros de actas del Cabildo; interviene en la entrega de bibliotecas de las comunidades religiosas suprimidas; es catedrático de historia y geografía; llega, en 1857, dentro del gobierno liberal, a Ministro de Fomento, y después ocupa un sitial en la Suprema Corte de Justicia. Al sobrevenir la Intervención francesa —contra la que había protestado—, como se viera obligado a permanecer en la capital, rehusa ser miembro de la Junta de Notables. Urgido por la pobreza acepta más tarde servir al Imperio; hácelo en algunos puestos relacionados con su profesión y cultura; alcanza señaladas distinciones, y llega a ser al fin Consejero de Estado. Caído el Habsburgo, el historiador eminente da con sus huesos en la prisión; sus relevantes méritos determinan, sin embargo, que el gobierno republicano —tras de dos meses de encarcelamiento— se le muestre benigno respetando su libertad; y aun es llamado a la Sociedad de Geografía y Estadística y a la Academia de Literatura y Ciencias, corporaciones de las cuales se le había expulsado al igual que a sus colegas imperialistas. Ello no obstante, nunca volvió a desempeñar puestos públicos. Tenía, al fin, tiempo, aunque le faltaba pan. Amigos eficaces le proporcionaron algún arbitrio para que no careciese totalmente de él. Y entonces el sabio se aplicó a escribir su obra maestra:

la *Historia antigua y de la conquista de México,* que se imprimía por orden y a expensas del Gobierno de la Nación, cuando Orozco y Berra falleció en su propia ciudad natal el 27 de enero de 1881.

A pesar de numerosas actividades oficiales, había consagrado Orozco y Berra su vida entera a los estudios históricos. Desde su mocedad se dedicó afanosamente a la investigación. Especializóse en nuestra historia primitiva. Guiado por su amigo y maestro D. José Fernando Ramírez, ahondó en la arqueología, dedicándose a descifrar jeroglíficos, a leer la escritura de las piedras, a buscar el sentido de los códices; auxiliándose, para todo esto, con los viejos cronistas, con los filólogos misioneros y los historiadores y lingüistas contemporáneos. De aquí que nadie como él haya tenido un conocimiento más profundo del antiguo pueblo de Anáhuac; materia en la que se le reconoce como primera autoridad de reputación universal. Reunió las cualidades esenciales para el cultivo de la historia: erudición inmensa, poderoso espíritu analítico, brillantes facultades para la síntesis, juicio claro y sereno.

Todavía no se ha coleccionado la obra completa de Orozco y Berra, en no escasa parte formada por monografías, memorias y estudios diseminados en publicaciones oficiales, periódicos y revistas. De lo impreso en volumen hay que señalar el *Diccionario Universal de Historia y Geografía,* en el que de modo sobresaliente colaboró, y cuyo *Apéndice* en tres volúmenes (1855-56) se le debe. Entre sus trabajos de mayor aliento cabe mencionar: la *Noticia histórica de la conjuración del Marqués del Valle* (1853), acabado estudio de aquella época: la *Geografía de las lenguas y Carta etnográfica de México* (1864), que comprende un ensayo de clasificación de las lenguas indígenas, un estudio sobre las migraciones de las tribus de México, con cuanto atañe a su origen, formación, diversidad y afinidades, civilización y costumbres, y, en suma, la geografía de las lenguas, o sea indicación de los lugares de nuestro país donde todavía se hablan los diversos idiomas indígenas y sus dialectos; la *Memoria para el plano de la ciudad de México* (1867), que abarca la historia cartográfica de la ciudad y noticias interesantes sobre sus establecimientos y edificios más notables; los *Materiales para una cartografía mexicana* (1871), en que se da razón de las ideas geográficas de los aztecas, de cómo representaban las aguas y las tierras, cómo eran sus planos geográficos y topográficos, y se registran hasta tres mil cuatrocientas cartas de diversa índole; en fin, el *Estudio de cronología mexicana,* publicado al frente de la crónica de Tezozomoc, erudito trabajo, primero en su género, en el cual el sabio, tras de exponer por orden sucesivo los diversos sistemas cronológicos que han creado los autores, después de señalar sus defectos, asignando el origen de ellos, entra de lleno en la cuestión, resolviéndola y estableciendo las bases a que hay que atenerse en materia tan enigmática y confusa.

Pero los mejores títulos del escritor fincan, sobre todo, en su admirable obra postrera: la *Historia antigua y de la conquista de México* (4 volúmenes, 1880-81), fruto de las investigaciones realizadas en el curso de su laboriosa vida, y en la que concentró todo su saber. Divídese en cuatro partes. En la primera —*La civilización*— trátase de la mitología, costumbres, educación, organización militar y civil, legislación, comercio, agricultura, artes, escritura jeroglífica y numeración, calendario, geografía del Imperio Mexicano y distribución e idiomas de las familias indígenas. La segunda —*El hombre prehistórico en México*— refiérese a la fauna y el hombre primitivos, a los monumentos y a las comunicaciones con el Antiguo Mundo. Versa la tercera —*Historia antigua*— sobre los mayas, Michuacán, los tolteca, emigración de los mexi, los chichimeca, fundación de Tenochtitlán e historia de Anáhuac hasta antes de la llegada de los españoles. En la cuarta y última reséñase la Conquista, desde la llegada de Diego de Velázquez a las Indias hasta la reedificación de Tenochtitlán. Cuadro en verdad maravilloso es el que encierra este monumento de nuestras letras. Con criterio ajeno a toda pasión y rigurosamente científico, depurando los enormes materiales de que disponía, poniendo a contribución sus propias investigaciones y descubrimientos, corrigiendo errores, desechando falsas teorías, aclarando dudas, Orozco y Berra acertó a purificar con fina sagacidad los manantiales todos de nuestra historia antigua.

Digno complemento de la anterior obra es la *Historia de la dominación española en México*, publicada en cuatro volúmenes de la *Biblioteca Histórica Mexicana de Obras Inéditas* (1938).*

2.   Pertenecía D. JOAQUÍN GARCÍA ICAZBALCETA a la misma estirpe intelectual de Orozco y Berra. Pocos habrán servido a la historia nacional con la sabiduría, el celo y noble generosidad con que él lo hizo. "Gran maestro de toda erudición mexicana" le llamó Menéndez y Pelayo, y no sin razón pasa por ser también primera autoridad en asuntos de América.

Diríase que la vida silenciosa y pura del historiógrafo sólo conoció una pasión austera: la de investigar y estudiar. No hay en ella incidencias pintorescas, ni nada que no se relacione con ejemplar actividad intelectual. Nace García Icazbalceta en la ciudad de México el 21 de agosto de 1825. Su familia, que goza de cuantiosa fortuna, vese obligada a trasladarse a España en 1829, huyen-

do de las turbulencias políticas. De allá regresa en 1836. Hace el futuro escritor sus estudios en casa; aprende, en los ratos que le dejan libres las ocupaciones en el escritorio paterno, algunos idiomas. Presto, bajo la influencia y el consejo de Alamán, despierta en él la vocación por la historia. Traduce y publica (1849-50) la *Historia de la conquista del Perú,* de Prescott, adicionándola con nuevos capítulos y notas; aparecen sus primeros trabajos en el *Diccionario Universal de Historia y Geografía* (1852-56), y ya desde entonces se revela el investigador erudito, el historiador que asociaría dos limpideces: la del estilo y la del juicio. Establece en su domicilio una pequeña imprenta. Forma una magnífica biblioteca. Dase a coleccionar raros y valiosos impresos, manuscritos y documentos, unos ignorados, otros que se tenían por perdidos. "Si ha de escribirse algún día la historia de nuestro país —piensa y hará constar más tarde—, es necesario que nos apresuremos a sacar a luz los materiales dispersos que aun pueden recogerse." Y a poco lanza el inicial volumen de su primera colección de documentos; volumen del cual es él, a la vez colector, editor e impresor. Está dado el primer paso. Tal será su vida: investigar, estudiar, publicar; hasta que en esa tarea le sorprende la muerte, en su propia ciudad nativa, el 26 de noviembre de 1894.

Los trabajos de García Icazbalceta pueden dividirse en dos categorías: *a)* Publicación de impresos, de manuscritos o de documentos raros o desconocidos importantes para la historia de México; *b)* Obras originales.

En la primera, aparte las impresiones o reimpresiones de obras de Mendieta, Cervantes de Salazar, González de Eslava o el P. Alegre, de que en el lugar correspondiente se ha hecho mención, figuran: la *Colección de documentos para la historia de México* (2 vols., 1858-66) y la *Nueva Colección de documentos para la historia de México* (5 vols.,

* Y en este año de 1960 ha de aparecer en la Editorial Porrúa, S. A., dentro de la "Colección Porrúa", la *Historia Antigua y de la Conquista de México,* con un estudio previo de Angel Ma. Garibay K., y biografía del autor, y más tres bibliografías referentes al mismo, por Miguel León Portilla.

1886-92). Contienen estas colecciones memoriales, cartas, relaciones, itinerarios, ordenanzas, piezas todas ellas importantísimas para el proceso de nuestra historia en el siglo XVI; y, como lo acostumbraba García Icazbalceta en tal género de trabajos, cada tomo va precedido de eruditas *Noticias,* verdaderas series de juicios críticos y disertaciones histórico-literarias reveladoras de profundo saber en la materia tratada.

Entre las obras originales debemos mencionar en primer término: los *Apuntes para un catálogo de escritores en lenguas indígenas de América* (1866), *Don Fray Juan de Zumárraga, Primer Obispo y Arzobispo de México* (1881), y la *Bibliografía Mexicana del Siglo XVI* (1886). La de Zumárraga, más que una biografía, es un cuadro admirable de historia mexicana en los comienzos de la era colonial. En la "Colección de escritores mexicanos" de la Editorial Porrúa, S. A., se ha publicado una nueva reproduciendo todos los documentos reunidos por García Icazbalceta y algunos otros relativos a Zumárraga, descubiertos últimamente. Complétalo la *Bibliografía,* "obra en su línea de las más perfectas y excelentes que posee nación alguna" —según Menéndez y Pelayo— que fue fruto de cuarenta años de investigación pasmosa, y que constituye un catálogo razonado de libros impresos en México en el período de 1539 a 1600, con biografías, ilustraciones, facsímiles de portadas antiguas, extractos de libros raros, notas bibliográficas, etc., etc. Una nueva edición, puesta al día por Agustín Millares Carlo, ha sido publicada en 1954. A lo anterior hay que agregar las ciento cuatro biografías que, incluida la de Zumárraga, forman cuatro volúmenes de la *Colección Agüeros,* y las numerosas monografías, opúsculos y discursos (integran otros seis volúmenes de la propia *Colección*) que salieron de la pluma del gran historiador y erudito: trabajos, los primeros, destinados a sacar del olvido las figuras de los obreros de la civilización mexicana; y referentes, los segundos, a las más variadas cuestiones relacionadas con nuestra historia en la décimosexta centuria: la imprenta, la instrucción pública, la medicina, las órdenes religiosas, representaciones teatrales, f i e s t a s, primitivas, construcciones y fisonomía de la ciudad de México en el siglo XVI, estudios sobre poetas, impresores y bibliógrafos, y hasta curiosísimas monografías como la dedicada al ganado vacuno y la relativa al cacao en la historia de México.

Si se nos permite la expresión, García Icazbalceta fue el autor de nuestro siglo XVI. El lo desenterró del polvo en que yacía olvidado. El, con sus eruditos trabajos, inició una nueva manera de actividad en la investigación y estudio de nuestra historia, mostrando que en ésta no todo —y ni siquiera lo principal— lo constituyen los hechos militares y políticos; sino que hay que ir más a fondo, adentrar en el conocimiento de las costumbres, de la cultura y aun en los mínimos aspectos de la vida de otros tiempos, y presentar, acabado y completo, el cuadro de la civilización, para darse cuenta del proceso formativo y de las vicisitudes de un pueblo.

Y que esto lo logró el sabio varón, no cabe duda. Cuando, consagrado al *Vocabulario de mexicanismos,* su trabajo póstumo, que quedó inconcluso y así fue publicado en 1905, lo sorprendió la muerte, dejaba una obra y un ejemplo; la obra y el ejemplo de uno de los historiadores de más conciencia y solidez, de mayor sagacidad crítica, escrupulosidad, precisión y claridad de que se glorían nuestras letras.

3. Por manera distinta fue historiador D. JUSTO SIERRA. No investigó la historia; antes bien enseñándola en la cátedra o animándola en libros y discursos con poderoso soplo en que el pensador y el artista se unían, formó el espíritu de dos generaciones. El historiador, en él, es inseparable del catedrático.

Abarcando el cuadro completo del desenvolvimiento humano, aspira en su *Manual escolar de historia general* (1891), "a mostrar el organismo social sometido como todo organismo a la ley universal de la evolución, sin omitir el hecho concreto que marca y vivifica la personalidad de un pueblo y resume la significación de una época". Mas como, para él, "el amor a la Patria comprende todos los amores humanos; amor que se siente primero y se explica luego"; complácese en dar esta explicación a los niños mexicanos en un *Catecismo de Historia Patria* (1896) admirable de claridad y simplicidad. Más tarde elevando el tono y ampliando las perspectivas, hace una síntesis de nuestra *Historia política*, que figura en la segunda parte de la obra *México; su evolución social* (1900-01), que es, sin duda, lo más luminoso y profundo que sobre ese asunto se haya escrito, y que, en volumen aparte, se publicó en 1940 con el título de *Evolución política del pueblo mexicano*. Y corona, al cabo, su obra de historiador, levantando, en magnífica prosa, un monumento al hombre cuya vida considera que "es una lección; una suprema lección de moral cívica": *Juárez: su obra y su tiempo* (1905); libro que en buena parte escribió, pero en el que hubo de colaborar —por no dejarle al autor sus tareas de Ministro de Instrucción Pública tiempo para terminarlo— el historiador Don Carlos Pereyra.

Como ha observado Antonio Caso, en los libros de historia de D. Justo Sierra "palpita el conocimiento de la humanidad en el fondo de un optimismo sincero"; y es tal, bajo el ímpetu de su pasión, de su entusiasmo, la fuerza evocadora que le asiste, que en él "la resurrección del pasado se cumple con el engaño real de las alucinaciones psicológicas". Hace de la historia una obra de arte en que la profundidad y nobleza del pensamiento hermanan con la magia del estilo; pues fue quizá este historiador el primer prosista mexi-

cano de su época por cuanto a abundancia, rotundidad y majestuosa armonía respecta.

Inseparable de la histórica es la producción oratoria de D. Justo Sierra. Afírmase, tal vez no sin razón, que en los discursos se encuentran las mejores páginas del maestro. Y a ellos, para completar la obra del prosista, habría que añadir toda la importante producción contenida en publicaciones oficiales y periodísticas, sobre pedagogía, política, crítica literaria, viajes, etc., y, en este último género, el libro intitulado *En tierra yankee* (1898). El viajero, en Justo Sierra, sintetiza al poeta, al historiador y al tribuno, que se asocian en el narrador siempre fácil, tan presto familiar y pintoresco, como profundo y trascendental.

Aparte su valor intrínseco, la obra en prosa de Justo Sierra tiene otro no menor para el estudio de las corrientes de ideas que informaron a su época. Fervoroso jacobino primero, Justo Sierra se convirtió después al positivismo, y al cabo —como expresa Antonio Caso— opuso al absolutismo científico de éste "la formidable interrogación del criticismo contemporáneo— y al entusiasmo por la religión de la ciencia el titubeo incoercible del escéptico". Su espíritu manteníase en eterna juventud por un inquieto afán de renovarse; su obra de historiador se caracterizó siempre por su optimismo generoso.

Las *Obras completas* de Justo Sierra han sido publicadas por la Universidad Nacional Autónoma de México, en quince volúmenes, con un magnífico estudio preliminar —la mejor biografía del gran historiador— por Agustín Yáñez.

4. Otro escéptico —bien que al través de toda su vida, y no de último momento— D. FRANCISCO BULNES, es, por el contrario, un destructor.

Nacido en la ciudad de México el 4 de octubre de 1847, hizo brillantísimos estudios en la Escuela de Minería, donde obtuvo el título de ingeniero civil y de minas. En 1874 marchó al Japón, formando parte de la comisión científica que presidió el sabio Díaz Covarrubias. Sus inclinaciones puramente intelectuales apartáronle del ejercicio de su profesión. Poseyó desde muy temprano —y a enriquecerlos se aplicó durante su existencia— sólidos y variados conocimientos científicos. Su culto por las matemáticas, que le enseñaron a raciocinar con claridad y exactitud, afirmó las facultades del formidable dialéctico. Era, por esencia, un pensador y un sociólogo.

La cátedra, el periodismo y la política absorbieron casi por completo su actividad. En la tribuna del Congreso, en el que figuró, ya como diputado, ya como senador, por espacio de tres décadas, fue el orador más potente de su época. En su papel de consultor de diversas Secretarías de Estado, intervino así en la redacción de leyes bancarias, como en la del Código de Minería. Sus polémicas en la prensa, al igual que sus discursos, tuvieron su momento de celebridad.

Memoria prodigiosa, espíritu de observación sagaz, comprensividad instantánea y clara: tales eran —a juicio de D. Federico Gamboa— las características de la mentalidad de Bulnes. Tres cualidades, asimismo, le distinguían como publicista: independencia de criterio, valor civil y amor a la verdad. Sumada a lo anterior su enciclopédica cultura, no cabe duda que tribuno y polemista hallábanse largamente dotados. El escritor, bien que distara mucho de ser correcto, era extraordinariamente original, personalísimo. Gustaba de la paradoja y poseía el arte de cultivarla. Adjetivaba brutalmente. Su elocuencia verbal transmitíase íntegra, a las líneas escritas. "No es castizo ni purista —observa el propio Gamboa—; antes su estilo, igual en lo que habla que en lo que escribe, resiéntese de irreducible independencia casi montaraz, de alejamiento del buen decir, intencionado y precon-

cebido. Preocupado, dentro de su temperamento de pensador, de que la idea predomine y convenza, la expresión, que es pintoresca y bravía, connotativa y persuasiva, preñada de ciencia y erizada de ironías, que a las vegadas resultan sarcasmos crueles, la expresión es indómita e iconoclasta. Si nada se le opone en el camino, suele andar tersa y sumisa con las leyes del idioma; mas a la menor oposición o resistencia, salva barreras, abofetea pragmáticas, derriba guardianes y escarnece ejemplos y precedentes."

Escribe Bulnes su primer libro en 1875. Nombrado historiógrafo de la Comisión Mexicana enviada al Japón para observar el tránsito de Venus por el disco del Sol, reúne sus impresiones de viajero en *Sobre el Hemisferio Norte Once Mil Leguas,* el cual es anticipo de las peculiaridades que hemos subrayado antes. El año de 1899 aparece el sociólogo, cuando publica *El porvenir de las naciones latino-americanas,* que le sirve para exponer muy graves puntos de vista. Del estudio general de los países hispanos del Continente, al exclusivo y particularísimo del suyo propio, hubo de pasar presto; aficiones y dotes le confinaron en la crítica histórica. Había sido corifeo del positivismo en México; y como otro positivista excelso —Hipólito Taine, su inspirador, y en cierto modo, su maestro, quien preocupado por los problemas de su país, diose a estudiar los orígenes de la Francia contemporánea— Bulnes realizó "aunque por modo fragmentario y dislocado, con no escasas repeticiones de acaecimientos y puntos de vista, sin aquella unidad y armonía que no son la menor perfección de la magna obra de Taine", el estudio de los orígenes del México contemporáneo en la serie de libros intitulados: *La Guerra de Independencia: Hidalgo-Iturbide* (1910), *Las grandes mentiras de nuestra historia: La Nación y el Ejército en las guerras extranjeras* (1904), *El verdadero Juárez y la verdad sobre la*

Intervención y el Imperio (1904), *Juárez y las revoluciones de Ayutla y de Reforma* (1905).

Bulnes era —ya lo hemos dicho— un escéptico y un destructor. Su amor a la verdad le guiaba; pero no le impedía, a las veces, caer en la pasión y en el sofisma. De ahí que, si mucho de tal obra quedará en pie, a no poco se le objete como deleznable y aun falso, ya por ímpetu pasional, ya por información insuficiente o torcidamente interpretada.

Sus postreros libros fueron: *The whole truth about Mexico* (1916) y *El verdadero Díaz* (1920). En la extrema ancianidad aun se batía bizarramente en la prensa, según lo testifican sus campañas en *El Universal* y la selección póstuma de sus postreros artículos publicados en volumen bajo el título de *Los grandes problemas de México* (1927). Falleció D. Francisco Bulnes en su propia ciudad nativa el 22 de septiembre de 1924.

5. D. Luis González Obregón, en cierto modo, y por su particular actividad en materias históricas, procede de García Icazbalceta.

Nacido en la ciudad de Guanajuato el 25 de agosto de 1865, con sus padres se trasladó a México a los dos años. Hizo sus primeros estudios en casa; adolescente todavía ingresó en la Escuela Nacional Preparatoria, y, saliendo de ésta, iba a seguir la carrera de abogado; mas renunció a ella convencido de su ninguna vocación para la misma. Sus inclinaciones y gustos le llevaban por otros rumbos. Altamirano, de quien fue predilecto discípulo, despertó en él la afición por las letras. Habiéndose iniciado como costumbrista —perfil que ha de observar, persistente, su fisonomía literaria— entróse por los campos de la historia. En 1888 aparece su primer trabajo: los apuntes biográficos y bibliográficos sobre *Don José Joaquín Fernández de Lizardi.* En 1889 empieza a publicar el *Anuario bibliográfico nacional,* empresa que

hubo de quedar allí interrumpida, y da a la luz una *Breve noticia de los novelistas mexicanos en el siglo XIX.* De 1890 a 1891, semanariamente, escribe en *El Nacional* una serie de artículos relativos a la historia pintoresca de la ciudad de México. Estos, reunidos en dos series que forman otros tantos volúmenes, integran su popularísima obra *México viejo* (1891-95), refundida más tarde en un tomo en la edición parisiense de 1900. A partir de allí su producción se hace más y más nutrida. *El Capitán Bernal Díaz del Castillo, conquistador y cronista de Nueva España* (1894), *D. José Fernando Ramírez, datos bio-bibliográficos* (1898), *Reseña histórica de las obras del desagüe del Valle de México* (1903), *Los precursores de la Independencia en el siglo XVI* (1906), *Don Justo Sierra historiador* (1907), *Don Guillén de Lampart: La Inquisición y la Independencia en el siglo XVII* (1908), *Fray Melchor de Talamantes: biografía y escritos póstumos* (1909), *La Biblioteca Nacional de México* (1910), *La vida en México en 1810* (1911), *Vetusteces* (1917), *Las calles de México* (2 vols., 1922-27), *Cuauhtémoc* (1923). Posteriormente (1937-38) aparecieron en nuevos tomos algunos de los anteriores trabajos y otros no coleccionados antes, así como artículos históricos y de costumbres: *Croniquillas de la Nueva España, Cronistas e historiadores, Novelistas mexicanos.*

Como García Icazbalceta, González Obregón ha concentrado muy especialmente sus investigaciones en la época colonial, la menos explorada hasta el advenimiento de estos dos insignes historiadores; como él, se ha preocupado por hacer acopio de materiales para la historia, ya hurgando en los archivos, ya publicando libros raros e interesantes. Y siguiendo, en suma, la ruta abierta por aquel sabio, en cuanto a la manera fundamental de entender e interpretar la historia, no se ha encastillado en los aspectos militar y po lítico de ésta: ha desentrañado pormenores del vivir de otros tiempos, proyectando clara luz sobre cultura, usos, costumbres y particularidades pintorescas.

Ello no obstante, D. Luis González Obregón se creó una manera muy personal y muy suya de tratar la historia. Es ésta en sus manos algo que sale de la frialdad y monotonía de los relatos eruditos, para convertirse en materia plácida y familiar a todos asequible. El dato escueto, la gélida fecha o el nombre grisáceo, cobran en su pluma vibración y calor. No se inclina, curiosamente, tan sólo ante las grandes figuras; ni tampoco, por manera exclusiva, ante extraordinarios sucesos. Diríase que con más acendrado amor se detiene ante cosas, personajes y acaecimientos frente a los cuales pasaron antes, ciegos o indiferentes, los historiadores. Consagra su atención persistente a reconstruir, con todo sus menudos y cautivadores detalles, en la crónica alada y fácil, la vida de antaño; y dándole color o intención literaria, populariza la historia.

Débele la de nuestras letras importantísimas investigaciones bio-bibliográficas. Pero mucho más le debe la ciudad de México, de la cual cabe considerarle, en los tiempos modernos, como su mejor y más fervoroso cronista.

Falleció D. Luis González Obregón en esta propia ciudad, el domingo 19 de junio de 1938.

6. Colocado al cabo de la serie que integran los dos grandes investigadores, el poderoso analista que ensayó la primera importante síntesis, el polemista que cultivó la crítica histórica, y el expositor pintoresco del vivir de antaño, D. Carlos Pereyra representa el esfuerzo de restitución y rectificación justiciera en pro de la tradición hispánica.

Oriundo de Saltillo, Estado de Coahuila, donde nació el 3 de noviembre de 1871, en su ciudad natal hizo Pereyra sus primeros estudios. Más tarde los continuó en México en las escuelas Preparatoria y de Jurisprudencia. Se recibió de abogado. Fue catedrático de Historia y Sociología, respectivamente, en aquellos planteles; diputado al Congreso de la Unión; diplomático. Retirado de la vida política y de la diplomacia, permaneció por algún tiempo en Suiza, y después hubo de fijar su residencia en España. Murió en Madrid, el 30 de junio de 1942.

Desde muy temprano se despertaron las aficiones históricas de Pereyra: trabajó en investigaciones, colaboró en la publicación de documentos, y débesele una pequeña *Historia del pueblo mexicano*. Pero no ya lo mejor, sino la casi totalidad de su obra la ha realizado en España. La suma de conocimientos acumulados; la experiencia adquirida en su paso fugaz por el tablado de la política y la diplomacia; la visión de nuevos países, el estudio insistente en bibliotecas y archivos, y, sobre todo, la meditación ante la lejanía que ensancha perspectivas y afina contornos, le han permitido forjar una obra histórica en verdad vigorosa y multiforme, así como constituirse, por motivo de tal obra, en primera autoridad en asuntos hispanoamericanos.

La obra de Pereyra en este nuevo período, se sustenta en una finalidad preponderante: mostrar cuál fue la civilización que España fincó en América, yendo hasta las fuentes documentales para aclarar la verdad y destruir las falsedades que han acumulado la pasión o la ignorancia; paralelamente, y en íntima relación con lo anterior, estudiar algunos problemas históricos particulares de las repúblicas americanas nacidas del tronco español; y, en fin, atento a la lucha de razas de que era teatro el Continente, donde el poderío sajón trataba de clavar su garra en los países de civilización hispánica, revelar la verdad acerca de los Estados Unidos en su actitud con respecto a los pueblos hispanoamericanos, y, muy especialmente, con relación a México.

El primero de los propósitos apuntados se realiza en los siguientes libros: *La obra de España en América, La conquista de las rutas oceánicas, Hernán Cortés y la epopeya del Anáhuac, Las huellas de los Conquistadores, Hernán Cortés* (concienzudo estudio publicado en 1931), *Francisco Pizarro y el tesoro de Atahualpa, Humboldt en América.* Pertenecen a la segunda categoría: *Rosas y Thiers: la diplomacia europea en el Río de la Plata, El pensamiento político de Alberdi; Bolívar y Washington: un paralelo imposible, Francisco Solano López y la guerra del Paraguay.* Y coronamiento de una y otra series son la *Breve historia de América* (1930), y la *Historia de la América Española* (1920-26), que comprende ocho volúmenes y es el cuadro más completo que en conjunto se haya trazado del desenvolvimiento de la civilización en Hispanoamérica, a partir del descubrimiento, exploración del Nuevo Mundo y formación del Imperio Español, hasta la constitución de los pueblos hoy independientes y su desarrollo ulterior hasta el presente. Entran, por último, en la tercera categoría de las arriba indicadas: *El mito de Monroe* (1931), *Tejas: la primera desmembración de México, La Constitución de los Estados Unidos como elemento de dominación plutocrática* y *El crimen de Woodrow Wilson.* Une Pereyra, a extraordinaria fineza analítica y brío dialéctico, la severa erudición que hace presentir que no escribe una línea sino en vista del documento. Posee "el estilo varonil y conciso de la historia", aunque pleno de vivacidad y finamente matizado de ironía. Su vehemencia en la polémica, llena de honradez y valentía, hállase bien templada por un poderoso espíritu crítico. Añádase a todo esto el arte y la originalidad del método: obras hay suyas que, sin perder su severo carácter histórico, tienen la vibración, el interés de romancescos relatos, y constituyen, por lo mismo, poderoso instrumento de divulgación; preten-

de "dar al pasado la nota viva de las cosas del presente, y al presente la emoción de perdurabilidad que inspiran las cosas del pasado".

7. Caudalosa, aunque no siempre importante, es la producción en materia histórica en el presente período. Al lado de las principales figuras antes esbozadas, y para obviar larga enumeración, señalemos, entre otras personalidades relevantes, a D. VICENTE RIVA PALACIO, bajo cuya dirección y con la colaboración de D. ALFREDO CHAVERO, D. JULIO ZÁRATE, D ENRIQUE DE OLAVARRÍA Y FERRARI, D. JUAN DE DIOS ARIAS y D. JOSÉ MARÍA VIGIL, se llevó a cabo la importante obra intitulada *México a través de los siglos* (5 vols., 1884-89); al polígrafo DR. D. AGUSTÍN RIVERA Y SANROMÁN (1824-1916), autor de *La filosofía en la Nueva España,* de los *Principios críticos sobre el Virreinato y la Guerra de Independencia,* y de los *Anales de la Reforma y el Segundo Imperio;* a D. MANUEL RIVERA CAMBAS (1840-1917), con sus libros intitulados *Los gobernantes de México* y *México pintoresco, artístico y monumental;* a D. JOSÉ MARÍA MARROQUI (1824-1908), cuya obra *La ciudad de México,* en tres gruesos volúmenes, constituye rico arsenal de datos para el conocimiento de la vieja metrópoli, y, en suma, a D. LUIS PÉREZ VERDÍA (1857-1914), autor de un *Compendio de la historia de México* (1883), que puede reputarse como el primero de valer que se escribió.

En la investigación y erudición históricas resalta D. FRANCISCO DEL PASO Y TRONCOSO (1842-1916), el sabio a quien tanto deben la historia y la etnología mexicanas, explorador diligente de los archivos de Europa, colector de documentos y editor de obras capitales para el conocimiento de nuestro pasado, hombre de vastas y numerosas empresas, bien que por eso mismo comenzaba muchas y pocas concluía, y a quien, justamente por esa particularidad que tanto dañó a su gigantesca labor, humorísticamente llamaba García Icazbalceta "una biblioteca erudita de tomos truncos". Entre otras obras de importancia, precisamente dejó inconclusa una edición monumental del Sahagún. Lo mejor de su producción original, consiste en monografías y estudios arqueológicos, encuéntrase en los *Anales del Museo Nacional;* y de la obra del investigador da fe el *Epistolario de la Nueva España,* rico en documentos, que mucho después de su muerte se publicó en dieciséis volúmenes.

Por su ordenada laboriosidad y su recio espíritu de método, excelentes servicios prestó a la historia D. GENARO GARCÍA (1867-1920). Sus principales obras de carácter histórico son: el estudio sobre el *Carácter de la conquista española en América y en México* (1901), y el muy erudito acerca de *D. Juan de Palafox y Mendoza* (1918). Como editor, débensele *Dos relaciones de la Florida* (1902) y la única edición que se ha hecho según el códice autógrafo de la *Historia verdadera de la Conquista de la Nueva España,* de Bernal D í a z del Castillo (1904). Más firmes son, si se quiere, sus méritos como colector: formó la importantísima colección de *Documentos inéditos o muy raros para la historia de México* y la de *Documentos históricos mexicanos* publicada bajo su dirección por el Museo Nacional, para celebrar el primer centenario de la Independencia.

Entre los bibliógrafos cabe mencionar al P. VICENTE DE P. ANDRADE (1844-1915) por su *Ensayo bibliográfico mexicano del siglo XVII* (1899), y al DR D. NICOLÁS LEÓN (1859-1929), por su *Bibliografía mexicana del siglo XVIII* (5 vols., 1902-06): obras, ambas, que complementan la magistral de García Icazbalceta.

Abundan finalmente, en este período, las historias particulares o locales: JOAQUÍN ARRÓNIZ (hijo) escribe la de Orizaba (1867); MANUEL RIVERA CAMBAS, la de Jalapa (1869-71); ALEJANDRO PRIETO, la del Estado de Tamaulipas (1873); ELIGIO ANCONA, la del Estado de Yucatán (1878-80); AGUSTÍN R. GONZÁLEZ, la del Estado de Aguascalientes (1881); ANTONIO CARRIÓN, la de la ciudad de Puebla de los Ángeles (1896-97); EDUARDO RUIZ, *Michoacán: paisajes, narraciones y leyendas* (1900); LUIS PÉREZ VERDÍA, la *Historia del Estado de Jalisco* (1910-11); MANUEL MURO, la del Estado de San Luis Potosí (1910); JOSÉ ANTONIO GAY, la del Estado de Oaxaca.

LA CRÍTICA

8. El desarrollo de las publicaciones literarias y de la prensa, el auge que cobraron las sociedades artísticas y científicas, trajeron consigo el desenvolvimiento de la crítica. Altamirano fue quien primero empezó a ejercerla, a raíz de la restauración republicana, en *El Renacimiento;* la crítica de Altamirano, más que intrínseco valor literario, lo tuvo de emulación y estímulo: véanse, para comprobarlo, sus ensayos y revistas reunidos en tres volúmenes, bajo el título de *La literatura nacional,* y publicados en la "Colección de escritores mexicanos" de la Editorial Porrúa, S. A. En la ·*Revista Nacional de Ciencias y Letras,* fundada en 1888 bajo la dirección de D. Justo Sierra, no faltaron trabajos de aquella índole. Abundan también en la *Revista Azul* y en la *Revista Moderna.*

Pocas son, sin embargo, las figuras que propiamente se destaquen en dicho género. "En México, país nato de las libertades —si hemos de creer a *Brummel,* quien escribía esto en 1888—, la República de las letras se había transformado en Monarquía. . . mejor dicho: en Iglesia. Había pontífices y sacerdotes, y, según las circunstancias, según las necesidades del culto, algunos gacetilleros desempeñaban, ora el papel de eunucos de la Capilla Sixtina, entonando con voz atiplada ditirambos al santo del día, ora el de sacrificadores, flagelando sin piedad a los disidentes y heresiarcas."

D. MANUEL PUGA Y ACAL fue precisamente quien, bajo el seudónimo antes mencionado, ensayó remediar este estado de cosas luchando por los fueros del buen gusto y provocando con ello polémicas sin cuento. Nacido en Guadalajara (Estado de Jalisco) el 8 de octubre de 1860, muy joven marchó a educarse a Francia. Su padre quería hacerle ingeniero de minas. Preparó el bachillerato en ciencias y letras en el colegio de Juilly, de París; pasó luego a Bélgica, donde ingresó en la Escuela Provincial de Minas de Monza. Pero en breve trocó las minas por las letras, que mucho distan de serlo. En Bruselas conoció a Verlaine y a Rimbaud; vivió la "bohemia" parisiense, diose a escribir versos franceses, fue quizá el primer traductor de Bécquer en la lengua de Racine, y al cabo, en 1883, regresó a su patria. Desde entonces, ya en su ciudad natal, ya en las de San Luis Potosí o México, se dedicó al periodismo literario y político, ejerció la cátedra, y, fugazmente, fue diputado al Congreso local de Jalisco o al de la Unión. La época de su mayor actividad como crítico corresponde a su paso por los diarios El Pabellón Nacional y El Partido Liberal. No escasean, sin embargo, trabajos suyos de esta naturaleza en los numerosos periódicos y revistas que fundó y dirigió, o en los que colaboró hasta su muerte; y son abundantes, en fin, los de carácter histórico que han salido de su pluma y con los cuales se podrían formar recios volúmenes. Como crítico "se atrevió a mirar cara a cara a algunos de los soles de nuestro cielo literario". Era acerado, mordaz; y a sus juicios, llenos de penetrante espíritu analítico, dábales consistencia su varia y firme cultura. De los ensayos críticos de Brummel sólo llegó a publicarse la primera serie, bajo el título de Los poetas mexicanos contemporáneos (1888), que contiene interesantes estudios sobre

Díaz Mirón, Gutiérrez Nájera y Juan de Dios Peza.

Falleció Puga y Acal en México el 13 de septiembre de 1930.

Más que la de poeta fue en D. FRANCISCO A. DE ICAZA vocación predominante la de crítico. Nacido en la ciudad de México el 2 de febrero de 1863, murió en Madrid el 28 de mayo de 1925. En México hizo sus estudios, formó su espíritu. Consagrado a la diplomacia, marchó en 1886 con el General Riva Palacio, al ser designado éste Ministro Plenipotenciario en España. No obstante haber desempeñado diversas misiones diplomáticas en el Viejo Mundo —entre otras, y por largos años, la de representante de México en Alemania— la mayor parte de su existencia la pasó D. Francisco en Madrid, donde formó su hogar y logró estima y fama con sus trabajos literarios.

Aparte la poética, a que ya nos hemos referido, su obra en prosa es nutrida. La inició con Examen de críticos (1894), un sintético estudio sobre la crítica en la literatura contemporánea. Tal impulso derivó luego hacia el examen e interpretación de algunas de las más excelsas figuras de la historia literaria española del siglo áureo. De Icaza consumado cervantista. Al máximo ingenio de las letras castellanas dedicó sus principales libros: Las novelas ejemplares de Cervantes (1910) —trabajo éste que, a juicio de Foulché-Delbosc "es el mejor, más aún, el único bueno que ha llegado a publicarse" sobre tal materia—; De cómo y por qué la Tía Fingida no es de Cervantes (1916), Supercherías y errores cervantinos (1917), El Quijote durante tres siglos (1918). Al lado de estas obras hay que colocar Sucesos reales que parecen imaginados de Gutierre de Cetina, Juan de la Cueva y Mateo Alemán (1919), libro fundamental por lo que mira a las andanzas de estos escritores en América, y Lope de Vega, sus amores y sus odios (1919); amén de las ediciones críticas de clásicos españoles, prologadas y anotadas por él. "En sus libros —expresa Alfonso Reyes refiriéndose a los de Icaza— siempre hallaremos la erudición elaborada, porque en materia de erudición como de estilo tampoco equivoca los medios y los fines; siempre hallaremos las lecturas asimiladas e interpretadas, los datos rectificados por crítica laboriosa, donde todo está digerido, donde los libros son libros, unidades de cocción suficiente y no terrones que se desmoronan; el gusto del discernimiento, y el anhelo de alcanzar, si a tanto se alcanza, la facultad de no equivocarse."

Complementan la obra en prosa de Icaza su estudio sobre *La Universidad Alemana* (1915), sus traducciones de Hebbel y Turguenef, y el tan discutido *Diccionario autobiográfico de conquistadores y pobladores de Nueva España* (1923). Vastos proyectos tenía él de consagrar el resto de su vida a investigaciones y estudios históricos y literarios de la era colonial; tales proyectos los interrumpió la muerte.

Nuestra historia literaria debe inapreciables servicios a D. ENRIQUE DE OLAVARRÍA Y FERRARI por su *Reseña histórica del teatro en México* (4 vols., 1895), que comprende desde los orígenes hasta 1896; a D. FRANCISCO SOSA (1848-1925), por sus importantes trabajos biográficos, de los cuales publicó diversos volúmenes; a saber: *El Episcopado Mexicano, Biografías de mexicanos distinguidos, Efemérides históricas y biográficas, Los Contemporáneos,* y *Manual de biografía yucateca;* y a D. FRANCISCO PIMENTEL (1823-1893). Este último contribuyó al estudio de la lingüística americana con su *Cuadro descriptivo y comparativo de las lenguas indígenas de México* (1874-75), y al de la literatura nacional con su *Historia crítica de la poesía en México* (1885) y *Novelistas y oradores mexicanos,* trabajo éste que figura en el tomo V de sus *Obras completas* publicadas en 1904. Era Pimentel hombre sin estilo,

sin gusto ni discernimiento crítico; pero pueden dispensársele sus deplorables juicios literarios, a trueque de la copia de noticias que logró allegar. Extensa, aunque en gran parte no coleccionada, es la obra crítica de D. JOSÉ MARÍA VIGIL (1829-1909): comprende diversidad de monografías, discursos, reseñas y prólogos; la antología de *Poetisas mexicanas* (1893); la de *Poetas mexicanos* (1894); un erudito estudio sobre *Lope de Vega* (1904), y la *Reseña histórica de la literatura mexicana,* que quedó incompleta. Con particular devoción y celo sirvió al arte nacional el académico D. MANUEL G. REVILLA (1863-1925); su labor crítica a este respecto comprende el volumen de *Biografías* (casi todas ellas de pintores) publicado en la Colección Agüeros, y el magistral libro intitulado *El Arte en México* (1893), que ya es clásico. Consignemos, además, en esta rápida enumeración, el nombre del eminente filólogo D. RAFAEL ÁNGEL DE LA PEÑA (1837-1906), algunos de cuyos estudios críticos hállanse contenidos en el volumen correspondiente de la expresada Colección; y el de D. ANTONIO DE LA PEÑA Y REYES (1869-1928), discípulo de Altamirano e hijo del anterior, quien aparte de los volúmenes intitulados *Vivos y muertos, Artículos y discursos* (1903), *Antología moral* (1920) y del *Diccionario biográfico de escritores mexicanos,* por desgracia incluso, es autor de muchos de los eruditos prólogos que van al frente de las publicaciones del *Archivo Histórico Diplomático Mexicano.* Y señalemos, para concluir, entre los periodistas, al DR. MANUEL FLORES (1853-1924), hombre de vasta cultura, distinguido educador, y, como prosista, uno de los más abundantes: dejó en la prensa innumerables artículos, y de ellos sólo hubo de coleccionar los de viaje que forman el volumen intitulado *Italia* (1916); y a D. VICTORIANO AGÜEROS (1854-1911), en la prensa, uno de los escritores más ilustres de su generación y esforzado propagador de las letras patrias, ya con sus estudios biográficos sobre *Escritores mexicanos contemporáneos* (1880), ya —muy principal y mejor diríamos excepcionalmente— con su *Biblioteca de Autores Mexicanos*, publicación a menudo incorrecta, de la que fue editor, y de la que salieron setenta y ocho volúmenes (1896-1911).

LA ORATORIA

9. No ha sido nunca la oratoria facultad característica del genio y carácter mexicanos. Con todo, y según se ha visto en éste y en anteriores períodos, así en el género sacro como en el profano, no faltaron personalidades dignas de encomio. A las ya apuntadas de Altamirano y Ramírez, Bulnes y Sierra, apenas habría alguna que agregar, y ella, por cierto, la más gallarda de su época.

JESÚS URUETA —nacido en la ciudad de Chihuahua el 9 de febrero de 1868 y muerto en Buenos Aires, donde representaba a su país con el carácter de ministro plenipotenciario, el 8 de diciembre de 1920— reunía a la avasalladora elocuencia el severo culto del arte. Era el orador por antonomasia, el artista apolíneo. La palabra se convertía en música en sus labios, y tenían sus cláusulas la gracia y la armonía de un mármol antiguo. Afiliado al grupo de escritores de *Revista Moderna,* poco de lo suyo ha sido coleccionado; redúcese, fuera del prólogo de *Dulcinea* (obra que por desgracia quedó en proyecto), al volumen intitulado *Alma poesía: conferencias sobre literatura griega* (1904), y al pequeño de *Discursos literarios* (1919), seleccionados por él y publicados en la "Colección Cultura". A éstos hay que añadir uno de ensayos: *Fresca* (1903), y el de *Pasquinadas y desenfados políticos* (1911).

Espíritu todo llama, Urueta se consumió sin haber dejado en las letras mexicanas el legado que a su talento genial correspondía. Sin haber sido humanista —circunstancia que resta solidez a su "helenismo"— tenía una lírica y exuberante pasión por Grecia y lo griego, de lo que llegó a darnos una interpretación cuando menos original y elegante; bien que semejante afición helenística haya sido funesta por parte de sus imitadores, contemporáneamente y más tarde, en cierta oratoria de similor muy difundida y de la que todavía padecemos. Informado en la literatura francesa de su tiempo, Urueta recibió, en sus postrimerías, la influencia de los grandes prosistas españoles del Siglo de Oro. Su prosa —que puede colocarse entre lo mejor que a la sazón se haya producido— tiene, con finos matices de modernidad, cierto delicioso sabor clásico.

CONCLUSION

NUESTROS DIAS

1. *La Dictadura y la Revolución.*
El año de 1910 señala el término de un ciclo y el comienzo de otro en la historia de México.

Durante treinta años había regido los destinos del país el General D. Porfirio Díaz. Habiendo llegado al poder en 1876, ejerció el gobierno dictatorial; la dictadura *paternal* —según se la ha llamado— apoyada, más que en la fuerza de las armas, en la aquiescencia pasiva, perezosa, indiferente, del pueblo.

Con este período se hacen coincidir dos hechos: la paz y la prosperidad de México. El primero de ellos es evidente: la nación vivió en paz durante más de tres décadas. El segundo es más aparente que real.

Establecida la paz, reorganizada la administración, el proceso material sobrevino. México abría sus puertas al extranjero para la explotación de sus recursos naturales, atrayendo el capital con grandes concesiones y singulares privilegios. Las vías férreas empezaron a surcar el territorio. Renació la minería. Se crearon grandes industrias. Se ensanchó el comercio. Se saneó y equilibró la hacienda pública y se afirmó el crédito. Se llevaron a cabo importantes obras en la capital y en algunos puertos. Sin embargo, ¿dicho progreso material era, en efecto, esplendoroso, y correspondía, además, a una bonancible situación económica del país en general y de las clases sociales —integralmente— en particular? ¿Estaba, asimismo, en consonancia con el progreso moral?

"Todo el estado económico del país —observa D. Carlos Pereyra—, [1]

[1] *Historia de la América Española.*
Tomo III. México, p. 333.

deslumbrador como era visto desde lejos, daba un aplazamiento indefinido a los programas de organización, entre los que debía figurar el de la integración política sobre bases institucionales." Así, erigido con apariencias de democracia un gobierno personal, México vivió durante treinta años en pleno estancamiento político. Y, en cuanto al bienestar social, fuera de los grupos privilegiados, la situación de las clases media y baja era precaria, cuando no miserable. Ciudades y pueblos, en donde las fuentes de vida lentamente se extinguían, despoblábanse, para englosar sus habitantes, en algunas capitales de Estado, y, sobre todo, en la de la República, la gran masa de los aspirantes burocráticos. La industria y el comercio eran extranjeros. Hallándose la propiedad rural en manos de una clase imposibilitada, cuando no incapaz, de acrecentar los medios de producción, en el campo seguía en pie, y ya que no en acecho de revoluciones, en condiciones de servir, llegado el momento, de "carne de cañón" para ellas, la enorme masa de los peones "con sus salarios de hambre", sin arraigo en lo presente ni esperanza para lo porvenir.

En 1910, la administración del General Díaz había llegado al apogeo de su brillo. Al celebrarse las fastuosas fiestas conmemorativas del centenario de la Independencia, la situación creada en el curso de treinta años aparecía fuerte e indestructible. Estaba, sin embargo, en vísperas de desaparecer. Los gobiernos institucionales se renuevan y perduran; los personales envejecen, declinan, pasan. México en treinta años de paz, no había creado todavía un gobierno de instituciones; y aquella construcción al parecer sólida, se desmoronó, se deshizo, derrumbada en plena apoteosis y en término de meses, al empuje de una revolución cuya fuerza, más que en las armas, fincaba en el apoyo de la opinión pública.

La revolución de 1910, que obedeció en su primer impulso a ostensibles causas políticas, entrañaba también, y muy principalmente, severas reivindicaciones sociales. Era en realidad continuación y complemento de los dos grandes movimientos revolucionarios anteriores que con ella demarcan en tres ciclos la historia moderna de México: la Independencia y la Reforma.

No la seguiremos en sus vicisitudes, ya que esto corresponde a la historia política y no a la de las letras. Limitémonos, tan sólo, a señalarla, como el acontecimiento más importante, como el hecho fundamental que condiciona el proceso de la vida mexicana en los últimos años.

2. *La generación nueva.*—Si verdad es que las tres décadas de la paz porfirista no fueron propicias a la creación de un gobierno apto para renovarse y perdurar, de lo que derivó el fracaso político del régimen, no lo es menos que aquella continuada era tranquila benefició en extremo a la cultura y a las letras. Como en ninguna otra época de nuestra historia, la cultura se desarrolló. La obra educativa de Justo Sierra al frente de la Secretaría de Instrucción Pública, significó no sólo el comienzo de la educación popular en México, sino la aplicación del espíritu de la cultura superior a la enseñanza. Aquel grande Animador, al coronar su esfuerzo con la fundación de la Universidad Nacional en 1910, declaraba, sin embargo —en el discurso inaugural de la misma— nocivos a los grupos que, iniciados en la cultura humana, se escalonan en gigantesca pirámide y, "con la ambición de poder contemplar mejor los astros y poder ser contemplados por un pueblo entero", rematan con la creación de un adoratorio en torno del cual se forma "una casta de la ciencia, cada vez más alejada de su función terrestre, cada vez más alejada del suelo que la sustenta, cada vez más indiferente a las pulsaciones de la realidad social".

Propiamente, el ilustre pensador no hacía, con esto, sino exteriorizar ideas y sentimientos que estaban ya en el cerebro y en el corazón de la juventud de entonces. Durante largos años, los directores de la cultura habían vivido dentro de la fe intelectualista, embebidos en la religión de la ciencia, a la que divinizaban y de la que todo parecían esperarlo. Pero una generación había llegado ya; una generación que dudaba y que empezó a combatir. Del seno de ella partieron los primeros ataques al positivismo por boca de un joven que aparecía nutrido en las nuevas doctrinas filosóficas: Antonio Caso, y de un inquieto y nervioso dialéctico: Ricardo Gómez Robelo.

Como años antes, el de *Revista Azul*; como posteriormente, el de *Revista Moderna*, el nuevo grupo había empezado a formarse en torno a una publicación literaria; la revista *Savia Moderna*, fundada por Alfonso Cravioto y Luis Castillo Ledón en 1906. Lo formaban, aparte los mexicanos que entonces hacían sus primeras armas, dos jóvenes escritores extranjeros por la nacionalidad, ya que no por el espíritu: los dominicanos Pedro y Max Henríquez Ureña, a quienes vino a sumarse más tarde el español José Escofet, tan "nuestro" como ellos. El acto de presencia de aquellos mozos fue la pública protesta que encabezaron contra el proyecto de resucitar, con fines comerciales, la antes mencionada y famosa revista de Gutiérrez Nájera; después de muchos años, constituyó dicha inocente algarada el primer "motín" que se registraba en la quieta paz del país. "Fue aquella pléyade, fue aquella tropa —escribe Alfonso Reyes— la que alzó por las calles la bandera del arte libre; la que congregó en las plazas a la muchedumbre universitaria." "Por primera vez en México —añade— se vio desfilar a una juventud clamando por los fueros de la belleza y dispuesta si hubiera sido menester (¡oh santas locuras!) a defenderla con los puños. Fueron aquellos los mismos que más tarde convocaron a la patria para celebrar el aniversario de Barreda, el educador liberal, y dieron entonces, paralelamente a la anunciación de una nueva era literaria, el signo de una nueva conciencia política." De tal ceremonia memorable —20 de marzo de 1908— en que D. Justo Sierra condenó el positivismo oficial, hace partir Antonio Caso una nueva época de la ideología mexicana.

Esa generación que, empollada en los primeros años del siglo, era joven al sobrevenir la Revolución, marcaba profundas diferencias con respecto a las anteriores. Figuraban en ella filósofos, críticos, novelistas, poetas. Y hasta no faltaban representantes de otras actividades artísticas: en la plenitud del Ateneo formaron parte integrante de él los oradores José María Lozano y Nemesio García Naranjo; los pintores Diego Rivera y Ángel Zárraga, y, en sus postrimerías, Saturnino Herrán, pintor también, y el compositor Manuel M. Ponce. Al contrario de la inmediata precedente, no se recluía tal generación en la consabida "torre de marfil": quería el contacto directo con el público y con el pueblo, y, por eso, fundó primero la Sociedad de Conferencias, y, tras de constituir el Ateneo de la Juventud, que después se llamó Ateneo de México, instituyó la primera Universidad Popular. Abiertos los ojos de la inteligencia y del espíritu hacia todos los horizontes, aspiraba a la universalidad de la cultura. Si la influencia extranjera hasta entonces predominante lo había sido la francesa, en la nueva generación ya no se mostraba tal exclusividad: los jóvenes nutríanse directamente en todas las grandes literaturas, y cultivaban con amor y ahinco la castellana; estudio, el de

esta última, que lucharían por introducir. y de hecho introdujeron, en la enseñanza preparatoria y en la Facultad de Altos Estudios de la Universidad recién instaurada. En fin, disciplinada, serena, apta para el estudio laborioso y tenaz, aseguraríase que aquella generación que empezó siendo combativa y tumultuosa, venía de suyo a condenar la bohemia romántica hasta entonces más o menos subsistente, y que —vuelvo a citar a Alfonso Reyes— desdeñando la torre de marfil, y sintiendo con la humanidad, veneraba "como lo quería Justo Sierra, a Atenea Promakos: la Ciencia que defiende a la Patria".

Soplaban vientos de renovación. Había desaparecido la fe intelectualista; el positivismo, que sirvió para coordinar, para disciplinar, había cumplido su misión ya. "El fetiche endiosado por Barreda —como ha escrito Antonio Caso—[1] se juntaba, en el panteón de la historia, con los otros ídolos rotos." La antorcha espiritualista empezaba a alumbrar. Abríase una interrogación ante el futuro. Alentaba —profunda— la inquietud. ¿Qué sobrevendría? "En el extraño dolor de la espera —pudo decir José Vasconcelos[2] con algo de visión profética, en septiembre de 1910—, un vislumbre del porvenir, rápido y trágico, muestra lo que nos falta de inaprehensible y lejano: sentimos la inutilidad de nuestro individuo y lo sacrificamos en el deseo de lo futuro, con esa emoción de catástrofe que acompaña a toda grandeza.

Nos encontramos en pleno desarrollo de un ciclo que todavía no concluye. Al través de los sacudimientos trágicos de la lucha civil, los obreros de la cultura han seguido adelante su obra. Ni por un instante se ha detenido en México en las últimas cuatro décadas, el esfuerzo generoso del pensamiento y del arte. Existe una literatura elaborada en el curso de ese dilatado lapso.

[1] *El problema de México y la ideología nacional.*
[2] *Don Gabino Barreda y las ideas contemporáneas.*

Intentar, sin embargo, un análisis de ella, sería festinado; sería, tal vez, frustráneo. Falta perspectiva; los lineamientos generales aun no se completan.

Llegando al umbral del presente, y a efecto de completar el cuadro de la historia de la literatura mexicana —aunque sea con provisionales brochazos que los historiadores futuros enmendarán o borrarán—, contentémonos, pues, ya que no con un resumen crítico, con una rápida, con una somera reseña enumerativa de libros y hombres de nuestro tiempo.

3. *Filosofía y crítica.*—Habiendo surgido en un período de agitación filosófica, y aspirando a completa renovación literaria, fueron la filosofía y la crítica actividades descollantes en la generación de 1910.

Entre quienes se consagraron a esas disciplinas, destácase una personalidad luminosa: la de ANTONIO CASO (nacido en México, el 19 de diciembre de 1883, y muerto en la propia ciudad, el 6 de marzo de 1946). Fue él quien inició los cursos de filosofía en la Escuela de Altos Estudios de la Universidad Nacional. Pensamiento y palabra tenían en Caso vibración y calor de llama. Se impuso desde las primeras lecciones; en plena juventud fue, por antonomasia, el Maestro. "No hay una teoría —decía Alfonso Reyes—, no hay una afirmación o una duda que él no haya hecho suyas siquiera por un instante. La historia de la filosofía él la ha vivido. Y con tal experiencia de las ideas y el vigor lógico que las unifica, su cátedra es, con razón, el orgullo de nuestro mundo universitario." Pero esto lo decía Reyes en 1914. Después, Caso hizo algo más que vivir la historia de la filosofía y enaltecer la cátedra: desarrolló una vasta y fuerte obra de escritor y de pensador en la que expuso originales doctrinas filosóficas; como crítico y ensayista de pasmosa cultura y toda claridad y elocuencia, se asomó a múltiples problemas y analizó figuras las más altas del pensa-

miento humano; mostró su efusión lírica en dos volúmenes de versos; compuso tratados de estética y de sociología; participó, en fin, con ardimiento austero, en la lucha de ideas y de ímpetus que ahora conmueve no sólo a México, sino al mundo, combatiendo el materialismo histórico, propugnando el "social-nacionalismo", y constituyéndose en brioso defensor de la libertad de pensar, y, por ende, de la cátedra. Tan multiforme actividad intelectual se contiene en los volúmenes intitulados: *Problemas filosóficos* (1915), *Filósofos y doctrinas morales* (1915), *La existencia como economía, como desinterés y como caridad* (1919), *Dramma per musica* (1920), *Comento breve de la Oda a la Música de Fray Luis de León* (1921), *Discursos a la Nación Mexicana* (1922), *Ensayos críticos y polémicos* (1922), *El concepto de la Historia Universal* (1923), *Doctrinas e ideas* (1924), *El problema de México y la ideología nacional* (1924), *Discursos heterogéneos* (1925), *Principios de estética* (1925), *Historia y antología del pensamiento filosófico* (1926), *Sociología genética y sistemática* (1927), *Crisopeya* (versos, 1931), *El acto ideatorio* (1934), *La filosofía de Husserl* (1934), *Nuevos discursos a la Nación Mexicana* (1934), *El políptico de los días del mar* (versos, 1935), *La filosofía de la cultura y el materialismo histórico* (1936), *La persona humana y el Estado totalitario* (1941), *El peligro del hombre* (1942), *México. Apuntamientos de cultura patria* (1943).

En plenitud intelectual y física, cuando tanto y tanto podía aún esperarse de su noble pensamiento, de su acción ardiente, de su alto apostolado, Antonio Caso rindió la jornada. Es la primera gran figura de la edad contemporánea que, desprendiéndose del marco contingente de una época que todavía no concluye, queda para la historia de las letras en aptitud de ser juzgada y valorizada en definitiva. Dejó Caso, no sólo una obra admirable y pujante, sino un elevado ejemplo; un ejemplo de brío espiritual, de integridad, de pureza. Fue, por esencia, un creador y un maestro. Considérasele, con razón, como el pensador más egregio entre cuantos haya producido México; recia personalidad en que se cifraron la cultura y la conciencia de nuestro tiempo.

Pensador y hombre de acción tan original en sus concepciones como impetuoso y apasionante en el arte de expresarlas, es JOSÉ VASCONCELOS (originario de la ciudad de Oaxaca, donde nació en 1882).* Su espíritu hállase en perenne inquietud. Al frente de la Secretaría de Educación Pública realizó una obra generosa y pujante. El fuego de la revolución alentó en su alma, desde los años mozos, empujándole no ya tan sólo a destruir, sino a construir; y en tan ardiente crisol se han operado para él, más allá de la mitad del camino de la vida, no pocas rectificaciones, que surgen, chocan y resplandecen en su ánimo atormentado. Habiendo iniciado sus actividades como escritor con una conferencia sobre *Don Gabino Barreda y las ideas contemporáneas* (1910), no las reanudó, tras de largas vicisitudes, sino hasta 1918, con un ensayo: *El monismo estético*, al que siguieron *Divagaciones literarias* (1919), *Prometeo vencedor* (tragedia moderna, 1920), *Pitágoras* (1921), *Estudios indostánicos* (1922), *La raza cósmica* (1925), *Indología.* Es un prosista tumultuoso, lleno de flexibilidad y de brío, nutrido de ideas; un batallador infatigable. Su producción literaria se ha acrecido y robustecido considerablemente en posteriores años. En cuatro libros llenos de pasión, de cruda sinceridad y de vigor pintoresco, hubo de narrar su propia y procelosa existencia: *Ulises criollo* (1935), *La tormenta* (1936), *El desastre* (1938), *El proconsulado* (1939). Su *Breve historia de México* (1937), ya que no puede considerarse un cuadro completo, ni menos todavía, por algunos conceptos, una visión serena, constituye una interpretación personalísima del desenvolvimiento nacional. No ha sido tampoco ajeno Vasconcelos a la especulación filosófica, como lo testimonian los volúmenes intitulados: *Tratado de metafísica* (1929), *Ética* (1932), *Estética* (1936), *Historia del pensamiento filosófico* (1937). En fin, de la peregrina lozanía de su ingenio dan fe, aparte su incesante producción periodística, otros libros más: *La sonata mágica* (cuentos y relatos, 1933), *Bolivarismo y monroísmo* (1934), *¿Qué es el comunismo?* (1936).

ALFONSO REYES (nacido en Monterrey, el 17 de mayo de 1889)* simboliza, por excelencia, al humanista. De inmensa curiosidad intelectual y de amplísima cultura, realiza como escritor —lo realizó desde sus comienzos— aquel perfecto tipo. Tiene el don del estilo; ha creado una prosa admirable y muy suya. Es un crítico penetrante y sagaz; un cuentista original pródigo en sorpresas; un poeta —a juicio de Antonio Castro Leal— de aguda sensibilidad, educado en Góngora y Mallarmé, y sabio en clásicos antiguos y modernos, "que va prendiendo su canto —ecos de oculto torrente, iluminaciones cordiales, tornasoles de inteligencia— con los alfileres de palabras finas y exactas". Gusta de la investigación erudita. Tras de larga residencia y estudios en España, constituyóse legítimamente autoridad en diversas cuestiones de literatura castellana. Foulché-Delbosc —con el cual publicó, en colaboración, las obras de Góngora—, le considera como "el primer gongorista de las nuevas generaciones". Son un modelo sus ediciones del *Poema del Cid* y de nuestro Ruiz de Alarcón, así como valiosísimos los prólogos, anotaciones y comentarios que ha puesto a otras —por él mismo dirigidas— de clásicos y modernos: el Arcipreste de Hita, Quevedo, Gracián, Lope de Vega, Antonio de Fuente la Peña, Fray Servando Te-

* Falleció en la cd. de México en 1959.

* Fallecido en la ciudad de México el 27 de diciembre de 1959.

resa de Mier y Amado Nervo. Peregrinando por Europa y América en
incesantes misiones diplomáticas como representante de México, puede
creerse que su pluma jamás permaneció ociosa. Vastísima, y por muchos conceptos sabia, es ya su obra
original. Comprende, en materia de
crítica y ensayos: *Los "Poemas Rústicos" de Manuel José Othón* (estudio
publicado en las "Conferencias del
Centenario", 1910), *Cuestiones estéticas* (1911), *El paisaje en la poesía
mexicana del siglo XIX* (1911), *El
suicida* (1917), *Cartones de Madrid*
(1917), *Visión de Anáhuac* (1917),
Retratos reales e imaginarios (1920),
Simpatías y diferencias (cinco series,
las dos últimas con el título de *Los
dos caminos* y *Reloj de sol*, 1921-
26), *El cazador* (1921), *Calendario*
(1924), *C u e s t i o n e s gongorianas*
(1927), *Discurso por Virgilio* (1931),
A vuelta de correo (1932), *En el
Día Americano* (1932), *Atenea política* (1932), *Tren de ondas* (1932),
Voto por la Universidad del Norte
(1933), *La caída: exégesis en marfil* (1933), *El tránsito de Amado
Nervo* (1937), *Idea política de Goethe* (1937), *Las vísperas de España*
(1937), *"El peregrino en su patria"
de Lope de Vega* (1937), *Influencia
del Ciclo Artúrico en la literatura
castellana* (1938), *En torno a la estética de Descartes* (1938), *Capítulos de literatura española* (Primera
serie, 1939; Segunda serie, 1945),
*Los siete sobre Deva (Sueño de una
tarde de agosto), La crítica en la edad
ateniense* (1941), *La angustia retórica* (1942), *El deslinde: Prolegóme-
nos a la teoría literaria, La experiencia literaria, Última Tule* (1942),
Norte y sur (1944), *Los trabajos y
los días* (1945), *A lápiz, Entre libros, Panorama de la religión griega,
De un autor censurado en el "Quijote", Grata compañía* (1948). El
cuentista, el viajero y el memorialista, dotado siempre de sutil hechizo
imaginativo y de rara sensibilidad, se
revelan en *El Plano oblicuo* (1920),
Noche de mayo (1924), *Fuga de
Navidad* (1929), *El testimonio de
Juan Peña* (1930), *Los dos augures:
arranque de novela* (1931), *La saeta*
(1931), *En el ventanillo de Toledo*
(1931), *Horas de Burgos* (1932),
*Donde Indalecio aparece y desapa-
rece* (1932). El poeta, el poeta re-
cóndito, vario, todo quintaesencia
—que escribe versos "según va la
vida, al paso del alma, sin volver
los ojos"— está en *Huellas* (1922),
Pausa (1926), *5 casi sonetos* (1931),
Romance del Río de Enero (1933),
A la memoria de Ricardo Güiraldes
(1934), *Yerbas del Tarahumara*
(1934), *Golfo de México* (1935),
Minuta, juego poético (1935), *Infancia* (1935), *Otra vez* (1936),
*Cantata en la tumba de Federico
García Lorca* (1937), *Romances (y
afines)* (1945), aparte los versos sociales de álbum, que, entre otros
ajenos, aparecen en el volumen intitulado *Cortesía* (1948); todo ello sin
contar con que poeta y humanista
se dan la mano en una mágica
evocación helénica: *Ifigenia cruel*
(1924), poema dramático con un
comentario en prosa. Y habría que
agregar a lo anterior las obras recientemente publicadas, que son: *Sir-
tes, De viva voz, Junta de sombras*
(1949), *Marginalia, Ancorajes, Árbol de pólvora, Memoria de cocina
y bodega, Berkeleyana* (1953). Algunas versiones de escritores extranjeros —Sterne, Chesterton, Roberto
Luis Stevenson, Chejov— ha hecho
Reyes al castellano, y son numerosos
los estudios de varia índole por él
dados a luz en folletos y revistas,
así como en su propio "correo literario": *Monterrey*, que publicó por
algunos años, a partir de 1930. Hay
que hacer constar, además, que de
los escritores mexicanos contemporáneos, ha sido el más traducido a
diversas lenguas.

Dentro de su generación pertenecía
JESÚS T. ACEVEDO (1892-1918) al
género de escritores "que no escriben". Amigo de los buenos libros,
gustó de crear en su grupo el arte
de la conferencia sobria y sabia. "Sus
insinuaciones maliciosas, su gusto estético, la facilidad de su pensamiento,

su actitud resuelta ante la vida —explica Alfonso Reyes— hacían de él un tipo de excepción, un fruto de civilización superior a la del mundo en que vivía." Reflejo único que nos queda de aquel noble espíritu malogrado es el volumen en que con el título de *Disertaciones de un arquitecto* se reunieron algunos estudios y conferencias de Acevedo, y que se publicó en edición póstuma.

Sobresale en la crítica literaria ANTONIO CASTRO LEAL (nacido en la ciudad de San Luis Potosí, el 2 de marzo de 1896). Estudió y se recibió de abogado en la Facultad de Derecho de la Universidad Nacional de México. En la propia Universidad fue distinguido catedrático de Literatura y de Derecho Internacional, siendo al cabo Rector. Ha desempeñado con brillo diversos cargos diplomáticos, en los que se hizo notar por su clarividencia y firmeza de convicciones. Su vocación estaba, sin embargo, por las letras. Es un perfecto humanista, y universal su cultura, para lo cual le han servido sus diplomáticas andanzas, su penetración de diversas lenguas, su contacto con otros pueblos, haciéndose ciudadano de todas las literaturas. "Su atención se dirigió primeramente —ha dicho Genaro Fernández Mac-Gregor— hacia el espléndido mundo de las letras castellanas, inigualado por ninguno otro. Luego, se aplicó a lo patrio. Como los navegantes y cartógrafos trazan en el papel los mundos recién descubiertos, él ha retrazado el mapa de nuestras letras, captando su línea de desarrollo, su génesis geológica, por decirlo así, que consiste en auscultar su íntima entraña y su sentido; ha medido cumbres, graduándolas exactamente; algunas veces ha ascendido a ellas para conocerlas palmo a palmo. Su hermenéutica es minuciosa y sesuda, y lo induce a grandes búsquedas entre viejos papeles y antiguas ediciones, para fijar textos y datos." De aquí el vigor y la excelencia de sus trabajos. Sus aficiones literarias dieron fruto desde muy temprano: en 1914,

y colaborando con él Manuel Toussaint y Alberto Vázquez del Mercado, publica *Las cien mejores poesías (líricas) mexicanas;* preciosa antología a la que seguirá, en 1939, *Las cien mejores poesías mexicanas modernas,* y, recientemente, en 1953, *La poesía mexicana moderna* (antología, estudio preliminar y notas), donde se examina y pone a la vista la evolución de nuestra lírica, desde Gutiérrez Nájera hasta nuestros días. Ha tenido a su cargo la dirección de la "Colección de escritores mexicanos" de la Editorial Porrúa, que lleva ya publicados 81 volúmenes y que ha venido a sustituir definitivamente a la antigua "Colección de autores mexicanos" de Victoriano Agüeros, mal impresa y seleccionada con poco criterio estético. En fin, procede mencionar como su obra capital, *Juan Ruiz de Alarcón: su vida y su obra* (1943), estudio el más admirable y mejor documentado que se haya escrito sobre nuestro gran dramático. En 1953 ganó, con su estudio sobre la obra de Díaz Mirón, el primer premio en el concurso internacional organizado por el Ayuntamiento de Veracruz para celebrar el primer centenario del nacimiento del poeta.

Con nobleza y reiterado empeño cultiva también la crítica literaria FRANCISCO GONZÁLEZ GUERRERO (1889), quien ha reunido en un volumen algunos de sus trabajos de aquel género: *Los libros de los otros* (1947). Debe, asimismo, la crítica literaria importantes trabajos a JOSÉ LUIS MARTÍNEZ, de quien señalaremos el volumen intitulado *Literatura mexicana: siglo XX* (1949).

En materia de crítica de arte debemos mencionar a FEDERICO E. MARISCAL (nacido en Querétaro, el 7 de noviembre de 1881) por su obra intitulada *La patria y la arquitectura nacional* (1915); al enigmático DOCTOR ATL (originario de Guadalajara, bien que, como él graciosamente dice, nació el día en que con aquel nombre lo bautizó Leopoldo Lugones en París), autor de *Las artes popu-*

lares en México (1920), *Iglesias de México* (seis volúmenes, 1926), *El paisaje; un ensayo* (1933); a FRANCISCO DÍEZ BARROSO, quien en un libro —*El arte en Nueva España* (1921)— estudió la pintura, la arquitectura y la ornamentación coloniales; a RAFAEL GARCÍA GRANADOS (1893-1956), y a LUIS MACGREGOR por su libro *Huejotzingo: la ciudad y el convento franciscano* (1934); a FRANCISCO DE LA MAZA, por el intitulado *San Miguel Allende. Su historia. Sus monumentos* (1939); al etnólogo D. ANTONIO CORTÉS, por sus espléndidas monografías *Valenciana* (1933) y *Hierros forjados* (1935); a JUSTINO FERNÁNDEZ, autor de varias obras de gran interés, entre ellas *El arte moderno en México* (1937), *José Clemente Orozco: forma e idea* (1942) y *Coatlicue: estética del arte indígena antiguo* (1954). La crítica de este género debe, asimismo, a MANUEL TOUSSAINT (nacido en Puebla, el 29 de mayo de 1890 y muerto en Nueva York el 22 de noviembre de 1955) algunos excelentes trabajos: *Saturnino Herrán y su obra* (1920), *La Catedral de México* (1924), *Tasco* (1931), *La pintura en México durante el siglo XVI* (1936), *Paseos Coloniales* (1939), *Arte Mudéjar en América* (1946), *Arte Colonial en México* (1948), sin contar sus estudios literarios —magistrales muchos de ellos y aun no reunidos—, sus impresiones de trashumante, tales como los *Viajes alucinados* (1924) y *Oaxaca* (1926), y, por último, en materia hitórica, el estudio que consagró a *La conquista de Pánuco* (1948). Precisamente la literatura de viajes no ha sido en esta época de las menos abundantes: aparte lo que se mencionará después, anotemos el volumen *En casa de nuestros primos...* (1918), de ALEJANDRO QUIJANO (nacido en Mazatlán, el 5 de enero de 1883 y muerto en la ciudad de México el 17 de febrero de 1957), docto escritor y atildado prosista, el cual en monografías y discursos universitarios y académicos ha cultivado también la lingüística, la historia y la crítica literaria, bien que hasta hoy sólo haya coleccionado algunos de los mismos en un volumen titulado *En la tribuna;* el de MANUEL GÓMEZ MORÍN (1896), *España fiel* (1928), interesante porque en él se trasluce el sentir —tan distante del jacobino que antaño predominaba— de las nuevas generaciones, todo amor y devoción hacia la cuna de la civilización nuestra. Señalemos, en suma, a ALFREDO MAILLEFERT (1889-1941), que en 1937 publicó su *Laudanza de Michoacán*, obra a la que siguieron *Ancla en el tiempo* (1940), y, en edición póstuma, *Los libros que leí* (1942).

La crítica filosófica ocupa no mínima parte de la obra del educador don EZEQUIEL A. CHÁVEZ (nacido en la ciudad de Aguascalientes, el 19 de septiembre de 1868 y muerto en México el 2 de diciembre de 1946); débesele un penetrante estudio: *Psicología de la adolescencia* (1928), así como también el más amplio y erudito que se haya consagrado a *Sor Juana Inés de la Cruz* (1931). El nombre de D. BERNARDO J. GASTÉLUM sobresale en la producción filosófica por sus libros *Inteligencia y símbolo* (1927), *Física de la actitud y Deshumanización del hombre* (1936). La dedicación filosófica del DR. D. ENRIQUE A. ARAGÓN, prominente psicólogo y psiquiatra (nacido en la ciudad de México el 22 de marzo de 1880 y muerto en el puerto de Veracruz el 16 de junio de 1942), hácese notar en sus *Obras completas*, cuyo segundo volumen: *Historia del alma*, apareció en 1944. A. D. SAMUEL RAMOS (nacido en Zitácuaro, Michoacán, el 8 de junio de 1897),* fundador, en la Universidad Nacional, de la cátedra de Historia de la Filosofía en México, se debe una ya abundante producción: *Hipótesis* (1928), *El perfil del hombre y la cultura en México* (1934), *Diego Rivera* (1935), *Más allá de la moral de Kant* (1938); *El caso Stravinsky*

* Fallecido en la ciudad de México en 1959.

(1939), *Hacia un nuevo humanismo* (1940), *Veinte años de educación en México* (1941), *Historia de la filosofía en México* (1942). No menos, Don José ROMANO MUÑOZ (originario de la Villa de Cos, Estado de Zacatecas, donde nació el 9 de agosto de 1890) se ha distinguido en las disciplinas filosóficas: *La ética de los valores* (1932), *Iniciación en la cultura* (1936), *Más allá de Husserl* (1937), *El secreto del bien y del mal* (1938) y *Hacia una filosofía existencial*. D. JESÚS GUISA Y AZEVEDO (nacido en Salvatierra, Estado de Guanajuato, el 15 de octubre de 1900), impetuoso polemista, es autor de un pequeño volumen: *Lovaina, de donde vengo*... (1934), en el cual, considerando que "la Edad Media tiene un sentido eterno, que hay que poner en relación, en contacto, podría decirse, con los estados espirituales del presente", diserta compendiosamente sobre el siglo XIII, el tomismo, el neo-tomismo y la obra del Cardenal Mercier.

Por lo que toca a filología, consignemos el nombre de PABLO GONZÁLEZ CASANOVA (nacido en Mérida, el 29 de junio de 1889; muerto en México, el 24 de marzo de 1936), investigador sapientísimo, desaparecido en plena madurez, de cuyos trabajos muy pocos se han dado a la estampa; y así en filología como en interpretación crítica, sobre todo de los textos latinos, no debe olvidarse el del humanista D. FRANCISCO DE P. HERRASTI. Descuella, asimismo, en materia lingüística, D. MIGUEL SALINAS (nacido en Toluca, el 12 de febrero de 1858; muerto en México el 18 de diciembre de 1938), autor, en en aquel respecto, de valiosos obras, así como de las intituladas *Historias y paisajes morelenses*, *Datos para la historia de Toluca*, *Sitios pintorescos de México* y *Conferencias y algunos artículos filológicos*. Tenía la erudición clásica un joven y distinguido representante en D. GABRIEL MÉNDEZ PLANCARTE (nacido en Zamora, Estado de Michoacán, el año de

1905 y muerto en México, el 16 de diciembre de 1949), quien, además de cultivar la poesía en hermosas y originales estrofas, en su libro *Horacio en México* (1937) estudia las reminiscencias del gran latino en nuestra literatura de los siglos XVI y XVII, así como registra los poetas, traductores e imitadores horacianos que se han sucedido aquí desde el XVIII hasta el presente, y quien ha publicado una edición crítica, con introducción y notas de *Poemas inéditos* (1942), del humanista jesuita J. Juan Luis Maneiro, al que se desconocía como poeta. La lexicografía y la paremiología deben importantes investigaciones a D. DARÍO RUBIO (nacido en el Mineral de la Luz, Estado de Guanajuato, el 8 de diciembre de 1879, y muerto en México el 21 de enero de 1952), autor de *Los llamados mexicanismos de la Academia Española* (1917), *Nahuatlismos y barbarismos* (1919), *La anarquía del lenguaje en la América Española* (1925), *El lenguaje popular mexicano*, y *Refranes, proverbios y dichos y dicharachos mexicanos* (1937). Cabe señalar, como obra muy valiosa en su género, el *Diccionario general de americanismos* compuesto por D. FRANCISCO J. SANTAMARÍA y publicado en 1942 y su monumental *Diccionario de Mejicanismos* que en un tomo de más de mil páginas, ha editado en 1959 la Editorial Porrúa, S. A. Finalmente, y por lo que respecta al lenguaje hípico y a usos y costumbres de la charrería, mencionaremos a D. CARLOS RINCÓN GALLARDO, Marqués de Guadalupe (nacido en México, el 29 de julio de 1874, y muerto en la misma ciudad, el 7 de junio de 1950), a quien se deben dos importantes obras: el *Diccionario ecuestre* (1945), y *El libro del charro mexicano* (1946).

4. *La oratoria*.—Apenas merecía capítulo aparte la oratoria, por lo que hace a las primeras décadas de este siglo. No fue nunca el arte de la elocuencia, en el palenque polí-

tico, de los más ejercitados dentro del largo régimen porfirista; fuera de Bulnes y de D. Juan A Mateos —tan antitéticos—, pocos o ninguno se distinguieron en los debates parlamentarios, inexistentes casi. Con todo, en las postrimerías de dicho régimen, ya que no la oratoria política, la literaria y artística, y en los comienzos de la revolución, la de ardor y vuelo cívicos, tuvieron algún florecimiento. Sobresalían en ésta D. QUERIDO MOHENO y D. LUIS CABRERA: fácil, abundante e ingenioso el primero; agilísimo, seco y de cortante ironía el segundo, en la tribuna de la Cámara, y polemistas y escritores políticos los dos, de extraordinaria pujanza. Así la tribuna parlamentaria y la cívica, como la elocuencia dirigida a exaltar el Arte, la señoreó Jesús Urueta, de quien ya se ha hablado antes. Y, junto a ellos, se destacaron José María Lozano y Nemesio García Naranjo.

JOSÉ MARÍA LOZANO (nacido en San Miguel el Alto, Estado de Jalisco, el 28 de octubre de 1878, y muerto en México el 7 de agosto de 1933), era un orador nato, que subyugaba y rendía; el de más fácil palabra, acaso, que México haya conocido en mucho tiempo. Si para otros —verbigracia, Moheno— la oratoria constituía fruto de paciencia y estudio, para él era natural y fidelísimo don. Por desgracia, lo poco que de su obra dejó escrito, está disperso y no ha sido aún coleccionado.

Al contrario, NEMESIO GARCÍA NARANJO (originario de Lampazos, Estado de Nuevo León, donde vio la luz el 8 de marzo de 1883),* caracterízase por la pausa, por la preparación meditativa, que no excluyen el ímpetu ni el deslumbramiento lírico. De *Discursos* suyos apareció un tomo en 1932. Consagrado al periodismo y a la historia, debémosle

* Fallecido en la ciudad de México, el 21 de diciembre de 1962.

en esta última actividad, sendos estudios acerca de *Porfirio Díaz* (1930) y de *Simón Bolívar* (1931). Atraído por el teatro, compuso y estrenó una comedia: *El vendedor de muñecas* (1937). Es un pulcro y vigoroso prosista.

5. *La novela.*—Ocupa el género novelesco en este período no escasa parte, ni la menos brillante, de la producción literaria. Nacionalizándose más y más, penetrando hondamente en el alma y en las cosas de México, ha seguido la novela las más varias direcciones y asumido en muchos casos raro primor artístico, así en composiciones como en estilo.

Perteneciente al grupo del Ateneo de la Juventud y después a la Academia Mexicana de la Lengua, CARLOS GONZÁLEZ PEÑA (nacido en Lagos de Moreno, Jalisco, el 7 de julio de 1885, y muerto en la ciudad de México el 2 de agosto de 1955), quien con anterioridad a 1910 había dado a conocer sus primeras novelas —*De noche* (1906), *La chiquilla* (1907), *La musa bohemia* (1909)—, publicó en 1919 *La fuga de la quimera*, obra ésta a la que hubo de seguir un volumen de viajes: *La vida tumultuosa: seis semanas en los Estados Unidos* (1920); posteriormente —entre 1945 y 1952— han aparecido los libros que reflejan sus actividades de ensayista, crítico musical, literario y dramático, viajero, cronista evocador del pasado y curioso del presente: *El patio bajo la luna (Escenas y paisajes laguenses), Flores de pasión y de melancolía, El hechizo musical, Gente mía, El nicho iluminado, Mirando pasar la vida, Claridad en la lejanía, El alma y la máscara, Más allá del mar, París y Londres* (Cuadros de viaje), *Por tierras de Italia, Portugal y España.*

MARTÍN LUIS GUZMÁN, nacido en Chihuahua el 6 de octubre de 1887, y perteneciente también a la generación del Ateneo de la Juventud, es el más grande escritor que produjo la Revolución: un prosista diáfano, un ingenio travieso y penetrante, un observador y un investigador sagaz. Pensamiento y acción en él se identifican. Aparte dos ensayos iniciales: *A orillas del Hudson* (1920) y *La querella de México,* además de la preciosa biografía novelada *Mina el Mozo, héroe de Navarra,* toda su obra se inspira en aquel grande acontecimiento histórico del que fue actor y testigo, y por entero se le consagra. En 1928 publica *El águila y la serpiente,* libro el más pujante y vivido que acerca de la Revolución se haya escrito; libro de memorias en el que narra sus propias aventuras y andanzas; pero que se antoja novela por el corte estético que el autor da a los más variados incidentes, por lo apasionante de la trama, y por los coloridos cuadros de costumbres que encierra. Data del año siguiente (1929), *La sombra del caudillo,* novela de plena maestría, la mejor novela política que registran nuestras letras, en la cual se exponen dolorosas realidades de una de las más sombrías épocas de la postrevolución; época caracterizada por la apetencia del poder y la lucha por alcanzarlo. Al cabo, historiador, memorialista y novelista —que todo esto es Guzmán—, se darían la mano para producir la creación más extraordinaria que haya salido de aquella pluma: *Memorias de Pancho Villa,* que empezaron a salir en 1938-39; libro originalísimo y único en su género, donde Martín Luis Guzmán, sustituyéndose a la persona del terrible guerrillero, y adoptando su modo de ser y su peculiar y pintoresco lenguaje, actúa y le hace actuar, poniendo en sus labios el relato de su vida, y dándonos, con ello —y desde el punto de vista de Villa— un relato animado, vibrante y dramático de la Revolución en su más agitado período. En suma, el discurso académico de Guzmán intitulado *Apunte sobre una personalidad,* es un bello y valioso documento autobiográfico que nos permite adentrarnos en el espíritu del propio escritor.

ALFONSO TEJA ZABRE (natural de San Luis de la Paz, Estado de Guanajuato, donde nació el 23 de diciembre de 1888),* tras de ensayarse en *Poemas y fantasías* (1914), cultiva el género novelesco en *Alas abiertas* (1920), *La Esperanza* y *Hatiké* (1922), relatos ambos de viva originalidad, y, el segundo, de atrayente exotismo. Posteriormente dedicóse a la historia. Además de una *Vida de Morelos* (1917), de la *Historia de Cuauhtémoc* y de la *Tragedia de Cuauhtémoc,* ha publicado sus *Ensayos de historia de México,* su *Historia de México: una moderna interpretación,* y su *Teoría de la Revolución.*

ARTEMIO DE VALLE ARIZPE (nacido en Saltillo, Coahuila, el 25 de enero de 1888)** es el creador de la novela artística de ambiente colonial. Tiene ingénito amor al pasado, le placen "los muebles antiguos, porcelanas y marfiles y joyas de elegancia pretérita, las viejas telas"; por sentimiento, y también por conocimiento, pues nadie tan ávidamente como él habrá hurgado en polvorosas crónicas y papeles amarillentos, ha revivido el pasado, con ardiente sensibilidad, en cuentos, novelas, monografías y estudios, artículos y antologías. De sus relatos novelescos citemos: *Ejemplo* (1919), *Vidas milagrosas* (1921), *Doña Leonor de Cáceres y Acevedo* y *Cosas tenedes* (1922), *Tres nichos de un retablo* (1936), *Lirios de Flandes* (1938), *Cuentos del México antiguo* (1939), *El Canillitas* (1942), *La movible inquietud, En México y en otros siglos* (1948). Todo un vasto y animado mundo, novelesco también —en que la fantasía hermana con lo histórico y lo legendario— lo constituyen sus "Tradiciones, leyendas y sucedidos del México Virreinal", importante serie, de la cual van publicados los siguientes volúmenes: *Del tiempo*

* Fallecido en la ciudad de México, el 28 de febrero de 1962.
** Fallecido en la ciudad de México, el 15 de noviembre de 1961.

pasado (1932), *Amores y picardías* (1933), *Virreyes y virreinas de la Nueva España* (dos tomos, 1933), *Libro de estampas* (1934), *Historias de vivos y muertos* (1936), *Andanzas de Hernán Cortés y otros excesos* (1940), *Leyendas mexicanas* (1943), *Jardinillo seráfico* (1944), *Espejo del tiempo, Sala de tapices, Lejanías entre brumas* (1951), *Piedras viejas bajo el sol, Inquisición y crímenes* (1952). Sabroso estudio suyo, lleno de datos para nuestra historia literaria, es el intitulado *Don Victoriano Salado Alvarez y la conversación en México* (1932). Buena parte de nuestra historia —sobre todo en su aspecto anecdótico— la ha estudiado en su monografía sobre *El Palacio Nacional de México* (1936); describe el vivir metropolitano desde los albores del coloniaje hasta nuestros días, ya al trazar galanamente la historia de una calle —*Por la vieja calzada de Tlacopan* (1937), *Calle vieja y calle nueva* (1949)—, ya al historiar un rico arte tradicional —*Notas de platería* (1931)—, o bien tratando de costumbres y cosas ~stras: *Cuadros de México* (1943), ~uando no personajes que tuvieron pintoresco relieve: *La Güera Rodríguez* (1950), *Fray Servando* (1951). Hay que señalar, por último, en la ya caudalosa obra de Valle-Arizpe, otro libro más: *La muy noble y leal ciudad de México* (1924), selección de las más bellas páginas de quienes antaño sobre ella escribieron, el cual, en nueva edición, aumentado y refundido por completo, y con el título de *Historia de la ciudad de México según los relatos de sus cronistas,* se publicó en 1939.

No ha sido, por cierto, la novela de inspiración virreinal, poco cultivada en esta época. JULIO JIMÉNEZ RUEDA (nacido en México, el 10 de abril de 1896),* quien principalmente se ha dedicado al teatro, ya mostraba inclinación a aquel género en algunas páginas de su primer libro:

* Fallecido en la ciudad de México en 1960.

Cuentos y diálogos (1917) y hubo de abrazarlo del todo en el bello relato *Sor Adoración del Divino Verbo* (1923) y en *Moisén* (1924); novelas éstas a las que siguió, mucho más tarde, otra de carácter humorístico: *La desventura del Conde Kadski* (1935). Sus breves andanzas diplomáticas suministráronle materia para un volumen de impresiones de viaje por Sudamérica: *Bajo la Cruz del Sur* (1922). Aportación importante para el conocimiento de nuestras letras es su *Historia de la literatura mexicana* (1928); a la que hay que añadir sus estudios sobre *Juan Ruiz de Alarcón* (1934) y sobre *Lope de Vega* (Ensayo de interpretación, 1935), su magistral libro *Juan Ruiz de Alarcón y su tiempo* (1939), publicado como contribución valiosísima al celebrarse el tercer centenario de la muerte del gran dramaturgo, la biografía sobre *Don Pedro Moya de Contreras, primer Inquisidor de México;* en fin, *Letras mexicanas en el siglo XIX* (1944), y *Herejías y supersticiones en la Nueva España (Los Heterodoxos en México),* 1946.

FRANCISCO MONTERDE (nacido en México, el 9 de agosto de 1894), comediógrafo también, inquieto escritor que ha gustado de hollar los más diversos caminos —la crítica y la historia: *Los virreyes de la Nueva España* (1922), *Manuel Gutiérrez Nájera* (1925), *Amado Nervo* (1929), *En defensa de una obra y de una generación* (1935), *Cultura mexicana* (1946); la poesía: *Itinerario contemplativo* (1933); el relato de viajes: *Perfiles de Taxco* (1928)—, ensayó, asimismo, la evocación virreinal en dos novelas cortas: *El madrigal de Cetina* y *El secreto de la escala* (1918), por más que después haya seguido en el género romancesco otros rumbos: *Un autor novel* (1925), *Cuentos mexicanos* (1936), *Galería de espejos* (1937), y vuelto al tema colonial, ya en plena madurez, con otro volumen de cuentos: *El temor de Hernán Cortés* (1943), que precedió a su más reciente y evocador relato novelesco: *Moctezuma, el de la silla de oro* (1946). De igual suerte ERMILO ABREU GÓMEZ (nacido en Mérida, Yucatán, en 1894) se sintió atraído por el tema virreinal en *El corcovado* (1924) y en *La vida milagrosa del venerable siervo de Dios Gregorio López* (1925); posteriormente ha publicado un volumen de cuentos: *Héroes mayas* (1942); otro de crítica: *Clásicos, románticos, modernos*, y contribuido al estudio de la personalidad y de la obra de Sor Juana Inés de la Cruz, así en ediciones prologadas y anotadas por él mismo, tales como la *Respuesta a Sor Filotea*, y las *Vidas* de la poetisa escritas por D. Juan José Eguiara y Eguren y el P. Diego Calleja; como con su erudito trabajo intitulado *Sor Juana Inés de la Cruz: bibliografía y biblioteca* (1934).

MARIANO AZUELA, por sus años (nació en Lagos de Moreno, Jalisco, el 1º de enero de 1873; murió en México, el 1º de marzo de 1952), y también por la primera parte de su obra —*María Luisa* (1907), *Los fracasados* (1908), *Mala yerba* (1909)— pertenece al período anterior; pero lo sitúan en el presente sus novelas inspiradas en escenas de la Revolución y las de carácter psicológico y costumbrista que con posterioridad ha escrito: *Andrés Pérez, maderista* (1911), *Los de abajo* (1916), *Las moscas* (1918), *Las tribulaciones de una familia decente* (1918), *La malhora* (1923), *El desquite* (1925), *La luciérnaga* (1932), *El camarada Pantoja* (1937), *Regina Landa* (1939), *Avanzada* (1940), *Nueva burguesía* (1941), *La marchanta* (1944), *La mujer domada* (1946), *Sendas prohibidas* (1949) y *La maldición* (1955), libros a los que debe agregarse la hermosa biografía anovelada que consagró al insurgente D. Pedro Moreno, un tomo de *Teatro* (que contiene las piezas intituladas *Los de abajo*, *El buho en la noche, Del Llano Hermanos, S. en C.*) y el volumen de crítica que

lleva el nombre de *Cien años de novela mexicana* (1947). Azuela se distingue por su vigor, por lo acucioso de la observación, y ha sido entre nuestros modernos novelistas, uno de los más traducidos.

MARTÍN GÓMEZ PALACIO (nacido en Durango, en 1893) ha escrito lindos versos —véase el volumen *A flor de la vida* (1921)—; pero casi por manera exclusiva ha escrito novelas: *La loca imigración* (1915), *A la una, a las dos y a las...* (1923), *El santo horror* (1925), *El mejor de los mundos posibles* (1927), *La venda, la balanza y la ejpá* (1936), *El potro*. Es un prosista robusto, un analizador sagaz, un narrador lleno de ironía y de donaire; en páginas llenas de vibración y colorido ha reflejado tipos y escenas de la vida mexicana. Igualmente la novela psicológica —*Dilema* (1921)—, y además, con singular acierto, la regional —*Gente mexicana* (1924)—, ha ocupado la pluma de XAVIER ICAZA, cuya postrera producción, que no sabríamos si considerarla dentro del género novelesco, es un "retablo tropical": *Panchito Chapopote* (1928).

La novela de costumbres ha tenido un representante en D. ESTEBAN MAQUEO CASTELLANOS con *La ruina de la casona* (1921), y ha sido fecundamente cultivada por D. EDUARDO J. CORREA, del que mencionaremos, entre sus principales producciones, *Las almas solas, El milagro de milagros, Los impostores*. De tesis social es *La hermana impura* (1927) de JOSÉ MANUEL PUIG CASAURANC (nacido en Laguna del Carmen, Campeche, el 31 de enero de 1888; muerto en La Habana, el 9 de mayo de 1939), el cual hubo de iniciarse con un volumen de cuentos de honda dramaticidad: *De la vida* (1922), y escribió posteriormente otro: *Su venganza* (1930). En fin, GENARO ESTRADA (nacido en Mazatlán, el 2 de junio de 1887, y muerto en México el 29 de septiembre de 1937), quien en limpia prosa compuso un libro de estampas coloniales: *Visionario de la Nueva España* (1921), espigó igualmente en el género novelesco, como de ello da fe el malicioso y sutil *Pero Galín* (1926).

A no menor número de escritores atrajo el cuento. Señalemos en primer término a GENARO FERNÁNDEZ MAC-GREGOR (nacido en la ciudad de México, el 4 de mayo de 1883):* sus *Novelas triviales* (1918) son breves narraciones de agudo análisis y jugoso estilo. Fernández MacGregor enderezó después sus actividades hacia la crítica, en la que resalta tanto por el severo gusto como por profunda, varia y depurada cultura. Ha publicado en este género un *Apunte crítico del arte contemporáneo* (1931), *La santificación de Sor Juana* (1932), *Díaz Mirón* (1935), *Carátulas* (1935), *Genaro Estrada* (1938), *Mora redivivo* (1938). A la novela corta torna, sin embargo, y por cierto de manera magistral, en un nuevo libro: *Mies tardía* (1939). En fin, recientes andanzas suyas por Europa dieron motivo para sus *Notas de un viaje extemporáneo* (1952).

JULIO TORRI (nacido en Saltillo, Coahuila, el 27 de junio de 1889) —"un humorista, según Alfonso Reyes, de humorismo funesto, inhumano, un estilista castizo"— es autor, aparte de un pequeño y celebrado tomo de *Ensayos y poemas* (1917), de un volumen de cuentos: *De fusilamientos* (1940). CARLOS DÍAZ DUFOO JR., sutil y malogrado escritor (nació en México el 28 de noviembre de 1888, y aquí mismo murió el 30 de abril de 1932), semejante, en mucho, a Torri, cultivó asimismo el ensayo, la prosa irónica, incisiva, en su libro: *Epigramas*. Cuentista por antonomasia, puede considerarse a MARIANO SILVA Y ACEVES (nacido en La Piedad Cabadas, Michoacán, el 26 de junio de 1886, y muerto en México, el 24 de noviembre de 1937),

* Fallecido en la ciudad de México, el 22 de diciembre de 1959.

escritor limpio y diáfano, de emoción contenida, y también a veces, de fino humorismo, revélase en *Arquilla de marfil* (1916), *Cara de virgen* (1919), *Animula* (1920), *Campanitas de plata* (1925), *Muñecos de cuerda* (1937). El DOCTOR ATL, de quien ya se hizo mención en materia de crítica de arte, figura entre los cultivadores de la prosa breve y del cuento con algunos volúmenes: *¡Arriba, arriba!* (1927), *Cuentos bárbaros* (1929), *Cuentos de todos colores* (1933); y aun habría de consignar, del mismo, su original libro *Un hombre más allá del universo* (1935). GUILLERMO JIMÉNEZ (nacido en Zapotlán, Jalisco, el 9 de marzo de 1891), sobresale en la crónica y en la narración corta: *Almas inquietas* (1915), *Del pasado* (1916), *La de los ojos oblicuos* (1922), *Cuaderno de notas* (1929); ha publicado, además, dos libros de otra índole: *Zapotlán* (1931), *La danza en México* (1932), así como varias antologías y selecciones. En suma, ISIDRO FABELA (nacido en Atlacomulco, Estado de México, el 24 de junio de 1884), mostró preferencias por el cuento rural en *La tristeza del amo* (1915), aunque después haya abandonado el género para dedicarse a trabajos de derecho internacional e historia diplomática: *Los Estados Unidos contra la libertad; Los precursores de la diplomacia mexicana* (1916); *Belice: defensa de los derechos de México* (1944).

Aun en el breve relato ha ejercido el tema virreinal —insistente en la literatura de nuestros días— su sortilegio. MANUEL HORTA (nacido en la ciudad de México el 15 de octubre de 1897), delicado estilista que dio comienzo a su carrera literaria con un volumen de cuentos: *Vitrales de capilla* (1917), ha escrito *Estampas de antaño* (1919), una *Vida ejemplar de D. José de la Borda* (1928), y un curioso y pintoresco libro, interesante para el estudio de las costumbres de toda una época: *Ponciano Díaz: silueta de un torero de ayer* (1943), y JORGE DE GODOY (nacido en Popotla, Distrito Federal, en 1894) aparece como escritor de grato preciosismo en *El libro de las rosas virreinales* (1923). Citemos, en fin, a otro prosista, y poeta, además, de rara exquisitez: a FRANCISCO OROZCO MUÑOZ (nacido en San Francisco del Rincón, Estado de Guanajuato, el 3 de octubre de 1884, muerto en México el 8 de marzo de 1950), el cual, habiéndose educado y pasado buena parte de su vida en Bélgica, a este país consagró dos hermosos libros: *Invasión y conquista de la Bélgica mártir* (1915), *Bélgica en la paz* (1919); y después dio a las prensas dos volúmenes de alada poesía: *¡Oh, tú que comienzas a tener un pasado!* (1932), y *Renglones de Sevilla* (1947).

Lejos de amortiguarse la producción novelesca, en los últimos años ha mantenido singular esplendor:

GREGORIO LÓPEZ Y FUENTES (nacido en la hacienda de "El Mamey", perteneciente al ex cantón de Chicontepec, en la Huaxteca Veracruzana, el 17 de noviembre de 1897, habiéndose consagrado inicialmente a la lírica con dos tomos de versos: *La siringa de cristal* (1913), y *Claros de selva* (1922), acabó por abrazar la novela. A su primera producción en este género: *Campamento* (1931), sucediéronle *Tierra* (1932), *Mi general* (1933), *El indio* (1935), *Arrieros* (1937); briosas evocaciones de la vida mexicana en la época de la Revolución, a la que presentan ya en su aspecto militar, ya en el agrario o en el racial; cuando no tienen, como la indicada en postrer término, fuerte sabor de tradición rural. López y Fuentes es un novelista todo nervio; frecuentemente, y por ello mismo, de enérgica rudeza. Siente con vivacidad el campo —¡como que impresiones campestres fueron las recibidas por sus ojos desde la infancia!— y lo reproduce con austero colorido. *El indio* mereció el Premio Nacional de Literatura en 1935, y ha sido reiteradamente tra-

ducida. En su novela *Huasteca* (1939) dramatiza una cuestión palpitante: el petróleo mexicano; más que con ironía, con sarcasmo, éntrase en los campos de la política: *Acomodaticio: novela de un político de convicciones* (1943); en *Los peregrinos inmóviles* (1944), muestra, con acentuado y casi diríamos "folklórico" provincialismo, cierta traza simbólica, que también creeríamos advertir en *Entresuelo* (1948). *Milpa, potrero y monte*, su relato novelesco más reciente, refiérese a las familias campesinas que, por falta de garantías en algunas regiones, se refugian en las ciudades o van a desmexicanizarse en los Estados Unidos.

Lleno de efusión lírica entró también en las letras JOSÉ RUBÉN ROMERO (nacido en Cotija de la Paz, Estado de Michoacán, el 25 de septiembre de 1890, muerto en México el 4 de julio de 1952). A sus primeros ensayos poéticos escritos y publicados en el rincón provinciano, siguieron obras de lozana madurez, como *Tacámbaro* (1922) y *Versos viejos* (1930). Después, "lejos de la patria, recordándola a toda hora", y volviendo los ojos hacia la propia tierra michoacana donde corrieron sus años de niñez y los de su azarosa primera juventud, diose a evocarlos en cuatro libros —"novelas, cuentos, relatos de cosas vividas o como ustedes quieran llamarlas", según desenfadadamente él mismo dice—: *Apuntes de un lugareño* (1932), *Desbandada* (1936), *El pueblo inocente* (1936), y *Mi caballo, mi perro y mi rifle* (1936); a los cuales hay que agregar, por riguroso derecho de hermandad, *La vida inútil de Pito Pérez* (1938), compuesto ya de retorno en la patria. Novelas regionales con peculiarísimo sello de originalidad son todas éstas en que el sentido de lo pintoresco, la acentuada nota costumbrista, el perfil picaresco y lo sobrio y jugoso de la forma, se asocian con una gracia que no por ser muy del autor deja de ser mexicanísima. En dos libros posteriores: *Anticipación a la muerte* (1939), capricho humorístico al par que lúgubre, y *Una vez fui rico,* relación contemporánea del vivir metropolitano, hubo de apartarse del escenario regional, aunque volvió después a él con *Rosenda* (1946), su más reciente libro. Algunas obras de J. Rubén Romero han merecido los honores de la traducción a diversas lenguas.

TEODORO TORRES (nacido en la Villa de Guadalupe, Estado de San Luis Potosí, el 4 de enero de 1891, muerto en México, el 26 de septiembre de 1944) es una de las figuras más interesantes y cautivadoras de la novelística mexicana. Hizo sus primeras armas en el periodismo en 1914. Sus primicias literarias, inspiradas en personajes y sucesos de la era revolucionaria, las encontramos en una biografía pintoresca: *Pancho Villa: una vida de romance y de tragedia* (1924). Luego surge el humorista, fino y sagaz, en *Como perros y gatos* (1925). Un libro anecdótico, en que resalta el periodista, sigue a los anteriores: *Orígenes de las costumbres* (1934). Y el periodista se mostrará historiador y crítico de lo que es su oficio, en el intitulado *Periodismo* (1937); como historiará y ejemplificará también el humorista su propio género en *El humorismo y la sátira en México* (1943). Mas Teodoro Torres, antes que nada, era novelista; un curioso de almas y paisajes. La obra que como tal le consagró: *La patria perdida*, publicóse en 1935. Sobre el tema de la emigración mexicana a los Estados Unidos, traza ahí un cuadro que por el vigor de la composición, por la brillantez del colorido, la luminosa torrencialidad de la prosa, el bien graduado impulso dramático, la exuberancia lírica, la sensación de hormigueo, de pululación humana que en él palpita, no sólo es una obra de arte, sino, por su trascendencia social, de patria y de raza. Insuperada —y acaso insuperable— hubiese quedado esa nove-

la, a no ser porque Torres, en plenitud y lozanía arrebatado por la muerte, no hubiera compuesto en sus años postreros, algo todavía más grande y mejor; lo que constituye su obra maestra: *Golondrina* (1944), que salió al público al día siguiente de los funerales del escritor. Novela magistral por todos conceptos, por el asunto, por la composición y por la forma, sírvele de fondo un gran tema social: la despoblación de los pequeños poblados a raíz de nuestras convulsiones revolucionarias. Vigoroso canto a la tierra nativa, en apasionante drama contrástase allí el terruño con la metrópoli. Tipos y costumbres están pintados con vigor y ternura, cuando no con ironía y gracia. Y si rica en pormenores, animadísima en la sucesión de cuadros, *Golondrina* hechiza por su variedad y diversidad; nos impresiona, en su graciosa y noble armonía, como soberbio mármol en que puso la mano un grande artista. Sería su libro postrero y su libro mejor. La plenitud de gloria literaria encontrábala Teodoro Torres al bajar al sepulcro.

Influencia decisiva, por lo que se va viendo, ha tenido la Revolución en la novelística mexicana de este período. Sea también de ello muestra RAFAEL FELIPE MUÑOZ (nacido en la ciudad de Chihuahua, el 1º de mayo de 1899). La figura del tremendo guerrillero atrájole para biografiarla en su primer libro: *Francisco Villa* (1923), y siguió dominando en casi toda su obra novelesca constituida por *El feroz cabecilla* (cuentos de la Revolución en el Norte, 1928), *El hombre malo* (cuentos y relatos, 1930), *¡Vámonos con Pancho Villa!* (novela, 1932), traducida, por cierto, al inglés y al alemán; *Si me han de matar mañana...* (1933), y *Se llevaron el cañón para Bachimba* (1924), novelas breves y cuentos. A la observación sagaz y conocimiento del medio, que comunica a sus narraciones profundo realismo, une Muñoz delicada poesía. Mirando al pasado, escribió una preciosa biografía anovelada, en nervioso estilo y matizada por leve ironía, la cual hubo de publicarse, cercenada, en Madrid, en 1936, con el título de *Santa Anna, el que todo lo ganó y todo lo perdió*, y al año siguiente, completa, en México, con el de *Santa Anna, biografía de un dictador*.

Otro novelador de fuerte personalidad, de rudo y mordicante realismo, que ha abordado el tema de la Revolución y estudiado a los revolucionarios que, ya en el poder, se olvidaron de ella; tanto como, con acentuado relieve, hecho la sátira de los tiempos que corren, es JORGE FERRETIS (nacido en Rioverde, Estado de San Luis Potosí, en 1902). Su producción comprende cuatro novelas: *Tierra caliente, El Sur quema, Cuando engorda el Quijote, San Automóvil*, y un volumen de cuentos: *Hombres en tempestad*.

Escritor que se destaca por su actividad múltiple, por su vena fecunda, y sobre todo, por su vigoroso colorido mexicanísimo, es MAURICIO MAGDALENO (nacido en la Villa del Refugio, Estado de Zacatecas, el 13 de mayo de 1906). Habiendo apuntado hacia la escena, como lo revelan tres obras: *Pánuco 137, Emiliano Zapata* y *Trópico*, contenidas en el volumen intitulado *Teatro revolucionario mexicano* (1933), su consagración definitiva ha sido la novela, en la que se destaca con robusta personalidad y en la que ha realizado una producción considerable: *Campo Celis* (1935), *Concha Bretón* (1936), *El resplandor* (1937), *Sonata* (1941), *La tierra grande, Cabello de elote* (1949). De su pluma han salido también dos tomos de ensayos: *Rango* (1941) y *Tierra y viento* (1948), notable este último por su fuerza descriptiva, por la fidelidad del paisaje.

Entre novelistas y cuentistas que asimismo se hallan ahora en plena producción mencionemos a DOLORES BOLIO, escritora yucateca originaria de Mérida, quien, habiéndose iniciado y persistido en la lírica (*De intimidad*, 1917; *A su oído*, 1918; *Yerbas de olor*, 1924), en el género romancesco es autora de varios libros: *Aroma tropical* (cuentos, 1917), y las novelas *Una hoja del pasado* (1919), *En silencio* (1936), *Un solo amor* (1937), impregnados todos ellos de honda feminidad; a RUBÉN SALAZAR MALLÉN, prosista sobrio, crítico de amplia visión, que se consagra principalmente a dilucidar los ingentes problemas sociales de nuestro tiempo, y a quien se deben dos novelas de fino análisis psicológico: *Camino de perfección* (1937) y *Ojo de agua* (1949); a EDUARDO LUQUIN, que revela singular originalidad en su relato *Agua de sombra* (1937); a ROSA DE CASTAÑO, por sus novelas *Rancho Estradeño* y *Fruto de sangre;* a AGUSTÍN YAÑEZ, autor de un volumen de relatos novelescos: *Archipiélago de mujeres* (1943) y una novela de profundo hurgar en las almas: *Al filo del agua* (1947); a LEONOR LLACH, por su libro de cuentos *Gente conocida* (1933); a LUCIO MENDIETA Y NÚÑEZ, quien consagrado a trabajos sociológicos, revélase también ágil cultivador del cuento en *La caravana infinita* (1942), y, en fin, a RAFAEL SOLANA, cuya actividad literaria, si bien se ha ejercido y ejerce en la poesía (*Ladera*, 1934; *Los sonetos*, 1937; *Los espejos falsarios*, 1944; *Cien veces el mismo soneto*, 1948) y en la novela (*El envenenado*, 1939), cífrase principalmente en el cuento, género que cultiva con gallardía y soltura: *La trompeta* (1942), *La música por dentro* (1943), *Los Santos Inocentes* (1944), *El crimen de tres bandas* (1945), *Trata de muertos* (1947). En resolución, el estímulo al género novelesco se ha vigorizado en los últimos tiempos con el Premio Anual de Literatura "Miguel Lanz Duret", instituido por el diario EL UNIVERSAL, para celebrar anualmente un concurso en el que se decide cuál es la mejor novela. Las que hasta hoy han obtenido la palma en dicho certamen son: *Ciu-*

dad (1941), de José María Benítez; *El hombre de barro* (1942), de Adriana García Roel; *El jagüey de las ruinas* (1943), de Sara García Iglesias; *Pensativa* (1944), de José Goytortúa; *Las islas también son nuestras* (1945), de Gustavo Rueda Medina; *Playa Paraíso* (1946), de Gilberto Chávez; *La Escondida* (1947), de Miguel N. Lira.

6. *La poesía.*—Continuaban en cierto modo los poetas de *Savia Moderna,* que después formaron en el grupo del Ateneo, la tendencia modernista; aunque, eso sí, cada cual con propia y enérgica personalidad.

ROBERTO ARGÜELLES B R I N G A S (nacido en Orizaba, Estado de Veracruz, el 2 de julio de 1875; muerto en Mixcoac, Distrito Federal, el 1º de noviembre de 1915) era el poeta "de la fuerza y del dolor acordes" —según ha expresado Luis Castillo Ledón. Vigoroso, elegante y tétrico a la vez, tenía un superior dominio de la técnica. Su obra está esparcida, principalmente, en las páginas de *Revista Moderna;* el día en que se la clasifique y reúna, mostrará de cuerpo entero a una de las figuras más interesantes de la lírica de su tiempo.

Los versos de RAFAEL LÓPEZ (nacido en la ciudad de Guanajuato, el 4 de diciembre de 1875; muerto en México, el 16 de julio de 1943), tienen majestuosa belleza escultórica; y rica de imágenes es su prosa, sembrada a manos llenas en periódicos y revistas. "Poeta —ha dicho Alfonso Reyes— de apoteosis y de fiesta plástica, de mármol y de sol." Pero no es esto solamente: en ocasiones —como justamente advierte Eduardo Colín— en ocasiones "su exceso pindárico y su fiebre cromática se aplacan". Aparece entonces el poeta "natural", entonces surge el poeta que huye "el brillo, el boato de las tintas venecianas y toma el camino perenne de Florencia". Hállanse reunidos los poemas de Rafael López en dos volúmenes: *Con los ojos abiertos* (1912) y *Poemas* (1941).

En la lírica, lo único que se cono-

ce de EDUARDO COLÍN (nacido en la ciudad de México, el 19 de junio de 1880; muerto en Cuernavaca, el 20 de marzo de 1945) son los nueve poemas de *La vida intacta* (1916). Versos nítidos y rotundos de vibración juvenil; poesía fuerte y robusta, toda equilibrio y salud; poesía que en sus temas da —afirma Genaro Estrada— "la sensación de cosa vivida y accesible que todos hemos visto y sentido a cada paso; pero que el poeta realiza en una forma expresiva y caliente, con tonos emocionados tan sugestivamente interpretados, que a veces se desenfada y da a un mismo tema variaciones inspiradas y agradables que resultan del cambio del número y del acento prosódico". Las actividades de Colín se ejercieron después casi exclusivamente en la crítica: *Siete cabezas* (1921), *Verbo selecto* (1922), *Rasgos* (1934). "La lengua —apunta Baldomero Sanín Cano— tiene en sus manos fulgores metálicos, elasticidad de materia orgánica." "La lúcida inteligencia del justipreciador en cuestiones de arte —hace notar el colombiano Eduardo Castillo— está vivificada en él por la exquisita emotividad del poeta." Su postrer libro fue de índole romancesca: *Mujeres* (fábula, 1934).

Un alma apasionada, pensativa, que canta —sencillez y sinceridad, y también elegancia y melancolía, son en ella inseparables— se nos revela en otro poeta que presto abandonó la lírica: LUIS CASTILLO LEDÓN (nacido en Santiago Ixcuintla, del hoy Estado de Nayarit, el 17 de enero de 1879; muerto en México, el 7 de octubre de 1944). Su obra poética hállase reunida en un volumen: *Lo que miro y lo que siento* (1916). La construcción gallarda, la nota de intimidad, cierto sensualismo de influencia d'annunziana, resaltan en estos versos de la primera juventud. Mas; sonriéndole la poesía, para la cual tenía maravillosas dotes, así por lo que hace a la lírica como a la novela, Castillo Ledón hubo de consagrarse de lleno a la historia. Tanto o más que revelar los tesoros de una rica sensibilidad, tanto o más que descubrir la belleza presente y auscultar ajenas almas, atrájolo apasionadamente la revolución del pasado. Era un investigador severo, un analizador escrupuloso y tenaz. Pocos habrán ahondado como él ciertos períodos de nuestra historia; el de la Independencia singularmente. Designado por Justo Sierra, a la sazón Ministro de Instrucción Pública y Bellas Artes, recorrió, a partir de 1908, el itinerario de Hidalgo, desde el lugar del nacimiento hasta el del martirio del Libertador, tomando fotografías, reuniendo documentos y haciendo en el lugar mismo de los sucesos grande acopio de datos. Aquel largo peregrinar histórico decidió de su vida literaria posterior. Toda ella hubo de consagrarse a la investigación y estudio de cuanto se relacionase con el Padre de la Patria. Quería mostrar a los mexicanos —según reiteradamente afirmaba— una gran figura histórica hasta hoy desconocida en su integridad. Más de treinta años —con interrupciones y pausas motivadas antes que nada por su naturaleza enfermiza —dedicó el escritor a la tarea, con decisión y tenacidad; por manera que se creería que sólo esperaba terminarla, para bajar a la tumba. La monumental obra, con el título de *Hidalgo: la vida del héroe,* se publicó en dos gruesos volúmenes (1948). Aparte tal libro, que es culminante, señalemos, fuera de lo todavía no coleccionado o inédito, entre la producción histórica de Castillo Ledón, los siguientes estudios y monografías: *Los mexicanos autores de óperas* (1910), *El chocolate* (1917), *Antigua literatura indígena mexicana* (1917), *Orígenes de la novela en México* (1922), *Museo Nacional de Arqueología, Historia y Etnología* (1924), *El paseo de la Viga y de Santa Anita* (1925), *La fundación de la ciudad de México* (1925), *La conquista y colonización española en México; su verdadero carácter* (1932) y el excelente estudio que precede al *Epistolario* de Juan de la Granja (1937).

La nota de intimidad, la profunda nota, acentúase aún más en MANUEL DE LA PARRA (nacido en Sombrerete, Estado de Zacatecas, el 29 de marzo de 1878; muerto en México, el 9 de septiembre de 1930). Poesía cristalina, pura, la suya. En sus versos —advierte Alfonso Cravioto— la vida se refracta sin brusquedad y sin crudeza. "El color se vuelve melancolía y la pasión saudades. No hay lamentos: suspiros; no hay desesperaciones: nostalgias. Obra es toda de matiz, de tonalidad menor, de languidez, de suavidad y de sordina." Las poesías de Manuel de la Parra se imprimieron en un volumen: *Visiones lejanas,* en 1914.

Más que del verso mostrábase en sus principios ALFONSO CRAVIOTO (nacido en Pachuca, Estado de Hidalgo, el 24 de enero de 1883; muerto en la ciudad de México, el 11 de septiembre de 1955) nimio cultivador de la prosa. Entre sus primeros trabajos figuran dos monografías de crítica pictórica: consagradas a Eugenio Carrière la una, y a Germán Gedovius la otra. Gustaba Cravioto de la prosa artística. Su pluma era una paleta. El afán estético de perfección que le atormentaba hacía contraste a veces con sus características salidas de socarrón humorismo. Entró en la lucha civil; le absorbió la política. Apenas cuando ésta le confina en momentáneo reposo, en un paréntesis, escribe los únicos versos que ha coleccionado: *El alma nueva de las cosas viejas* (1921), versos de rara virtuosidad, inspirados en el ambiente de la Nueva España.

JOAQUÍN MÉNDEZ RIVAS (nacido el 20 de julio de 1888 en la ciudad de México), asocia en sus versos, al vigor y a la rotundidad, un soplo de la poesía antigua; dentro de su inquietud moderna, las *Geórgicas* (1923) tienen inspiración clásica. Anteriores a esta obra son otras dos colecciones líricas: *Los poemas estudiantiles* (1921) y *Madrigales escritos con sangre* (1922). Débese, además, a Méndez Rivas, la única tragedia en verso que registra el teatro nuestro en este postrer período: *Cuauhtémoc* (1925), aun no representada.

Con RAFAEL CABRERA (nacido en la ciudad de Puebla el 5 de mayo de 1884, y muerto en México el 21 de febrero de 1943), se completa el núcleo de la lírica dentro del Ateneo. "De sentimientos delicados y emociones sutiles, puro y elegante, a la vez que castizo y moderno" —según expresión de Pedro Henríquez Ureña—, Cabrera fue también, como algunos de los anteriores, el poeta de un solo libro: *Presagios* (1912).

José DE J. Núñez y Domínguez (originario de Papantla, Estado de Veracruz, donde nació el 27 de abril de 1887)* ha consagrado su vida al periodismo y a las letras. Poeta de delicadeza romántica se nos muestra, todo intimidad y emoción; por el sentimiento, y, a menudo, por los "escenarios", mexicanísimo; muy pulido, y moderno por la forma, en la que, si verdad es —como observa Colín—, que se nota "inclinación a cierta brillantez musical y pictórica", mucho más a menudo advertimos —según nota Urbina— "acariciadora suavidad, música en sordina, velados medios tonos". Cinco tomos de versos lleva publicados: *Holocaustos* (1915), *La hora del Ticiano* (1917), *Música suave* (1921), *El inútil dolor* (1924), *Espuma de mar* (1935), y en 1937 publicóse uno de sus *Poesías selectas*. Su obra en prosa es no menos abundante. Al cronista le encontramos en *Las alas abiertas* (1925), en *El imaginero del amor* (1927). En sus *Cuentos mexicanos*, publicados ese mismo año, pintó con gallardía tipos y costumbres nacionales. Y, por lo que se refiere a la historia y a la crítica literaria, sus libros, nutridos de información de primera mano y ofreciendo originales puntos de vista, comprenden variadísimos asuntos: *El*

*. Falleció en Santiago de Chile en 1959.

rebozo (1914), *Los poetas jóvenes de México y otros estudios nacionalistas* (1918), *Al margen de la historia* (1927), *Un virrey limeño en México: D. Juan de Acuña, marqués de Casa Fuerte* (1927), *Gestas del solar nativo: relatos históricos del Estado de Veracruz* (1931), *Martí en México* (1933), *Ventura García Calderón* (1938), *Escritores franceses contemporáneos* (1941), *Historia y tauromaquia mexicana, Rómulo Gallegos y la novela hispanoamericana, La coalición de Oriente* (1944). A todo lo cual hay que agregar su último libro intitulado *La Virreina Mexicana.*

ENRIQUE FERNÁNDEZ LEDESMA (nacido en Pinos, Estado de Zacatecas, el 15 de abril de 1888; muerto en México, el 9 de noviembre de 1939), se dio a conocer en plena madurez lírica: su libro de versos *Con la sed en los labios* (1919), tiene inspiración semejante a la de López Velarde en su primera época; inspiración semejante en cuanto a temas y ambientes que solicitan al poeta, bien que Fernández Ledesma, por la forma y por la emoción, tenga un perfil característico y muy suyo. Consagrado más tarde a la prosa en el ejercicio de la crítica literaria y en la evolución histórica, escribió dos volúmenes: *Viajes al siglo XIX* (1933), y *Galería de fantasmas: años y sombras del siglo XIX* (1939), que salió en edición póstuma, por los cuales desfilan, coloridas y vivientes figuras y figulinas que palpitan en la atmósfera espiritual de esa época peculiarísima del vivir mexicano; publicó, además, la *Historia de la tipografía en México: impresos del siglo XIX* (1935), tan rica en datos y apreciaciones acerca del desenvolvimiento de nuestras letras en aquella época.

FRANCISCO CASTILLO NÁJERA (nacido en Durango, el 25 de noviembre de 1886; muerto en la ciudad de México el 21 de diciembre de 1954), médico y prominente diplomático, ha consagrado no escasa parte de su actividad a las letras. En 1906 publica su primer libro de versos: *Albores;* data de 1931 su colección de valiosas traducciones *Un siglo de poesía belga, 1830-1930;* es famoso su corrido de *El gavilán* (1934). En 1936 aparecieron sus *Consideraciones sobre el español que se habla en México;* en 1946, *Treguas líricas,* y, por último, en 1950, un libro de crítica: *Manuel Acuña.*

En la propia escuela de López Velarde, aunque, si se quiere, siendo precursor de ella, hay que situar a FRANCISCO GONZÁLEZ LEÓN (nacido en Lagos, Estado de Jalisco, el 10 de septiembre de 1862; muerto en la misma ciudad, el 9 de marzo de 1945). Bien que recluido él amorosamente y por siempre en la provincia, a la que por manera vivaz caracteriza y refleja, su poesía, tanto por la novedad de la técnica como por la inspiración singularísima, se ha impuesto al interés y a la consideración nacionales. El alma de González León aspira la fragancia "de las cosas que fueron", embebida en el silencio del rincón nativo. Con ese silencio se ha desposado; nos lo transmite, nos lo hace sentir en sus versos: "Su originalidad —expresaba Ramón López Velarde— es la verdadera originalidad poética: la de las sensaciones." El primer volumen de poemas de González León que conoció realmente el público fue *Campanas de la tarde* (1922), pues *Megalomanías* y *Maquetas,* publicados ambos en Lagos en 1908, son excesivamente raros. Siguieron después los intitulados *De mi libro de horas* (1937) y *Agenda* (1946).

ALFONSO JUNCO (nacido en Monterrey, en 25 de febrero de 1896), ha levantado abundante cosecha lírica: *Por la senda suave* (1917), *El alma estrella* (1920), *Posesión* (1923), *Florilegio eucarístico* (1926), *La divina aventura* (1938). Es poeta de vigoroso ~stro, de forma nítida, y en él resplandece ardiente ímpetu religioso. Incansable batallador en defensa de la fe católica, cronista, crítico de varia y amena cultura literaria, escritor, en suma, interesado en cuestiones de historia y política, su obra en prosa comprende: *Fisonomías* (1927), *La traición de Querétaro* (1930), *Cristo* (1931), *Un radical problema guadalupano* (1932), *Motivos mexicanos* (1933), *Inquisición sobre la Inquisición* (1933), *Un siglo de México* (1934), *Cosas que arden* (1934), *Carranza y los orígenes de su rebelión* (1935), *Lope ecuménico* (1935), *Gente de México* (1937), *Lumbre de México* (1938), *Savia* (1939), *Sangre de Hispania.*

Consideremos entre los poetas que florecieron contemporáneamente o a no larga distancia de la generación del Ateneo de la Juventud, a SAMUEL RUIZ CABAÑAS (nacido en México, el 20 de agosto de 1886), cuya extrema delicadeza, elegancia y maestría resaltan en los tres volúmenes que ha publicado: *Primicias líricas* (1904), *La vida se deshoja* (1906), *El cancionero de Pierrot* (1907); a CARLOS BARRERA, de briosa entonación lírica, autor de *Odas campestres y otros poemas, De cara al mar* y el *Corrido de Monterrey;* a FRANCISCO GONZÁLEZ GUERRERO; a JOAQUÍN RAMÍREZ CABAÑAS (*Esparcimiento,* 1925); a ANTONIO MORENO Y OVIEDO (originario de Lagos, Estado de Jalisco, donde nació el 2 de septiembre de 1862), quien, muy tardíamente, reúne su pulcra y depurada producción lírica en un libro: *Incienso en el rescoldo* (1935), al que siguió el intitulado *Pátina* (1940); a JOSÉ D. FRÍAS (1891-1936), inquieto y original, de quien se ha publicado un tomo de *Poesías escogidas;* a PEDRO REQUENA LEGARRETA (1893-1918), como el precedente, muerto ya, y en la flor de la vida, por cierto; a GUILLERMO PRIETO YEME (nacido en Tacubaya, el 9 de agosto de 1890), autor de un volumen de versos, *Estados de ánima* (1919), y traductor de Rabindranath Tagore; a RICARDO MIMENZA CASTILLO, en quien arqueología y poesía se funden al evocar el pasado remoto de su tierra yucateca, y de cuya vasta obra, iniciada en 1906 con *Violetas de mayo*, señalaremos *Rebeldía* (1915), *El Romancero de Yucatán* (1926), *Laúdes del Mayab* (1935), *Elitros* (1937), *El libro de Teresita* (1938); y, en suma, a JOSÉ GÓMEZ UGARTE (nacido en Ciudad Guzmán, Jalisco, el 17 de enero de 1874; muerto en México, el 24 de marzo de 1943), prominente periodista y uno de los raros poetas festivos que muy mexicano y muy fiel a la vena tradicional nos restaban; su producción —subscrita con el seudónimo de "El Abate Benigno"— hállase reunida en *El pan nuestro de cada día* (1920), *Cuentas de mi rosario* (1922), *Predicando en el desierto* (1926).

Una evolución en la poesía mexicana la inicia RAMÓN LÓPEZ VELARDE (nacido en Jerez, Estado de Zacatecas, el 15 de junio de 1888; muerto en la ciudad de México, el 19 de junio de 1921). Aunque cultivó con sello originalísimo la prosa, como de ello da fe su obra póstuma *El minutero* (1923), fueron las musas su principal dedicación. Comenzó por aportar a la lírica el tema regional, la nota provinciana. Trajo a ella la sensación de olor y de color, el ritmo austero y la queja en sordina, el sentimiento uncioso, y la gracia, y la melancolía de su terruño natal, en el primero de los libros de versos que produjo: *La sangre devota* (1916). Su poesía de entonces —como observa Fernández MacGrégor—, era puramente objetiva; después se torna subjetiva, y usa de lo exterior únicamente como símbolo. "Se hace minúsculo conscientemente (ser una casta pequeñez), y dilucida su drama interior con un gesto resignado y lento. Lo decora con todo lo nimio, con todo lo insignificante y logra así renovar el bagaje lírico con que se expresan los sentimientos... aun el amor." Ni en ritmo ni en ideas —a juicio del mismo crítico— "tiene miedo a la séptima inarmónica y obtiene de ella efectos

prodigiosos: disonancias que dan a su verso un encanto único". Prende, en suma, "sus estados interiores uno al otro, los describe ambiguamente y resulta, a las veces, ininteligible para los profanos". Semejante transformación es la que se advierte en su segundo libro de poemas: *Zozobra* (1919), y en los que integran el volumen publicado después de su muerte: *El son del corazón*. Había roto del todo con la tradición; y seguía por una nueva ruta a cuyo término el súbito tránsito le impidió llegar, y en la que, si no acertó con una "manera" que pudiéramos llamar definitiva ni acaso hubo de alcanzar el pleno desenvolvimiento soñado; por lo menos tuvo la virtud de influir en sus contemporáneos, siendo, por muchos respectos, el precursor del inmediato grupo de poetas. Las *Poesías completas* y *El minutero*, de López Velarde, se publicaron en un volumen por Antonio Castro Leal en la "Colección de escritores mexicanos", de la Editorial Porrúa, S. A., en 1953.

Integramente constituyen este grupo escritores nacidos en los aledaños del 1900. Nótanse, más o menos, en ellos, influencias de la lírica modernísima —francesa principalmente—; se señalan todos por su afán de renovar así la sensibilidad como la técnica. JAIME TORRES BODET (nacido en la ciudad de México, el 17 de abril de 1902), es, en tal grupo, la figura descollante y de producción más vasta. Sin volver la espalda a la tradición, no cerraba los ojos ante las nuevas perspectivas. Poeta de fina sensibilidad, de efusión atrayente y melodiosa, muéstrase en sus iniciales versos; después, profundiza la emoción lírica, traduciéndola en líneas sutiles, misteriosas y severas, apartándose de la facilidad, gozándose en la complejidad. Forman su obra lírica: *Fervor* (1918), *El corazón delirante* (1922), *Canciones* (1922), *Nuevas canciones* (1923) *La casa* (1923), *Los días* (1923), *Poemas* (1924); libros todos éstos pertenecientes a su primer manera; la segunda refléjase en *Poesías* (1926), *Destierro* (1930), *Cripta* (1937), *Sonetos* (1949). Aparte la crítica, ejercida por él en *Contemporáneos* (1928), ha cultivado el género novelesco con espíritu original, ávido de buscar nuevas rutas: *Margarita de Niebla* (1927), *La educación sentimental* (1929), *Proserpina rescatada* (1931), *Primero de enero* (1934), *Sombras* (1937), *Nacimiento de Venus y otros relatos* (1941). Su prosa, limpia y robusta, resalta por su nobleza rítmica, por su plasticidad. Consagrado por mucho tiempo a la diplomacia, dentro y fuera del país, desde 1943 hasta 1946 se halló al frente de la Secretaría de Educación Pública, donde llevó a cabo, con ánimo generoso, una grande obra de renovación, de coordinación, de unificación, que rendiría excelentes frutos en la escuela y en la cultura, y cuyos principios y líneas directrices pueden verse en el volumen intitulado *Educación mexicana: discursos, entrevistas, mensajes* (1944). El pensamiento dominante en este libro se amplía y ensancha radiosamente sus perspectivas en el inmediato posterior en que (de retorno Torres Bodet a la Secretaría de Relaciones Exteriores como Ministro de este ramo) diplomático y educador se identifican: *Educación y concordia internacional. Discursos y mensajes* (1948). Finalmente, la figura del gran escritor mexicano cobró valor e influencia universales, al ser llamado a dirigir la UNESCO, o sea la organización de las Naciones Unidas, destinada a afirmar la paz y la concordia entre los pueblos por medio de la ciencia, la educación y la cultura.

ENRIQUE GONZÁLEZ ROJO (nacido en el pueblo de Sinaloa, Estado del mismo nombre, el 25 de agosto de 1899; muerto en México el 9 de mayo de 1939), complácese especialmente en el verso libre y el romance, que domina con rara gallardía. Es autor de *El puerto y otros poemas* (1924), *Espacio* (1926). En BERNARDO ORTIZ DE MONTELLANO (nacido en México, el 3 de enero de 1899, y muerto en la propia ciudad el 13 de abril de 1949), la fantasía sutil se acuerda con la malicia y con la gracia, sin excluir recóndita melancolía; dio a la estampa: *Avidez* (1921), *El trompo de siete colores* (1925), *Red* (1928), *Primer sueño* (1931), *Sueños* (1933), *Muerte de cielo azul* (1937); Formó, además, una *Antología de cuentos mexicanos* (1926); publicó, en fin, un volumen de relatos: *Cinco horas sin corazón* (1940), la fantasía intitulada *El Sombrerón* (1946), y un estudio biográfico y crítico: *Figura, amor y muerte de Amado Nervo* (1943).

El sentimiento contenido hermana, en suma, con la diafanidad de la forma en JOSÉ GOROSTIZA (nacido en 1901); sus *Canciones para cantar en las barcas* (1925), nos traen, con salutíferas fragancias, un penetrante aroma tradicional; su poesía alcanza a la vez notable hondura y transparencia en *Muerte sin fin* (1939).

En Torres Bodet, en González Rojo, en Ortiz de Montellano, en Gorostiza, todavía se escuchan voces de la vieja, de la eterna poesía. Como formando parte de otra fracción del mismo grupo, señalemos ahora a los poetas que pudiéramos llamar —por el sentimiento y por la técnica—, francamente revolucionarios: CARLOS PELLICER (nacido en Villahermosa, Tabasco, el 4 de noviembre de 1899), es todo deslumbramiento en *Colores en el mar y otros poemas* (1921), *Piedra de sacrificios* (1924), *Seis, siete poemas* (1924), *Hora y 20* (1927), *Camino* (1929), *Hora de Junio* (1937). De él escribe Antonio Castro Leal que "le dio voz la sorpresa de las cosas, y cantó el color, la luz, las aguas y las montañas de América"; que "hubo siempre en su poesía el gusto del gran trazo, del color orquestal", bien que "su certero instinto lo salvó de la gran entonación civil y americana". Al contrario, XAVIER VILLAURRUTIA (nacido en México, el 3 de diciembre de 1903, y muerto en la propia ciudad, el 25 de diciembre de 1950), gusta del tono menor, del matiz sutil; es la suya —dícese— "poesía construida en función del tacto y de la vista"; su obra poética comprende varios tomos de versos, entre ellos: *Reflejos* (1926), *Nocturnos* (1933), *Nostalgia de la muerte* (1938), *Canto a la Primavera y otros poemas* (1948); ejerce la crítica, por más que hasta hoy, de lo que ha escrito, sólo haya publicado en volumen un estudio sobre *La poesía de los jóvenes de México* (1924); compuso un relato en prosa: *Dama de corazones* (1928); ha traducido a Gide y a William Blake; sobresale, en fin, en el teatro, con obras de extraordinaria originalidad: *Parece mentira* (enigma en un acto, 1934), *¿En qué piensas?* (misterio en un acto, 1938), *Sea usted breve* (farsa en un acto también, 1938), *La hiedra* (comedia en tres actos), *Invitación a la muerte* (drama en tres actos, 1944), *El verbo candente* (1945), *El pobre Barba Azul* (1948), *Juego peligroso* (1950). En nítido volumen publicáronse la *Poesía y teatro completos* de Xavier Villaurrutia en 1953. Grandes vuelos ha cobrado en los últimos tiempos la personalidad de SALVADOR NOVO (nacido en la ciudad de México, el 30 de julio de 1904). Si por su primer volumen de versos: *XX Poemas* (1925), pudo decirse que se asemeja a los ultraístas franceses; por los posteriores: *Nuevo amor* (1933), *Espejo* (1933), y los más recientes: *Seamen Rhymes, Romance de Angelillo y Adela, Décimas en el mar* (publicados todos éstos en ediciones privadas en 1934), cabe afirmar que se aparta de la manera inicial y revela otra personalísima y muy suya. Su obra en prosa, en la que se muestra el ensayista, el crítico, el viajero, y que comprende: *Ensayos* (1925), *Return ticket* (1928), *La educación literaria de los adolescentes* (1928), *El joven* (1928), *Jalisco-Michoacán* (1933), *Canto a Teresa* (1934), *Continente vacío* (1935), *En defensa de lo usado*

(1938), *Nueva grandeza mexicana (Ensayo sobre la ciudad de México y sus alrededores en 1946), Las aves en la poesía castellana* (1953), señálase por la nitidez, por la riqueza de matices y de colorido, por la elegancia de la forma, y, en penúltima de dichas obras, por el sabor popularesco transmutado en gracia y en ironía. Recientemente ha cultivado también el teatro: débesele una muy interesante escenificación del *Quijote*, y otra, notablemente ajustada al tema, de *Astucia*, la célebre novela de Inclán. Ha publicado traducciones y antologías; dos de particular importancia entre estas últimas: *La poesía norteamericana moderna* (1924) y *La poesía francesa moderna* (1924). Es notoria en él la cultura inglesa, por la que muestra singular preferencia; y como rasgo peculiar suyo resalta el humorismo, que a las veces se trueca en hiriente y sarcástico. En francés escribió y publicó en edición privada una tragedia breve; *Le troisième Faust* (1934).

En el grupo de poetas revolucionarios habrá que comprender también a GENARO ESTRADA por cuatro libros publicados entre 1928 y 1934; *Crucero, Escalera, Paso a nivel, Senderillos a ras;* a MIGUEL MARTÍNEZ RENDÓN (1891); a MANUEL MAPLES ARCE (1898), creador, en *Andamios interiores* (1922), y *Urbe* (1924), de una "nueva manera" de poesía a la que él mismo bautizó con el nombre —quizás lógico— de *estridentismo*, y en la que no ha reincidido.

Entre los de la última hornada señalaremos a LEOPOLDO RAMOS (nacido en El Triunfo, Baja California, el 8 de junio de 1898, y muerto el 5 de enero de 1956), poeta límpido, de rara exquisitez, de noble y robusto espíritu, que propende a una nueva técnica del verso, muy personal, muy suya, en el pausado desarrollo de su obra hasta hoy conocida: *Urbe, campiña y mar* (1932), *Presencias* (1937), *Bauprés* (1942), *El mantel divino* (1950); a ENRIQUE CARNIA-

DO, en cuyo libro de poemas *Alma párvula* (1936), de inspiración infantil, aunque, en realidad, para niños y para grandes, resalta una noble ternura; a MIGUEL N. LIRA (nacido en 1905), impregnado de poesía popular, como lo revela su *Corrido de Domingo Arenas;* a VICENTE ECHEVERRÍA DEL PRADO, cuya poesía —según él mismo dice— "quiere ser solamente poesía, juego de sombras en una cristalería imposible; sin melodrama, pero con drama y melodía", y cuya obra, producida de 1927 a 1949, es ya considerable: *Voces múltiples, Vida suspensa, De la materia suspirable, Tallos de abismo, Perfiles inviolados, Lindero Amor, En tiempo de Gacela;* a CARLOS GUTIÉRREZ CRUZ (1897-1930), en quien la poesía aspiraba a tener entonación social; a ALFONSO GUTIÉRREZ HERMOSILLO (1905-1935), como el anterior, muerto en plena juventud, y cuya breve obra, de extrema delicadeza, reunióse en un volumen póstumo: *Itinerario* (1938); a OCTAVIO PAZ (1914), que después de publicar *Raíz del hombre* y *Bajo tu clara sombra,* ambos de 1937, ha dado excelentes muestras de su poesía en *Entre la piedra y la flor* (1941), *A la orilla del mundo* (1942) y *Libertad bajo palabra* (1949); a HUMBERTO MAGALONI, en fin, autor de un delicioso haz de límpidos poemas: *Hontanar.* Mencionemos, además, tocante a la más reciente cosecha lírica, a dos poetisas: ESPERANZA ZAMBRANO, autora de *Los ritmos secretos* (1931), *Las canciones del amor perfecto* (1938), y CARIDAD BRAVO ADAMS, de la que se han publicado también dos volúmenes: *Reverberación* y *Trópico.*

7. *El teatro.*—Pocos adeptos tuvo el teatro en los comienzos del actual período todavía inconcluso. Sin embargo, y sobre todo en años recientes, el teatro ha atraído a no escaso número de escritores. Obsérvase en el conjunto de su obra una viva preocupación por la técnica escénica, bien que a ella no igual —en todos— la del estilo; y se advierte, no menos, como característica importante, la tendencia nacionalista unánime. Procuran reproducir el ambiente mexicano en tipos y costumbres, y aun no han faltado algunos que den entrada en los conflictos dramáticos que tratan, a motivos de carácter social, y hasta que se inspiren en episodios relacionados con nuestra historia contemporánea.

JOSÉ F. ELIZONDO (nacido en Aguascalientes, el 29 de enero de 1880; muerto en México, el 20 de abril de 1943), es uno de los literatos que más han trabajado aquí por el teatro. Nadie le iguala en el género de zarzuela y revista, comúnmente frívolas, aunque a menudo coloridas de costumbrismo y ricas en tipos y reflejos del habla popular. Muy cerca de cuarenta producciones, en prosa y verso, de esa índole, salieron de su pluma; alguna de ellas (como *Chin-Chun-Chan,* escrita en colaboración con Rafael Medina y estrenada en 1904) con éxito tan resonante, que pasó de las diez mil representaciones. Señalemos, entre las principales, *El surco* y *La vendedora de besos.*

Afiliado al modernismo, empezó Elizondo por la lírica; su primer volumen de versos: *Crótalos,* data de 1903. Cultivó con gracia imponderable la poesía festiva, comentando en forma epigramática el suceso del día, con lo cual formó el libro *Más de cien epigramas de Kien* (su afortunado seudónimo), publicado en 1932. Es, en fin, el más sabroso costumbrista actual: procede, en línea recta, de *Facundo,* de *Micrós* y de *Juvenal;* un buen humor sano y sin amargura, una observación certera, le llevan a retratar lo cómico y lo ridículo en sucedidos, hábitos y tipos de la vida mexicana de hoy. Numerosos artículos suyos de tal índole —firmados con el seudónimo de *Pepe Nava*— están coleccionados en dos volúmenes: *La vida en broma* (1934), y *Con las gafas alegres* (1937). Bajo el mismo seudónimo osténtase el poeta humorista en un amable libro: *Gansadas* (1938).

ANTONIO MEDIZ BOLIO (nacido en Mérida, Yucatán, el 13 de octubre de 1884 y muerto el 15 de septiembre de 1957), buen poeta, como lo revela su libro *En medio del camino* (1917), escritor que traía de su tierra íntima devoción por lo legendario maya (*Evocaciones,* 1904; *La tierra del faisán y del venado,* 1922), *Canto del hijo de Yucatán* (1953), y que en el primer decenio del siglo había compuesto dramas, comedias, operetas y zarzuelas, sobresale en la comedia de tesis social con *La ola* y en el poema dramático de asunto indígena con *La flecha del Sol* (1917). Imbuido en amor a la misteriosa raza que pobló su región nativa, tradujo, ordenó y publicó *El Libro de Chilam Balam de Chumayel* (1930), y, en un discurso académico, trató de la *Interinfluencia del maya con el español de Yucatán.*

En la comedia de costumbres y en la de análisis psicológico ha trabajado JULIO JIMÉNEZ RUEDA, de quien ya se trató, y a aquel género pertenecen sus obras *Como en la vida* (1918), *Tempestad en las costumbres* (1922), *La caída de las flores* (1923), *El rival de su mujer*; es autor de un lindo poema escénico de asunto colonial: *Sor Adoración,* inspirado en su novela del mismo nombre; sigue modernísimas orientaciones del teatro en *La silueta de humo* (1927), e inspirándose en una de las más apasionantes tragedias de la historia contemporánea, el Segundo Imperio Mexicano, estrenó un poema dramático: *Miramar,* en 1932.

FRANCISCO MONTERDE, quien, a semejanza del anterior, y según antes se ha visto, no ha sido extraño en sus actividades a la novela y a la crítica, rindió su contingente al teatro principiando con un pequeño drama regional: *En el remolino* (1924), al que hizo seguir comedias de análisis psicológico: *La que volvió a la vida* (1926), *Viviré por ti,* y una

de carácter social, referida a la explotación petrolífera, e intitulada *Oro negro* (1927). Ha prestado, además, eminente servicio a nuestra literatura dramática, cuyo estudio facilitó en mucho, en su *Bibliografía del teatro en México* (1934).

Al mismo grupo que estos dos últimos, el cual intentó en 1925, juntamente con José Joaquín Gamboa, el resurgimiento teatral, realizando una temporada de seis meses con repertorio mexicano, pertenecen los hermanos LÁZARO y CARLOS LOZANO GARCÍA (nacidos en la ciudad de México, el 6 de mayo de 1899 y el 12 de julio de 1902, respectivamente), autores de una hermosa comedia dramática: *Al fin mujer* (1925), así como de *La incomprendida* y *Estudiantina,* del propio género, y del cuadro dramático *El Chacho,* de acentuado sabor mexicano.

Perenne y lozana inquietud sacudió el espíritu vigilante de VÍCTOR MANUEL DÍEZ BARROSO (nacido en México, el 1º de enero de 1890, y muerto en la propia ciudad, el 30 de agosto de 1936). Exquisitamente culto, atento siempre al movimiento universal del teatro, seguía, con curiosidad y sagacidad, así en sus artículos de crítica como en sus propias creaciones, los nuevos rumbos que aquél tomaba. Su primera obra fue *Las pasiones mandan* (1925), drama concebido dentro de la técnica usual y corriente. De éste saltó, el propio año de 1925, a *Véncete a ti mismo,* obra en que las teorías freudianas le proporcionaron ocasión de tramar un original, curioso y a la vez pujante conflicto dramático. Tras de una pequeña comedia: *Buena suerte,* a partir del año siguiente compuso y estrenó *Una lágrima* (1926), *Una farsa* (1926), *La muñeca rota* (1927), *En "El Riego"* (1929), comedias todas que, además de las contenidas —y aun no representadas— en el volumen intitulado *Siete obras en un acto* (1935), revelan en Díez Barroso aquel incesante afán de otear nuevos caminos, aunque no como siervo fiel o vulgar imitador de tendencias extrañas; antes bien, y por el contrario, como consciente y vigoroso dramático que, prendado de originalidad, y, precisamente por ello, sin olvidarse de sí mismo, se renovaba. Junto a tal rasgo se advierte en su teatro el propósito de directa observación, el íntimo nacionalismo enderezado a dar traza peculiar y genuina a ambientes y personajes. Anhelo, asimismo, de interpretar, de asir, no ya el presente, sino el inmediato y remoto pasado, nótase en *Estampas* (1932), "meditación" en cuatro actos que compuso con bellos comentarios musicales de Leonor Boesch, su esposa. Muerto en plena lozanía de vida, acaso no alcanzó Díez Barroso a satisfacer lo que hubiera sido su ideal en el arte. La postrer obra que dio a la escena fue el drama *Él y su cuerpo* (1934).

También arrebató tempranamente la segadora a CARLOS NORIEGA HOPE (nacido en Tacubaya, Distrito Federal, el 6 de noviembre de 1896, y muerto en la ciudad de México el 15 de noviembre de 1934). Fue su producción breve. Comenzó por la novela corta y luego hubo de dedicarse al teatro escenificando algunos de sus relatos novelescos. Fruto de ello son *La señorita Voluntad, Una Flapper, Che Ferrati*. Su postrera y original creación dramática, *Margarita de Arizona*, estrenóse en 1929. Teatro amable, pintoresco, tierno, con sus puntas y ribetes de gracia y de ironía, es el de Noriega Hope. Distínguese, no menos, por lo ágil de la composición. En la primera de las comedias citadas se realiza, en la heroína, un acabado estudio de mujer; la segunda, preséntanos —pese a su nombre extranjerizo— cautivador asunto amoroso colocado en un ambiente rural. La prematura desaparición del joven comediógrafo restó a nuestra escena dramática una personalidad rica en dones.

Perteneciente al mismo grupo que los anteriores, RICARDO PARADA LEÓN ha sido un esforzado luchador del teatro. Su primera obra: *La agonía*, estrenóse en 1923. A ésta siguieron, el mismo año, *La esclava* y *Una noche de otoño;* después, *Los culpables* (1925), *El dolor de los demás* (1929), *El porvenir del Doctor Gallardo* (1936). Distínguese Parada León por la pujanza dramática. En la más reciente de sus obras: *Camino real* (1949), ensaya el teatro regional con tendencia folklórica.

ENRIQUE UHTHOFF (nacido en Atlixco, el 1º de octubre de 1885; muerto en México, el 20 de mayo de 1950), aunque lo más de su esfuerzo lo ha consagrado al periodismo, reflejando en ágiles crónicas sus impresiones del vivir errante, no ha sido ajeno a la producción teatral. Dos breves dramas suyos: *Nopal* y *Mi compañero el gallo*, así como el intitulado *Pancho Macho*, son de popular sabor mexicano. Hizo una paráfrasis de la vida de Amado Nervo en la comedia *Amar, eso es todo*, y fijó su impresión dramática de la reciente guerra de España en una robusta pieza: *Rayo en la encina*.

Al renovarse la temporada de la Comedia Mexicana en 1929 hizo su entrada en el teatro, con ímpetu y lozanía juveniles, un veterano escritor: D. CARLOS DÍAZ DUFOO, al cual ya se ha hecho referencia en anteriores páginas. Díaz Dufoo nació en el puerto de Veracruz, el 4 de diciembre de 1861, y murió en México, el 5 de septiembre de 1941. Su padre, el doctor D. Pedro Díaz Fernández, era español naturalizado mexicano y prestó servicios en nuestra marina; veracruzana su madre: doña Matilde Dufoo. A los seis años de edad salió para España, de donde no volvió sino hasta los veintitrés. En Madrid estudia a su guisa. Hace sus primeras armas en *El Globo*, periódico dirigido por Castelar, y en el *Madrid Cómico*, de Sinesio Delgado. De retorno en México, en julio de 1884, se consagra al periodismo, escribiendo en *La Prensa*, de don Agustín Arroyo de Anda; en *El Nacional* de D. Gonzalo Esteva. Tras de breve permanencia en Veracruz (1886), dedicado a labores periodísticas, regresa a la Capital, para continuar idénticos trabajos en el diario antes citado y en *El Universal*, de Rafael Reyes Spíndola. Funda con Gutiérrez Nájera la *Revista Azul* en 1894; muerto el poeta al año siguiente, la dirige Díaz Dufoo hasta 1896. En el propio año y siendo diputado, funda con Reyes Spíndola *El Imparcial*, a cuya redacción pertenece hasta 1912. Dirige la Escuela Superior de Comercio y Administración en 1910; hállase al frente del semanario *El Economista Mexicano* de 1901 a 1911; y, mediando regular pausa en sus trabajos periodísticos, vuelve a ellos en 1917. Entretanto, y tras de su primera producción literaria: los *Cuentos nerviosos* (1901), Díaz Dufoo sólo publica obras de índole económica: *La evolución industrial de México* (en *México: Su evolución social*, 1900), y los libros: *Limantour* (1910), *Una victoria financiera* (historia de la hacienda mexicana desde 1891 hasta 1910), impreso en 1913; *México y los capitales extranjeros*, y, por último, *La vida económica*. Se le creería confinado por manera exclusiva y para siempre en tal género de disciplinas, cuando resurge para la literatura, en plena ancianidad, casi ciego, y en el teatro. Su primer comedia: *Padre mercader*, data de 1929. Siguen *La fuente del Quijote* (1930), *Palabras* (1931), *La jefa* (1931), *Sombra de Mariposas* (1936). Apareció como comediógrafo ya hecho; nada de tanteos ni vacilaciones: seguridad plena en la composición; dominio escénico; hondura de pensamiento y sazón de larga experiencia que dan a lo que escribe fuerza y sabor de vida vivida. Por la energía y flexibilidad del diálogo; por el acierto en cuanto a crear tipos, algunos de marcado cariz cómico; por la justa gradación de las escenas, y la intención y la ironía que pone al tratar en sus comedias problemas de carácter social, es, en la escena dramática, una de las personalidades de mayor relieve. Tan

sólo su *Padre mercader* alcanzó y aún pasó del centenar de representaciones, lo cual era indicio de robustez en el teatro renaciente.

Mas por si lo anterior no bastare para acreditar de interesante el movimiento teatral registrado en los últimos tiempos, consignemos el hecho de que en la producción dramática contemporánea figuran algunas escritoras. Como en ninguna época ha intervenido la mujer en el teatro: TERESA FARÍAS DE ISSASI es autora de *Cerebro y corazón*, *Como las aves*, *Religión de amor*, *Fuerza creadora*, *Páginas de la vida*, dramas y comedias todas estas obras; así como de una novela: *Nupcial*, y de un ensayo filosófico: *Ante el gran enigma* (1938). EUGENIA TORRES (actriz y escritora, muerta en la ciudad de México el 7 de agosto de 1935), estrenó, entre otras comedias: *Vencida*, *La hermana*, *El muñeco roto. En torno de la Quimera*, *Honra de clases*, *Lo imprevisto*. CATALINA D'ERZELL (oriunda de Silao, Estado de Guanajuato, donde nació en 1897, y muerta en México, el 3 de enero de 1950), de quien se publicó una novela: *La inmaculada* (1920), un volumen de cuentos: *Apasionadamente*, y otro de versos: *Él* (1938), laboró particularmente los problemas morales y sociales de su sexo en numerosas comedias: *Cumbres de nieve* (1923), *Chanito* (1923), *Esos hombres* (1924), *El pecado de las mujeres* (1925), *El rebozo azul* (1925), *La sin honor* (1926), *La razón de la culpa* (1928), *Los hijos de la otra* (1930), *Lo que sólo el hombre puede sufrir* (1936), *Maternidad* (1937); siendo de notar que estas dos últimas obras sobrepasaron al centenar de representaciones. Fina sensibilidad para la creación dramática caracteriza a AMALIA DE CASTILLO LEDÓN (originaria de Santander Jiménez, Estado de Tamaulipas, donde nació en 1902); su comedia *Cuando las hojas caen* (1929), es, sin duda, de lo más hermoso y bien acabado, por composición y asunto, que haya aparecido a la escena nacional de esta época; *Cubos de noria* (1934), su segunda obra del mismo género, constituye original estudio del ambiente y costumbres de cierta clase de la sociedad mexicana de recientes tiempos. MARÍA LUISA OCAMPO (nacida en Chilpancingo, Estado de Guerrero, el año de 1908), cuya primer comedia: *Cosas de la vida* (1923) le fue muy celebrada, ha acrecentado su producción teatral con numerosas obras: *La hoguera* (1924), *La jauría* (1925), *Sin alas* (en colaboración con Ricardo Parada León, 1925), *Sed en el desierto* (1927), *El corrido de Juan Saavedra* (1929), *Más allá de los hombres* (1929), *Castillos en el aire, La casa en ruinas* (1936), *Una vida de mujer* (1938).

Por último, MIGUEL N. LIRA, en obras en que prosa y verso alternan, ha introducido en el teatro una nueva forma poética, de arraigo popular, en *Vuelta a la tierra* (1940) y *Linda* (1942); amén de imprimir colorido histórico a esta manera peculiar suya en *Carlota de México* (1943).

Para señalar al público mexicano los nuevos derroteros que en el mundo seguía la producción escénica —cierta producción, diríamos mejor: la llamada "de vanguardia"—, fundó CELESTINO GOROSTIZA (nacido en Villahermosa, Estado de Tabasco, en 1904) el "Teatro de Orientación", con compañía de jóvenes aficionados, formada y dirigida por él. Autor, a su vez, dio allí a conocer algunas de sus propias obras, dos de las cuales aparecieron en volumen en 1935: *Ser o no ser* y *La escuela del amor*. En los últimos años ha representado con éxito *El color de su piel* y *Columna social*.

Una vigorosa personalidad, en fin, ha sobresalido en el teatro contemporáneo: RODOLFO USIGLI (nacido en México, de padre italiano y madre polaca, el 17 de noviembre de 1905). Temprana y franca fue su vocación dramática. Su primera obra, *El Apóstol*, se publicó en 1931. A ésta siguieron: *Estado de secreto* (una de sus tres comedias "impolíticas", 1936), *Medio tono* (1937), *La mujer no hace milagros, Sueño de día* (1939). *Vacaciones* (1940), *La familia cena en casa* (1942), *Corona de sombra* (1943), *El Gesticulador* (1944), llevadas a la escena casi todas. Fuerza y delicadeza, finura y originalidad, un penetrante espíritu de observación implacable, una peculiar manera férvida que adrede se recata en frialdad, una mordicante ironía, son las características de su teatro. El magistral dominio que de éste tiene Usigli, tanto como la nota sombría, se han acentuado en las producciones que en estos últimos tiempos salieron de su pluma, conquistándole firme notoriedad; a saber: *Noche de estío, Los fugitivos* (1950), *El niño y la niebla* (1951), *Aguas estancadas* (1952), *Jano es una muchacha* (1952), *Un día de éstos...* (1954). Numerosas traducciones ha hecho: de Corneille, de Racine, de Molière, de Musset, de Barrie, de Galsworthy, de Behrman, de O'Neil, de Maxwell Anderson, de Schnitzler, de Chejov. Salvo un volumen de poemas: *Conversación desesperada* (1939), su esfuerzo literario se concentra en el arte dramático, ya como historiador o expositor crítico del mismo: *México en el teatro* (1932), *Itinerario del autor dramático* (1941) ya como cronista teatral.

8. *La historia.*—Con ser considerable la actividad literaria durante las últimas tres décadas en las materias a que hasta aquí se ha hecho referencia, puede creerse que la historia ha sido cultivada con no menor fruto, dedicación y ahinco. Sobre todo en los años más recientes, aparte libros originales de contemporáneos, hay que señalar la publicación reiterada así de documentos como de obras valiosísimas que permanecían incompletas o inéditas.

ALBERTO MARÍA CARREÑO (nacido en Tacubaya, Distrito Federal, el 7 de agosto de 1875) * señálase por

* Falleció en México en 1962.

su laboriosidad. Ha investigado y estudiado sobre porción de asuntos. Su obra comprende: *Estudios económicos y sociales, Estudios biográficos, Estudios históricos, Estudios histórico-geográficos, Estudios filológicos, Ensayos literarios,* aparte una colección de *Obras diversas* (catorce volúmenes que encierran semblanzas, monografías, discursos, conferencias y ensayos bibliográficos), y su libro: *El cronista Luiz González Obregón* (1938), en el que recogió, de labios del gran historiador, en vísperas de su tránsito, recuerdos e impresiones tocante a su propia vida y hechos.

Siguiendo, aunque con genuina personalidad, las huellas de González Obregón, se ha dedicado a reconstruir el pasado colonial D. MA-NUEL ROMERO DE TERREROS Y VI-NENT (nacido en la ciudad de México, el 24 de marzo de 1880). Conocido, más que por su nombre, por su título, el Marqués de San Francisco ha realizado ya a estas fechas una copiosa y de singular valer. Su dedicación a las letras se mostró primero, y hubo de persistir bastante, en la literatura romancesca y en el teatro: *Entre las flores* (comedia, 1907), *Florilegio* (cuentos, 1909), *La mujer blanca* (tragedia, 1910), *La puerta de bronce* (cuentos, 1921). Consagró, sin embargo, y desde un principio, su mayor esfuerzo, al estudio de la historia y de las costumbres, particularmente de la era colonial y de los dos Imperios en el siglo XIX: *Sinopsis del blasón* (1906), *Apuntes biográficos de D. Juan Gómez de Parada* (1911), *Las órdenes militares de México* (1913), *Florecillas de San Felipe de Jesús* (1916), *Los corregidores de México* (1917), *La casa de Parada* (1917), *Torneos, mascaradas y fiestas reales en la Nueva España* (1918), *El estilo epistolar en la Nueva España* (1919), *Hernán Cortés, sus hijos y nietos, caballeros de las órdenes militares* (1919), *Un bibliófilo en el Santo Oficio* (1920), *La corte de Agustín I* (1922), *México virreinal* (1925), *Bibliografía de cronistas de la ciudad de México* (1926), *Tradiciones y leyendas mexicanas* (Introducción, notas y vocabulario, 1927), *Siluetas de antaño* (1937), *Cosas que fueron* (1937), *Bocetos de la vida social en la Nueva España* (1944). Es, sin duda, de todos los escritores antiguos y modernos de México, el que más ha investigado y escrito sobre el arte nuestro: *La casa colonial* (1913), *Arte colonial* (tres series, 1916-21), *Los grabadores de México durante la época colonial* (1917), *Residencias coloniales de la ciudad de México* (1918), *La Casa de los Azulejos* (1918), *Los jardines de la Nueva España* (1919), *Historia sintética del arte colonial* (1922), *Las artes industriales en la Nueva España* (1923), *El arquitecto Tres Guerras* (1929), *Breves apuntes sobre la escultura colonial de los siglos XVII y XVIII* (1930), *Las medallas de la proclamación de la Independencia y del Primer Imperio* (1931), *Encuadernaciones artísticas mexicanas* (1932), *El grabado en México* (Preámbulo y notas, 1933), *El pintor Alonso López de Herrera* (1934), *Los tlacos coloniales* (1935), *El arte en México durante el Virreinato* (1951). Respecto de historia literaria publicó unas *Nociones de literatura castellana* (1926). En fin, y por lo que atañe a reimpresiones, colecciones de documentos y epistolarios, ha dado a las prensas el *Viaje de la Marquesa de las Amarillas* (con notas, 1914), *Apuntaciones de viaje de D. Juan Romero de Terreros* (introducción y notas, 1919), *Maximiliano y el Imperio* (según correspondencias contemporáneas, 1926), *La moneda revolucionaria de México* (traducción y notas, 1933), *Loa del Jardín de Borda* (introducción y notas, 1933), *Relación del Japón* (introducción y notas, 1934), *La corte de Maximiliano* (cartas de D. Ignacio Algara; con advertencia y notas, 1938). En sus libros asocia el Marqués de San Francisco, a la riqueza de documentación, toda ella, por lo general, de primera mano, un tan completo conocimiento de épocas y asuntos, que no en vano se le considera autoridad en las materias a que se ha consagrado.

Mucho deben la investigación histórica y la historia eclesiástica al erudito P. MARIANO CUEVAS, S. J. (nacido en México, el 18 de febrero de 1879, y muerto en la misma ciudad, el 31 de marzo de 1949, quien habiendo hecho sus primeros estudios aquí y pasado por el Seminario Conciliar, marchó a España en 1893; ingresó, dos años más tarde, en la Compañía de Jesús; cursó retórica, letras humanas y filosofía en Burgos; teología y derecho canónico en San Luis Missouri; propedéutica histórica en Roma, y metodología en Lovaina, donde se doctoró. Enseñó en varios Colegios de la Compañía, tanto en México como en España, literatura, historia y filosofía. Con todo, sus principales actividades fueron de historiador. Durante largos años investigó así en los archivos. nacionales eclesiásticos y civiles, como en los de Sevilla, Londres, Roma, Bolonia, Bruselas, París, Madrid, Nueva York, Filadelfia, California y Texas. Fruto de las primeras de dichas investigaciones fueron los importantísimos *Documentos inéditos del siglo XVI para la historia de México,* que colegidos y anotados por él publicó en grueso volumen el Museo Nacional en 1914. Aparte numerosos opúsculos y artículos de carácter histórico todavía no coleccionados, es autor de una obra —única en su género—: la *Historia de la Iglesia en México* (cinco volúmenes, 1921-28); del *Álbum histórico guadalupano del IV Centenario* (1930) y de la *Historia de la nación mexicana* (1940). Hay que mencionar también su erudito, interesantísimo estudio *M o n j e y marino: Urdaneta* (1944), y el que, con el título de *El Libertador* (1947) publicó sobre Iturbide.

Entre quienes más se han distinguido en el cultivo de la historia durante estos últimos años, conviene señalar a D. VITO ALESSIO ROBLES

(oriundo de Saltillo, donde nació el 13 de junio de 1879; muerto en la ciudad de México el 11 de junio de 1957). Débesele una obra importante para el conocimiento de la gran empresa colonizadora en vasta región de nuestro país: *Francisco de Urdiñola y el norte de la Nueva España* (1931). No escasa parte de su esfuerzo investigador lo consagra a su provincia nativa: *Bibliografía de Coahuila: histórica y geográfica* (1927), *Cómo se ha escrito la historia de Coahuila* (1931), *La primera imprenta en Coahuila* (1932), *Unas páginas traspapeladas de la historia de Coahuila* (1932), *Etimologías bastardeadas. Coahuila* (1934), *Coahuila y Texas en la época colonial* (1938). Estudia personalidades insignes, algunas de ellas injustamente olvidadas, cuando no lo bastante conocidas: *Fray Agustín de Morfi y su obra* (1935), *Ramos Arizpe* (1937), *El ilustre maestro Andrés Manuel del Río* (1937). En originales libros evoca el pasado de ciertas ciudades, de las que nos presenta su historia y su leyenda: *Acapulco* (1932), *Saltillo* (1934), *Monterrey* (1936). Algo de su producción dedicase a sucesos contemporáneos: *Desfile sangriento* (1936), *Los tratados de Bucareli* (1937), *Mis andanzas con nuestro Ulises* (1938). A lo apuntado hay que agregar los *Bosquejos históricos* (1938), y las obras que de D. Miguel Ramos Arizpe, Fray Juan Agustín de Morfi y D. Pedro Tamarón y Romeral, se han publicado, anotadas por él.

Hermano del anterior, D. MIGUEL ALESSIO ROBLES (nacido en Saltillo, el 5 de diciembre de 1884, muerto en México, el 10 de noviembre de 1951), se dedicó particularmente a historiar la Revolución, en la cual fue actor y testigo, sobre todo en su aspecto anecdótico. Entre sus obras de esta índole mencionemos *Obregón como militar* y la *Historia política de la Revolución* (1938), además de los volúmenes *Voces de combate, Idolos caídos, Ideales de la Revolución, La responsabilidad de los altos funcionarios.* Cultivó también el grato género de memorias: *Mi generación y mi época* (1949), *A medio camino, Contemplando el pasado.* Impresiones y recuerdos de su ciudad natal se condensan en *La ciudad de Saltillo* y *Perfiles del Saltillo.* Fíjanse sus devociones hispanistas en *Las dos razas* y *Asuntos hispánicos.* En suma, la tragedia bélica que sacudió al mundo desde 1939, diole materia para libros en que defendió la causa de la libertad frente al totalitarismo invasor.

Servidor rendido de la historia, así en la cátedra como en la investigación, lo fue D. NICOLÁS RANGEL (originario de León, Estado de Guanajuato, donde nació en 1864, y muerto en Cuernavaca, el 7 de junio de 1935), quien, con Luis G. Urbina y Pedro Henríquez Ureña, colaboró en la *Antología del Centenario* (1910), y a cuyas insistentes y afortunadas indagaciones en los archivos débese el haber podido reconstruir, sobre firmes bases, la biografía de D. Juan Ruiz de Alarcón. D. ALFONSO TORO (nacido en la ciudad de Zacatecas el año de 1873 y muerto en México, el 7 de junio de 1952), es autor, aparte interesantes estudios históricos, de un *Compendio de Historia de México* (1926), y de una *Historia Colonial de la América Española,* cuyos tres volúmenes se inician con *Los viajes de Colón* (1946). D. JUAN B. IGUÍNIZ (nacido en Guadalajara, Estado de Jalisco, el año de 1881), otro erudito investigador, rinde sazonado fruto de sus empeños en su excelente *Bibliografía de novelistas mexicanos* (1926), a la que siguió el pequeño volumen sobre *La imprenta en la Nueva España* (1938). ALFONSO CASO (nacido en la ciudad de México el 1º de febrero de 1896), cuyos valiosos estudios e investigaciones en materia arqueológica culminan con los descubrimientos de Monte Albán, es autor de importantes obras: *El teocalli de la Guerra Sagrada* (1927), *Las estelas zapotecas* (1928), *La religión de los aztecas* (1937), *Exploraciones en Oaxaca* (1938), *Trece obras maestras*

de arqueología mexicana (1938), *Urnas de Oaxaca* (1952). También en materia arqueológica procede consignar la magnífica obra de SALVADOR TOSCANO —notable y malogrado investigador— intitulada *Arte precolombino de México y de la América Central* (1944). GENARO ESTRADA dio generoso y fecundo impulso a la bibliografía nacional, estimulando y dirigiendo la utilísima serie de *Monografías bibliográficas mexicanas,* que salió de la imprenta de la Secretaría de Relaciones Exteriores a partir de 1925, y de las cuales compuso la inicial, consagrada a Amado Nervo. JOSÉ C. VALADÉS (nacido en Mazatlán, Estado de Sinaloa, el año de 1901) ha compuesto un bien documentado volumen sobre *Alamán: Estadista e historiador* (1938). HÉCTOR PÉREZ MARTÍNEZ (nacido en el puerto de Campeche en 1906 y muerto en el puerto de Veracruz el año de 1948) resalta por la vivacidad de la evocación en *Cuauhtémoc (Vida y muerte de una cultura)* y *Juárez el Impasible.* El general RUBÉN GARCÍA (originario de la ciudad de Puebla, donde nació el 14 de febrero de 1896), especializado en asuntos militares, ha escrito acerca de las *Campañas de Morelos sobre Acapulco* y el *Ataque y sitio de Cuautla* (1933); en materia biográfica cabe señalar su *Bio-bibliografía del historiador Francisco Javier Clavijero* (1931) y su *Biografía del General de División don Mariano Escobedo* (1932); consagró, en suma, a nuestro remoto pasado, el volumen: *México antiguo: origen y desarrollo de las civilizaciones aborígenes* (1927). Finalmente, y por lo que se refiere a actividades históricas en el campo del arte, mencionaremos a ALBA HERRERA Y OGAZÓN (nacida y muerta en la ciudad de México, 1885-1931), sobresaliente en la crítica musical y autora de una excelente *Historia de la Música* (1931); a GABRIEL SALDÍVAR, que, circunscribiendo el cuadro, escribió la *Historia de la música en México* (1934); a HIGINIO VÁZQUEZ SANTA ANA (natural de Atemajac de las Tablas, Estado de Jalisco, donde nació el 25 de octubre de 1889),* quien tras de reunir tres volúmenes de *Canciones, cantares y corridos,* publicó una *Historia de la canción mexicana;* a VICENTE T. MENDOZA (nacido en Cholula, Estado de Puebla, el año de 1894) autor de un estudio comparativo sobre *El romance español y el corrido mexicano* (1939); a DANIEL CASTAÑEDA (nacido en la ciudad de México, el año de 1898), que teoriza sejemante tema: *El corrido mexicano; su técnica literaria y musical* (1943); a MANUEL MAÑÓN, autor de la *Historia del Teatro Principal de México* (1932), abundante en datos y de subido valor iconográfico; a JOSÉ MARÍA GONZÁLEZ DE MENDOZA (nacido en Sevilla, España, el 23 de junio de 1893), ensayista, cuentista, crítico de arte y de literatura, cuya obra, ya abundante, no está sino en mínima parte coleccionada. En fin, y por si la consideración y examen de lo propio no bastare, el esfuerzo crítico ha tenido aún a lo novísimo y ajeno; sea de ello testimonio el libro intitulado *El teatro en la U.R.S.S.* (1938); en el que ALFREDO GÓMEZ DE LA VEGA (1890-1957), eminente actor mexicano, expuso sus personales y directas observaciones acerca de la escena rusa actual. Tan nutrida ha sido, en suma, la aportación de los escritores a la historia, que ni señalándola escuetamente se podría tener seguridad de no omitir algún nombre u obra dignos de tomarse en cuenta.

Digamos, para concluir, que la Universidad Nacional Autónoma de México emprendió desde hace tiempo la publicación de la *Biblioteca del estudiante universitario;* colección ya rica de autores mexicanos, que ha venido a ser auxiliar excelente para el conocimiento y difusión de nuestra literatura. En primer término hay que colocar, además, como importantísima para el estudio de el 19 de enero de 1962.

* Falleció en la ciudad de México,

nuestras letras, la *Colección de escritores mexicanos* que la Editorial Porrúa tiene en curso de publicación, y de la cual, con interesantes prólogos y noticias biográficas, han aparecido más de setenta y cinco tomos con lo más destacado de la producción nacional en la lírica, la novela, la crítica y la historia. Esfuerzo semejante lo representa la *Colección Stylo de escritores mexicanos antiguos y modernos,* que, dirigida y publicada por Antonio Caso, Jr., cuenta hasta la fecha veintisiete volúmenes, casi en totalidad de autores contemporáneos. En fin, mencionemos la muy reciente colección *Letras mexicanas,* que edita el Fondo de Cultura Económica, y en la cual tiene cabida la producción nacional en sus más diversos géneros, tendiendo a presentar amplio panorama de nuestra literatura contemporánea.

Por esta sumaria enumeración de lo realizado en los últimos cuarenta y cuatro años, se comprenderá que la actividad literaria de México ha distado de ser tarda y mucho menos estéril. ¿Qué será, de todo ello, lo que quede; qué lo que pase?... *¡A' posteri l'ardua sentenza!*

Detengámonos ya. Largo ha sido el viaje, y justo es que, al modo de los peregrinos legendarios, nos sentemos al borde del camino, en un ribazo desde el cual se domina la perspectiva del que otros historiadores o futuros peregrinos habrán de seguir. Es fresca la tarde y sereno el ambiente. En el cielo ha habido, acaso haya todavía, tempestades que vengan a turbar la calma imponderable. No importa. Renovarse y luchar es ley de vida. La fatiga del obstinado andar a través de siglos, se resuelve ahora para nosotros en un convencimiento optimista, de reposo y de paz: el de que no sólo constituimos una raza, sino representamos una tradición de cultura: raza a la que hay que fortalecer, tradición a la que debemos imperiosamente amar, buscando en ese amor nuestra propia perduración.

APENDICE

A LA HISTORIA DE LA LITERATURA MEXICANA DE CARLOS GONZALEZ PEÑA

POESIA

NOVELA

CUENTO

TEATRO

ENSAYO

MEXICO, 1969

ADVERTENCIA A LA DECIMA EDICION

El apéndice que se ha elaborado para la presente edición de la *Historia de la literatura mexicana* de don Carlos González Peña, no pretende alterar en manera alguna el resumen crítico de la época contemporánea que el ilustre historiógrafo alcanzó a desarrollar hasta antes de su muerte, sino integrarlo, como él quiso, mediante "una somera reseña enumerativa de libros y hombres de nuestro tiempo". Mal podría intentarse, pues, en estas páginas, un estudio de los diversos géneros literarios, que repitiese las conocidas clasificaciones por grupos, generaciones y tendencias que los caracteriza. Se ha querido, llanamente, actualizar el contenido de esta *Historia de la literatura.*, y ateniéndonos a este solo propósito, nos hemos concretado a subsanar omisiones ahora visibles, y a recoger una amplia nómina de escritores cuya reciente obra pertenece de fijo a la historia de nuestras letras. Y como a la literatura mexicana pertenece también gran parte de la producción de escritores de otras nacionalidades con larga residencia en nuestro país, se advertirá que aquí se les ha incluído con justificada razón.

La fuente documental que se ha utilizado para la redacción de este "apéndice" es parte de una larga labor llevada al cabo por los investigadores del Centro de Estudios Literarios de la Universidad Nacional Autónoma de México: Aurora M. Ocampo de Gómez y Ernesto Prado Velázquez con la colaboración de la directora de dicho Centro, Dra. Ma. del Carmen Millán. Para la presente edición, Aurora M. Ocampo de Gómez y Ernesto Prado Velázquez han hecho la selección, adaptación y síntesis.

LA POESIA

El poeta Enrique González Martínez fue, por su larga vida, el último modernista y el primero que reaccionó contra ese movimiento. Su atención a los nuevos giros que tomaría este género, le valió ser considerado como el patriarca de la poesía mexicana moderna, aún después de su muerte acaecida en 1952. Sin embargo, es Ramón López Velarde, cercano en edad a los escritores de la Generación del Ateneo, con quien se inicia la poesía contemporánea en México. Su obra breve pero valiosa llamó la atención por tratarse de una poesía inspirada en la provincia y no en modelos europeos, lo que ponía de relieve su profunda mexicanidad. Heredera de la generación del Ateneo fue la generación de los "Contemporáneos", llamada así por el nombre de la revista más importante que se publicó de 1928 a 1931. Los poetas de este grupo buscaban poner la poesía mexicana al nivel de la poesía universal y se caracterizaron por su afán de conocer y divulgar la literatura de otros países, especialmente la francesa. La generación de *Taller*, revista que se publicó de 1938 a 1941, opuso a la posición esteticista de los "Contemporáneos", una actitud revolucionaria que se interesaba por los problemas sociales. Sus principales miembros fueron Octavio Paz, Efraín Huerta y Neftalí Beltrán. En torno de *Tierra Nueva*, revista publicada hacia 1940-1942, se agrupó una nueva generación cuyo designio más consciente fue el de "buscar un equilibrio entre la tradición y la modernidad, entre el entusiasmo iconoclasta de la juventud y la aceptación de un rigor en la formación literaria". Formaron este grupo el crítico José Luis Martínez, el filósofo Leopoldo Zea y los poetas Alí Chumacero, Jorge González Durán, José Cárdenas Peña y otros. Los poetas de *Taller* y *Tierra Nueva* son el necesario antecedente de los dos más importantes núcleos de poetas jóvenes mexicanos: el que representan Rubén Bonifaz Nuño, Rosario Castellanos y Jaime Sabines, todos ellos con una grave entonación lírica en cuyo fondo aparece persistentemente la preocupación por el destino del hombre; y la generación más reciente en que destacan Marco Antonio Montes de Oca, José Emilio Pacheco y Homero Aridjis.

Como ya se indicó en la Advertencia, en las siguientes páginas trataremos conjuntamente de los poetas mexicanos y extranjeros con larga residencia en nuestro país, sin mas orden que el cronológico referido a sus fechas de nacimiento.

1.— Los poetas nacidos antes de 1900.—LEÓN FELIPE, JOSÉ MORENO VILLA, JUAN JOSÉ DOMENCHINA, EMILIO PRADOS, CARLOS PELLICER.

LEÓN FELIPE CAMINO Y GALICIA (1884-1968) nació en Tábara, provincia de Zamora, España. Murió en la ciudad de México. Aunque viajó con anterioridad a México y los Estados Unidos de Norteamérica, residió en nuestro país desde 1940 hasta su muerte. Después de la Segunda Guerra Mundial viajó por América del Sur, con breves estancias en Argentina y Uruguay, donde sustentó conferencias anti-imperialistas. Después de su primer libro, *Versos y oraciones de caminante* (1920), su poesía adquirió una orientación revolucionaria, en forma de arengas y proclamas de versos sencillos y libres. El drama de su patria, el triunfo de la injusticia y de la opresión hirieron hondamente su entraña de hombre limpio y sensible.Como poeta, fue autor de *La insignia* (Madrid, 1937), *El payaso de las bofetadas y el pescador de caña* (1938*), *Español del éxodo y del llanto* (1939), *El gran responsable* (1940), *Los lagartos* (1941), *Ganarás la luz* (1942), *Llamadme publicano* (1950), *El ciervo* (1958), *¿Qué se hizo el rey don Juan?* (1962), *¡Oh, este viejo y roto violín!* (1966). Aunque escribió prosa y teatro, León Felipe ha pasado a la posteridad como uno de los mejores poetas de habla española. José Moreno Villa (1887-1955) nació en Málaga, España; vino a México en 1939, como refugiado político, donde residió hasta su muerte. Aquí fue profesor en El Colegio de México, y colaboró en revistas y periódicos nacionales y del extranjero. Fue poeta y crítico, pintor e historiador del arte. Ortega y Gasset vio en su lírica "una aproximación a la poesía pura". Su pintura posee las características técnicas del impresionismo, y su labor como crítico de arte en general en nuestro país fue de gran valor por su orientación y amor por México. A su creación poética corresponde *Garba* (Madrid, 1913), *El pasajero* (Madrid, 1914), *Luchas de Penas y Alegrías y su transfiguración* (Madrid, 1915), *Evoluciones* (Madrid,

drid, 1915), *Evoluciones* (Madrid, 1918), *Jacinta, la pelirroja* (Málaga, 1929), *Carambas* (Madrid, 1931), *Puentes que no acaban, Salón sin muros, Puerta severa* (México, 1941), *La noche del Verbo* (1942), *La música que llevaba* (1913-1947) (Buenos Aires, 1950), *Voz en vuelo a su cuna* (1961). Dentro de su producción en prosa cabe mencionar *La escultura colonial mexicana* (1942), *Vida en claro, Autobiografía* (1944), *Lo mexicano en las artes plásticas* (1948) y *Cornucopia de México* (1952). Español también, nacido en Madrid, Juan José Domenchina (1898-1959) vino a México en 1939, donde permaneció hasta su muerte. Colaboró en varias publicaciones como *Hoy, Mañana, Romance,* y en la Revista *Tiempo* escribió reseñas literarias durante 1958. Su poesía, cerebral en sus primeras creaciones, cambió profundamente a partir del destierro, evolucionando hacia formas expresivas en que predomina la emoción y la sinceridad. Su poesía de emigrado tiene toda la angustia y la nostalgia que le produce el dolor de la patria perdida. En México publicó *Poesías escogidas* (1940), *Destierro* (1942), *Tercera elegía jubilar* (1944), *Pasión de sombra, Sonetos (1944), Tres elegías jubilares (1946) diván de Abz-ul-Agrib* (1945), *Exul umbra* (1948), *La sombra desterrada* (1950), *Nueve sonetos y tres romances* (1952), *El extrañado* (1958), *Poemas y fragmentos inéditos* (1964). También como exilado político Emilio Prados (1899-1962) vivió en México desde 1938 hasta su muerte. De su obra poética podría decirse que es un solo y largo poema de diferentes frecuencias y diversas modulaciones. En sus libros de exilio, Prados domina totalmente su mundo metafórico, a veces mágico, otras religioso. *Memo-*

(*) Cuando no se indique lugar de la edición, deberá entenderse que se trata de obras publicadas en México.

ria del olvido (1940) señala el "olvido" como fuente de angustia y de esperanza. *La piedra escrita* (1961) halla la integración entre el mundo exterior y su ser interno, entre la vida y la muerte, entre el mundo sensible y el mundo mítico. Escribió además *Mínima muerte* (1942), *Jardín cerrado* (1946), *Río natural* (Buenos Aires, 1957), *Circuncisión del sueño* (1957), *Sonoro enigma* (España, 1958), *Aceptación de la palabra* (España, 1961), *Signos del ser* (España, 1962) y *Trasparencias* (Málaga, 1962).

Uno de los más grandes poetas mexicanos contemporáneos es CARLOS PELLICER (1899), cuya obra representa "la defensa de la palabra, de su música y su color, como elemento poético, materia y esencia del poema". Su producción, notablemente rica en su variedad, constituye el acervo lírico de mayor resonancia en la poesía mexicana moderna. Carlos Pellicer venía del trópico; su provincia era el mar y la selva, y trajo a la poesía un regocijo por los elementos formales. "Apoteosis salvaje de los sentidos", ha llamado Torres Bodet a esta poesía impresionista y plástica que continúa la línea de los poetas descriptivos iniciada por Balbuena. Poeta del paisaje y de los grandes temas americanos; más tarde poeta de la desolación y del amor, muestra, por último, en su libro *Práctica de vuelo* (1956), su profunda unción para tratar los temas sagrados. La Universidad Nacional Autónoma de México ha publicado su obra completa bajo el título de *Material poético 1918-1961*, y en 1964 le fue otorgado el Premio Nacional de Literatura. A su producción reciente corresponden *Con palabras y fuego* (1963) y *Teotihuacán, y 13 de agosto: ruina de Tenochtitlán* (1965).

2.—Los poetas nacidos en la década 1900-1910: PEDRO GARFIAS, GERMÁN PARDO GARCÍA, LUIS CERNUDA, JUAN REJANO, JORGE CUESTA, ELÍAS NANDINO, GILBERTO OWEN, MANUEL ALTOLAGUIRRE, AGUSTÍ BARTRA, ERNESTINA DE CHAMPOURCÍN.

PEDRO GARFIAS (1901-1967), nació en Salamanca, España, pero se crió en Osuna, Sevilla, a la que consideró siempre su lugar de origen. Residió en México desde 1939 hasta su muerte, acaecida en la Ciudad de Monterrey, Estado de Nuevo León, Sustentó recitales y conferencias, principalmente en las universidades de Guanajuato, San Luis Potosí, Monterrey, Guadalajara y México. En 1919 se dio a conocer en los periódicos madrileños, y con otros lanzó el "Ultra": manifiesto a la juventud literaria, del cual surgió el ultraísmo. Pedro Garfias fue, en sus inicios, un entusiasta de los "ismos": ultraísmo, dadaísmo, creacionismo, pero, extraordinario lírico, pudo salvarse de ellos y formarse una personalidad fuerte, honda y emotiva. Con excepción de su primer libro: *El ala del sur* (1926), publicado en Sevilla, el resto de su obra ha sido editada en México: *Poesías de la guerra española* (1941), *Primavera en Eaton Hastings* (1939), *Elegía a la presa Dnieprostoi* (1943), *Viejos y nuevos poemas* (1951), *Río de aguas amargas* (1953). En la actualidad, Ernesto Rangel Domene prepara su obra completa. GERMÁN PARDO GARCÍA (1902) nació en Choachí, Departamento de Cundinamarca, Colombia, y reside en México desde 1931, donde por varios años ha sido director de la gaceta cultural *Nivel*. Se ha dicho de él que "es el más mexicano de los poetas colombianos". Fecundo poeta, es autor de una veintena de libros de poesía.

la mayor parte publicados en la ciudad de México. Por haber vivido en los páramos colombianos, fue en su primera época un poeta de la soledad e intérprete de ese paisaje, pero influído después por la naturaleza mexicana, ha abandonado su primitiva angustia para interesarse por los problemas de Hispanoamérica. Entre sus obras cabe mencionar *Lucero sin orillas* (1952), *Acto poético* (1953), *U.Z. llama al espacio* (1954), *Eternidad del ruiseñor* (1956), *Hay piedras como lágrimas* (1957), *Centauro al sol* (1959), *Osiris preludial* (1960), *La cruz del sur* (1960), *Los ángeles de vidrio* (1962), *El cosmonauta* (1962), *El defensor* (1964), *Los relámpagos* (1965), *Elegía italiana* (1966). El poeta sevillano LUIS CERNUDA (1902-1963), precedido de una fecunda labor en universidades y colegios de Francia, Inglaterra y los Estados Unidos de Norteamérica, radicó en México desde 1951 hasta su muerte. Aquí impartió algunas cátedras en la Facultad de Filosofía y Letras de la UNAM, y meses antes de su fallecimiento se le tributó un homenaje en Jalapa, Veracruz, por su meritoria labor intelectual. En su primera época fue Cernuda un poeta frío y especulativo, ligeramente nihilista, pero admirable artífice del verso. *La realidad y el deseo* (Madrid, 1936; 3a. ed. aumentada, México, 1958) y su último libro: *Desolación de la Quimera* (1962), forman la parte más notable de su obra, junto a otros libros como *Perfil del aire* (Málaga, 1927), *Donde habite el olvido* (Madrid, 1935), *Ocnos* (Londres, 1942; 3a. ed. corregida y aumentada, México, 1963) y *Poesía y literatura* (Barcelona, 1965). JUAN REJANO (1903) nació en Puente Genil, provincia de Córdo-

va, España, y reside en México desde 1939, donde ha escrito y publicado toda su obra. Formó parte de la redacción de la revista *Taller*; fue fundador y director de revistas como *Romance*, *Ultramar* (1947), *Litoral* (1944); dirigió de 1947 a 1957 la "Revista Mexicana de Cultura" de *El Nacional*, publicación en que semanalmente aparece su columna: "Cuadernillo de señales". Como la poesía de la mayor parte de los poetas españoles que padecieron el destierro, los cantos de Juan Rejano están impregnados de España y su tragedia. En otros poemas el autor interpreta las aspiraciones populares y su ansia de paz en un mundo sin sombras. A su primer libro, *Fidelidad del sueño* (1943), siguieron *El Genil y los olivos* (1944), *Víspera heroica* (1947), *El oscuro límite* (1948), *Noche adentro* (1949), *Oda española* (1949), *Constelación menor* (1950), *Canciones a la paz* (1955), *La respuesta* (1956) *El río y la paloma* (1960), *El libro de los homenajes* (1961), *Elegía rota para un himno. En la muerte de Julián Grimau* (1963) y *El jazmín y la llama* (1955).

JORGE CUESTA (1903-1942) nació en Córdoba, Veracruz. Hacia 1922 vino a la ciudad de México para estudiar ciencias químicas. Sus primeros ensayos aparecieron en la revista *Ulises* (1927-1928), y en este último año firmó como editor la *Antología de la poesía mexicana moderna*. Se afilió al grupo de "Contemporáneos" (1828-1932) y fue colaborador de las principales publicaciones de su tiempo. Después de haber perdido la razón, Jorge Cuesta se quitó la vida en la ciudad de México. Dejó una obra breve pero intensa en contenido, que habla de insatisfacciones y duelo constante, de supresión de las emociones y una torturada búsqueda de la perfección inalcanzable. Como crítico de sus contemporáneos, de literatura y arte en general, escribió varios ensayos de innegable valor y profundidad. Su obra ha sido recogida en edición de la UNAM bajo el título de *Poemas y ensayos* (4 tomos, 1964). ELÍAS NANDINO (1903), nacido en Cocula, Jalisco, es médico de profesión, pero desde muy joven se ha dedicado a la poesía. De 1956 a 1960 dirigió la revista literaria *Estaciones*, y de 1960 a 1964 la revista *Cuadernos de Bellas Artes*. Su obra poética revela un ascenso continuo en hondura de sentimiento, a medida que se despoja de galas retóricas y discursivas. Su grave poesía canta el amor desolado y la muerte, y cristaliza en ella la historia de un hombre atormentado cuyo íntimo deseo de creer encuentra obstáculos en todas partes. Pero al lado de esta manifestación subjetiva, Nandino sabe expresar con acierto las inquietudes colectivas del hombre de nuestro tiempo. Ha recogido varios libros suyos en *Poesía I* (1947) y *Poesía II* (1949). Posteriormente ha publicado *Naufragio de la duda* (1950), *Triángulo de silencios* (1953), *Nocturna suma* (1955), *Nocturno amor* (1958), *Nocturno día* (1959), *Nocturna palabra* (1960). GILBERTO OWEN (1905-1952), nieto de un minero irlandés, nació en El Rosario, Sinaloa, y murió en Filadelfia, Estados Unidos, cuando desempeñaba un cargo diplomático. En la Escuela Nacional Preparatoria conoció a Jorge Cuesta, quien influyó en su formación intelectual. Por intermedio de Xavier Villaurrutia ingresó en la revista *Ulises* y en la revista *Contemporáneos*. Fue, como todos los "Contemporáneos", un hombre culto y de juicio riguroso, pero

esencialmente un poeta, aun en su *Novela como nube* (1928). El único libro hoy accesible de Owen es *Poesía y prosa*, publicado por la UNAM en 1953, al que puede agregarse *Primeros versos* (Toluca, 1957) en la serie Cuadernos del Estado de México.

A la década de que tratamos pertenecen asimismo los españoles Manuel Altolaguirre, Agustí Bartra y Ernestina de Champourcín. MANUEL ALTOLAGUIRRE (1905-1959) nació en Málaga. A raíz del exilio, con su esposa Concha Méndez editó *La Verónica*, en La Habana. Radicó en México desde 1943, donde con Juan Rejano, Luis Cernuda, Emilio Prados y otros, editó la revista *Litoral* (1944). En su viaje a España, en 1959, sufrió un accidente automovilístico que le causó la muerte. Su obra comprende poesía, teatro, una novela, ensayos inéditos, argumentos cinematográficos, traducciones, artículos y colaboraciones en revistas de Europa y América, además de su labor como impresor y director de revistas. En poesía, fue autor de *Las islas invitadas* (Málaga, 1926), *Ejemplo* (Málaga, 1927), *Poesía* (1931), *Un verso para una amiga* (París, 1931), *Soledades juntas* (Madrid, 1934), *Nuevos poemas de las islas invitadas* (Madrid), *La lenta libertad* (Madrid), *Nube temporal* (La Habana, 1940), *Más poemas de las islas invitadas* (1944), *Nuevos poemas* (1946), *Fin de un amor* (1949), *Poemas en América* (Málaga, 1955). AGUSTÍ BARTRA (1908), nació en Barcelona. Se encontraba en el frente como soldado republicano cuando apareció su primer libro de poesía: *Cant corporal* (1938). Después de la guerra civil estuvo en Francia, la República Dominicana, Haití, Santo Domingo, La Habana, y en 1941 llegó a México, donde ha residido hasta la fecha y realizado la mayor parte de su obra. Agustí Bartra ha escrito algunas obras para el teatro; la novela *Cristo de 200,000 brazos (Campo de Argelés)* (1958) ; relatos como *Deméter* (1961), pero Bartra es ante todo un poeta humanista que sobre el dolor terrenal alienta una fe y una esperanza vivas ante el futuro del hombre. Una de sus principales obras: *Odiseo,* ha sido traducida al español en 1955, lo mismo que su poema *Marcias y Adila* (1962). Citemos finalmente su largo poema *Quetzalcóatl* (1960), la *Oda a Cataluña dels tropics* y *Ecce Homo* (1964) y su novela *La luna muere en el agua* (1968). ERNESTINA DE CHAMPOURCÍN (1905) nació en Vitoria, Alava, España. En 1939 la poetisa y su esposo —el poeta Juan José Domenchina— fueron invitados a residir en la capital mexicana por Alfonso Reyes y la Casa de España en México. La poesía de Ernestina de Champourcín se caracteriza por su anhelo de perfección y por su tono erótico-místico que la aproxima a algunas poetisas hispanoamericanas como Alfonsina Storni o Guadalupe Amor. Ha hecho numerosas traducciones, crítica literaria y una novela: *La casa de enfrente* (Madrid, 1936). Su obra poética comprende *En silencio* (Madrid, 1925), *Ahora* (Madrid, 1928), *La voz en el viento* (1931), *El cántico inútil* (Madrid, 1936), *Presencia a oscuras* (Madrid, 1952), *El nombre que me diste* (1960) y *Cárcel de los sentidos* (1964).

3.—Los poetas nacidos en la década 1910-1920: CONCHA URQUIZA, MIGUEL BUSTOS CERECEDO, OCTAVIO PAZ, EFRAÍN HUERTA, NEFTALÍ BELTRAN. RAÚL LEIVA, ALFREDO CAR-

DONA PEÑA, MARGARITA MICHELENA, FRANCISCO GINER DE LOS RÍOS, EMMA GODOY, GRISELDA ALVAREZ, JOSÉ CÁRDENAS PEÑA, ALÍ CHUMACERO, TOMÁS DÍAZ BARTLETT.

CONCHA URQUIZA (1910-1945), nació en Morelia, Michoacán. De 1928 a 1932 radicó en Nueva York. De regreso, en su ciudad natal, ingresó como postulante a la Congregación de las Hijas del Espíritu Santo. Poco después prefirió dedicarse algún tiempo a la enseñanza en San Luis Potosí, y a realizar estudios más tarde en la Facultad de Filosofía y Letras de la UNAM. En 1945, invitada a impartir enseñanza en el Colegio de las Hijas del Espíritu Santo de Tijuana, parte hasta Ensenada, Baja California, en una excursión, donde muere ahogada. Sus prosas y poemas fueron recogidos póstumamente en *Obras* (1946), con un extenso estudio de Gabriel Méndez Plancarte, quien la presenta como una extraordinaria poetisa mística que se debate permanentemente en una dualidad espiritual. MIGUEL BUSTOS CERECERO (1912), poeta y maestro normalista, es originario de Chicontepec, Veracruz. Fue uno de los editores de la revista literaria *Momento* (Jalapa, 1933), y, más tarde, dirigió la revista *Cono* (México, 1938). Bustos Cerecero pertenece al importante grupo de poetas modernos que, además de sus propias penas y alegrías, ha sabido expresar su simpatía solidaria por la liberación de la sociedad y del hombre. Ha escrito *La noche arrodillada* (1933), *Cauce,* poemas colectivos (1934), *Revolución* (1934), *Tres poemas revolucionarios,* (1935), *Hambre* (1937), *Remoto amor* (1942), *Se dice de Héctor Pérez Martínez en cinco sonetos* (1948), *Elegías para recordar un amor* (1950), *Oración a Enrique*

González Martínez (1952), *Pliegos* (1953), *Sonetos* (1953), *Un camino abierto* (1957), *Palabras para cultivar un amor* (1958), *Cuando éramos niños* (1958), *Memoria de tus pasos* (1961), *Amoroso diseño* (1965), *Tiempos de odio* (1967). OCTAVIO PAZ (1914), poeta y ensayista, nació en Mixcoac, Distrito Federal. Su generación literaria comenzó a darse a conocer en las revistas *Barandal* (1931-32), *Cuadernos del Valle de México* (1933-34) y *Taller poético* (1936-38), para concretarse al fin en la revista *Taller* (1938-41), con Efraín Huerta, Neftalí Beltrán, Alberto Quintero Alvarez y otros. Desde 1943 ingresó al servicio diplomático. En 1963 obtuvo el Gran Premio Internacional de Poesía, en el VI Concurso del Congreso Internacional de Poesía de Knokke, Bélgica. Sus obras han alcanzado renombre universal y han sido traducidas a varios idiomas. Si como poeta ocupa un lugar sobresaliente entre los contemporáneos, como ensayista es autor de libros agudos y penetrantes como *El laberinto de la soledad* (1950), un intento de explicarse el carácter y la personalidad del hombre de México; *El arco y la lira* (1956; 2a. ed., corregida y aumentada, 1967), una estética y una poética del autor; *Las peras del olmo* (1957; 2a. ed., 1965), ensayos valiosos sobre poesía mexicana y otros temas; *Cuadrivio* (1965), en donde estudia a Darío, López Velarde, Pessoa y Cernuda; *Puertas al campo* (1966), ensayos sobre arte y literatura; *Corriente alterna* (1967); *Claude Lévi-Strauss o el nuevo festín de Esopo* (1967), lúcida introducción al estructuralismo, etc. Su primera colección de poemas fue *Raíz del hombre* (1937), a la que siguió *Bajo tu clara sombra* (España, 1937), *Entre la piedra y la flor* (1941),

A la orilla del mundo (1942), *Libertad bajo palabra* (1949; 2a. ed.: *Libertad bajo palabra, obra poética, 1935-1958* (1960), *¿Aguila o sol?*, poemas en prosa (1951), *Semillas para un himno* (1954), *Piedra de sol* (1957), *La estación violenta* (1958), *Agua y viento* (1959), *Dos y uno tres* (1961), *Salamandra* (1962), *El día de Udaipur* (España, 1963), *Viento entero* (Nueva Delhi, 1966) y *Blanco* (1967). Ha publicado también en colaboración con otros poetas, una valiosa antología que él mismo prologó, intitulada *Poesía en movimiento. México 1915-1966* (1966). EFRAÍN HUERTA (1914) nació en Silao, Estado de Guanajuato. Es periodista profesional desde 1936. Ha viajado por Estados Unidos de Norteamérica y Europa. El gobierno de Francia le otorgó en 1945 las Palmas Académicas, y en 1952 visitó Polonia y la Unión Soviética. Como Octavio Paz, Efraín Huerta pertenece a la generación de *Taller*, grupo en el cual se distinguió por su rechazo al lirismo subjetivo y esteticista para proyectarse en más amplios caminos de solidaridad universal. Ha escrito *Absoluto amor* (1935), *Línea del alba* (1936), incluídos en *Los hombres del alba* (1944); *Poemas de guerra y esperanza* (1943), *La rosa primitiva* (1950) y *Poesía* (1951). *En sus Poemas de viaje. 1949-1953* (1956), los temas son los mensajes de paz, lucha contra la discriminación racial, la música de los negros y sus costumbres. Completan su obra *Estrella en alto y nuevos poemas* (1956), *Para gozar tu paz* (1957), *¡Mi país, oh mi país!* (1959), *Elegía de la policía montada* (1959), *Farsa trágica del presidente que quería una isla* (1961), *La raíz amarga* (1962) y *El Tajín* (1963).

Del grupo anterior surgió NEFTALÍ BELTRÁN (1916), nacido en el puerto de Alvarado, Estado de Veracruz. Fue director de la revista *Poesía* (1938) que editaba Angel Chápero. Apreciado como gran sonetista, Neftalí Beltrán publicó su primer libro a la edad de veinte años, con el título de *Veintiún poemas* (1936). En 1937 aparecieron *Dos sonetos* y *Canto del viento*; en 1941, *Poesía*. En *Soledad enemiga* (1944) vuelve a demostrar su predilección por el soneto; este libro alcanzó una segunda edición ampliada en 1949. Otra de sus obras lleva el título de *Algunas canciones de Neftalí Beltrán* (1953) y en 1966 se publicó su *Poesía completa (1936-1964)*. Beltrán ha escrito asimismo algunas piezas teatrales y argumentos para la radio y el cine.

El poeta guatemalteco RAÚL LEIVA (1916) obtuvo el Primer Premio de Poesía Centroamericana en 1941. Perteneció al grupo que en su país empezó a publicar, hacia 1940, la revista *Acento*, y en 1945 fundó, con Luis Cardoza y Aragón, la *Revista de Guatemala*. En su primera estancia en México (1942-43) publicó su primer libro de poesías: *Angustia* (1942), y desde 1954, fecha de su regreso a este país, ha venido colaborando asiduamente con poesías, ensayos y crítica literaria en la mayor parte de las revistas y suplementos literarios nacionales y algunos del extranjero. Autor fecundo y cuidadoso del verso, Raúl Leiva es autor de más de 15 libros de poesía, algunos de los cuales ha dedicado a México: *Danza para Cuauhtémoc* (1955). *Aguila oscura*. *Poema a Benito Juárez* (1959) y *La serpiente emplumada* (1965). En *Imagen de la poesía mexicana contemporánea* (1959) reúne una serie de ensayos sobre poetas nuestros, desde el postmodernismo hasta la generación nacida hacia 1922-1925. Aunque nacido en San José

de Costa Rica, ALFREDO CARDONA PEÑA (1917) ha realizado toda su obra en México, por lo que se le considera plenamente incorporado a nuestras letras. Poeta de gran aliento, su poesía ha sido difundida tanto en Hispanoamérica como en los Estados Unidos, y con su libro inicial: *El mundo que tú eres* (1944), se ha colocado entre los mejores poetas contemporáneos de la América Hispana. "Dueño y Señor de la forma —al decir de Enrique González Martínez, en su obra se revela mucho del alma y del paisaje de México". Su talento como narrador se evidencia en sus cuentos: *La máscara que habla* (1944), *El secreto de la reina Amaranta* (1946) y *La muerte cae en un vaso* (1962). Sus ensayos sobre Pablo Neruda, Alfonso Reyes y otros, consagran al autor y profesor varias veces laureado en México y en el extranjero por su fecunda labor intelectual. A la fecha ha publicado más de una docena de libros de poesía de los cuales citaremos *Los jardines amantes* (1952), *Zapata* (1954), *Primer paraíso* (1955), *Poesía de pie* (1959) y la antología de su obra: *Cosecha mayor* (1964).

MARGARITA MICHELENA (1917) nació en Pachuca, Hidalgo. Siguió algunos cursos en la Facultad de Filosofía y Letras de la UNAM, y durante una época fue directora de la revista literaria *El libro y el Pueblo*, órgano de la Secretaría de Educación Pública. Actualmente dirige la revista política *Respuesta*. Una fina sensibilidad y pureza lírica de bien dibujados símbolos poéticos distingue sus libros de poesía: *Paraíso y nostalgia* (1945), *Laurel del ángel* (1948), *3 poemas y una nota autobiográfica* (1953), *La tristeza terrestre* (1954). FRANCISCO GINER DE LOS RÍOS (1917), nacido en Madrid, reside en México desde 1939. Publicó sus primeros poemas en la revista *Floresta*, que editaba Juan Ramón Jiménez en la capital hispana, pero el verdadero poeta se formó en la guerra civil y maduró en el destierro. Su primer libro: *La rama viva* (1940), pertenece ya a México, como toda su producción posterior: *Pasión primera* (1941), *Romancerillo de la fe* (1941), *Los laureles de Oaxaca. Notas y poemas de un viaje* (1948), *Jornada hecha* (poesía de 1934 a 1952), *Poemas mexicanos* (1958) y *Elegías y poemas españoles* (1966), libros de poesía limpia, transparente, hecha de afecto, ternura y sencillez. EMMA GODOY (1918), originaria de la ciudad de Guanajuato, hizo estudios de filosofía y teología en el Instituto de Cultura Femenina, en la Escuela Normal Superior y en la Facultad de filosofía y Letras de la UNAM. Ha viajado por Europa y el Medio Oriente. Colaboró en la Revista *Abside* y en los últimos tiempos se ha dedicado a la enseñanza de español, literatura, estética e historia del arte, en la Escuela Normal para maestros y en la Normal Superior. Emma Godoy ha descollado como poetisa por la intensidad de su canto, tanto en sus poemas religiosos como en los eróticos. Recientemente ha cultivado la narrativa en su primera novela: *Erase un hombre pentafácico* (1961), que obtuvo el premio 1962 de la Fundación William Faulkner de la Universidad de Virginia, en los Estados Unidos. Para el teatro ha escrito la obra *Caín y el hombre* (1950) y sus poesías están recogidas en *Pausas y arena* (1948). GRISELDA ALVAREZ (1918) nació en Guadalajara, Jalisco. En México obtuvo el título de Maestra Normalista de Instrucción Primaria Supe-

rior y ha hecho estudios de psicopatología en la Escuela Normal de Especialización. Su libro más reciente es *Anatomía superficial* (1967), pero desde 1956 se dio a conocer con los poemas amorosos de *Cementerio de pájaros*. Más tarde publicó *Dos cantos* (1959), al maíz y a la provincia. *Desierta compañía* (1961), su tercer volumen, habla del mundo y las cosas, así como del propio ser solitario de la autora; *Letanía erótica para la paz* (1963) y *La sombra niña* (1966).

JOSÉ CÁRDENAS PEÑA (1918-1963) nació en San Diego de la Unión, Estado de Guanajuato, y vivió sus últimos días en su tierra natal. Hizo estudios superiores en la ciudad de México, y al servicio de la Secretaría de Relaciones Exteriores, en la que trabajó hasta su muerte, viajó por Europa y Sudamérica. La poesía de José Cárdenas Peña es esencialmente amorosa. *Sueño de sombras* (1940) fue su primer libro. *Llanto subterráneo* (1945), testimonio de angustia y desolación, tiene como única salvación el amor. A *La ciudad de los pájaros* (1947) siguió *Conversación amorosa* (1950), elegíaca lamentación ante el paso del tiempo, en que sólo en el amor se olvida de sí mismo. *Retama del olvido y otros poemas* (1954) es un canto a la muerte, que contrasta con el aliento juvenil de *Adonais o la elegía del amor y Canto de Dionisio* (1961). Nuevos poemas se recogen en la edición póstuma de *Los contados días* (1964). ALÍ CHUMACERO (1918) nació en Acaponeta, Estado de Nayarit. Perteneció al grupo que se reunió en torno a la revista *Tierra Nueva* (1940-42), de la que fue codirector. Dirigió ocasionalmente *Letras de México*. Desde 1964 es académico de la lengua, y desempeñó varios años el cargo de Gerente General del Fondo de Cultura Económica. La contribución más valiosa del grupo de "Tierra Nueva" fue Alí Chumacero, como poeta estricto, consciente y lúcido, creador de una expresión más esencial que sensual, más confidencial que imaginativa. *Páramo de sueños* (1944) e *Imágenes desterradas* (1948) patentizan un labrado minucioso, un disciplinado sentimiento y un sentido penetrante de lo que un poema significa. Este último libro es uno de los más sentidos testimonios amorosos de la poesía mexicana contemporánea. En *Palabras en reposo* (1956), su tercer y último libro publicado hasta la fecha, evidencia la angustia ante el enigma de la muerte, el deseo, el amor y la soledad. Además de excelente poeta, Alí Chumacero es magnífico crítico, sagaz y bien informado, como lo demuestran sus numerosas colaboraciones en periódicos y revistas, así como sus ensayos, prólogos, notas y antologías. TOMÁS DÍAZ BARTLETT (1919-1957) nació en Tenosique, Tabasco. En la ciudad de México obtuvo el título de médico cirujano, en 1945, profesión. que sólo ejerció durante dos años, y a partir de entonces padeció con gran entereza una enfermedad que lo mantuvo postrado hasta los últimos días de su vida. En su lecho de enfermo nació su vocación poética y creó versos llenos de un encanto tropical como los de su primer libro: *Bajamar* (1951), matizado de un dolor, no por discreto menos intenso. La necesidad de fortalecerse en el dolor y la soledad aparece en su segundo libro: *Con displicencia de árbol* (1955), y culmina con el tema central de la muerte, sereno y resignado, en *Oficio de cadáver* (1958).

4.—Los poetas nacidos en la década 1920 - 1930: GUADALUPE AMOR, MARGARITA PAZ PAREDES, JESÚS ARELLANO, RUBÉN BONIFAZ NUÑO, DOLORES CASTRO, JAIME SABINES, ROSARIO CASTELLANOS(*), TOMÁS SEGOVIA, EDUARDO LIZALDE.

GUADALUPE AMOR (1920) es originaria de la ciudad de México. Estudió en colegios católicos del Distrito Federal y de Monterrey. Elogiada o censurada, posee siempre un gran público que se interesa por los dramáticos conflictos de la vida y la muerte que su poesía plantea con decisión y sobriedad. En su obra se combinan el ansia de llegar a Dios y la angustia de nuestra época, expresadas en un lenguaje directo y áspero, mas con un admirable sentido de las formas clásicas. Sus temas constantes los constituyen meditaciones sobre Dios, la muerte, la nada y el polvo o bien la soledad y la angustia, la vanidad y el amor. En 1951, en *Poesías completas*, recoge su producción anterior a partir de 1946, y escribe posteriormente las *Décimas a Dios* (1953), *Otro libro de amor* (1955), *Sirviéndole a Dios de hoguera* (1958), *Todos los siglos del mundo* (1959), *Fuga de negras* (1966), *Como reina de barajas* (1966). Guadalupe Amor tiene además dos libros en prosa: la novela *Yo soy mi casa* (1957) y los relatos de *Galería de títeres* (1959). MARGARITA PAZ PAREDES (1922) nació en San Felipe Torres Mochas, Estado de Guanajuato. Estudió periodismo en la Universidad Obrera de México y literatura en la Facultad de Filosofía y Letras de la UNAM. Desde muy joven escribió su primer libro: *Sonaja* (1942), y gracias a una ininterrumpida labor creadora, cuenta en la actualidad con más de quince obras publicadas, de las que men-

(*) Ver la sección "Los novelistas nacidos en la década 1920-1930".

cionamos *El anhelo plural* (1948),
Génesis transido (1949), *Andamios
de sombra* (1950), *Dimensión del
silencio* (1953), *La imagen y su
espejo* (1962), *Adán en sombra y
Noche final y Siete oraciones*
(1964), y la más reciente: *Clamor
por el Che Guevara* (1967).

Jesús Arellano (1923) nació
en Ayo el Chico, Jalisco. Ha hecho
estudios en Nuevo México, Estados
Unidos; en la Facultad de Derecho
y en la de Filosofía y Letras de la
UNAM. Como crítico, se ha interesado en el estudio y difusión de
nuestra poesía moderna, como lo
demuestran su *Antología de los 50*
(1952), *Poetas jóvenes de México*
(1955) y su infatigable labor de
promoción de los escritores jóvenes a
través de las revistas que ha fundado y dirigido: *Fuensanta, Litterae,
Poesía y Letras* y *Metáfora*. Pero
ante todo, Arellano es un poeta fiel
a su vocación, un inconforme en ascenso continuo, desde su primer libro: *La señal de la luz* (1950),
en su melacólica poesía de *Ahora
y en la aurora* (1951), hasta *Nuevo
día* (1956) y los libros que le
siguen, en que la amargura y la
desolación han cedido ante una
nueva lírica a la altura del hombre
y la justicia. Rubén Bonifaz Nuño
(1923) nació en Córdoba, Veracruz. Se recibió de abogado y maestro en Letras Clásicas en la Universidad de México. Es Coordinador de
Humanidades y profesor de latín en
la Facultad de Filosofía y Letras de
la misma Universidad y académico
de la lengua. Por su sensibilidad y
dominio de su material expresivo,
así como por su formación humanística (ha traducido a Virgilio: *Geórgicas* (1963), *Bucólicas* (1967)),
es uno de nuestros más importantes
poetas. *Imágenes* (1953) es de impecable corte clásico. En *Los demonios y los días* (1956) se acerca al
pueblo, en versos de contenido social y formas cercanas a la prosa.
El manto y la corona (1958) equilibra estas dos manifestaciones de
su lirismo y logra una de sus obras
más perfectas. En *Fuego de pobres*
(1961)), aborda con emotividad
sincera el problema social, y en su
último libro publicado, *Siete de espadas* (1966), confirma su evolución, "barroco en movimiento: su
signo es una carta de la baraja que
es asimismo una cifra mágica de
fecundidad entre los aztecas y un
símbolo cristiano y romántico". Dolores Castro (1923) nació en la
ciudad de Aguascalientes. Se dio a
conocer en el mundo de las letras
con la publicación de su poema *El
corazón transfigurado* (1949). Desde entonces no ha dejado de dar
muestras de su espíritu sensible en
bellos poemas breves que ha recogido en *Dos nocturnos* (1952), *Siete poemas* (1952), *La tierra está
sonando* (1959) y *Cantares de vela*
(1960), en los cuales ha demostrado ser dueña de una voz personal,
madura y penetrante. Recientemente ha ensayado también la novela:
La ciudad y el viento (1962), obra
en la que trata de la vida provinciana de México en los años que siguieron al movimiento revolucionario
de 1910.

Jaime Sabines (1925) nació en
Tuxtla Gutiérrez, Estado de Chiapas. Vivió algunos años en la ciudad de México dedicado al estudio
de las Humanidades, para después
volver a radicarse en su Estado natal. En su primer libro: *Horal*
(1950), trabaja los temas del amor
y de la muerte, en una actitud poética de vigoroso desafío romántico.
En su libro siguiente, *La señal*
(1951), la desolación de su obra
anterior se acentúa en un permanente choque con la realidad burguesa y hostil. *Tarumba* (1956).

donde el lenguaje es claro, directo y objetivo. añade un testimonio más de la inadaptación y soledad del poeta. *Diario semanario y poemas en prosa* (1961), presenta ya el universo de Sabines, clasificado y coherente, que hace de su autor uno de los mejores poetas mexicanos contemporáneos. *Recuento de poemas.* publicado por la UNAM en 1962. recoge lo que Jaime Sabines ha escrito hasta esa fecha. De su último libro publicado, *Yuria* (1957), surge como en los anteriores, un mundo caótico en donde cólera y ternura, como en la realidad, se hermanan. TOMÁS SEGOVIA (1927), poeta y crítico, nació en Valencia, España. Llegó a México en 1940. Editó con Antonio Alatorre y Juan García Ponce la *Revista Mexicana de Literatura.* Fue Director de la Casa del·Lago y editor de la Dirección General de Publicaciones de la UNAM. Hasta la fecha su producción literaria consta de una novela corta, *Primavera muda* (1954), un drama en verso, *Zamora bajo los astros* (1959) y seis libros de poesía: *La luz provisional* (1950), *Siete poemas* (1955), *Apariciones* (1957), *Luz de aquí* (1958), *El sol y su eco* (1960) y *Anagnórisis* (1967). Su obra poética es de una lúcida inteligencia en donde el espíritu no niega al mundo ni al demonio ni a la carne. EDUARDO LIZALDE (1929). nació en la ciudad de México. Hizo estudios de filosofía en la UNAM. Como poeta es autor de cinco volúmenes, el último publicado, *Cada cosa es Babel* (1966), es un extenso y lúcido poema a propósito de la intelectualización del problema semántico. Su obra consta además de un libro de relatos: *La cámara* (1960). un estudio: *Luis Buñuel* (1962) y crítica cinematográfica por radio y televisión.

5.—Los poetas nacidos en la década 1930-1940: MAURICIO DE LA SELVA. LUIS RIUS, HORACIO ESPINOSA ALTAMIRANO, MARCO ANTONIO MONTES DE OCA, JUAN BAÑUELOS, GABRIEL ZAID, SERGIO MONDRAGÓN. JOSÉ CARLOS BECERRA, JAIME AUGUSTO SHELLEY, ERACLIO ZEPEDA, OSCAR OLIVA, JAIME LABASTIDA, JOSÉ EMILIO PACHECO. HOMERO ARIDJIS.

En Villa de Soyapango, Departamento de San Salvador, República de El Salvador, nació MAURICIO DE LA SELVA (1930), quien reside en la ciudad de México desde 1951. Ha escrito ensayos, cuentos y crítica en publicaciones literarias de Hispanoamérica. Su poesía aborda, con técnica variada y musicalidad espontánea. los eternos temas del ser y la muerte, la alegría y la soledad, sin olvidar la angustia colectiva de la época que le ha tocado vivir. Sus ensayos, sobre todo, prefieren los candentes problemas que afectan a América Latina. Ha escrito: en colaboración: *Nuestro Canto a Guatemala* (1954); *Palabra* (1956). *Dos poemas* (1958), *Poemas. para decir a distancia* (1958) y *La fiebre de los párpados* (1963). LUIS RIUS (1930), nació en Tarancón. España, y radica en México desde 1939, en cuya Facultad de Filosofía obtuvo los grados de Maestro y Doctor en Letras. Luis Rius es conocido como poeta y crítico de la literatura española en general. Al ensayo pertenece *El mundo amoroso de Cervantes y sus personajes* (1954), *Los grandes textos de la literatura española hasta 1700* (1966), y *León Felipe, poeta de barro* (1968), en donde el biógrafo está a la altura del biografiado. Ha publicado *Canciones de vela* (1951), *Canciones de ausencia* (1954) y *Canciones de amor y sombra*

(1965), libros de poesía en que ha sabido recrear los siempre actuales tópicos del amor, la soledad y la esperanza. HORACIO ESPINOSA ALTAMIRANO (1931) nació en la ciudad de México. Hizo estudios preparatorios y después se ha dedicado al periodismo y al cultivo de su vocación poética. Se dio a conocer en 1953 con *Testimonio de América en la sangre* y *Haz de palomas* (1954). Ha publicado además *Canto humano* (1955), *Playas del sol* (1959), *México City* (1961), *Los signos del destierro* (1962), *Oratorio del Sur* (1965) y *El ruiseñor armado* (1966), libros en que el autor equilibra su emoción lírica con sus preocupaciones sociales y políticas. MARCO ANTONIO MONTES DE OCA (1932) es también originario de la ciudad de México. Surgió a la poesía con *Ruina de la infame Babilonia* (1953), acreditándose de inmediato como un valor positivo entre los jóvenes poetas. *Contrapunto de la fe* (1955) es búsqueda de expresión original, avidez de metáforas y juvenil dinamismo. *Pliego de testimonios* (1956) nos entrega al poeta rebelde y dueño ya de maneras peculiares de enfrentar las formas artísticas. *Delante de la luz cantan los pájaros* (1959) recoge su anterior producción e incluye el nuevo libro: "*Ofrendas y epitafios*". Ha publicado también, *Cantos al sol que no se alcanza* (1961), *Fundación del entusiasmo* (1963), *La parcela en el Edén* (1964), *Vendimia del juglar* (1965) y *Las fuentes legendarias* (1966). JUAN BAÑUELOS (1932), nacido en Tuxtla Gutiérrez, Chiapas, pertenece a la promoción de poetas que se dio a conocer en *La espiga amotinada* (1960) y *Ocupación de la palabra* (1965), volúmenes colectivos que recogen poesías de Jaime Augusto Shelley, Eraclio Zepeda, Oscar Oliva, Jaime La-

bastida y del propio Bañuelos. La presentación colectiva de estos cinco jóvenes se caracterizó en proclamar su voluntad de unir el acto y la palabra, para ellos el ejercicio de la poesía es inseparable del cambio de la sociedad. En Bañuelos la protesta nace desde abajo. GABRIEL ZAID (1934) poeta y crítico, nació en la ciudad de Monterrey. Es autor de dos ensayos, uno sociológico y metafísico: *La poesía, fundamento de la ciudad* (1963) y otro polémico y crítico: *La máquina de cantar* (1967), y de dos libros de poemas: *Fábula de Narciso y Ariadna* (1958) y *Seguimiento* (1964), en ellos Zaid se revela, al decir de Octavio Paz, como poeta de mirada interior, de profundidades submarinas. SERGIO MONDRAGÓN (1935), nació en Cuernavaca, Morelos, fundó y dirige, con Margaret Randall, *El Corno Emplumado*. Con el pie de su revista han editado poetas hispanoamericanos y norteamericanos. Interesado en todas las corrientes artísticas de vanguardia, su obra expresa este interés experimental. Ha publicado hasta la fecha un libro de poesía: *Yo soy el otro* (1965) y una biografía: *Lincoln, leñador de América* (1966). JOSÉ CARLOS BECERRA (1937), nació en Villahermosa, Tabasco; estudió filosofía y arquitectura en la UNAM. Sus libros de poesía son *Corona de hierro* (1966) y *Relación de los hechos* (1967). JAIME AUGUSTO SHELLEY (1937), nacido en la ciudad de México, pertenece al grupo de *La espiga amotinada* (1960) y *Ocupación de la palabra* (1965). Ha publicado hasta ahora *La gran escala* (1961) y *Canción de las ciudades* (1963), libros de poesía sencilla y de vigoroso optimismo aun en la desesperanza. ERACLIO ZEPEDA (1937). Como Bañuelos, nació en Tuxtla Gutiérrez, Chiapas, y como él pertenece también al grupo de la *Espiga amotinada* (1960) y *Ocupación de la palabra* (1965). Fue profesor de literatura en la Universidad Veracruzana y en la Universidad de Oriente, Cuba. Su poesía es llana y próxima a las cosas de la tierra. Se ha destacado también como narrador con los relatos del volumen *Benzulul* (1959), colección de psicologías primitivas de su Chiapas indígena. OSCAR OLIVA (1938). Como Bañuelos y Zepeda nació en Tuxtla Gutiérrez, Chiapas, y pertence al grupo de *La espiga amotinada* (1960) y *Ocupación de la palabra* (1965). Fue profesor de literatura en la Universidad Veracruzana y en la Escuela Preparatoria de Tuxtla. Actualmente es Coordinador del Departamento de Artes Plásticas del Instituto Nacional de Bellas Artes. JAIME LABASTIDA (1939). Nacido en Los Mochis, Sinaloa, pertenece también al grupo de *La espiga amotinada* (1960) y *Ocupación de la palabra* (1965). Es licenciado en Filosofía y profesor de esta materia, ha escrito también ensayos literarios y políticos. JOSÉ EMILIO PACHECO (1939), es originario de la ciudad de México. Ha hecho estudios en la Facultad de Derecho y en la de Filosofía y Letras de la UNAM, y fue secretario de redacción de la revista *Universidad de México*. Su producción poética se encuentra reunida en *Los elementos de la noche* (1963) y en *El reposo del fuego* (1966). Colaboró con Octavio Paz y otros en la elaboración de la antología *Poesía en movimiento* (1966) y es autor de la selección, prólogo y notas de *La poesía mexicana del siglo XIX* (1965). Si en su poesía se advierte cierta aproximación a Octavio Paz, en el cuento: *La sangre de Medusa* (1959) y *El viento distante* (1963) sigue de cerca a Jorge Luis Borges.

En su novela, *Morirás lejos* (1967), Pacheco se confirma como uno de los más notables renovadores del lenguaje dentro de la literatura hispanoamericana actual. Mencionemos finalmente a HOMERO ARIDJIS (1940), nacido en Contepec, Michoacán, quien ha hecho estudios de periodismo en la Escuela Carlos Septién García y disfrutado una beca en el Centro Mexicano de Escritores, de 1959 a 1960. Es autor de cinco libros de poesías: *La musa roja* (1958), *Los ojos desdoblados* (1960), *La difícil ceremonia* (1963), *Antes del reino* (1963) y *Mirándola dormir* (1964); uno de relatos: *La tumba de Filidor* (1961), y un relato poemático: *Perséfone* (1967). Aridjis ha obtenido una temprana independencia intelectual, y es, sin duda, uno de los jóvenes poetas mexicanos de más definida personalidad. Colaboró con Octavio Paz, Alí Chumacero y José Emilio Pacheco en la elaboración de la antología *Poesía en movimiento* (1966).

LA NOVELA

La literatura mexicana contemporánea tiene como punto de partida la Revolución de 1910, movimiento que le sirve de necesaria raíz y antecedente. Es un hecho alentador comprobar el auge del género narrativo en los últimos veinte años, y en particular del notable incremento alcanzado por la novela. Del carácter documental e histórico que tuvo en el pasado, la novela contemporánea se caracteriza por su afán de adquirir categoría estética. En el origen de este empeño de perfección y universalidad corresponde un papel significativo a la novela de Agustín Yáñez, *Al filo del agua* (1947), con la que se abre un nuevo ciclo despues de la novela de la Revolución.

Yáñez es el precursor y maestro de la actual generación de narradores: Rosario Castellanos, Sergio Galindo, Carlos Fuentes, Juan Rulfo, etc., pléyade de escritores jóvenes, de diversas tendencias, que buscan una forma de expresión cada vez más adecuada a sus respectivas visiones del mundo.

6.—Los novelistas nacidos antes de 1900: B. Traven, Francisco L. Urquizo. José Mancisidor, Fernando Robles.

B. Traven (1890). Después de haber estado muchos años escondido tras el misterio, parece ser que la personalidad de este escritor ha sido revelada por la revista Siempre (19 oct., 1966), según la cual, Traven es norteamericano de nacimiento y mexicano por naturalización. Llegó a México, para radicarse definitivamente, en 1923. Este novelista, que firma sus obras con este pseudónimo, ha conquistado un lugar preferente en la literatura mexicana por el amor y la simpatía con que ha sabido retratar y ver al indio, y por la hondura con que ha dramatizado aspectos importantísimos de la realidad social del país. Algunos nombres de su extensa bibliografía son los siguientes: La rosa blanca (1933), Puente en la selva (1936), La rebelión de los colgados (1938), La carreta (1950), El tesoro de la Sierra Madre (1951), El barco de la muerte (1951), etc. El General Francisco L. Urquizo (1891) tuvo por lugar de origen San Pedro de las Colonia, Coahuila. Desde 1914 comienza su carrera literaria escribiendo libros para el uso del ejército. Después hace el relato de sus viajes en Europa Central en 1922, Cosas de la Argentina y Madrid de

los años veinte. En la capital hispana publica su primera novela, Lo incognoscible, en la cual se halla bien definido ya el estilo que empleará más tarde para narrar sus experiencias revolucionarias. Sin embargo, su verdadero talento se revela en sus libros posteriores que describen lo que ha visto y experimentado como soldado de la Revolución: México Tlaxcalantongo (1932), Venustiano Carranza, el hombre, el político, el caudillo (1935), Siete años con Carranza (1959), etc. La obra literaria de Urquizo abarca el cuento corto y la narración novelada. Aunque ha escrito cuentos de ficción, los mejores son aquellos de carácter narrativo, bosquejos o memorias de sus días de revolucionario, que constituyen una valiosa fuente documental e histórica. Tropa vieja (1943), considerada como "una de las mejores novelas de la Revolución" por su realismo e interés, hace merecedor al autor del título de "novelista del soldado". José Mancisidor (1894-1956), nacido en el puerto de Veracruz y muerto en Monterrey cuando impartía unos cursos de verano, fue un revolucionario activo toda su vida, y uno de los más importantes animadores de la literatura de contenido social. Su mayor significación está en el campo de la novela, pero cultivó también el cuento, del que hizo dos útiles antologías: Cuentos mexicanos del siglo XIX y Cuentos mexicanos de autores contemporáneos (1946). Su filiación revolucionaria se manifiesta en sus ensayos sobre Zola, Marx, Lenin, Juárez, Hidalgo, Morelos, Guerrero, etc. Su primera novela, La asonada (1931), lo presenta como narrador áspero aunque vigoroso, carácter que se afirma en la segunda: La ciudad roja (1932). Una de sus obras más significativas es Frontera junto al *mar* (1953), sobre la heroica lucha del pueblo veracruzano contra los marinos de Norteamérica. *El alba en las simas* (1953) describe la lucha por la recuperación nacional del petróleo mexicano. Además de las obras anteriores, Mancisidor dejó un volumen de cuentos: *La primera piedra* (1950) y tres novelas inconclusas. La novela cristera tiene un decidido representante en FERNANDO ROBLES (1897), originario de la ciudad de Guanajuato, quien en 1934 publicó en Buenos Aires su primera novela: *La virgen de los cristeros,* sobre el tema a que alude, y *El santo que asesinó,* relativo a León Toral. *Cuando el águila perdió sus alas* (1951), se refiere a la mutilación que sufrió la República mexicana en 1848 por los Estados Unidos. La última novela publicada es *La estrella que no quiso vivir* (1957). En general, los libros de Fernando Robles se caracterizan por su enfoque histórico, y ofrecen siempre innegable valor documental.

7.—LOS NOVELISTAS NACIDOS EN LA DÉCADA 1900-1910: FRANCISCO ROJAS GONZALEZ, AGUSTIN YAÑEZ, MIGUEL N. LIRA, MARÍA LOMBARDO DE CASO, MIGUEL ANGEL MENÉNDEZ. SIMÓN OTAOLA, DEMETRIO AGUILERA MALTA.

FRANCISCO ROJAS GONZÁLEZ (1904-1951) nació en Guadalajara, Jalisco, y murió en la misma ciudad. Sirvió en la Secretaría de Relaciones de 1920 a 1935. Desde 1934 perfeccionó sus estudios étnicos y sociológicos en el Instituto de Investigaciones Sociales de la UNAM, en el que llegó a ser investigador de carrera. Sus frecuentes viajes por diversas regiones del país lo pusieron en contacto directo con núcleos indígenas, experiencias que aprovechó para realizar una obra literaria original y de alto valor estético. Rojas González se dio a conocer como cuentista en 1930, año en que publica *Historia de un frac.* Aparecen después... *y otros cuentos* (1931), *El pajareador* (1934). *Sed. Pequeñas novelas* (1937). *Chirrín y la Celda 18.* (1944). *Cuentos de ayer y de hoy* (1946). *El diosero* (1952), póstuma colección de cuentos, que refleja la vida y costumbres del indio de México, colocó a su autor entre los cuentistas más sobresalientes de nuestra literatura. Su primera novela: *La negra Angustias* (1944), tiene la novedad de presentar la intervención de las mujeres en la Revolución. Al tema indigenista pertenece su segunda novela: *Lola Casanova* (1947), y se refiere a la vida de los indios seris. del Estado de Sonora.

Vida consagrada por entero a labores culturales y literarias ha sido la de AGUSTÍN YÁÑEZ (nacido en la ciudad de Guadalajara en 1904), y fecunda su actividad de investigador, ensayista y funcionario. Se graduó de maestro y doctor en filosofía en la Universidad Nacional de México, a la que ha servido no sólo en la cátedra, sino en el desempeño de diversos e importantes cargos. Fue director de la edición de las *Obras completas* del maestro Justo Sierra. Es antiguo miembro del Seminario de Cultura Mexicana y presidente del mismo; miembro de la Academia Mexicana de la Lengua y de El Colegio Nacional, y actualmente Secretario de Educación Pública. El amor a la provincia es la tónica que informa la mayor parte de su obra: *Genio y figura de Guadalajara* (1941), *Flor de juegos antiguos* (1942), *El clima espiritual de Jalisco* (1945), *Yahualica* (1946), *Al filo del agua* (1947), *La tierra pródiga* (1960), *Las tierras flacas* (1964), etc. En *Al filo del agua* nos ofrece Yáñez un cuadro fiel de la vida de un pueblo característico de Jalisco, en que el amor y la religión constituyen las dos grandes fuerzas que lo determinan. Las ideas los conceptos, giran en torno a los sentimientos y las costumbres; de eso hablan sus personajes, de eso se lamentan, por eso viven, por eso mueren y sueñan. Esta obra es además el preludio de la Revolución y, a la vez, la justificación de ella; es la primera cristalización de esa "corriente" hacia una literatura nacional, y la primera novela, desde *Los de abajo*, que merece un reconocimiento universal. Otras novelas de Agustín Yáñez son *Pasión y convalecencia* (1943), *La creación* (1959) y *Ojerosa y pintada* (1960). Su reciente producción dentro del cuento y el relato comprende *Tres cuentos* (1964) y *Los sentidos del aire* (1964).

MIGUEL N. LIRA (1905-1961) nació en Tlaxcala y murió en su misma ciudad natal. Fue abogado de profesión, poeta, dramaturgo, biógrafo y novelista. Su labor como editor, impresor y director de publicaciones ha dejado apreciable huella tanto en la historia de la tipografía como en la de la literatura. En su imprenta editó libros propios y ajenos bajo el signo de la Editorial Fábula. Su correo amistoso fue la pequeña revista literaria *Huytlale*. En los diversos géneros que cultivó, Miguel N. Lira tuvo como fuente de inspiración la autenticidad mexicana, dentro de lo popular y autóctono. Poeta a los veinte años, su lírica acogió temas y formas populares, y supo dignificarlos por virtud del arte y la emoción humana. El rico acervo de leyendas y corridos mexicanos fue rescatado por el teatro de Lira. Su primera novela: *Donde crecen los tepozanes* (1947), es la historia le-

gendaria de un "nahual" en un poblado tlaxcalteca, con sus cuadros costumbristas y escenas de hechicería indígena. Se la considera como una de las mejores novelas indigenistas que se han producido en México. Su segunda novela: *La escondida* (1948), tiene por tema la Revolución. Publicó después *Una mujer en soledad* (1956), novela epistolar, y en 1958 escribió su última obra: *Mientras la muerte llega. Novela de la Revolución*. MARÍA LOMBARDO DE CASO (1905-1964) nació en Teziutlán, Puebla, y murió en la ciudad de México. Se dio a conocer en 1955 con su libro de cuentos *Muñecos de niebla*, diez relatos en que la autora evoca figuras y cuadros de la vida pueblerina y de su tierra natal. Su primera novela: *Una luz en la otra orilla* (1959), alude a la lucha por la libertad espiritual de las mujeres, en contra de la mezquindad y mojigatería de la vida provinciana. *La culebra tapó el río* (1962), narra la historia de un niño y su perro, quienes se identifican a través de la ternura y la soledad, en el mundo ajeno de los adultos. MIGUEL ANGEL MENÉNDEZ (1905), nació en Izamal, Yucatán. En 1928 publicó su primer libro: *Hollywood sin pijamas*, al que siguieron tres de poesía: *Otro libro* (1932), *Canto a la Revolución* (1933) y *El rumbo de los versos* (1936). Sin embargo, la obra que le dio notoriedad fue su novela *Nayar* (1940), laureada con el Premio Nacional de Literatura, sobre la vida y ambiente de los indios coras del Estado de Nayarit. A pesar de que el autor no se libra de la insistencia detallada y prolija en la descripción, se salva por sus dotes de narrador y por su tono poético. La honda reflexión y el calor emocional, reservado y contenido, son características que hacen de

Nayar uno de los más felices frutos de su género. Recientemente ha escrito *Malintzin* (1963) y *Vida y muerte de Kennedy* (1964). SIMÓN OTAOLA (1907). Originario de San Sebastián, Guipúzcoa, España, vive en México como refugiado político desde 1939. Además de su novela *El cortejo* (1963), es autor de otros cuatro libros, los cuales —a excepción de *Las tardes en el pirul* (1953), crónica novelada de San Felipe Torres Mochas en el Estado de Guanajuato— se refieren al exilio y la emigración con todos sus problemas. El licenciado DEMETRIO AGUILERA MALTA (1909), nació en Guayaquil, Ecuador. Ha sido profesor, diplomático, productor de películas, etc. Reside en México desde 1958 y escribe para periódicos y revistas de toda América. Su obra abarca poesía, cuento, teatro, ensayo, crítica y novela orientada hacia el realismo de base social y política. Algunas de sus novelas son: *Don Goyo* (Barcelona, 1933; Buenos Aires, 1958); *Canal Zone* (Santiago de Chile, 1935; otra ed. México, 1966); *Madrid* (Barcelona, 1936; Guayaquil, Ecuador, 1938); *La isla virgen* (Quito, 1964); *Una cruz en la Sierra Maestra* (Buenos Aires, 1960); *La caballeresa del sol, El gran amor de Bolívar* (Madrid, 1964); *El Quijote de El Dorado, Orellana y el río de las Amazonas* (Madrid, 1964); *Un nuevo mar para el rey* (Madrid, 1965). En 1959, Eds. de Andrea de México publicó su *Trilogía Ecuatoriana. Teatro Breve.*

8.—LOS NOVELISTAS NACIDOS EN LA DÉCADA 1910-1920: ALBERTO BONIFAZ NUÑO, JESÚS R. GUERRERO, HÉCTOR RAÚL ALMANZA, ROGELIO BARRIGA RIVAS, RAMÓN RUBÍN, MAGDALENA MONDRAGÓN, JOSÉ REVUELTAS, RAFAEL BERNAL, JOSEFINA VICENS, SARA GARCÍA IGLESIAS, JUAN RULFO.

ALBERTO BONIFAZ NUÑO (1911) nació en Niltepec, Oaxaca. Trabaja actualmente como publicista de la Dirección General de Publicaciones de la Universidad de México. Desde 1945 se dio a conocer con cuentos y artículos de crítica literaria publicados en periódicos y revistas de la capital y la provincia, pero no fue sino hasta 1959 cuando recogió en volumen sus relatos bajo el título de *Juego de espejos*. Ha escrito una comedia: *El derecho del señor* (1960), obra de intriga sentimental y política que pone de manifiesto los sucios manejos de los sindicatos blancos. Sin embargo, Alberto Bonifaz Nuño es más conocido por su novela: *La cruz del sureste*, publicada en 1954. Oriundo de Numarán, Michoacán, JESÚS R. GUERRERO (1911) ha cultivado el cuento y la novela, en los que revela una visión limitada y amarga de la vida, no obstante sus cualidades de buen observador y pintor preciso de trazos vigorosos y ásperos. Luis Buñuel llevó a la pantalla la mejor novela de Jesús R. Guerrero: *Los olvidados* (1944), obra en que el autor presenta una serie de escenas crueles y dolorosas sobre la vida de las clases desvalidas en México. Ha escrito además las novelas: *El diputado Taffoyat* (1939), *Oro blanco* (1941), *Los días apagados* (1946), *El punto final* (1953), *El corral pintado* (1953) y el libro de cuentos: *Reflejos de luz humana* (1948).

Al grupo de novelistas que se interesan por la solución de los problemas sociales y políticos del país pertenece HÉCTOR RAÚL ALMANZA (nacido en San Luis Potosí, S.L.P., en 1912), abogado, es actualmente cónsul de México en Líbano. De 1944 a 1946 vivió en Matamoros, cuyo ambiente le dio el material de su primera novela: *Huelga blanca* (1950), obra en que ataca la explotación de los braceros por los agricultores de Texas y los falsos líderes mexicanos. En *Candelaria de los patos* (1952) la acción se sitúa en el barrio de ese nombre, arrabal que fuera típico por sus miserables condiciones de vida. *Brecha en la roca* (1955) denuncia la explotación de los trabajadores mexicanos y los ultrajes a que fueron sometidos por las compañías petroleras de la Huasteca, hasta la nacionalización de esa industria en 1938. En su última novela publicada hasta la fecha: *Detrás del espejo* (1962), Almanza relata la vida de Gabriel Sosa, quien a la muerte de Madero se une a los opositores de la usurpación hasta que logra ascender a un nivel en que las tentaciones económicas lo arrastran a modificar sus iniciales ideas generosas. ROGELIO BARRIGA RIVAS (nació en Tlacolula, Oaxaca, en 1912, y murió en la ciudad de México, en 1961) fue autor de cuatro novelas de tema costumbrista. La primera: *Guelaguetza* (1947), se refiere a las costumbres de su estado natal y los abusos de los caciques. Los quince años que actuó en México como Agente del Ministerio Público Federal, le dieron el tema de *Río humano* (1948) —premio "Lanz Duret"—, novela en la que describe el dolor de quienes tienen que acudir a la justicia de barandilla en las delegaciones. *Juez letrado* y *La mayordomía* las dos de 1952, provienen de sus recuerdos y experiencias personales de su juventud en Oaxaca. La última obra citada, que también obtuvo el premio "Lanz Duret" de 1951, fue filmada bajo el nombre de "Animas Trujano". Autor fecundo y escritor preocupado por los problemas de su patria, RAMÓN RU-

BÍN (nacido en Mazatlán, Sinaloa, en 1912) es autor de ocho volúmenes de cuentos y otros diez de novela, en su mayoría inspirados en la vida y costumbres del campo mexicano. Su producción inicial fue de cuentista: *Cuentos del medio rural mexicano* (1942), *Cuentos mestizos de México, II* (1948), *Tercer libro de cuentos mestizos* (1948), *Diez burbujas en el mar, sarta de cuentos salobres* (1949), etc. Una de sus más populares novelas: *El callado dolor de los tzotziles* (1949), se refiere a los hábitos, costumbres y tradiciones de la tribu india que habita las serranías del Estado de Chiapas; *La bruma lo vuelve azul* (1954) tiene por asunto la existencia primitiva de los indios huicholes, así como *El canto de la grilla* (1952) se ubica entre los coras de las sierras nayaritas. Sus novelas más recientes son *Cuando el táguaro agoniza* (1960), *El seno de la esperanza* (1964) y *Donde mi sombra se espanta* (1964), esta última una de las mejor logradas.

Desde muy joven MAGDALENA MONDRAGÓN (nacida en Torreón, Coahuila, en 1913) se dedicó al periodismo, género en el que ha destacado por su actividad y eficiencia. Es autora de seis novelas, varias obras de teatro, dos volúmenes de poesía, uno de crónica, otro de ensayo y un reportaje. Su primer volumen publicado fue la novela *Puede que el otro año*, aparecida en 1937. Una de sus mejores novelas: *Yo como pobre...* (1944), en la que muestra la vida miserable de los que viven en los grandes basureros de la ciudad de México, obtuvo en 1947 el Premio al mejor libro del mes, en Nueva York, y fue traducida al inglés con el título de *Someday the Dream*. Otras novelas suyas son: *Norte bárbaro* (1944), *Más allá existe la tierra*

(1947), *El día no llega* (1950), *Tenemos sed* (1954) y *Cuando la Revolución se cortó las alas* (1967), biografía novelada de Francisco J. Múgica. De los escritores militantes y activos de la izquierda mexicana, es JOSÉ REVUELTAS (nacido en Durango, Dgo., en 1914) el novelista más controvertido e inquieto, cuya obra, saturada de resonancias personales y pasión ideológica, desconcierta no pocas veces aun a sus mismos correligionarios. Su deportación al penal de las Islas Marías, acusado a los veinte años de conducta "subversiva", le dio el tema de su primera novela: *Los muros de agua* (1941). El renombre literario de Revueltas empieza con la publicación de *El luto humano* (1943), sin duda la mejor de sus novelas, por el mundo poético que logra suscitar a través de una prosa limpia y cálida. *Dios en la tierra* (1944), su primer volumen de cuentos, contiene "algunas de las narraciones cortas mejor escritas en nuestra lengua en los tiempos que corren", cualidad que se confirma en su segundo libro de cuentos: *Dormir en Tierra* (1960). Revueltas ha escrito, además, *Los días terrenales* (1949), *En algún valle de lágrimas* (1956), *Los motivos de Caín* (1957) y *Los errores* (1964), aparte de ensayos, argumentos para el cine y varias obras teatrales. La importancia de José Revueltas se deja sentir en los jóvenes escritores mexicanos de hoy en día, quienes han proclamado su influencia y propiciaron la publicación de su *Obra literaria* (2 vols., 1967). RAFAEL BERNAL (1915). Nacido en la ciudad de México, presta en la actualidad sus servicios en la Embajada de México en Filipinas. Es autor de poesías, obras teatrales, cuentos, relatos y novelas, de entre estas últimas sobresalen, *Memorias de San-*

tiago Oxtoltipan (1945), *Un muerto en la tumba* (1946), *El extraño caso de Aloysus Hands* (1946), *Su nombre era muerte* (1947), *El fin de la esperanza* (1948), *Catibal* (1956), *Tierra de gracia* (1963) y *En diferentes mundos* (1967). Dentro del género policíaco ha creado al detective Teófilo Batanes y como dramaturgo, Rafael Bernal figura entre los iniciadores de teleteatro. JOSEFINA VICENS (1915) (originaria de Villahermosa, Tabasco) ha escrito sobre asuntos políticos en varios semanarios, y ha sido, ocasionalmente, argumentista y adaptadora para el cine. Sin embargo, Josefina Vicens es ya conocida en México y en el extranjero por su único libro publicado hasta la fecha: *El libro vacío* (1958), novela que obtuvo el premio "Villaurrutia" y ha sido vertida al francés bajo el nombre de *Le cahier clandestin* (1964), con prólogo de Octavio Paz.

SARA GARCÍA IGLESIAS (nacida en la ciudad de México, en 1917) estudió la carrera de Química en la Universidad Nacional; ha viajado largamente por Europa y los Estados Unidos, y desde 1955 reside en Ozuluama, Veracruz, donde fue Presidente Municipal de 1958 a 1961. Se dio a conocer con su novela *El jagüey de las ruinas* (1944), obra que en 1943 obtuvo el premio "Miguel Lanz Duret". En *Exilio* (1957), su segunda y última novela hasta la fecha, Sara García Iglesias reafirma sus nobles cualidades de estilo, arte y destreza. En este libro la autora se refiere a la convivencia en México de los españoles desterrados por la guerra de España y, por lo tanto, a los conflictos de adaptación y de comprensión que el país suscita en ellos. JUAN RULFO (1918).*

(*) Ver la sección "Los cuentistas nacidos en la década 1910-1920".

9.—LOS NOVELISTAS NACIDOS EN LA DÉCADA 1920-1930: EMMA DOLUJANOFF, ROSARIO CASTELLANOS, LUIS SPOTA, SERGIO FERNÁNDEZ, SERGIO GALINDO, ARMANDO AYALA ANGUIANO, CARLOS FUENTES, LUISA JOSEFINA HERNÁNDEZ.

En México, D. F., nació EMMA DOLUJANOFF (1922). Obtuvo su título de doctora en Medicina, especializada en neuropsiquiatría, en la UNAM. Durante los años de 1957 a 1959, como becaria del Centro Mexicano de Escritores escribió sus *Cuentos del desierto* (1959) y su novela *Adios, Job* (1961), en que narra las peripecias de un joven médico. Su última novela publicada hasta la fecha se intitula *La calle del fuego* (1966).

El año de 1925 nació ROSARIO CASTELLANOS en la ciudad de México. Su niñez transcurrió en Comitán, Chiapas, y a los dieciséis años regresó a la capital, donde en 1950 se graduó de maestra en Filosofía en la Universidad de México. Hizo estudios en la Universidad de Madrid; visitó algunos países europeos, y de regreso en México desempeñó algunos cargos culturales y continuó su creación literaria. Rosario Castellanos se dio a conocer como poetisa desde 1948 en que publicó *Trayectoria del polvo* y *Apuntes para una declaración de fe*, y a través de sucesivos libros de poesía como *De la vigilia estéril* (1950), *Dos poemas* (1950), *El rescate del mundo* (1952), *Presentación en el templo* (1951), *Poemas, 1953-1955* (1957), *Salomé y Judith* (1959), *Al pie de la letra* (1959) y *Lívida luz* (1960). Se ha considerado a Rosario Castellanos como la poetisa actual de más íntimo y puro acento femenino. La preocupación social y el amor a su tierra indígena son notas permanentes de su poesía y de

su prosa. Con el hilo de los recuerdos infantiles, Rosario Castellanos teje —en su primera novela: *Balún-Canán* (1957)— un relato en que surge la vida social del pueblo de Chiapas, complicada y mal organizada, con sus prejuicios de clase, la explotación del indio, todo en torno y en el fondo de un dramático juego de sentimientos y pasiones en cuyo primer plano está siempre la sensibilidad de la niña, eje del relato. *Oficio de tinieblas* (1962) es otra buena muestra de la devoción de la autora por su lugar de origen, y corona, con gran éxito, la corriente de la llamada novela indigenista. Al relato pertenecen *Ciudad Real* (1960) y *Los convidados de agosto* (1964), y al ensayo *Juicios sumarios* (1966), en donde la autora ha reunido sus trabajos de crítica literaria diseminados en revistas y suplementos.

El largo ejercicio en la carrera periodística ha dado a LUIS SPOTA (nacido en la ciudad de México, en 1925) una evidente facilidad narrativa, y le ha desarrollado su sentido innato de observador de personas y sucesos. Acaso por ello sus novelas tienden —como en el reportaje— a subrayar el aspecto espectacular de los hechos. Sus temas predilectos los toma Spota de la deficiente organización social mexicana. Así, *Murieron a mitad del río* (1948) trata el asunto de los braceros explotados y muertos en la frontera; *Las horas violentas* (1958) pinta el mundo corrompido de ciertos líderes obreros; *La sangre enemiga* (1959) narra la vida de hombres y mujeres sin esperanza porque a su vez han nacido de hombres y mujeres semejantes. *Casi el paraíso* (1956), considerada como su mejor novela, "pinta con fiel y exacta crueldad el rastacuerismo de la llamada alta sociedad mexicana". A su obra novelística pertenecen: *El coronel fue echado al mar* (1947), *Más cornadas da el hambre* (1950), *Vagabunda* (1950), *La estrella vacía* (1950), *Las grandes aguas* (1954), *El tiempo de la ira* (1960), *La pequeña edad* (1964), *La carcajada del gato* (1964) y *Los sueños del insomnio* (1966). SERGIO FERNÁNDEZ (originario de la ciudad de México, nació en 1926), doctorado en Letras Españolas en la Universidad Nacional Autónoma de México, es desde 1955 profesor de Tiempo completo de la Facultad de Filosofía y Letras de la UNAM. Ha escrito penetrantes ensayos literarios como *Cinco escritores hispanoamericanos* (1958), *Ensayos sobre literatura española de los siglos XVI y XVII* (1961), *Las grandes figuras del Renacimiento y el Barroco* (1966) y *Retratos del fuego y la ceniza* (1968). En 1958 publicó su primera novela: *Los signos perdidos*, amarga y desencantada, en la que surge en toda su dramaticidad el problema de la convivencia y de la soledad. Su segunda novela: *En tela de juicio* (1964), presenta las mismas características que la anterior, el mismo bucear en el carácter de los personajes y la misma tendencia a minimizar la historia. La importancia de esta novela no está en lo que se cuenta sino en la manera de contarlo: la forma rica y pormenorizada de referir los hechos mínimos e intrascendentes. Su última novela publicada se intitula: *Los peces* (1968). SERGIO GALINDO nació en Jalapa, en 1926. Hizo estudios en la Facultad de Filosofía y Letras de la Universidad de México y en Francia. Ha sido Jefe del Departamento Editorial de la Universidad Veracruzana y director de la revista *La Palabra y el Hombre*, hasta 1964, y actualmente

es Jefe de Coordinación del Instituto Nacional de Bellas Artes. Su primer volumen publicado fue la colección de cuentos *La máquina vacía* (1951). Años después publicó su primera novela: *Polvos de arroz* (1958), de sobrio realismo, en torno a la vida de una familia burguesa y conservadora de provincia. *La justicia de enero* (1959) refiere, entreveradas, las historias de varios agentes de migración. En *El Bordo* (1960), llegan las notas aún no extinguidas del trágico sacudimiento de la Revolución, y recrea con verdadero tino el ambiente de una familia provinciada enclaustrada en su casona de Las Vigas, en el Estado de Veracruz. *La comparsa* (1964) toca de nuevo el tema de provincia, en que la ciudad de Jalapa, liberada de trabas morales en ocasión del carnaval, olvida las apariencias para manifestarse en toda su desnudez.

ARMANDO AYALA ANGUIANO (1928) es originario de la ciudad de León, Guanajuato. Ha sido periodista y corresponsal de *Visión*, y como tal ha viajado por Europa y los Estados Unidos. Las experiencias recogidas en la fronteriza ciudad de Tijuana, donde vivió algún tiempo, le ofrecieron motivos suficientes para su primera novela: *Las ganas de creer* (1958), obra en que presenta la vida turbulenta de esa ciudad y sus habitantes, hábiles para acumular grandes fortunas, y contradictorios en el aparente amor por su patria y el desprecio por los turistas. *El paso de la nada* (1960) es la novela que recoge las experiencias del autor como corresponsal viajero. Su última novela publicada hasta la fecha se intitula *Unos cuantos días* (1965). CARLOS FUENTES nació en la ciudad de México, en 1928. Es Licenciado en Derecho y ha hecho estudios en

Ginebra, Suiza. Ha trabajado en el Servicio Diplomático de la Secretaría de Relaciones Exteriores, y es colaborador de numerosas revistas y periódicos. Carlos Fuentes, cuentista, novelista, ensayista y escritor político, publicó en 1954 su primer libro de relatos: *Los días enmascarados*, en el cual la realidad objetiva se confunde con el mundo inquietante de la fantasía. Su primera gran novela, *La región más transparente* (1958), produjo verdadero impacto en los círculos literarios, y consagró a su autor como uno de los mejores escritores jóvenes. Su segunda novela: *Las buenas conciencias* (1959), ahonda la exploración de la vida en México, que ya había empezado en la obra anterior, pero se aparta del muralismo que distingue a *La región más transparente* y emprende la clarificación de la vida nacional avanzando en profundidad y perspectiva. En *La muerte de Artemio Cruz* (1962), Carlos Fuentes abarca medio siglo de vida mexicana al presentar la historia del burgués que, habiendo participado en algunas escaramuzas de la Revolución, logra después reunir una gran fortuna y adquirir inmenso poder. La muerte de este hombre, doce horas de agonía, es el tema de esta magnífica novela. Sus dos últimas novelas publicadas hasta la fecha se intitulan *Zona sagrada* (1967) y *Cambio de piel* (1967), esta última le valió a su autor el Premio Biblioteca Breve de la Editorial Seix Barral, de Barcelona. Carlos Fuentes es también autor de *Aura* (1962), novela corta, fantástica en donde recrea en forma magistral, un ambiente mexicano de época pretérita, y de *Cantar de ciegos* (1964), su segundo volumen de relatos que viene a ser una síntesis de sus mundos literarios: mágico,

realista y humorista. LUISA JOSEFINA HERNÁNDEZ (1928).*

10. NOVELISTAS DE LA DÉCADA 1930-1940: JULIETA CAMPOS, SALVADOR ELIZONDO, TOMÁS MOJARRO, VICENTE LEÑERO, FERNANDO DEL PASO

JULIETA CAMPOS (1932), originaria de La Habana, Cuba, reside en México desde 1955. Es doctora en Filosofía y Letras por la Universidad de La Habana. Fue traductora durante diez años para el Fondo de Cultura Económica y actualmente lo es para la Editorial Siglo XXI. Como ensayista se ha destacado como una profunda conocedora de la literatura contemporánea: *La imagen en el espejo* (1965). Dentro de la narrativa ha publicado *Muerte por agua* (1965), que la sitúa como representante del "nouveau roman" entre los hispanoamericanos, y *Celina o los gatos* (1968), que reúne cinco relatos unidos por el tema del misterio que representan esos animales. SALVADOR ELIZONDO (1932), originario de la ciudad de México, hizo sus estudios superiores en Canadá y en Europa. Ha publicado *Poemas* (1960), ensayos críticos, *Luchino Visconti* (1963), traducciones principalmente de poetas ingleses, relatos: *Narda o el verano* (1966), su autobiografía y dos novelas: *Farabeuf o la crónica de un instante* (1965) y *El hipogeo secreto* (1968.)

TOMÁS MOJARRO (1932), es originario de Jalpa, Zacatecas. Su primer volumen publicado: *Cañón de Juchipila* (1960), recoge ocho cuentos sobre el ambiente de las provincias del sur de Zacatecas. Los

(*) Ver "El Teatro". Los nacidos en la década 1920-1930.

personajes, "seminaristas y braceros", aparecen como víctimas del
fanatismo y la miseria. Mojarro
se afirma como buen narrador en
su novela *Bramadero* (1963), en
la que vuelve al tema de la provincia: la transformación de Margil
de Minas cuando una carretera la
comunica con el resto del país.
Bien estructuradas, de estilo suge-
rente y sintético y con personajes
verosímiles, *Bramadero* y su última
novela publicada, *Mala fortuna*
(1966), enriquecen la actual novelística mexicana. Ha publicado también su autobiografía (1966). Vi-
CENTE LEÑERO (1933), nacido en
Guadalajara, Jalisco, es, con Elizondo, Tomás Mojarro, Fernando
del Paso, Gustavo Sainz y José
Agustín, de los más jóvenes novelistas de nuestros días. Todos ellos
han publicado su autobiografía en
la Colección de Empresas Editoria-
les, intitulada "Nuevos escritores
mexicanos del siglo XX presentados por sí mismos". Vicente Leñero se recibió de ingeniero en la
Universidad Nacional, y de periodista en la Escuela de Periodismo
"Carlos Septién García". Se inició
en la literatura como cuentista, con
su libro *La polvareda y otros cuentos* (1959), en el que aborda con
igual acierto temas de la ciudad y
del campo. En *La voz adolorida*
(1961, 2a. ed. corregida y publicada con el nombre de *A fuerza
de palabras*, Buenos Aires, 1967),
su primera novela, Leñero encuentra su propio estilo, dejando el paso
abierto a la voz de su personaje
que narra, sueña y relata. En *Los
albañiles* (1964), Premio Biblioteca
Breve, 1963, el autor incursiona
en diferentes estratos sociales y económicos de la ciudad de México.
Describe, valiéndose del contrapunto, el trabajo y el ocio, los problemas y las satisfacciones, el amor,

la amistad y el resentimiento de
obreros de la construcción, albañiles, arquitectos, ingenieros, etc. La
historia está expuesta con eficacia
narrativa, capta el interés del lector desde el principio, sus personajes son posibles y el universo en
que se mueven tiene existencia propia. Sus últimas novelas publicadas
son: *Estudio Q* (1965) y *El garabato* (1967). FERNANDO DEL PASO
(1935), nació en la ciudad de México, es publicista y redactor. En
1958 publicó un libro de poesía,
Sonetos de lo diario, pero no es
sino hasta 1966 que se da a conocer con su novela *José Trigo*. Esta obra es un gran esfuerzo lite-
rario-lingüístico-sociológico, situada
en lo que fuera la zona Nonoalco-
Tlatelolco antes que la moderniza-
ran.

11. NOVELISTAS NACIDOS DESPUÉS DE 1940: GUSTAVO SAINZ Y JOSÉ AGUSTÍN

GUSTAVO SAINZ nació en la ciudad de México, en 1940. Empezó
publicando cuentos en revistas y
anuarios, trabajó durante varios
años como reseñista en el suplemento dominical de *Novedades*. Ha
publicado hasta la fecha sólo dos
libros, su novela, *Gazapo* (1965)
y su autobiografía (1966), obras
que se complementan. Con su novela, Sainz abrió nuevos caminos
a los jóvenes escritores que le han
seguido; es la eterna historia de
adolescencia pero relatada en forma original y nueva. Emplea recursos de la prosa europea de vanguardia, pero la tónica es muy nuestra, alcanzando, y ése es su valor,
toda la problemática social de la
juventud actual. JOSÉ AGUSTÍN
(1944), nació en Guadalajara, Jalisco, es el narrador más joven de

la literatura mexicana de hoy en día; sin embargo tiene ya cinco libros publicados, entre ellos dos novelas: *La tumba* (1964) y *De perfil* (1966), esta última (como la primera), tienen como protagonistas unos cuantos adolescentes de la ciudad de México, pero a diferencia de *La tumba*, nos presenta un mundo malicioso, divertido, en donde el relator sabe burlarse de todo y de todos, inclusive de sí mismo, el mundo es visto por primera vez desde la adolescencia misma, o rebasándola apenas. Su obra consta además de su autobiografía (1966), un libro de relatos *Inventando que sueño* (1968), un ensayo, *La nueva música clásica* (1968) y el prólogo a la *Obra literaria* de José Revueltas (1967).

EL CUENTO

12. LOS CUENTISTAS NACIDOS ANTES DE 1900: DR. ATL, ANTONIO ROBLES (ANTONIORROBLES), ARQUELES VELA, IGNACIO HELGUERA

DR. ATL (Gerardo Murillo, 1875-1964). Nació en Guadalajara, Jalisco, y murió en la ciudad de México. Durante su viaje a Europa, para estudiar pintura, Gerardo Murillo decidió llamarse Atl y en París, Leopoldo Lugones lo acabó de bautizar con el seudónimo con que se le conoce: Dr. Atl. Fue precursor de la pintura moderna, notable paisajista, revolucionario, crítico de arte y escritor. Escribió ensayos, libros de carácter científico, de crítica y de relatos. Los tres tomos que constituyen sus *Cuentos de todos colores* (1933, 1936, 1941), con temas de la Revolución, lo consagraron como uno de los mejores cuentistas de esa época. Otros de sus volúmenes narrativos son: *¡Arriba, arriba!* (1927), *Cuentos*

bárbaros (1930), *Un hombre más allá del universo* (1935), etc.

ANTONIO ROBLES, más conocido como Antoniorrobles (1897), nació en Robledo de Chavela, provincia de Madrid. Reside en México desde 1939, donde ha continuado su profesión de periodista y escritor de temas de literatura infantil, materia, esta última, que imparte en la Escuela Nacional para Maestros, en la Normal Oral y en la Escuela Normal Manuel Acosta. Por sus obras para niños, premiadas muchas veces, Antoniorrobles ha adquirido justa fama. Sus cuentos se distinguen por su honda intención humana, por su gracia y delicadeza, y a su calidad literaria se suma la importancia de su carácter educativo. Su producción en México comprende varios volúmenes de *Aleluyas de Rompetacones, Un gorrión en la guerra de las fieras* (1943), *La fauna se columpia, La bruja doña Paz* (1959), *Ocho estrellas y ocho cenzontles, El niño de la naranja, Rompetacones y 100 cuentos más* (t. I, 1962; t. II, 1964), etc., la novela *El refugiado Centauro Flores*, y la comedia *El toro a escena* (1965). ARQUELES VELA (1899), es originario de Tapachula, Chiapas. Desde 1920 se inició en el periodismo, y por esa época su nombre adquirió resonancia dentro del movimiento estridentista. Después de haber realizado estudios en varias universidades europeas, dirigió en México el suplemento literario de *El Nacional*, y desde entonces su actividad se ha vinculado estrechamente a innumerables tareas educativas. Actualmente es director de la Escuela Normal Superior. Cultivó la poesía en *El sendero gris y otros poemas, 1919-1920* (1921) y *Cantatas a las muchachas fuertes y alegres de México* (1940). Es autor de varios li-

bros y ensayos sobre arte y estética, literatura universal y literatura
mexicana y sobre el Modernismo.
Con sus *Cuentos del día y de la
noche* (1945), Arqueles Vela pasó
a ocupar un puesto preeminente
entre los cuentistas mexicanos contemporáneos. Sus novelas publicadas son *La volanda* (1956), *El pi-
caflor* (1961) y *Luzbela* (1966).
IGNACIO HELGUERA (1899), nació
en Peñoles, Durango, fue profesor
y en la actualidad se dedica a escribir. Su obra consta de ocho volúmenes entre cuento y novela. Su
primer libro *El hallazgo engañoso
y otros cuentos* (1955), reúne dieciocho relatos que nos muestran los
conocimientos y experiencias de su
autor; las mismas características
presentan *El monstruo y otros cuentos* (1957) y *La hija de Bolívar
y otros cuentos* (1963), el último
publicado hasta la fecha.

13. LOS NACIDOS EN LA DÉCADA
1900-1910: JUAN DE LA CABADA,
MAX AUB, CÉSAR GARIZURIETA,
EFRÉN HERNÁNDEZ, ANDRÉS HENES-
TROSA, LUIS CÓRDOVA, NELLIE CAM-
POBELLO

JUAN DE LA CABADA (1903), nació en la ciudad de Campeche. Sus
primeros escritos —siempre atento
al problema social— aparecen por
primera vez en *El Machete*, órgano
entonces del Partido Comunista Mexicano, y después en la revista de
la Liga de Escritores y Artistas Revolucionarios, de la cual fue fundador. Juan de la Cabada se dio a
conocer como cuentista con su libro
Paseo de mentiras (1940), colección de relatos de diversa índole
—llenos de atisbos y halagüeñas
promesas— en los que se descubre
al hombre de rasgos firmes y profunda experiencia. Su segundo libro, *Incidentes melódicos del mundo irracional* (1944), es, al decir

de José Luis Martínez, "una extraordinaria fantasía de inspiración
indígena". Su guión cinematográfico: *El brazo fuerte* (1963), es una
incisiva sátira contra el caciquismo,
pero también muy saludable, rebosante de humanidad y de verdad.
MAX AUB (1903), nació en París,
Francia, de padre alemán y madre
francesa, pero es español por su
educación y formación cultural. Vino a México en 1942, y en este
país ha escrito casi toda su obra.
Ha sido profesor en la UNAM, en
el Instituto Cinematográfico; vocal
ejecutivo de la Televisión Universitaria; director de los Servicios Coor-
dinados de Radio, Televisión y Gra-
bación de la UNAM, y uno de los
fundadores de la revista *Los Sesenta*. Max Aub ha cultivado todos
los géneros: poesía, novela, cuento, teatro, ensayo, en los que se
conjugan la pasión y el talento, la
versatilidad y la exuberancia, el
humorismo y la gravedad. Sus libros más conocidos son *Luis Alvarez Petreña* (Barcelona, 1934;
México, 1965), *Campo cerrado*
(1944; 1968), *No son cuentos*
(1944), *Campo de sangre* (1946),
Sala de espera (3 vols. 1949, 1950,
1951), *Campo abierto* (1951), *Yo
vivo* (1953), *Jusep Torres Campa-
lans* (1958), *Cuentos mexicanos
(con pilón)* (1959), *Campo del
moro* (1963), *Antología traducida*
(1963), *El Zopilote y otros cuentos
mexicanos* (1964), etc. En 1965 empezaron a publicarse sus "Obras
Incompletas". CÉSAR GARIZURIETA
(1904-1961), nació en Tuxpan, Veracruz, y murió en la ciudad de
México. Estudió leyes en la Facultad de Jurisprudencia; fue magistrado del Tribunal Superior de
Justicia, y sirvió en el cuerpo diplomático hasta su muerte. Escribió
varios relatos de contenido social,
en donde actúan, desenfadadamen-

te, los habitantes de su tierra veracruzana. Su obra se distingue por un agudo espíritu humorístico. Fue autor de *Singladura* (1937), *Resaca* (1939), *El apóstol del ocio* (1940), *Un trompo baila en el cielo* (1942), *El diablo, el cura y otros engaños* (1947), *Memorias de un niño de pantalón largo* (1952), *Juanita "la lloviznita"* (1956), y dos interesantes ensayos: *Catarsis del mexicano* (1946) e *Isagoge sobre el mexicano* (1952).

EFRÉN HERNÁNDEZ (1904-1958), nació en León, Guanajuato, y murió en Tacubaya, Distrito Federal. Inició estudios de Derecho, los que abandonó más tarde para dedicarse a sus trabajos literarios. Fue animador entusiasta de la revista antológica *América*, en la que tuvo el cargo de subdirector. Se dio a conocer con su magnífico cuento *Tachas* (1928), y es, en este género, donde están sus mayores aciertos. Más tarde publicó *El señor de palo* (1932) y *Cuentos* (1941). Su prosa es una de las más delicadas en la literatura mexicana moderna. Su lúcida imaginación y aguda sensibilidad le permitieron aprovechar las conquistas de los maestros de la novela contemporánea. Escribió dos novelas: *Cerrazón sobre Nicómaco* (1946) y *La paloma, el sótano y la torre* (1949), y otros dos libros de poesía en que se revela la raíz clásica de su formación intelectual: *Hora de horas* (1936) y *Entre apagados muros* (1943). Su *Obra completa* (1965) ha sido publicada por el Fondo de Cultura Económica. ANDRÉS HENESTROSA (1906), nació en Ixhuatán, Oaxaca. Fue director de las revistas *El Libro y el Pueblo* y *Letras Patrias*; jefe del Departamento de Literatura del Instituto Nacional de Bellas Artes (1952-1958) y diputado al Congreso de la Unión (1958-1961). Pertenece a la Academia Mexicana de la Lengua desde 1964. Andrés Henestrosa ha hecho aportaciones destacadas al indigenismo. En *Los hombres que dispersó la danza* (1929) recreó e inventó, en prosa llena de brío y eficacia narrativa, los cuentos y leyendas de su tierra zapoteca, tomados del acervo popular. Su libro: *Retrato de mi madre* (1940), es una de las páginas más hermosas de nuestra literatura. En su amplia obra —la mayor parte no recogida en volumen todavía— Henestrosa ha seguido una línea paralela a la de sus libros de creación: la exaltación de su pueblo y de nuestro pasado indígena, la defensa del espíritu liberal y el estudio y valoración de las expresiones nacionales. LUIS CÓRDOVA (1908), nació en Orizaba, Veracruz. En la ciudad de México estudió la carrera de Licenciado en Derecho, y actualmente presta sus servicios en la Secretaría de Relaciones Exteriores. En 1935 publicó el relato satírico: *Mr. Parker, Mr. Jenkins*; después otros volúmenes de cuentos: *Los alambrados* (1954), *Cenzontle y otros cuentos* (1955), *Lupe Lope y otros cuentos* (1959), *La sirena precisa* (1960) y tres obras de teatro: *Los negocios de Palacio van despacio* (1944), *Tijeras y listones* (1956) y *Gran lago* (1962). NELLIE CAMPOBELLO (1909), nació en Villa Ocampo, Durango. Muy joven llegó a la capital de México, donde publicó su primer libro: *Yo, Versos por Francisca* (1928). Pronto se convirtió en profesional de la danza, en cuya enseñanza e investigación está considerada como una autoridad. Es actualmente directora de la Escuela de Danza, que forma parte del Instituto Nacional de Bellas Artes. Su obra novelística consta de dos libros. El primero:

Cartucho (1931), reúne bosquejos y retratos individuales de revolucionarios, villistas generalmente. Emplea en sus relatos la expresión sin ornamento, las frases claras, directas, breves y hasta brutales. Su segunda novela: *Las manos de mamá* (1937), es el homenaje de la escritora a su madre y a todas las madres que sufrieron durante la época revolucionaria. En 1960 publicó toda su obra en un solo volumen intitulado: *Mis libros.*

14. CUENTISTAS NACIDOS EN LA DÉCADA 1910-1920: GABRIEL LÓPEZ CHIÑAS, FRANCISCO PELÁEZ ("FRANCISCO TARIO"), FERNANDO BENÍTEZ, EDMUNDO VALADÉS, MARÍA ELVIRA BERMÚDEZ, JOSÉ CEBALLOS MALDONADO, GASTÓN GARCÍA CANTÚ, JUAN JOSÉ ARREOLA, JUAN RULFO

GABRIEL LÓPEZ CHIÑAS (1911), es originario de Juchitán, Oaxaca. Se recibió de abogado en la Universidad Nacional, a la cual ha servido tanto en Radio Universidad como en la Dirección de Difusión Cultural. Ha escrito poesía: *Canto del hombre a la tierra* (1951), *Poemas* (1953), *Los telares ilusos* (1953), *Mar* (1960), *Filigranas del sueño* (1961); pero debe su prestigio de escritor sobre todo a sus cuentos, en los que proyecta el espíritu regional de su tierra. *Vinnigulasa* (1940), cuentos de Juchitán, ha merecido tres ediciones, de las cuales la última corresponde a la imprenta universitaria de la UNAM. FRANCISCO PELÁEZ (1911), nació en la ciudad de México. Reside actualmente en Madrid. España. En 1943 aparecieron sus dos primeros volúmenes; la novela *Aquí abajo,* de irónico dramatismo. y su libro de cuentos: *La noche*, bajo el seudónimo de "Francisco Tario". Estos relatos llevan nombres originales como "La noche del féretro", "La noche del perro", "La noche del muñeco", en los cuales son los propios objetos y animales los que hablan. El uso del adjetivo, de naturaleza contraria a su correspondiente sustantivo, hace suponer algún contacto con la obra de Jorge Luis Borges y la *Antología de la literatura fantástica.* Sus demás libros de cuentos lo van superando como escritor de este género: *Yo de amores qué sabía* (1950) y *Tapioca Inn: Mansión para fantasmas* (1952). Es autor también de *Breve diario de un amor perdido* (1951) y de *Acapulco en el sueño* (1951). FERNANDO BENÍTEZ (1912), nació en México, D. F. Se ha significado en el periodismo por sus numerosos artículos, ensayos y trabajos de crítica; como creador y director de los suplementos culturales de *El Nacional, Novedades* y la revista *Siempre.* Viajero por Europa, Asia y América, narra sus experiencias en libros como *China a la vista* (1953), *La batalla de Cuba* (1960), *Viaje a la Tarahumara* (1960), *La última trinchera* (1963), *Los hongos alucinantes* (1964), *Los indios de México* (1967) y *En la tierra mágica del Peyote* (1968). Benítez se inició en las letras con un volumen de relatos sobre la muerte, intitulado *Caballo y Dios* (1945). Más tarde hizo un intento dramático: *Cristóbal Colón* (1951), pero su verdadero camino lo encontró en obras que combinan libremente el reportaje y el ensayo, dos de ellos dedicados a temas coloniales: *La ruta de Hernán Cortés* (1950) y *La vida criolla en el siglo XVI* (1953); otro, a los hechos de la Independencia: *La ruta de la libertad* (1960), y uno más sobre la significación y el drama del henequén en la península yucateca: *Ki: el drama de un pueblo y de una planta* (1956). También ha publicado obras de ficción como *El Rey Viejo* (1959) y *El agua envenenada* (1961).

EDMUNDO VALADÉS (1915), es originario de Guaymas, Sonora, pero ha residido en México desde muy joven, donde se dedicó al periodismo. Desde mayo de 1964 dirige la revista de imaginación: *El Cuento*, la cual ha venido a aliviar un tanto la necesidad de buenas revistas populares en este género. El libro que le ha dado renombre como cuentista es *La muerte tiene permiso* (1955), del que se han hecho cinco ediciones hasta la fecha. Reúne esta obra catorce relatos de excelente realización, escritos en estilo directo, ágil y ameno. Otros de sus cuentos son *Adriana* (1957), *Las raíces irritadas* (1957), *Antipoda* (1961), *Rock* (1963) y *Las realidades funestas* (1966). Aunque nacida en Durango, MARÍA ELVIRA BERMÚDEZ (1916) ha vivido desde su infancia en la ciudad de México, donde en 1939 obtuvo el título de abogado. Desde 1954 viene publicando ensayos de crítica literaria y reseñas de libros mexicanos contemporáneos, en suplementos y revistas de la capital. María Elvira Bermúdez representa el caso poco común en nuestras letras, de la escritora a quien interesa la literatura detectivesca. En 1953 publicó una novela policíaca: *Diferentes razones tiene la muerte*, buen ejemplo en su género, como lo son también sus cuentos: *Soliloquio de un muerto* (1951), y otros muchos dispersos en revistas, anuarios y antologías, con los que ha enriquecido considerablemente la narrativa de ese género. Ha publicado también dos antologías: *Los mejores cuentos policíacos mexicanos* (1955) y *Cuentos fantásticos mexicanos* (1963).

JOSÉ CEBALLOS MALDONADO (1917). médico de profesión, nació en Puruándiro, Michoacán, pero ha vivido desde niño en Uruapan, del mismo Estado, donde ejerce su profesión. Ha escrito novelas y cuentos, de los cuales sólo ha publicado *Blas Ojeda* (1964), volumen que reúne doce relatos sacados de la realidad de Uruapan, y *Bajo la piel* (1966), novela en donde penetra aún con mayor profundidad en el medio provinciano que tan bien conoce. GASTÓN GARCÍA CANTÚ (1917), es oriundo de la ciudad de Puebla, donde hizo estudios de Derecho. Fue director de la Hemeroteca de la Universidad poblana, y desde 1953 pasó a residir en la ciudad de México. Ha sido director del suplemento cultural de *Novedades*, subdirector del Departamento de Publicaciones del Instituto Nacional Indigenista, y actualmente es director del Departamento de Difusión Cultural de la Universidad Nacional Autónoma de México. Es autor de algunos ensayos como *El Mediterráneo Americano* (1960). *Cuadernos de notas* (1961), y *Papeles públicos* (1961), recogidos y ampliados en *Utopías mexicanas* (1963). Como cuentista, en *Los falsos rumores* (1955) colecciona dieciséis cuentos sobre el tema común de la provincia poblana, opaca y sencilla en apariencia, pero compleja en el fondo, llena de prejuicios, hastío e ignorancia. El libro es amargo, y contiene una protesta urdida con humor y sátira. En 1965 publicó un importante estudio sobre *El pensamiento de la reacción mexicana, historia documental, 1810-1962* (1965).

Juan José Arreola y Juan Rulfo, ambos jaliscienses, nacieron en 1918. JUAN JOSÉ ARREOLA es originario de Ciudad Guzmán (Zapotlán el Grande). En su estado natal editó, con otros escritores, las revistas *Eos* y *Pan*. Ya en la ciudad de México estudió teatro y fue actor; en Francia hizo estudios de técnica de la actuación y declamación. Ha obtenido los premios literarios "Jalisco" (1953) y "Xavier Villaurrutia" (1963). Junto con Héctor Mendoza, dirigió algunos de los programas teatrales de "Poesía en Voz Alta", iniciados en 1956, y ha fundado y dirigido la colección "Los Presentes", la de "Cuadernos y Libros del Unicornio", etc. Arreola se dio a conocer como excelente cuentista con su relato "Hizo el bien mientras vivió" (1943), uno de los más hábiles y perfectos cuentos costumbristas de las letras mexicanas. Poseedor de un oficio, dueño de los secretos mecanismos del relato corto, Arreola ha venido construyendo un nuevo tipo de cuento en sus volúmenes: *Varia invención* (1949), *Confabulario* (1952) y *Confabulario total* (1962). Su obra de teatro: *La hora de todos* (1954), primer premio en el Festival Dramático del INBA. llamó la atención por su composición original, su fuerza dramática y su pasión. Su novela: *La feria* (1963). continúa y resume, temática y estilísticamente, su obra completa. JUAN RULFO (1918), nació en Sayula, Jalisco, donde su niñez transcurrió en contacto con el medio rural, y presenció más tarde algunos episodios de la revuelta cristera. Actualmente reside en la ciudad de México. Sus primeros relatos aparecieron en la revista *Pan*, de Guadalajara, pero fue *El llano en llamas* (1953) el libro que lo consagró como uno de los mejores cuentistas contemporáneos. El tema es la provincia, pero tratada con las técnicas que han orientado la novela y el cuento actuales por nuevas sendas: el monólogo interior, la simultaneidad de planos. la introspección, el paso lento. Las mismas características tiene su obra *Pedro Páramo* (1955), con la cual Juan Rulfo se consagra como uno de los mejores novelistas de Hispanoamérica; en ella desfilan personajes elementales, de pasiones oscuras, sin alegría ni generosidad, llenos de codicia, lujuria y remordimiento, esculpidos con vigor inusitado y recreados con excepcional maestría y talento literario.

15. CUENTISTAS NACIDOS EN LA DÉCADA 1920-1930: GUADALUPE DUEÑAS, EUGENIO TRUEBA, AUGUSTO MONTERROSO, JORGE LÓPEZ PÁEZ, RICARDO GARIBAY, JOSÉ LUIS GONZÁLEZ, CARLO ANTONIO CASTRO, RAQUEL BANDA FARFÁN, CARLOS VALDÉS, MARÍA AMPARO DÁVILA, INÉS ARREDONDO

GUADALUPE DUEÑAS (1920), nació en Guadalajara, Jalisco. Sus primeros relatos aparecieron en antologías, revistas y suplementos literarios de la capital, algunos de los cuales reunió en *Las ratas y otros cuentos* (1954), bajo el signo de *Abside*. Lo mejor de su producción ha sido recopilada en su libro: *Tiene la noche un árbol* (1958). Guadalupe Dueñas se caracteriza por su fino espíritu, por su amor a las cosas mínimas y a los entes repulsivos; por la fuerza y originalidad con que construye el andamiaje de sus narraciones fantásticas y por los ingeniosos recursos con que nos introduce en un mundo en el que ningún horror es imposible. EUGENIO TRUEBA (1921), es originario de Silao, Guanajuato. Abogado de profesión, reside en la capital de su Estado, de cuya Universidad ha sido rector, así como catedrático y director de aquella Facultad de Derecho. Dirigió allí dos importantes publicaciones: *Garabato* y *El Umbral;* en la primera publicó sus primeros relatos. Es autor de *Cuentos* (1951), *Antesala* (1956) y *La pupila del gato* (1957), en los que muestra las dos direcciones constantes de su prosa: la fantástica y la realista. Su obra de teatro: *Los intereses colectivos* (1960) es un sainete político. Su primera novela: *La turbia imagen* (1962), se refiere a la conducta de cuatro adolescentes —en una hermética ciudad de provincia— cuyo linaje está en razón inversa a su bonanza económica. AUGUSTO MONTERROSO (1921), nació en la ciudad de Guatemala, y reside en México desde 1944. Prestó sus servicios en el cuerpo diplomático, de 1945 a 1954. Autodidacta de amplia cultura, fundó el grupo y la revista *Acento,* y figura entre los fundadores de la *Revista de Guatemala.* Aunque ha cultivado el ensayo, Augusto Monterroso destaca como uno de los más diestros e inteligentes prosistas de su generación. Como cuentista, es autor de *El concierto y el eclipse* (1952), *Uno de cada tres* y *El Centenario* (1954), *Obras completas y otros cuentos* (1959), relatos todos de fino humorismo y reveladores de un depurado estilo. JORGE LÓPEZ PÁEZ (1922), nació en Huatusco, Veracruz, y obtuvo su título de abogado en la Universidad Nacional Autónoma de México. Autor de cuentos y relatos como *El que espera* (1950), *Los mástiles* (1955), *Los invitados de piedra* (1962), *Mi hermano Carlos* (1965), y *Pepe Prida* (1965), es también autor de una obra de teatro *La última visita* (1951) y de dos novelas cortas: *El solitario Atlántico* (1958) y *Hacia el amargo mar* (1965). La primera es su obra más afortunada, ahonda en el mundo mágico e intransferible

de un niño, y logra darnos un retrato emotivo y verosímil. RICARDO GARIBAY (1923), es originario de Tulancingo, Hidalgo. Hizo estudios en la Facultad de Filosofía y Letras de la UNAM. Fue profesor de literatura y becario del Centro Mexicano de Escritores. Es autor de un ensayo: *Nuestra Señora de la Soledad en Coyoacán* (1955) y de los relatos: *La nueva amante* (1946), *Cuaderno* (1950), *Cuentos* (1952), *El coronel* (1957) y *Beber un cáliz* (1965). En la obra de Garibay sobresale *Mazamitla* (1955), cuento largo o novela corta, en que trata, con recursos poco usuales en nuestra prosa, el asesinato de un humilde rural. JOSÉ LUIS GONZÁLEZ (1926), nació en Santo Domingo, República Dominicana, pero niño aún pasó a San Juan de Puerto Rico, donde obtuvo la licenciatura en Ciencias Políticas. Ha viajado, en distintas épocas, por Europa, el Medio Oriente y Rusia. En México se graduó de Maestro en Letras en la Facultad de Filosofía y Letras de la UNAM, ha sido profesor en la Universidad de Guanajuato y actualmente lo es de la Universidad Nacional Autónoma de México. Sus libros de cuentos: *En la sombra* (1943), *Cinco cuentos de sangre* (1945) y *El hombre en la calle* (1948) fueron publicados en Puerto Rico. A ediciones mexicanas corresponden sólo dos de sus obras: los cuentos *En este lado* (1954), escritos en estilo sencillo no exento de poesía, y una novelita intitulada *Paisa* (1950), "relato de la emigración" como el autor la llama, en la que entreteje hábilmente una trama y una evocación. CARLO ANTONIO CASTRO, hijo de familia mexicana-salvadoreña, nació en Santa Anna, El Salvador, en 1927. Reside en México desde 1938. Estudió la ca-

rrera de Ciencias Biológicas y Químicas en la UNAM; etnología, lingüística y antropología en la Escuela Nacional de Antropología y
en el Instituto Nacional Indigenista.
Desde 1958 es profesor de carrera
en la Escuela de Antropología de
la Facultad de Filosofía y Letras
de la Universidad Veracruzana. Ha
viajado por toda la América Latina; sus investigaciones a lo largo
de la República Mexicana, principalmente Chiapas, han sido la fuente de inspiración de cuentos, relatos y novelas como *Dos cuentos
mazatecos* (1956), *Cuentos populares tzeltales* (1957), *Che Ndu,
ejidatario chinanteco* (1958) y *Los
hombres verdaderos* (1959), que
tal es el nombre que a sí mismos
se dan tzotziles y tzeltales. Ha publicado también varios estudios an-
tropológicos, traducciones, y poesía;
en este último género destaca *In-
tima fauna* (1962), en donde evoca en castellano el mundo mítico
y poético de los hombres de los
Altos de Chiapas.

RAQUEL BANDA FARFÁN (1928),
nació en la ciudad de San Luis
Potosí, S.L.P., y durante algunos
años se dedicó al magisterio en diversos lugares de su Estado. Hizo
estudios en la Facultad de Filosofía y Letras de la Universidad Nacional. El frecuente trato con las
gentes del campo le dio materia
para muchos de sus cuentos y novelas. Al primer género pertenecen:
Escenas de la vida rural (1953),
La cita (1957), *Un pedazo de vida*
(1959), *El secreto* (1960) y *Ama-
pola* (1964), de ágil y dinámica
narración. Capta lo sencillo y cotidiano de la vida del campo, pero
del trasfondo social emerge la denuncia de la dolorosa condición a
que viven sometidos aquellos hombres y mujeres. En su novela *Valle
verde* (1957) continúa en el tema

de sus cuentos, pero en la segunda:
Cuesta abajo (1958) su visión cam-
bia de rumbo, hacia el ambiente
negativo de la ciudad. CARLOS
VALDÉS (1928), es originario de
Guadalajara, Jalisco. Ha sido colaborador de la revista *Ariel*, de su
ciudad natal, y editor, con Huberto
Batis, de la revista literaria *Cuadernos del Viento*. En *Ausencias*
(1955), su primer libro de cuentos,
predomina lo imaginativo, próximo
a lo fantástico y un sentimiento
de soledad y cansancio del alma
ante la mezquindad del mundo. Con
todo, en sus relatos se evidencia
la fe en el triunfo final del espíritu humano. Dentro de este género, Carlos Valdés ha escrito *Dos
ficciones* (1958), *Dos y los muertos* (1960) y *El nombre es lo de
menos* (1961). En su novela *Los
antepasados* (1963), el autor presenta la historia de una familia
a través de cuatro generaciones,
desde el México independiente hasta
el porfiriato y la Revolución. Ha
publicado también *Crónicas del vicio y la virtud* (1963).

En Pinos, Zacatecas, vio la primera luz MARÍA AMPARO DÁVILA
(1928). Hizo estudios en San Luis
Potosí, donde escribió tres libros
de poesía: *Salmos bajo la luna*
(1950), *Perfil de soledades* (1954)
y *Meditaciones a la orilla del sueño*
(1954). Su prestigio, sin embargo,
lo debe a sus cuentos, algunos de
los cuales han sido incluidos en antologías y traducidos al inglés y al
alemán. En sus relatos de *Tiempo
destrozado* (1959) se advierte la
influencia de Kafka y de Poe, y
entre los escritores contemporáneos,
la de Bioy Casares y Julio Cortá-
zar. Su segundo libro de cuentos
es *Música concreta* (1964). Amparo Dávila maneja a sus personajes
con inteligencia y los mueve entre
dos planos: el real y el fantástico.

En sus libros domina el elemento irreal sobre la corriente realista. INÉS ARREDONDO (1928), originaria de Culiacán, Sinaloa, hizo sus estudios superiores en la Facultad de Filosofía y Letras de la Universidad Nacional Autónoma de México. Empezó publicando poesía, pero su libro de cuentos, *La señal* (1965), cautiva la atención de la crítica. En este hermoso libro la autora logra apresar la realidad profunda del desarrollo de los sentimientos contradictorios del ser humano.

16. CUENTISTAS NACIDOS EN LA DÉCADA 1930-1940: ARTURO SOUTO ALABARCE, JUAN VICENTE MELO, JUAN GARCÍA PONCE, SERGIO PITOL, JOSÉ DE LA COLINA

ARTURO SOUTO ALABARCE (1930) nació en Madrid, España, y reside en México desde 1942. En 1955 se graduó de Maestro en Letras, en la Facultad de Filosofía y Letras de la UNAM. Ha sido profesor de literatura en ·diversas escuelas particulares y universidades incorporadas, y desde 1957, jefe de publicidad de la Librería Universitaria. Fue fundador, redactor y colaborador de las revistas: *Ensayos Científicos, Clavileño, Segrel, Ideas de México*. Desde 1947 Souto se dio a conocer con sus cuentos, publicados en suplementos literarios y revistas de la capital. Tiempo después reunió algunos de ellos en *La plaga del crisantemo* (1960), entre los cuales sobresalen "Coyote 13" y "El pinto", por su significación y profundidad. El primero ha sido traducido a varias lenguas y recogido en antologías. Ha publicado también dos libros de ensayo: *El romanticismo* (1955) y *Grandes textos creativos de la literatura española* (1967). JUAN VICENTE

MELO (1932), nació en Veracruz, Veracruz. Hizo la carrera de medicina en la Universidad Nacional Autónoma de México, pero la literatura es su verdadera vocación y a ella se dedica actualmente. Colabora, con críticas y reseñas musicales, en varias revistas y suplementos literarios. Su primer volumen de cuentos apareció en 1956 con el título de *La noche alucinada*. En el siguiente: *Los muros enemigos* (1962), aborda temas siempre sugestivos como el del amor, la muerte, el tiempo, el dolor, preocupado en el fondo por el destino del hombre y el triunfo de la libertad. Lo más interesante de su tercer libro: *Fin de semana* (1964), es la destreza con que el autor nos conduce desde el mundo real hasta el fantástico. Ha publicado su autobiografía (1966) y *De música y músicos* (1967). JUAN GARCÍA PONCE (1932), es originario de Mérida, Yucatán. Estudió arte dramático en la Facultad de Filosofía y Letras de la UNAM. Se dio a conocer como inteligente crítico de arte, teatro y literatura en general. De sus obras de teatro —no todas publicadas—, han sido· llevadas a la escena: *El canto de los grillos, La feria distante, Doce y una, trece*. Como cuentista destacan sus libros *Imagen primera* (1963) y *La noche* (1963), que lo situaron de inmediato entre los mejores cuentistas de su generación, aunque en realidad anuncian al novelista por la profundidad de sus caracteres, la hondura sicológica y la manera novedosa en que trata el ambiente citadino y las circunstancias que operan en sus personajes. Estas características, unidas a una gran objetividad y llaneza para captar el medio ambiente, aparecen también en sus novelas: *Figura de paja* (1964) y *La casa en la playa* (1966). En Montevideo editó otra novela: *La presencia lejana* (1968). Ha publicado además, su autobiografía (1966) y cuatro libros de ensayo: *Cruce de caminos* (1965), *Nueva visión de Klee* (1966), *Entrada en materia* (1968) y *El reino milenario* (1968). SERGIO PITOL (1933), nació en la ciudad de Puebla; hizo sus estudios medios en Córdoba, Veracruz, y en la ciudad de México la carrera de derecho y la de letras en la UNAM. Ha residido en Roma, Pekín y Varsovia. Ha colaborado con cuentos, traducciones y crítica literaria, en revistas y suplementos de México y del extranjero. Para Sergio Pitol la literatura es un oficio, del cual ha hecho una verdadera profesión. Sus libros de cuentos son: *Tiempo cercado* (1959), *Infierno de todos* (1964), *Los climas* (1966). en donde alcanza un estilo trabajado y sobrio; son relatos escritos en el extranjero, la distancia favorece la visión así como el contacto con otras realidades, otros "climas" que le obligan a verse a sí mismo y a su país con mayor profundidad. Su último libro de relatos publicado se intitula: *No hay tal lugar* (1967). Su bibliografía consta además de varias traducciones del polaco, una *Antología del cuento polaco* (1967), y de su autobiografía (1967). JOSÉ DE LA COLINA, nació en Santander, España, en 1934. Reside en México desde 1940. Ha sido publicista, periodista, traductor y crítico de cine. En su primer libro, *Cuentos para vencer a la muerte* (1955), imperan la espontaneidad y lo íntimo; en el segundo, *Ven, caballo gris* (1959), el tema del exilio; en el último, *La lucha con la pantera* (1962), la combinación de la realidad y la fantasía. Tiene además un estudio : *El cine italiano* (1962).

17. CUENTISTAS NACIDOS DESPUÉS DE 1940: JUAN TOVAR, HÉCTOR GALLY

JUAN TOVAR nació en la ciudad de Puebla, en 1941; en la ciudad de México hizo estudios en la Facultad de Filosofía y Letras de la UNAM. Su bibliografía consta de tres volúmenes de cuentos y una novela, *El mar bajo la tierra* (1967). Su primer libro, *Hombre en la oscuridad* (1965), muestra. al decir de Carballido, verdades hondas y minuciosas con gracia y sutileza. *Los misterios del reino* (1966), escrito con humor y ternura le valió a su autor el Premio de cuento de la revista de la Universidad Veracruzana, *La Palabra y el Hombre*. *La plaza y otros cuentos* (1968), contiene el cuento que da título al libro, premiado en el concurso literario del Instituto Nacional de la Juventud Mexicana. Tovar ha ganado otro premio más, el del Concurso del Banco Cinematográfico por su guión "Pueblo fantasma", basado en su cuento "Final feliz". HÉCTOR GALLY (1942), nació en la ciudad de México, hizo la carrera de filosofía en la UNAM y ha escrito tres libros de relatos: *Diez días y otras narraciones* (1963), *Hacia la noche* (1965) y *Los restos* (1966); y una novela corta psicológica: *Víctor* (1964).

EL TEATRO

El florecimiento de la literatura mexicana de nuestros días que, según dejamos dicho, se inicia en la novela con *Al filo del agua* (1947) de Agustín Yáñez, en el teatro corresponde a la generación de los "Contemporáneos", principalmente con la obra de Rodolfo Usigli: *El gesticulador*, representado por primera vez en 1947. hasta llegar al teatro de la Universidad, nacido del experimento renovador de Teatro en Coapa, en 1954.

18. LOS AUTORES TEATRALES NACIDOS ANTES DE 1900: AGUSTÍN LAZO

AGUSTÍN LAZO (1898), nacido en la ciudad de México, estudió pintura en la Academia de Bellas Artes. En París (1928-1930), se especializó como escenógrafo y de regreso a la capital mexicana se encargó de la mayor parte de las escenografías de varios teatros. Tradujo y adaptó obras de Giraudoux, Pirandello, Shakespeare, etc., algunas en colaboración con Villaurrutia. En 1946 publica su primera obra dramática: *Segundo Imperio*, en donde trata el drama de Carlota y Maximiliano, drama que también han tratado Usigli, Jiménez Rueda y Miguel N. Lira. De entre su media docena de obras teatrales, sobresale *El caso de don Juan Manuel* (1948), versión dramática de la leyenda de aquel personaje de la Colonia, cuyos crímenes, al decir del autor, eran el resultado de una manía obsesiva originada en la infancia del personaje.

19. LOS NACIDOS EN LA DÉCADA 1900-1910: MARÍA LUISA OCAMPO, LUIS OCTAVIO MADERO

MARÍA LUISA OCAMPO (1905), nació en la ciudad de Chilpancingo, Guerrero. Ha desempeñado el cargo de jefe del Departamento de Bibliotecas de la Secretaría de Educación Pública, y posteriormente el de subdirectora de la Escuela de Bibliotecarios dependiente de la misma Secretaría. Novelista y autora de una vasta producción dramática, ha escrito, dentro del primer género: *Bajo el fuego* (1947),

novela basada en recuerdos infantiles de la Revolución; *La maestrita* (1949), considerada por algunos como su mejor obra; *Ha muerto el doctor Benavides* (1954). *Atitlayapan* (1955), *Sombra en la arena* (1957) y *El señor de Altamira* (1963). Sin embargo, ha destacado como autora teatral, tanto por su obra de creación como por el impulso que ha dado al teatro durante algunas épocas en que ese arte parecía estar en bancarrota. Muchos de sus dramas y comedias se han representado desde 1923. En volumen han aparecido: *Cosas de la vida* (1926), *Las máscaras* (1953), *El corrido de Juan Saavedra* (1934) y *La virgen fuerte* (1943).

LUIS OCTAVIO MADERO (1908-1964). Nacido en Morelia, Michoacán y muerto en la ciudad de México, formó parte del "Grupo Agorista" (1929-1930), fue agregado periodístico a la Comisión Naval Mexicana en España (1934), y Cónsul general de primera en Barcelona (1938-1939). Su obra consta de estudios, ensayos, crónicas, relatos, monografías y obras de teatro, algunas de ellas de tema revolucionario como *Los alzados* (1935), *Sindicato* (1936) y *Teatro revolucionario mexicano* (1937).

20. NACIDOS EN LA DÉCADA 1910-1920: CARMEN TOSCANO, FEDERICO S. INCLÁN, EDMUNDO BÁEZ, RAFAEL SOLANA

CARMEN TOSCANO (1910), nació en la ciudad de México. Cursó estudios en la Facultad de Filosofía y Letras. Fue fundadora de la revista *Rueca*; ha colaborado en la industria cinematográfica y en la televisión mexicana. Es autora de dos libros de versos: *Trazo incompleto* (1934) e *Inalcanzable y mío*

(1936); un ensayo: *Rosario la de Acuña, mito romántico* (1948). y varias obras de teatro, de las cuales destaca la recreación de *La llorona* (1959), conocida leyenda mexicana, escenificada en 1958, al aire libre, en la Plaza de Chimalistac. FEDERICO S. INCLÁN (1910), originario de la ciudad de México, ha producido hasta la fecha más de una veintena de obras, muchas de ellas premiadas. Se inició en 1950 con *Luces de carburo*, en la que presenta la vida de los mineros en un momento de crisis. Más tarde, en 1955, estrenó su comedia: *Hoy invita la Güera*, considerada entonces como la mejor obra del año. En ésta, como en *Hidalgo*, estrenada en 1953, toca temas de carácter histórico, así como en *Luces de carburo*, *Espaldas mojadas cruzan el Bravo* y *El duelo*, toca problemas sociales. EDMUNDO BÁEZ (1914), nació en Aguascalientes, Ags. En México cursó hasta el quinto año de Medicina, estudios que abandona para consagrarse a la literatura. Se ha especializado en técnica del guión cinematográfico, y ha obtenido varios trofeos como argumentista y adaptador de obras. Escribió un libro de versos: *Razón del sueño* (1949). Como dramaturgo, *El rencor de la tierra* (1943) muestra un enlace de formas cultas y extrañas y pensamientos y emoción fincados en la tierra, en el campo, en la provincia, típicamente mexicanos. En *Un alfiler en los ojos* (1952), considerada su mejor obra, las pasiones tiránicas desempeñan una función importante. *¡Un macho!*, estrenada en 1959, se resiente de las características del argumentista de cine. RAFAEL SOLANA (1915), nació en la ciudad de Veracruz. En la ciudad de México hizo estudios en las Facultades de Leyes y Filosofía y Letras. Desde 1940 ha colaborado en la industria del cine, para la que ha escrito varios argumentos, y posteriormente se ha ligado a las tareas de la radio y la televisión. De 1958 a 1964 fue secretario particular del Ministro Jaime Torres Bodet, en la Secretaría de Educación Pública. Escritor muy fecundo, Rafael Solana ha cultivado todos los géneros: siete libros de versos, cuatro de ensayos, dos de crónica, siete de cuentos y tres novelas. Dirigió *Taller Poético*, y figuró como poeta en el grupo que editó la revista *Taller*. Su primer libro de poesías fue *Ladera* (1934), y entre los últimos figuran *Los espejos falsarios*, *Todos los sonetos* (1963) y *Pido la palabra* (1964). Su primera colección de cuentos aparecen en *La música por dentro* (1943); *El oficleido y otros cuentos* data de 1960. Recientemente ha aparecido el volumen: *Todos los cuentos de Rafael Solana*. En el género novelístico, Solana ha escrito *El sol de octubre* (1959), *La casa de la Santísima* (1960) y *El palacio Maderna* (1960). Su teatro, lo mismo que su poesía y sus cuentos, tienen propensión a lo fantástico, como se advierte en *Las islas de oro* (1952), *A su imagen y semejanza* (1957), etc., o bien deriva su temática hacia el mundo de la celebridad, como en *Estrella que se apaga* (1954), *La ilustre cuna* (1954), *Lázaro ha vuelto* (1955), etc.

21. LOS NACIDOS EN LA DÉCADA 1920-1930: LUIS G. BASURTO, ELENA GARRO, CARLOS SOLÓRZANO, CARLOS PRIETO, WILBERTO CANTÓN, SERGIO MAGAÑA, FERNANDO SÁNCHEZ MAYANS, EMILIO CARBALLIDO, LUISA JOSEFINA HERNÁNDEZ, JORGE IBARGÜENGOITIA

Luis G. Basurto (1920), nació en México, D. F. Hizo estudios en la Facultad de Filosofía y Letras y se recibió de abogado en la Facultad de Jurisprudencia. Ha escrito artículos literarios, crónica y crítica teatral, argumentos y adaptaciones cinematográficas. Luis G. Basurto tiene hasta la fecha casi una veintena de obras de teatro, en las que sigue la línea tradicional de la alta comedia española, con cierto acento melodramático. Su primera obra: *Los diálogos de Suzette*, fue estrenada por Rodolfo Usigli en 1940. Su éxito de autor teatral se inicia con *Toda una dama*, obra estrenada en 1954, en la que se plantea un conflicto de adaptación conyugal, de sentimientos y ambiciones insatisfechos, en la alta burguesía. *Cada quien su vida*, su obra de más resonancia, es, en cambio, un amplio mural del barrio mexicano, de muy crudos colores. Su consagración definitiva arranca de 1956, con *Miércoles de Ceniza*, obra que recibió el premio "Juan Ruiz de Alarcón" como la mejor del año. Posteriormente ha escrito *La locura de los ángeles* (1957), *Los reyes del mundo* (1959), *El escándalo de la verdad* (1960), *Intimas enemigas* (1962), *La gobernadora* (1963), y la farsa en tres actos: *Y todos terminaron ladrando* (1964). Elena Garro (1920), es originaria de la ciudad de Puebla. Hizo estudios en la Facultad de Filosofía y Letras de la UNAM. Coreógrafa, periodista y escritora de asuntos cinematográficos, ha vivido mucho tiempo en el extranjero, especialmente en Francia y en los Estados Unidos. Varias de sus obras han sido traducidas a otras lenguas y representadas en diversos países. Se dio a conocer con tres piezas que interpretó el grupo de "Poesía en

Voz Alta": *Andarse por las ramas, Los pilares de doña Blanca* y *Un hogar sólido*, recogidas más tarde en el volumen *Un hogar sólido* (1958). Este libro revela un hondo sentido de originalidad dramática y de sensibilidad poética, que se inclina hacia la parábola y el surrealismo. En 1963 se representó la obra *La señora en su balcón*, drama de la frustración, de la soledad, de la incomunicación y angustia que se vive en nuestros días. *Los recuerdos del porvenir* (1963), su primera novela, es la vida de un pueblo del sur, Ixtepec, contada por él mismo. *La semana de colores* (1964) agrupa una serie de cuentos que no desmerecen en nada su novela, y en los que vuelve a hacer gala de sus facultades poéticas. Carlos Solórzano (1922) nació en la ciudad de Guatemala, y reside en México desde 1939. Obtuvo la maestría y el doctorado en Letras en la Facultad de Filosofía de la UNAM, y ha hecho estudios sobre arte dramático en Francia. De regreso en México, fue director del Teatro Universitario de 1952 a 1962. Actualmente imparte la cátedra de Literatura Dramática Iberoamericana en la Facultad de Filosofía y Letras de la UNAM. Se inició como dramaturgo con su auto histórico *Doña Beatriz, la sin ventura*, estrenado en 1952. Escribió después *El hechicero* (estr. 1954), cuya acción se desenvuelve en una pequeña ciudad sojuzgada. A partir de esta obra, Carlos Solórzano se incorpora al grupo de los nuevos valores que han destacado en el arte dramático. *Las manos de Dios* (1957) es el drama entre la rebeldía y la sumisión, y pertenece más al teatro de ideas que al de personajes. Posteriormente ha estrenado o publicado: *El crucificado* (1957), *Los fantoches* (1959), *Cruce de vías*

(1959), *El sueño del ángel* (1960) y su primera novela: *Los falsos demonios* (1964); algunas de sus obras han sido traducidas al francés, ruso, inglés y alemán. CARLOS PRIETO (1922) es originario de la ciudad de México. Ha hecho estudios en las Facultades de Derecho y de Filosofía y Letras de la UNAM; en instituciones y universidades de Norteamérica. Se ha dedicado también a hacer documentales cinematográficos. Se inició con buen éxito en el teatro con su obra *Atentado al pudor* (estr. 1952), comedia popular, llena de aciertos y de gracia, en la que denuncia el eterno atentado de la clase privilegiada contra los que nada tienen. Más tarde atrae la atención del jurado en el Festival del INBA, con su comedia *A medio camino* (estr. 1954), de tema revolucionario. En 1955 estrena su obra más elaborada: *Por el ojo de una aguja,* acerca de las dificultades que los ricos han de encontrar para entrar al cielo. En 1956 estrena *El gato encerrado,* donde ensaya una trama policíaca. A su última producción corresponden *El lépero* (1957), *Ashes for bread* (1957), *El jugo de la tierra* (1959), *El pregón de las gallinas* (1962) y *La rebelión de los tepehuanes* (1963). WILBERTO CANTÓN (1923) nació en Mérida, Yucatán. Ha hecho estudios en la Facultad de Filosofía y Letras, y se recibió de abogado en la de Jurisprudencia. Fundó y dirigió la revista literaria *Espiga.* Ha sido jefe del Departamento Editorial de la UNAM; director del *Diario del Sureste,* de Mérida, y director de la revista *Cuadernos de Bellas Artes.* Tiene dos libros de versos: *Segunda estación* (1943) y *Dos poemas* (Argentina, 1955). Se dio a conocer como autor dramático con su obra *Cuando zarpe el barco* (estr. 1946). En 1950 estrena su segunda obra: *Saber morir,* en la que su autor pretendió ilustrar, a través de algunos parlamentos, las teorías existencialistas muy en boga por entonces. En 1954 fue representada la farsa: *La escuela de cortesanos,* cuya acción transcurre en la época colonial pero con alusiones directas a circunstancias políticas actuales. Después ha publicado: *Nocturno a Rosario* (1956), *Pecado mortal* (estr. 1957), *Los malditos* (1959), *El jardín de las Gorgonas* (1960), *Tan cerca del cielo* (estr. 1961), *Inolvidable* (1961), *Nosotros somos Dios* (estr. 1962), *Nota roja* (1964), *Todos somos hermanos* (estr. 1963) y *Murió por la patria* (estr. 1964). SERGIO MAGAÑA (1924) nació en Tepalcatepec, Michoacán. Ha hecho estudios de ciencias físico-matemáticas, ciencias sociales, leyes y literatura. Profesionalmente surge, en 1951, con su drama *Los signos del zodíaco,* considerada como una de las mejores obras del teatro mexicano contemporáneo. Con el estreno de *Moctezuma II,* en 1953, Sergio Magaña salta al campo de la tragedia, y traza la figura de un Moctezuma refinado, clarividente, a quien los dioses deben destruir por haberse adelantado a su tiempo. En *El pequeño caso de Jorge Lívido,* estrenada en 1958, se revela otra faceta de la capacidad creadora del autor: aborda el problema de la justicia y de los procedimientos "psicológicos" a que recurren los representantes de ella para obtener la confesión del criminal. Sus dos últimas obras son: *Los motivos del lobo* (estr. 1968) y *Medea* (1965) Sergio Magaña ha cultivado también el cuento: *El ángel roto* (1946) y *El padre nuestro* (1947), así como las novelas: *Los suplicantes* (1942) y *El molino del aire* (1954). FERNANDO SÁNCHEZ MAYÁNS (1924) nació en la ciudad de Campeche. Desde 1944 ha sido periodista y redactor de las más importantes revistas y suplementos literarios de la capital. En el Instituto Nacional de Bellas Artes organizó los Viernes Poéticos, material que reunió después bajo el rubro de *Aguinaldo poético*. Colaboró en el Departamento de Literatura del mismo Instituto. Sánchez Mayáns ha destacado en el teatro con su obra *Las alas del pez*, laureada con los premios *El Nacional* y "Juan Ruiz de Alarcón". Dentro de este género escribió *Cuarteto deshonesto* (estr. 1961), *El jardinero de las damas* (1963) y *Joven drama* (1965). Poeta de intenso caudal emotivo, es autor de varios libros de poesía: *Hojas al viento* (1946), *Pausa al silencio* (1950), *Decir lo de la Primavera* (1951), *Poemas* (1955) y *Acto propicio* (1958). EMILIO CARBALLIDO (1925) es originario de la ciudad de Córdoba, Veracruz. Estudió en la Universidad de México Arte Dramático y Letras Inglesas. Ha sido catedrático de la Universidad Veracruzana y miembro de su Consejo Editorial. Carballido ha escrito cuentos, novelas cortas, monólogos, argumentos de ópera y ballet, y muchas de sus obras teatrales han sido premiadas en diversos certámenes; otras, adaptadas al cine. Sin embargo, como escritor dramático ha logrado un lugar preponderante entre los autores jóvenes de México. Fue dado a conocer por Salvador Novo en 1950, con la comedia *Rosalba y los llaveros*, obra que con *La zona intermedia*, mostró desde ese año las dos tendencias del autor: una especie de neorrealismo escénico, por una parte, y un intento de fantasía e imaginación poética, por la otra. Es autor de *Escribir por ejemplo...* (1950), *La sinfonía doméstica* (estr. 1953), *La danza que sueña la tortuga* (estr. 1955),

Felicidad (estr. 1955), *La hebra de oro* (estr. 1956), *Las estatuas de marfil* (1960), *Un pequeño día de ira* (1962), *Teseo* (estr. 1962) y *Silencio, pollos pelones, ya les van a echar su maíz* (estr. 1963); tres novelas: *La veleta oxidada* (1956) *El Norte* (1958) y *Las visitaciones del diablo* (1965), más un libro de cuentos: *La caja vacía* (1962).

LUISA JOSEFINA HERNÁNDEZ (1928) nació en la ciudad de México. Estudió en la Facultad de filosofía y Letras, y en 1955 recibió su maestría en Arte Dramático. Ha hecho viajes de estudio a Norteamérica y Europa. Actualmente es profesora de la carrera de Arte Dramático en la Facultad de Filosofía y Letras y en la Escuela de Teatro de Bellas Artes. Luisa Josefina Hernández se dio a conocer con su obra *Aguardiente de caña* (1951), premiada en el concurso de las Fiestas de la Primavera. Su teatro, pese a la juventud de la autora, se aparta del que han practicado en México otras escritoras. Su talento reflexivo domina su propia creación y controla toda llamarada sentimental o romántica. Sus obras dramáticas, acaso duras o demasiado sobrias, están compuestas en el mejor estilo. En 1954 obtuvo el premio del periódico *El Nacional* por su comedia *Botica Modelo*, y en 1957 el del Festival Dramático del INBA con *Los frutos caídos*. Otras de sus obras son: *Los huéspedes reales* (1958), *Arpas blancas... conejos dorados* (estr. 1959), *La paz ficticia* (estr. 1960), *Historia de un anillo* (1961), *La calle de la gran ocasión* (1962), etc. es autora también de ocho novelas: *El lugar donde crece la hierba* (1959), *La plaza de Puerto Santo* (1961), *Los palacios desiertos* (1963), *La cólera secreta* (1964), *La primera batalla* (1965), *La noche exquisita* (1965), *El valle que elegimos* (1965) y *La me-*

moria de Amadís (1967). JORGE IBARGÜENGOITIA (1928) es originario de la ciudad de Guanajuato. En 1949 abandonó la carrera de Ingeniería para estudiar, de 1951 a 1954, la de Arte Dramático en la Facultad de Filosofía y Letras de la UNAM. Ibargüengoitia se reveló como autor teatral en 1955 con su comedia, de ambiente estudiantil, *Susana y los jóvenes*, estrenada en la temporada de la Unión Nacional de Autores. *La lucha con el ángel*, escrita en 1965, obtuvo mención especial en el Concurso de Teatro Latinoamericano de Buenos Aires; *La conspiración vendida* (escr. 1960) mereció el Premio "Ciudad de México". y *El atentado* fue premiado en Cuba por la Casa de las Américas en 1963. Muchos de sus cuentos se encuentran dispersos en anuarios y revistas literarias, otros en el libro *La ley de Herodes* (1967). Ha publicado también una novela: *Los relámpagos de agosto* (1964), que le valió el Premio Anual de la Casa de las Américas de Cuba, en la que presenta, desde un plano humorístico, la inconciencia y degradación de algunos jefes políticos de la Revolución Mexicana.

22. LOS NACIDOS EN LA DÉCADA 1920-1940: HÉCTOR AZAR, MIGUEL BARBACHANO PONCE, ANTONIO GONZALEZ CABALLERO, HÉCTOR MENDOZA, HUGO ARGÜELLES.

HÉCTOR AZAR (1930) nació en Atlixco, Puebla. Hizo, dentro de la Universidad Nacional, los estudios de Derecho y la carrera de Maestro en Letras en la Facultad de Filosofía. En 1958, 1959 y 1961 obtuvo sucesivamente el premio "Xavier Villaurrutia" de Teatro Experimental. En 1964 la Compañía de Teatro Universitario que él dirige, ganó el primer premio en Nancy, Francia,

con la obra *Divinas palabras*, de Valle Inclán. Actualmente es Director General del Teatro de la UNAM y jefe del Departamento de Teatro del INBA. El talento y el espíritu de renovación de Héctor Azar provocaron inmediato interés en el medio cultural y artístico al hacer su aparición en los escenarios; otro tanto debe decirse respecto a su capacidad para organizar y dirigir teatro y en cuanto a su labor de difusión literaria a través de él, con adaptaciones de obras de literatos mexicanos. Su labor como director del Teatro en Coapa, encomiable y digna de los mayores elogios, ha sido el origen y la razón de ser de muchos otros teatros experimentales y del triunfo del actual Teatro Universitario. Azar se dio a conocer primero como poeta, con *Estancias* (1951), *Ventanas de Francia* (1951) y su libro de prosas y poemas: *Días santos* (1954), pero ha destacado por su producción dramática, de la que citaremos algunas obras: *La Appassionata* (1958), la versión teatral de *Picaresca* (estr. 1958), *El alfarero* (1959), *Las vacas flacas* (1959), *La venganza del compadre* (estr. 1959), *Corrido de Pablo Damián* (1960), *Olímpica* (estr. 1964), *Higiene de los placeres y de los dolores* (estr. en 1968), etc. MIGUEL BARBACHANO PONCE (1930) nació en Mérida, Yucatán. En México hizo estudios en la Facultad de Derecho y llevó algunos cursos en la Facultad de Filosofía y Letras. Actualmente es director de películas de corto metraje, y desde 1955 dirige los noticieros "Tele-revista" y "Cine Verdad". Se dio a conocer como dramaturgo desde 1954 con *El hacedor de dioses*, basada en "El diosero", cuento de Francisco Rojas González. Sus obras más importantes son *Las lanzas rotas* (1959) y *Los pájaros* (1961).

La primera se refiere a los acontecimientos políticos ocurridos en Cuba en esos años y la segunda recoge cinco piezas en un acto con el tema común del problema sexual. *Examen de muertos* (estr. 1955) y *Once lunas y una calabaza* (estr. 1958), constituyen hasta ahora el total de su obra publicada en ese género. Ultimamente ha escrito su primera novela: *El diario de José Toledo* (1964). ANTONIO GONZALEZ CABALLERO (1931) es originario de Celaya, Guanajuato. Abandonó los estudios de contador privado para dedicarse a la pintura, y tras haber presentado algunas exposiciones tanto en México como en el extranjero, emprendió una nueva experiencia como autor teatral. En 1960 fue estrenada su comedia: *Señoritas a disgusto*, y en 1964 se representaron *El medio pelo* y *Una pura... y dos con sal*. González Caballero pertenece a la línea costumbrista del teatro mexicano. Por su poder de observación y la frescura y espontaneidad de su diálogo, sus comedias —sobre todo *El medio pelo*— comunican al espectador una plena sensación de vida. HÉCTOR MENDOZA (1932) nació en Apaseo, Guanajuato. Hizo estudios en la Facultad de Filosofía de la UNAM. Ha organizado varios grupos estudiantiles de teatro universitario, y fue director y actor de algunos programas de Poesía en Voz Alta. Desde hace varios años viene dirigiendo, siempre con éxito, teatro profesional. Héctor Mendoza se reveló como autor dramático en 1952 con su pieza *Ahogados*, obra de fuerte realismo y carácter social, cuya acción se desarrolla en el patio ferrocarrilero de Buenavista. En *Las cosas simples* —premiada, como la anterior— recoge y expresa los pequeños grandes conflictos juveniles entre estudiantes de la Escuela Nacional Preparatoria. Recientemente ha escrito *Salpícame de amor* (estr. 1964) y *¡A la Beccia!*, pieza en un acto publicada en un diario capitalino. HUGO ARGÜELLES. Nació en la ciudad de Veracruz en 1932; en la ciudad de México hizo estudios de medicina, y en 1956 ingresó en la Escuela de Arte Dramático del INBA, año en que obtuvo el premio de la revista *Estaciones*, por su obra *Los prodigiosos* (1957). Otra de sus obras premiadas, con el premio "Juan Ruiz de Alarcón", fue *Los cuervos están de luto*, éstas, junto con *El tejedor de milagros*, forman las mejores obras de Argüelles y fueron más tarde, en 1961, reunidas en un solo volumen intitulado *Teatro de Hugo Argüelles;* en este libro se nota la preocupación dominante de su teatro: el captar la esencia de la nacionalidad mexicana.

EL ENSAYO

El período de florecimiento del ensayo contemporáneo se inicia con *El laberinto de la soledad* (1950), de Octavio Paz. Dentro del marco de la literatura mexicana en la primera mitad de nuestro siglo, fue el ensayo el género en que se dejó sentir primeramente una transformación por efecto de la Revolución Mexicana de 1910, y aun se adelanta, pues ya antes de la lucha armada, por los años de 1908, había iniciado una reacción contra la doctrina oficial del porfirismo. El Ateneo de la Juventud, que como grupo trabajó pocos años —de 1909 a 1914—, realizó en el terreno cultural una revolución semejante a la política o a la social. El espíritu que lo distinguió fue el filosófico, y la intención común, la moralización. De esta generación derivan, por un lado, la corriente exclusivamente filosófica que proviene de Caso y Vasconcelos hasta Samuel Ramos y Leopoldo Zea; y aquella otra que siguió el ejemplo de Pedro Henríquez Ureña en el ensayo crítico-histórico, y la que tiene como ejemplo a Alfonso Reyes en la libre y original interpretación que la realidad les proporciona. El núcleo principal de ensayistas que dio rumbos nuevos y originales a este género, ha sido tratado por el maestro González Peña. Nos concretamos solamente —como en las páginas anteriores— a salvar omisiones y a recoger algunos nombres que dentro de este género han dado prestigio a nuestras letras.

23.—Los nacidos antes de 1900: Enrique Díez-Canedo, Juan B. Iguíniz, Francisco Gonzalez Guerrero, Angel María Garibay K., José María Gonzalez de Mendoza, Francisco Monterde.

Enrique Díez-Canedo (1879-1944) nació en Badajoz, España, y murió en la ciudad de México. Residió en nuestro país desde 1939, donde fue profesor de la Universidad Nacional Autónoma de México y del Colegio de México. Su obra crítica representa lo más inteligente y agudo de su época. De cultura extraordinaria y exquisito gusto, Díez-Canedo fue una notable autoridad en todos los terrenos literarios. De él dijo Enrique González Martínez: "En España no tuvieron los escritores mexicanos mejor amigo, hombre más enterado ni defensor más decidido y entusiasta". Sus primeros libros fueron de poesía: *Versos de las horas* (Madrid, 1906), *La visita del sol* (Madrid, 1907), en que se advierte la factura del Modernismo y el espíritu de la generación del 98; pero su voz personal

y duradera se encuentra en *Epigramas americanos* (Madrid, 1928). Joaquín Díez-Canedo publicó una selección de poemas bajo el título de *Jardinillo de E. D. C.* (México, 1945). Su Labor de ensayista comprende algunos libros como *Sala de retratos* (San José de Costa Rica, 1920), *Conversaciones literarias* (Madrid, 1921), *Los dioses en el Prado* (Madrid, 1931), *El teatro y sus enemigos* (1939), *La nueva poesía* (1941), *Juan Ramón Jiménez en su obra* (1944), *Letras de América, Literaturas continentales* (1944). La edición de sus obras completas, iniciada en 1964 por Joaquín Mortiz, viene a llenar un vacío en nuestra crítica. Juan B. Iguíniz (1881) nació en Guadalajara, Jalisco. Desde 1910, ya radicado en la ciudad de México, ha desempeñado numerosos cargos en el Museo Nacional, en la Escuela Nacional de Bibliotecarios y Archivistas, en diversas bibliotecas de la ciudad, en la Secretaría de Relaciones Exteriores, etc. De 1951 a 1956 fue director de la Biblioteca Nacional, y desde 1956, es Investigador de Tiempo Completo del Instituto de Historia de la UNAM. Por cerca de cincuenta años ha impartido las cátedras de su especialidad en diversas instituciones, y actualmente continúa su meritoria labor de investigación. Su bibliografía es extensísima, y abarca múltiples aspectos: las artes gráficas, la bibliología y bibliografía, la biblioteconomía, la biografía, la crítica, la genealogía y la heráldica, la historia, etc. Sus estudios bibliográficos han facilitado enormemente la labor de investigadores, críticos y estudiosos en general. De particular importancia son la *Bibliografía de novelistas mexicanos* (1926), la *Bibliografía biográfica mexicana* (1930), la *Bibliografía de los escritores de la*

Compañía de Jesús (1945) y su
México bibliográfico (1959). FRAN-
CISCO GONZÁLEZ GUERRERO (1887-
1963) nació en San Sebastián (hoy
Gómez Farías), pueblito de la región meridional del Lago de Cha-
pala, Estado de Jalisco. En México
estudió en la Escuela Normal para
Maestros; funda y dirige la interesante revista *Nosotros* (1912-1914);
diputado al Congreso de la Unión
(1922-1924); trabaja en el Servicio Diplomático (1936-1944). Fue
miembro de la Academia Mexicana
de la Lengua, periodista constante
y director del Servicio Técnico Editorial de la UNAM, hasta su muerte en la ciudad de México. Como
poeta, publicó en vida su único libro de versos: *Ad altere Dei*
(1930), dentro del gusto de la postrera corriente modernista. Algunas
poesías inéditas de González Guerrero han sido publicadas póstumamente bajo el título: *Persiguiendo
un sueño* (1964). Se dedicó con
buen éxito a estudiar minuciosamente a poetas como Manuel Gutiérrez Nájera y Amado Nervo, algunas de cuyas obras prologó con minuciosos ensayos. Estos trabajos, su
amplio conocimiento de la poesía
modernista mexicana, junto a su
ensayo: *Los libros de los otros*
(1947), situaron a González Guerrero entre los mejores críticos de nuestras letras. ANGEL MARÍA GARIBAY
K. (1892-1967), nació en Toluca,
Estado de México. En 1917 recibió
las órdenes sacerdotales. Un largo
ejercicio de su ministerio en diversas comunidades indígenas y rurales
del Estado de México, le permitió
comprender el alma de sus habitantes, conocer su lengua y adentrarse
en costumbres y tradiciones de origen prehispánico. En 1941 fue designado canónigo lectoral de la Ba-
sílica de Guadalupe; en 1952 profesor extraordinario de la Facultad

de Filosofía y Letras de la UNAM,
y a partir de 1956 figuró como director del Seminario de Cultura
Náhuatl. Angel María Garibay K.,
nahuatlato, hebreólogo y helenista,
ha sido uno de los más competentes
conocedores de la producción literaria de los antiguos mexicanos, como lo demuestra su *Historia de la
literatura náhuatl* (2 vols., 1953-
1954) y otras investigaciones: *Poesía indígena de la Altiplanicie*
(1940), *Panorama literario de los
pueblos nahuas* (1963) y *La literatura de los aztecas* (1964). Eminente humanista, el doctor Garibay hizo también excelentes traducciones
de Esquilo, Sófocles, Aristófanes y
Eurípides. Murió en la ciudad de
México. JOSÉ MARÍA GONZÁLEZ DE
MENDOZA (1893-1967), nació en
Sevilla, España, fue mexicano por
naturalización y murió en la ciudad
de México, a donde llegó en 1910.
En 1928 ingresó en el Servicio Diplomático; fue también funcionario
en las secretarías de Hacienda y
Agricultura; miembro de la Academia Nacional de Historia y Geografía; de la Academia Mexicana de
la Lengua y correspondiente de la
Real Academia Española. J. M.
González de Mendoza —conocido
también como "El Abate Mendoza"— después de su breve obra de
creación poética y novelística, desarrolló una encomiable labor como cronista, ensayista, y crítico literario y artístico, actividades en las
que se distinguió por la mesura de
su juicio y firme conocimiento de
nuestras letras. En el campo de las
investigaciones sobre nuestros monumentos literarios indígenas, tradujo al español, en colaboración con
el guatemalteco Miguel Angel Astu-
rias, las versiones francesas de Geor-
ges Raynaud del *Popol Vuh o Libro
del Consejo* (1925) y de los *Anales de los Xahil* (1928). Tiene mag-

níficos ensayos como *La pintura de Angel Zárraga* (1941). *Algunos pintores del Salón de Otoño* (1942) *Biógrafos de Cervantes y Críticos del Quijote* (1955), etc. Publicó más de 2,500 artículos en medio centenar de periódicos de México y del extranjero. Preparaba, en un seminario del Centro de Estudios Literarios, la edición de las obras completas de José Juan Tablada, cuando lo sorprendió la muerte. FRANCISCO MONTERDE (1894) nació en la ciudad de México. Se graduó de doctor en Letras Españolas en la Facultad de Filosofía y Letras. Ha sido jefe de la Oficina de Publicaciones y del Departamento de Bibliotecas de la Secretaría de Educación; bibliotecario del Museo Nacional de Historia y Arqueología y subdirector de la Biblioteca Nacional. Es presidente de la Academia Mexicana de la Lengua, y miembro de la Sociedad Mexicana de Geografía y Estadística y de otras asociaciones científicas y literarias. Participó, con otros escritores, en el restablecimiento de la Unión de Autores Dramáticos; formó parte, en 1925, del Grupo de los Siete Autores, que dio lugar a La Comedia Mexicana. Con Antonio Magaña Esquivel fundó, en 1950, la Agrupación de Críticos de Teatro, de la que es presidente honorario. Su vasta obra comprende poesía, teatro, novela, cuento, fábula, biografía, narraciones, ensayo, estudios críticos e historia de la literatura mexicana, de la que es uno de los más competentes conocedores. Le han interesado las épocas y los escritores de transición: Navarrete y Cuenca; tiene estudios sobre Balbuena, Lizardi, Prieto, Fernando Calderón, Rafael Delgado, Gutiérrez Nájera, Díaz Mirón y el Modernismo. En las letras contemporáneas ha promovido movimientos de

importancia, como el que despertó en México el interés por la literatura de la Revolución, pues fue Francisco Monterde quien rescató una obra hasta entonces olvidada: *Los de abajo*, de Mariano Azuela. Como narrador, fue de los iniciadores de la moda colonialista en México, con *El madrigal de Cetina y el secreto de la escala* (1918).

24.—LOS NACIDOS EN LA DÉCADA 1900-1910: LUIS CARDOZA Y ARAGÓN, SALVADOR NOVO, ANDRÉS IDUARTE, LUIS LEAL, ANTONIO MAGAÑA ESQUIVEL, ANTONIO ACEVEDO ESCOBEDO.

LUIS CARDOZA Y ARAGÓN (1900), nació en la ciudad de Guatemala, reside en la ciudad de México. Ha colaborado en varios periódicos y revistas de México, Madrid, Lima y Montevideo. Ha sido director de la *Revista de Guatemala*. En 1923 publicó su primer libro de poemas: *Luna Park*; el último en 1949: *Poesía*. Su obra consta además de cuentos: *Maelstrom* (Guatemala, 1926), *Nuevo Mundo* (1960) y de ensayos tan importantes como *Guatemala, las líneas de su mano* (1955); *La nube y el reloj* (1959), crítica sobre la pintura mexicana; *José Guadalupe Posada* (1964), etc. SALVADOR NOVO (1904) nació en la ciudad de México. De los seis a los doce años pasa en Torreón la tormenta revolucionaria. En la capital de la República inicia la carrera de Derecho, estudios que abandona para consagrarse a las letras. En 1925 interviene en la preparación de las admirables *Lecturas clásicas para niños*, publica antologías de cuentos mexicanos e hispanoamericanos, de poesía norteamericana y francesa, etc. De 1927 a 1928 dirige la revista *Ulises* con Xavier Villaurrutia, y participa en la fundación del "Teatro de Ulises", como traductor, director y actor. Ha viajado por América, Europa y Asia. Posteriormente se ha dedicado con gran éxito al periodismo, en el que, con su notable agilidad y talento, creó estilos y recursos aún en boga. De 1946 a 1952 fue jefe del Departamento de Teatro del INBA, y en la misma institución dirigió, en 1956, la Escuela de Arte Dramático. Desde 1952 pertenece a la Academia Mexicana de la Lengua. Salvador Novo es uno de los escritores de mayor cultura y más fino instinto literario de su generación. Su enorme cultura y su indiscutible gusto por la crónica, especialmente de su ciudad le han valido el título de "Cronista de la Ciudad de México". En sus primeros versos predominó la nota irónica: *XX Poemas* (1925), acento que después logra sublimarse en una profundidad lírica que a veces concide con las entonaciones de la mejor poesía de nuestro tiempo. Más tarde su poesía encontraría con gran fortuna el tema amoroso, para dejarnos algunos de los más hondos, sentidos y perdurables poemas. En 1955 aparece una colección de sus libros poéticos desde 1915 a esa fecha, con el título de *Poesía*, y otra con el mismo título en 1961. Ensayos ha escrito Novo constantemente, ya los de intención literaria de su primer libro: *Ensayos* (prosa y verso, 1925) y los que forman el volumen *En defensa de lo usado* (1938), ya las agradables notas de viaje o los relatos descriptivos como *El joven* (1928), y la *Nueva Grandeza Mexicana* (1946). La mayoría de sus libros en prosa han sido publicados bajo el título de *Toda la prosa* (1964). Es a partir de 1947 cuando Salvador Novo se entrega al teatro, pero su verdadero éxito empieza en

1951 con la representación de *La culta dama*, y se continúa con *A ocho columnas* (1956), *Yocasta, o casi* (1961), *Ha vuelto Ulises* (1962), *La guerra de las gordas* (1963), etc. ANDRÉS IDUARTE (1907), nació en Villahermosa, Tabasco. Se recibió de abogado en la Universidad Nacional de México, y obtuvo el grado de doctor en filosofía en la Universidad de Columbia, Nueva York. Fue profesor en la Escuela Nacional Preparatoria; director de la revista *Universidad de México*, y miembro del Consejo Universitario. Desde 1940 vive y realiza su labor en los Estados Unidos, excepto el período de 1952 a 1954 en que fue director del Instituto Nacional de Bellas Artes. Las grandes figuras de las letras y la cultura hispanoamericana son el campo propio de los ensayos de Andrés Iduarte. En el terreno de la crítica, su excelente estudio *José Martí, escritor* (1945), es un ejemplo de método y capacidad de síntesis. Las páginas que ha dedicado a Gabriela Mistral, Rómulo Gallegos y Alfonso Reyes, demuestran un espíritu en que el fervor está aliado siempre con la inteligencia. En su obra de creación sobresalen las tersas y conmovedoras páginas de *Un niño en la Revolución Mexicana* (1951), libro autobiográfico que abarca desde el nacimiento del autor hasta sus estudios preparatorios, y *El mundo sonriente* (1968), que prosigue las páginas autobiográficas del anterior. Andrés Iduarte es autor, entre otros, de los libros siguientes: *Pláticas hispanoamericanas* (1951), *Veinte años con Rómulo Gallegos* (1954), *Alfonso Reyes: el hombre y su mundo* (1956), *Don Pedro de Alba y su tiempo* (1963), *Gabriela Mistral, santa a la jineta* (1958), *Tres escritores mexicanos* (Justo Sierra, Alfonso Reyes y Martín

Luis Guzmán) (1967), etc. LUIS LEAL (1907), es originario de Linares, Nuevo León. Hizo sus estudios superiores en los Estados Unidos, donde radica desde hace años. Ha prestado servicios en Northwestern University y en las universidades de Chicago, Mississippi, Emory y de Illinois. Luis Leal se ha consagrado al estudio de la literatura hispanoamericana: *Mariano Azuela. Vida y obra* (1961), *Historia del cuento hispanoamericano* (1966); especialmente del cuento mexicano en sus libros: *Breve historia del cuento mexicano* (1956), *Antología del cuento mexicano* (1957) y *Bibliografía del cuento mexicano* (1958). Su predilección por el período contemporáneo de nuestra literatura se advierte en su ensayo del cuento de la Revolución mexicana: *La Revolución y las letras* (1960) (en colaboración con Edmundo Valadés), en la antología sobre los mejores cuentos de Amado Nervo (1951), en el prólogo para el *Anuario del cuento mexicano* (1960) publicado por el INBA, *El cuento veracruzano*, Antología (1966) y *El cuento mexicano de los orígenes al Modernismo* (1966). ANTONIO MAGAÑA ESQUIVEL (1909), nació en Mérida, Yucatán. En 1927 pasó a la capital de la República a estudiar la carrera de Derecho, la que abandona después para consagrarse a estudios especializados de teatro y literatura. Desde 1935 es colaborador de *El Nacional* y de la revista *Tiempo*. Fue presidente y fundador de la Agrupación de Críticos de Teatro en México, miembro de la Academia de Artes y Ciencias Cinematográficas y jefe de Teatro Foráneo del INBA. Antonio Magaña Esquivel es novelista, dramaturgo, crítico y ensayista. Su primera novela, *El ventrílocuo* (1944), lo situó como nuevo escritor mexicano de valía. *La tierra enrojecida* (1951), su segunda novela, obtuvo el premio nacional de literatura "Ciudad de México". Como crítico e investigador, su *Imagen del teatro* (1940) destacó como fuente de consulta indispensable. Es autor, además, de *Sueño y realidad del teatro* (1949), *Teatro mexicano del siglo XX* (1956), *Breve historia del teatro mexicano* (1958), en colaboración con Ruth S. Lamb, *El teatro y el cine* (1962) y *Medio siglo de teatro mexicano (1900-1961)* (1964). Como dramaturgo se dio a conocer con *Semilla del aire* (estr. 1956) y *El sitio y la hora* (estr. 1961). ANTONIO ACEVEDO ESCOBEDO (1909), nació en Aguascalientes, Ags. Vino a la capital de la República en 1925, donde se inició como periodista en *El Universal Ilustrado*. Más tarde colaboró en *Revista de Revistas* (1932-1938), *El Nacional* (desde 1934 hasta la fecha), *Fábula*, *Letras de México* (1937-1946), *El Hijo Pródigo*, etc. Desde 1959 tiene a su cargo el Departamento de Literatura del INBA, donde ha desarrollado una magnífica labor y en donde ha sido el promotor de los interesantes ciclos "Los narradores ante el público". Su primer libro de relatos, *Sirena en el aula*, apareció en 1935, y publicó después *En la feria de San Marcos* (1951), *Los días de Aguascalientes* (1952), *Al pie de la letra* (1953), etc. En 1941 escribió una farsa popular para teatro guignol: *¡Ya viene Gorgonio Esparza!* En *El azufre en México*, presentó algunos aspectos de la explotación extranjera de ese producto. Acevedo Escobedo se ha distinguido como un comprensivo registrador del pulso de las letras nacionales, a través de innumerables ensayos, prólogos, antologías y artículos y reseñas publicados en revistas y periódicos del país y del extranjero.

25. LOS NACIDOS EN LA DÉCADA 1910-1920: JOSÉ ROJAS GARCIDUE-ÑAS, OCTAVIO PAZ,(*) MARÍA DEL CARMEN MILLÁN, JOSÉ LUIS MARTÍNEZ

JOSÉ ROJAS GARCIDUEÑAS (1912), nació en Salamanca, Guanajuato. En 1938 obtuvo el grado de Licenciado en Derecho en la Escuela Nacional de Jurisprudencia de la Universidad de México, y en 1954 el de Maestro en Letras en la Facultad de Filosofía y Letras de la misma Universidad. De 1953 a 1954 fue profesor y director de la Escuela de Filosofía y Letras de la Universidad de Guanajuato; jefe del Departamento de Información para el Extranjero de la Secretaría de Relaciones Exteriores (1947-1948). Es Investigador del Instituto de Investigaciones Estéticas de la Universidad Nacional desde 1939, y profesor de la Facultad de Filosofía y Letras; abogado consultor de la Dirección General de Límites y Aguas Internacionales de la Secretaría de Relaciones Exteriores desde 1956, y miembro de la Academia Mexicana de la Lengua a partir de 1961. Las investigaciones sobre la historia del teatro, de la literatura y del arte mexicano en general en la época de la Colonia, están representados por Rojas Garcidueñas, firme conocedor de la cultura de ese tiempo. Se le deben obras fundamentales como *El teatro de la Nueva España en el siglo XVI* (1955), *Don Carlos de Sigüenza y Góngora, erudito barroco* (1945), *El antiguo Colegio de San Ildefonso* (1951), *Bernardo de Balbuena, la vida y la obra* (1958), así como

(*) Ver la sección de los poetas nacidos en la década 1910-1920.

importantes estudios sobre Sor Juana Inés de la Cruz, Genaro Fernández MacGregor, Bernardo Couto, Gilberto Owen, etc. En 1959, en colaboración con John S. Brushwood, publicó una *Breve Historia de la novela mexicana*, valioso manual para los estudiosos e investigadores de nuestra literatura, y recientemente *Presencias de don Quijote en las artes de México* (1968).

MARÍA DEL CARMEN MILLÁN (1914), es originaria de Teziutlán, Estado de Puebla. Obtuvo los grados de maestra y doctora en Lengua y Literatura Españolas, en la Facultad de Filosofía y Letras de la Universidad Nacional, en donde es, a partir de 1954, profesora de Tiempo Completo, y desde 1966, directora de la Escuela de Cursos Temporales de la misma Universidad. Como directora del Centro de Estudios Literarios, ha promovido una etapa de seria investigación colectiva sobre literatura mexicana, estimulando y dirigiendo las obras que dicha institución publica. Su propia labor literaria, recogida en libros o dispersa en publicaciones del país y del extranjero, la sitúan como una de las autoridades más respetables en el campo de su especialidad. Su amplia información y su objetividad crítica le han sido reconocidas en los círculos universitarios dentro y fuera de México. Su primer volumen, *El paisaje en la poesía mexicana* (1952), mereció comentarios elogiosos de Alfonso Reyes y Salvador Novo. En *Ideas de la Reforma en las letras patrias*, María del Carmen Millán presenta una reseña de los novelistas, poetas y periodistas de aquella época. Ha escrito otros ensayos sobre *El Modernismo de Othón* (1959), *La Generación del Ateneo y el ensayo mexicano* (1961) y un estudio y antología de ensayistas latinoamericanos, no recogido en volumen. Además de sus dos antologías: *Cuentos americanos* (1946) y la *Poesía romántica mexicana* (1957), ha editado y prologado las obras de Angel de Campo: *Ocios y Apuntes* y *La Rumba* (1958) y *Cosas vistas y Cartones* (1958); las de Ignacio M. Altamirano, *El Zarco. La navidad en las Montañas* (1966) y *Clemencia. Cuentos de invierno* (1966), la de Genaro Estrada, *Pero Galín* (1967), y escrito un "Panorama de la Literatura Mexicana" para el *Diccionario de escritores mexicanos* (1967), del Centro de Estudios Literarios que ella dirige. La *Literatura mexicana* (1962) es una obra útil dedicada a los estudiantes de bachillerato, en que la autora sintetiza con claridad eficiente la evolución literaria de México. JOSÉ LUIS MARTÍNEZ (1918), nació en Atoyac, Jalisco. Terminó sus estudios secundarios y preparatorios en la Universidad de Guadalajara, y la carrera de Letras en la Universidad Nacional Autónoma de México. Fue codirector de la revista *Tierra Nueva* (1940-42), director de *Letras de México* (1943), redactor de *El Hijo Pródigo* (1943-46) y de la *Nueva Revista de Filología Hispánica*, director de la *Revista Mexicana de Literatura*, codirector de *Estaciones* (1956), etc. Ha sido profesor de literatura en varias instituciones educativas, entre otras la Facultad de Filosofía y Letras; embajador de México en el Perú (1961-1963) y en la UNESCO (1964); académico de la lengua a partir de 1958, y actualmente desempeña el cargo de director del Instituto Nacional de Bellas Artes. José Luis Martínez había realizado ya una encomiable labor como crítico e historiador de nuestras letras cuando

aparecen, en 1949 y 1950, los dos volúmenes de su *Literatura mexicana siglo XX*, en los cuales recoge la más completa información hasta entonces sobre escritores mexicanos, españoles residentes en México, antologías, bibliografías, estudios críticos y revistas literarias, así como varios estudios que el propio autor había escrito desde 1941. En sus dos tomos de *El ensayo mexicano moderno*, José Luis Martínez muestra el panorama de lo que ha sido nuestra prosa a partir del momento en que empezó a apartarse de los moldes tradicionales. *La expresión nacional* (1955) es una valiosa recopilación de trabajos, publicados por el autor desde 1947 hasta 1952, y constituye una fuente indispensable para el conocimiento de la literatura del siglo XIX, en que se gesta "la maduración de la independencia intelectual y la realización de una expresión nacional original". Su obra se complementa con los innumerables trabajos monográficos que sobre literatura mexicana ha escrito en prólogos, notas, ediciones, etc.

26. LOS NACIDOS EN LA DÉCADA 1920-1930: ANTONIO ALATORRE, SALVADOR REYES NEVARES, ERNESTO MEJÍA SÁNCHEZ, HENRIQUE GONZÁLEZ CASANOVA, RAMÓN XIRAU, MIGUEL LEÓN PORTILLA, EMMANUEL CARBALLO

ANTONIO ALATORRE (1922), nació en Autlán, Jalisco. Realizó sus estudios profesionales en la Facultad de Filosofía y Letras de la Universidad Nacional y en el Colegio de México. Ha sido profesor e investigador en ambas instituciones. Desde 1953 hasta 1960 fue secretario de la *Nueva Revista de Filología Hispánica*, y su director desde 1960 a la fecha. Actualmente es director del Centro de Estudios Lingüísticos y Literarios del Colegio de México. Alatorre se ha distinguido como investigador, filólogo, ensayista y maestro. Sus trabajos de crítica y teoría literaria se encuentran aún dispersos en publicaciones periódicas nacionales y extranjeras. Es autor de *Las "Heroidas" de Ovidio y su huella en las letras españolas* (1950), "Los romances de Hero y Leandro" (1956), "Para la historia de un problema: La mexicanidad de Ruiz de Alarcón" (1956) y "Nota (prescindible) a unos sonetos de Sor Juana" (1964). SALVADOR REYES NEVARES (1922), es originario de la ciudad de Durango, Dgo. Hizo la carrera de Derecho en la Universidad Nacional, y llevó algunos cursos en la Facultad de Filosofía y Letras. Fue miembro del grupo Hiperión, y fundó, con varios amigos, la editorial "Los epígrafes", que de 1951 a 1952 dio a la estampa una veintena de pequeños libros de escritores jóvenes. La obra de Reyes Nevares comprende ensayo, cuento y artículos de crítica literaria, publicados en las principales revistas y suplementos literarios de la capital. Es autor de un libro de cuentos: *Frontera indecisa* (1955), y ensayos como *El amor en tres poetas* (1951), *El amor y la amistad en el mexicano* (1952) y el capítulo referente a México que aparece en *Panorama das literaturas das Américas* (Coimbra, Portugal, 1967). ERNESTO MEJÍA SÁNCHEZ (1923), nació en Nicaragua, en cuya Universidad de Oriente y Mediodía hizo la carrera de Derecho. Reside en México desde 1944, año en que ingresó a la Facultad de Filosofía y Letras de la UNAM, y donde obtuvo la maestría en Letras Españolas (1951). Ha hecho estudios especializados en la Universidad Central de Madrid, e investigaciones en El Colegio de México. Actualmente tiene a su cargo la publicación de las *Obras completas* de Alfonso Reyes. Ha sido laureado en su país con el Premio Nacional de Poesía "Rubén Darío", por su colección de poemas inéditos: *La impureza* (1950), y en 1955 obtuvo un segundo premio en el concurso centroamericano de El Salvador con su libro: *Contemplaciones europeas* (1957). Como investigador y ensayista, Mejía Sánchez ha destacado por la profundidad de su crítica e interpretación de la obra de Rubén Darío, a quien ha dedicado volúmenes como *Cuentos completos de Rubén Darío* (1950), *Los primeros cuentos de Rubén Darío* (1951), *Poesía de Rubén Darío* (1952), *Rubén Darío poeta del siglo XX* (1966), *Estudios sobre Rubén Darío* (1968). HENRIQUE GONZÁLEZ CASANOVA (1924), es originario de Toluca, Estado de México. Hizo estudios en la Facultad de Derecho de la UNAM, en el Colegio de México y en la Escuela Nacional de Antropología. De 1955 a 1961 fue Director General de Publicaciones de la Universidad Nacional. Es profesor titular en la Escuela Nacional de Ciencias Políticas y Sociales. Como periodista, González Casanova fue director interino del suplemento cultural "México en la Cultura" (1951); coordinador de la revista *Universidad de México* (1953-1961); editor, de 1954 a 1961, de la *Gaceta de la Universidad*. Actualmente es miembro del consejo editorial de la revista *Cuento*, fundada en 1964. Henrique González Casanova se ha distinguido por su amor a las letras mexicanas contemporáneas y por sus críticas literarias, ensayos, prólogos y artículos, obra que en conjunto le ha valido ser designado, en 1964, experto en

el ramo de humanidades y periodismo, por el Consejo de la Asociación Mundial de Universidades.
De sus numerosos trabajos, no re-
copilados en volumen, mencionemos
su importante "Reseña de la poesía
mexicana del siglo XX" (1953),
"Estado actual de la literatura mexicana" (1953) y "Los novelistas
mexicanos de la Revolución"
(1953). RAMÓN XIRAU (1924), nació en Barcelona, España. Desde
1939 reside en México, donde en
1946 obtuvo el grado de maestro
en Filosofía. Fue subdirector del
Centro Mexicano de Escritores
(1953-1964) y editor del *Boletín*
de ese centro. En 1945 hizo viajes
a Inglaterra y Cuba; en 1956 a
Francia y los Estados Unidos, sus-
tentando conferencias y dictando
cursos en diferentes universidades.
Actualmente dirige la revista *Diálogos*, de la que fue uno de sus
fundadores. Ramón Xirau ha cultivado la poesía en catalán y la
prosa en español. Es, sin duda, uno
de los mejores críticos de la poesía
en lengua española, como lo com-
prueban sus libros: *Tres poetas de
la soledad* (1955). *Poesía hispanoamericana y española* (1961), *Pri-
micia de introducción* (1962), *Poetas de México y España* (1962),
*Genio y figura de Sor Juana Inés
de la Cruz* (1968), etc. El resto
de su producción comprende: *Método y metafísica en la filosofía de
Descartes* (1946), *Duración y existencia* (1947), *El péndulo y la
espiral* (1959), *Las máquinas vivas*
(1959), *Introducción a la historia
de la filosofía* (1964). MIGUEL
LEÓN PORTILLA (1926), nació en
la ciudad de México. Es Maestro
en Artes, graduado en 1951 en la
Universidad de Loyola, de Los Ángeles, California, Estados Unidos;
doctor en Filosofía, graduado en
1956, en la UNAM, donde imparte

Historia de la Cultura Náhuatl desde 1957. Ha sido, sucesivamente,
secretario, subdirector y director
del Instituto Indigenista Interame-
ricano. Desde 1962 es académico
de la lengua, y, desde 1963, director del Instituto de Historia de la
UNAM. Historiador y filósofo, León
Portilla se ha dedicado al estudio
del México antiguo: la cultura y las
letras prehispánicas. Sus libros: *Visión de los vencidos* (1959), escrito en colaboración con el doctor Garibay K., *Siete ensayos sobre cultura náhuatl* (1958) y *Trece poetas
del mundo azteca* (1967), son fuente indispensable para el conocimiento integral de nuestra cultura. Su
bibliografía comprende además de
los mencionados, *Ritos, sacerdotes y
atavíos de los dioses* (1958), *Los
antiguos mexicanos a través de sus
crónicas y cantares* (1961), *La filosofía náhuatl estudiada en sus
fuentes* (1956), *Imagen del México
antiguo* (Argentina, 1963), *Las literaturas precolombinas de México*
(1964), *El reverso de la Conquista*
(1964), *Estudios de historia novo-
hispana* (1966), *Tiempo y realidad
en el pensamiento maya / Ensayo
de acercamiento* (1968), etc. EMMA-
NUEL CARBALLO (1929), es originario de Guadalajara, Jalisco, donde
hizo sus estudios y dirigió las revistas *Ariel* (1949-1953) y *Odiseo*
(1952). Ya en la capital de la República, fue secretario de redacción
de la revista *Universidad de México*. Fundó, con Carlos Fuentes, la
Revista Mexicana de Literatura
(1955). Fue jefe de redacción de
la *Gaceta* del Fondo de Cultura Económica. Actualmente es director de
la Editorial Diógenes, colaborador
del suplemento cultural de *Excél-
sior* y Presidente del Instituto Me-
xicano-Cubano de Relaciones Culturales "José Martí". Carballo se
dio a conocer como poeta con su

libro: *Amor se llama* (1951), publicado en Guadalajara, y más tarde como prosista con su libro de cuentos: *Gran estorbo la esperanza* (1954). Desde 1950 ha venido publicando numerosos trabajos de crítica, reseñas y entrevistas, que lo sitúan como uno de los escritores mejor informados de la literatura mexicana contemporánea. Ha prologado los *Cuentos completos* (1952) de José López Portillo y Rojas; *La guerra de tres años, seguida de poemas inéditos y desconocidos* (1955), de Emilio Rabasa; *Toda la prosa*, de Salvador Novo (1964) y las autobiografías de los "Nuevos escritores mexicanos del siglo XX presentados por sí mismos". Es autor de *López Velarde en Guadalajara* (1953); dos antologías: *Cuentistas mexicanos modernos* (1956) y *El cuento mexicano del siglo XX* (1964), cuyo prólogo es un verdadero estudio de la literatura mexicana en la época a que se refiere; de *19 protagonistas de la literatura mexicana del siglo XX* (1965) y de *Jaime Torres Bodet. Un mexicano y su obra* (1968).

INDICE ALFABETICO [1]

---

1 Los números en cursivo remiten a las páginas en que se trata especialmente de cada autor; los demás, a las páginas en general.

INDICE DE MATERIAS

358   HISTORIA DE LA LITERATURA MEXICANA

EL ENSAYO

La impresión de este libro fué terminada el
28 de Enero de 1969 en los talleres de
E. Penagos, S. A., Lago Wetter 152,
la edición consta de 5,000 ejemplares, más sobrantes para
reposición.

7 102

OVER NIGHT BOOK

ust be returned before the
on the following school day.

DEMCO NO. 28-500